Historia de la vida privada en la Argentina

Historia de la vida privada en la Argentina

Bajo la dirección de Fernando Devoto y Marta Madero

Coordinación iconográfica: Gabriela Braccio

Tomo II
La Argentina plural: 1870-1930

taurus

UNA EDITORIAL DEL GRUPO
SANTILLANA QUE EDITA EN:

ESPAÑA	PORTUGAL
ARGENTINA	PUERTO RICO
COLOMBIA	VENEZUELA
CHILE	ECUADOR
MÉXICO	COSTA RICA
ESTADOS UNIDOS	REP. DOMINICANA
PARAGUAY	GUATEMALA
PERÚ	URUGUAY

© De esta edición:
   1999, Aguilar, Altea, Taurus, Alfaguara, S.A.
   Beazley 3860 (1437) Buenos Aires

- Santillana S.A.
   Torrelaguna 60 28043, Madrid, España
- Aguilar, Altea, Taurus, Alfaguara, S.A. de C.V.
   Avda. Universidad 767, Col. del Valle, 03100, México
- Ediciones Santillana S.A.
   Calle 80, 1023, Bogotá, Colombia
- Aguilar Chilena de Ediciones Ltda.
   Dr. Aníbal Ariztia 1444, Providencia, Santiago de Chile, Chile
- Ediciones Santillana S.A.
   Javier de Viana 2350. 11200, Montevideo, Uruguay
- Santillana de Ediciones S.A.
   Avenida Arce 2333, Barrio de Salinas, La Paz, Bolivia
- Santillana S.A.
   Prócer Carlos Argüello 288, Asunción, Paraguay
- Santillana S.A.
   Avda. San Felipe 731 - Jesús María, Lima, Perú

ISBN obra completa: 950-511-539-3
ISBN tomo II: 950-511-558-X
Hecho el depósito que indica la Ley 11.723

Ilustración de cubierta: *La hora del almuerzo* (detalle). Óleo sobre tela
   de Pio Collivadino, 1903. Museo Nacional de Bellas Artes.

Impreso en la Argentina. *Printed in Argentina*
Primera edición: octubre de 1999

Introducción

Fernando Devoto
Marta Madero

Un país de contrastes es la Argentina que exploramos en este volumen. Ellos ya no son sólo aquellos que, hijos de los distintos espacios, prefiguramos en el primer tomo. Ahora el país es muy distinto. El desierto ha ido rápidamente poblándose y la inmigración ha ocupado un lugar preponderante en el proceso. Ha sido dicho que ningún país del mundo, con la excepción de Australia (pero allí se trataba de una migración dentro de un mismo imperio), recibió un porcentaje equivalente de inmigrantes en relación con su población. En este punto la Argentina duplicó en porcentaje a los Estados Unidos en el tránsito entre los siglos XIX y XX. Ciertamente la distribución no fue uniforme y hubo áreas, como la ciudad de Buenos Aires o las provincias del eje fluvial, que recibieron el impacto más profundamente: estaban, a la vez, menos pobladas y el número de inmigrantes que allí se instaló fue mucho mayor que en las provincias mediterráneas.

José Luis Romero empleó una expresión feliz para referirse a ese país que se transformaba: la Argentina aluvial.[1] Desde luego que no todos los cambios tenían que ver con la inmigración, y ésta, a su vez, estaba vinculada con la increíble expansión agropecuaria que convertía modestas riquezas a escala sudamericana en enormes fortunas a escala internacional. La expansión traía también diversificación de actividades y la relativamente simple economía rioplatense generaba, desde su sector agropecuario, eslabonamientos hacia nuevos sectores urbanos e industriales y, a la vez, proveía de recursos para un Estado que construía su estructura administrativa, educativa, jurídica, política.

Es un ejercicio contrafactual interesante hipotetizar cómo hubieran cambiado las costumbres, la sociabilidad, las formas de la privacidad, si la inmigración no hubiera tenido lugar. ¿Habría seguido de todos modos pautas equiparables a las de otros países atlánticos y el resultado final habría sido semejante? Nunca lo sabremos. En los hechos, las transformaciones que se produjeron estaban asociados a la inmigración, sea en los espacios, sea en las imágenes, sea en las retóricas justificatorias.

Un país plural surgía pleno de contrastes. La antigua contraposición entre el Litoral y el Interior adquiría nuevos significados, al compás de la europeización y del desarrollo del capitalismo. Serían la Argentina moderna y la Argentina tradicional, como dirá, posteriormente, nuestro sociólogo mas notable.[2] Quizás esta imagen, como la de muchos contemporáneos, sea exagerada en su contrapunto y también en el profundo norte una "modernización" (a falta de otra palabra más funcional) tenía lugar, pero ello no quedó en la percepción de los actores que tendieron a resaltar la idea de las dos Argentinas. Una sería de ritmo lento, apegada a las antiguas tradiciones, a los viejos buenos hábitos de la época colonial, a sus ritmos, a sus formas de sociabilidad, al modelo de familia patriarcal, a su modestia de recursos, a su economía de expresión, a sus ascéticos valores hispanocriollos; la otra sería de ritmo acelerado, abierta al exterior, advenediza, ampulosa, prematuramente enriquecida, apegada a los nuevos ídolos del dinero, de la simulación social. La misma familia, ahora nuclearizada, parecía corromperse tanto por las tentaciones de la vida urbana como por las disposiciones de un Código Civil que promovía la tensión entre matrimonio, herencia y división del patrimonio.

Como todo lugar común, también esa arquetípica contraposición reposa sobre algunas realidades sociales y no solamente sobre percepciones, aunque, desde luego, las percepciones producen por sí solas realidades sociales. En cualquier caso, este tomo aspira a presentar esas contraposiciones pero también a ir más allá de ellas. Si hubo fuertes diferencias ligadas a una sociedad, que en los hechos funcionaba en forma plural –es decir que en ella coexistían colectivos sociales, relativamente autonomizados en sus jerarquías, sus patrones de comportamiento y sus formas de sociabilidad–, muchos de los problemas fueron comunes a inmigrantes y nativos, a hombres del Interior y del Litoral. El primero de todos ellos era el de la ubicación social. Como en el juego de la silla vacía, la consigna era que cada uno ocupase, lo más rápido posible, su lugar. Tarea no fácil en una sociedad de aluvión, donde todo era relativamente reciente y la misma clase alta que ahora buscaba cerrarse y atribuirse la preeminencia que imaginaba le correspondía por la antigüedad de residencia –de ahí la definición de patriarcado– había arribado a fines del siglo XVII o incluso posteriormente. Todo estaba además en movimiento, en ese marco de bonanza económica y especulación, lo que ayudaba a que demasiados estuvieran de acuerdo con la afirmación de Juan Agustín García de que lo que caracterizaba la autoconciencia de los argentinos era esa máxima, tan contradictoria con cualquier jerarquía, que como una voz surgía desde el fondo de la pampa: "naides es mas que naides".[3] Pues bien, al menos las elites pensaban que sí, que algunos eran menos que otros y sus representante ilustrados concluían que esa era la verdadera tarea a realizar: fortalecer, construir –donde no las hubiera– las distancias sociales.

Distancia social existía, desde luego, en el país antiguo, mas allá de las retóricas acerca de aquella democracia inorgánica que habría producido la igualitaria pobreza de la vida colonial. Sin embargo, aquellas diferencias se asentaban, en primer lugar, en la visibilidad. Las distinciones basadas en las castas no desaparecieron en la Argentina por obra de la Asamblea del año XIII y la sociedad siguió viéndose a través de ese prisma. Blanco y decente fueron, en gran medida, sinónimos. Ahora todo era más complejo; ello llevaba no sólo a tratar de reformular la distancia social sino, en la medida de lo posible, a ampliarla y hacerla más exteriormente visible. Ese proceso de construcción de jerarquías sociales, en una abierta sociedad de frontera que en su movilidad implícitamente las discute, es uno de los temas que aquí nos ocupan. Un proceso en realidad doble, primero de autoidentificación de cada grupo con ciertos referentes que los distingan y luego de incorporación de todos ellos en una jerarquía que implicaba una más elevada posición social cuanto más cerca estuviese de los ideales de belleza, de prestigio, de elegancia que fuesen establecidos como cánones. Uniformidad de valores de referencia pero diferencia de prácticas y de consumos. En esa dicotomía estaba contenido gran parte del proyecto "civilizador".

El proceso de autoidentificación comienza en la elite y, en ella, desde los lugares. La mudanza de la elite porteña de Catedral al sur, al barrio de la Merced, primero, y al del Socorro, luego, es tan reveladora como el cambio del tipo de vivienda que acompaña el desplazamiento. La relativamente modesta casa de Bartolomé Mitre, que el lector puede todavía contemplar en la calle San Martín, contrasta abusivamente con el Palacio Devoto en la plaza Lavalle o las algo más tardías mansiones estilo *Beaux Arts* de Magdalena Dorrego de Ortiz Basualdo, en Arenales y Maipú, o de Mercedes Castellanos de Anchorena, en el ángulo de Arenales y Esmeralda. Además del estilo, de las dimensiones y de las disposiciones, la distinción está en la decoración y en el mobiliario que en prestigio comenzará a devenir sinónimo de dos casas, Thompson y Maple.

El papel simbólico, escenográfico de las nuevas viviendas va acompañado por su cerrazón hacia el exterior, para convertirse en un espacio más privado. Ya el hábito de llegar sin avisar, quedarse a cenar e incluso a dormir en cualquier lado, común en las descripciones que vimos en el primer tomo, ha sido plenamente abandonado. La tarjeta de visita que se deja en el hall de ingreso –y que acompaña inevitablemente las intrusiones no planificadas– es el símbolo del comportamiento recomendable en la elite. Ella pone distancia, sustituyendo la interacción social por la epistolar. Del mismo modo, la casa del patriciado no es ya el lugar central de la sociabilidad cotidiana, formal o informal, salvo en ocasiones especiales –fiestas, bailes– rigurosamente planificadas. La tertulia, al igual que en el contexto europeo, ha dejado el espacio doméstico para instalarse en lugares públicos o en esos otros ámbitos de la privacidad que proliferan ahora en los espacios urbanos grandes o pequeños: las asociaciones voluntarias, desde los clubes de prestigio hasta las sociedades de socorros mutuos. Sociabilidad en nuevos lugares y bajo nuevas formas, ellas implican también una segregación de papeles sociales y de espacios entre los miembros masculinos y femeninos del grupo familiar.

La vivienda y la sociabilidad a ella inherente son sólo el principio. Juan Agustín García podía ironizar, en sus "Cuadros y caracteres snobs", acerca de que un buen decorador (o un buen maître) estaba al alcance de cualquier chacarero piamontés enriquecido que decidiera instalarse en Buenos Aires.[4] La distinción debía pues colocarse pronto en otro lado. Los consumos de bienes intermedios y suntuarios y los buenos modales serían el ámbito subsiguiente donde se lucharía por establecer las diferencias y las pertenencias. Los tiempos en que en la mesa no había bandeja de pan ni salseras ni ensaladeras, no había copas sino vasos, eran ya un recuerdo. La vajilla de porcelana francesa y los cubiertos de plata eran algo que todos aquellos que aspiraran a ocupar un lugar de prestigio, aun dentro de las clases medias, debían tener y utilizar.

La ropa y los modales eran, con todo, los lugares donde más visiblemente se producía la disputa. Sin embargo, aunque buenos signos identificatorios, eran también imitables, más rápidamente la primera que los segundos. La consigna general era huir de cualquier modo del estereotipo de "guarango" estigmatizado por tantos, a comenzar por José María Ramos Mejía, o de sus parientes conceptuales, el "patán", el "huaso", el "chiruzo". El guarango era en general el inmigrante advenedizo o sus hijos pero, en un modo diferente, también podía serlo la antigua elite provinciana y caudillesca. Nada era estimado más grotesco que las enormes galeras que adornaban la cabeza del general Urquiza o del general Hornos, salvo el italiano travestido de gaucho o de vasco de las arenas rurales.

Los modales son un ejercicio exterior, una representación, se dirá, pero que debía desempeñarse con naturalidad y sin cuidado, lo que implicaba una larga disciplina de ejercitación en el refugio doméstico. Ahí o en el mundo universitario –decía Ramos Mejía– se hacía el necesario *vernissage* que permitía lijar la áspera corteza y suprimir el "olorizo picante al establo y al Asilo". Se trataba de eludir la estridencia, los colores vivos de la oleografía –que procedería según el médico alienista, de la pintura del suburbio–, la música chillona originada en el organito de sus padres, la ropa barroca, los excesos de mercería en la indumentaria del hogar, síntomas todos de ese "guarango" que, resultado de su posición en la "paleontología social", tenía esa sobreexcitación de los sentidos como el "erotómano del intenso olor de la carne".[5] Sobriedad, corrección, incluso en el entierro: nada de esos colores negros y demasiado relucientes, en los "morenos enlutados", en la tapicería, en los sombreros, en los caballos "lujuriantes que acompañaban la ahora popularizada pompa italiana".[6]

No era tarea fácil la que se planteaban sectores de la elite nativa. Los más intelectuales o los más refinados de entre ellos, pensaban que incluso muchos miembros de su grupo –la mayoría– debían ser también objetos de una "cepillada". Por ejemplo esos estancieros en París que, en el decir de Lucio V. López, se dedicaban a "tragar museos y hacer la digestión".[7] Pulir, disciplinar, se convertía así en una labor muy extendida: había que aplicársela a los indios en el ingenio norteño, a los inmigrantes en las sociedades de socorros mutuos, a los miembros de la elite en el Jockey Club.

La tarea de "cepillar", de civilizar a una entera sociedad, es el ciclópeo cometido que se propuso un grupo de notables que reunía a la vez las ventajas de la posición social y las del prestigio intelectual. Imponer un modo de ver, de escribir, de sentir la música, de vestirse. Lo correcto y lo incorrecto. Un paralelo une los esfuerzos de Ernesto Quesada para mejorar el gusto musical de los argentinos, el de Juan Agust[in García para suprimir las vulgaridades del teatro nacional con aquéllos de Paul Groussac de obligar a pulir el estilo literario de los escritores. No sólo se trataba de apreciar a Wagner sino, antes que nada, de aprender a escribir en castellano. Pese a la malhadada Real Academia española, tan denostada, aquél era seguramente preferible al *patois* italocriollo en que amenazaba degenerar la lengua de los argentinos. Luego, refinar, decantar, eludir sensiblerías o adornos (floripondios) del lenguaje escrito, usos y abusos como los gerundios (en los que era un especialista Ricardo Rojas). *Amalia* en la literatura y el amor romántico y el sentimentalismo en la vida cotidiana devenían otros contraejemplos a evitar. Eran "cachi", expresión de la cultura de la "escuela normal". Incluso la risa, forma civilizatoria, debía volver a ser la discreta de los tiempos coloniales y no la grosera que había comenzado a imponerse desde la Independencia y que ahora el teatro popular parecía agravar. Pero también la prescripción se aplicaba a cosas más prosaicas: abandonar las costumbres de comer maní en el teatro o de pasar el mate al pie de las higueras en el patio de la casa antigua.

Respetabilidad: otra consigna que había que implantar en una sociedad que no la tenía. La respetabilidad era también, a la vez, una representación social y un requisito en la intimidad. Empezaba por la familia apegada ahora a un modelo: decente, "bien constituida", burguesa a la manera europea del siglo XIX, si se quiere. Articulada en torno de otros valores, de una noción de honorabilidad que no debía pasar por el duelo, forma bárbara de excluir, sino por el culto del trabajo, de la honestidad y de la fidelidad a la palabra empeñada. El honor era ser socialmente útil; coincidían en ello –salvo en algunos momentos puntuales– Juan Agustín García, la mayoría de los socialistas y estos frugales inmigrantes que comenzaban a componer el nucleo duro de una clase media que haría de la respetabilidad familiar una piedra de toque de su posición social. Inmigrantes que, en el decir de Ramos Mejía, llenaban las iglesias y los paseos los domingos, llenaban también los folios del registro civil, sobre todo si se casaban –como ocurría con frecuencia– con una compaisana o con la hija de algún compaisano. Más que en las aristocracias devotas –al igual que la plebe, en el decir de Borges– "del dinero, del juego, de los deportes, del nacionalismo, del éxito y de la publicidad", era allí, en esas clases medias de profesionales, docentes, empleados, donde se formulaba un modelo de comportamiento social que irradiaba hacia arriba y hacia abajo.[8]

La sociedad cambiaba demasiado rápido y más allá de la voluntad de sus intelectuales y, en general, de su elite. Otro representante de los nuevos tiempos era el almacén de alimentos que sustituía a la pulpería.[9] Lugar aceptable para ser frecuentado por las personas decentes, había en él, en comparación, una enorme variedad de productos, en muchos casos importados. Junto al almacén los albores de la publicidad, que introducía una interferencia en los dos circuitos clásicos de difusión de preferencias: el que iba de los grupos de referencia a aquellos que querían imitarlo y el que iba del almacenero experto al consumidor incierto. Pero era la comida la verdadera prueba de fuego, no de una elite sino de la sociedad toda. Aquí había "crisol", pero no sólo entre comida nativa e inmigrante sino entre comida tradicional y nuevas modas: comerse un buey asado y luego "coñaque", como decía Calzadilla.[10] La comida tradicional, de la carbonara al puchero, cedía el lugar y pronto nadie sabría que había existido, señalaba, con tremendismo, José A. Wilde.[11] Un símbolo de los nuevos tiempo eran los cambios en el alije: la solución italiana, mucho aceite y poco vinagre, sustituia a la criolla, mucho vinagre y poco aceite. En realidad, muchas de esas transformaciones eran más hijas de la heterogeneidad étnica que de la complejidad de la vida social.

Cambiaba también el ideal de belleza femenina –el cabello dorado comenzaba a ser objeto preferente a imitar entre algunas, ya en los noventa– y el uso del maquillaje se convertía en un hábito. Paralelamente (la similitud es de Calzadilla), la preferencia se inclinaba por el caballo inglés en contra del criollo. Cambiaba la sensibilidad: los niños no eran llevados ya por su maestro de escuela a presenciar una ejecución en la Plaza de la Victoria.[12] También los niños, que en bandadas daban ahora la tonalidad a la calle, eran redescubiertos como tales y Luis María Drago, en un proyecto de ley enviado al Congreso, observaba cómo los tiempos habían cambiado con respecto al mundo colonial, en el que las relaciones con los hijos no tenían ni ternura ni intimidad ni confianza.

Contrastes de muchos tipos. En primer lugar, entre elites nativas y elites inmigrantes. Las primeras, en el Jockey Club o en el Círculo de Armas; las últimas, en el *Circolo Italiano* o en el Club Español. Contrastes, luego entre inmigrantes "laboriosos" y "honestos" y nativos "holgazanes" y "taimados". Pero contrastes, también –una vez más, José Luis Romero lo había percibido con agudeza–, entre aquellas clases medias atraídas por las pautas de comportamiento de la elite (Harrod's incluido) y aquellas periféricas, suburbanas, irreductibles a esos estilos de vida, a esos valores, a esos humores.[13] En el tránsito del centro al suburbio los inmigrantes coexistieron, interactuaron pero no se disolvieron en una indiferenciada totalidad social. Inmigrantes con sus hábitos, con sus comidas, sus fiestas, sus procesiones religiosas o anticlericales, sus instituciones, sus jerarquías, su ambivalencia entre dos grupos de referencia: el de la patria de origen y el de la sociedad de recepción. Más allá, los obreros, también ellos divididos entre la segregación y la imitación. Luego, además, esos vastos y diferenciados contextos rurales. Por debajo, la movilidad social, más promesa que realidad efectiva, y una sensación de que algo no había funcionado, en la temprana canción de otoño en primavera, que muchos intelectuales se apresuraban a entonar. Ingenieros, que se queja de sus estudiantes de Filosofía y Letras que no tenían disposición ni formación adecuada para aprender nada, o García, que se lamenta de que demasiadas cosas no han cambiado, que los argentinos, como desde sus remotos tiempos coloniales, viven todavía dominados por sentimientos primarios que se repiten por la ley de la imitación que él ha aprendido de su lectura de Gabriel Tarde. Ellos eran el "pundonor criollo", el "culto nacional del coraje", el "sentimiento de la futura grandeza del país", "el espacio de la ley".[14]

La cotidianeidad y la privacidad en la Argentina moderna son demasiado complejas e insuficientemente conocidas. No todo está en su lugar por más que nos esforcemos en ponerlo. En el mismo momento en que el ideal civilizador parece triunfar reemergen el criollismo, el martinfierrismo, la búsqueda de una identidad pasada en la que reconocerse. Proceso desde arriba (poetas y escritores prestigiosos) y desde abajo: los disfraces de gaucho (en especial de Moreira) parecen haber sido los más populares, sobre todo entre los inmigrantes y sus descendientes, en los carnavales de las ciudades del litoral argentino.[15] La exaltación de la "barbarie" es una de las paradojas de ese proceso civilizatorio, aunque ciertamente ese criollismo hiperbolizado por Eduardo Gutiérrez, satirizado por los Podestá, funciona un poco a la Sergio Leone *avant la lettre,* destruye el mito al exacerbarlo. Sin embargo, no deja de ser curiosa esa imagen de la elite enguantada en el teatro Coliseo que aplaude a rabiar a Lugones mientras éste consagra al *Martín Fierro* (en especial la primera parte, del gaucho desertor en rebeldía con la autoridad) como símbolo identificatorio de los argentinos.

Complejidad, diversidad, dinámica temporal que el historiador no puede omitir. Los trabajos que siguen aspiran a presentarlas.

Notas

1. J. L. Romero, *Las ideas políticas en la Argentina,* México, FCE, 1946.

2. G. Germani, *Política y sociedad en una época de transición,* Buenos Aires, Paidos, 1964.

3. J. A. García, "Sobre nuestra incultura", en *Obras completas,* Buenos Aires, Raigal, 1995, Tomo II, p. 968.

4. J. A. García, "Cuadros y caracteres snobs", en *op. cit.,* Tomo II, pp. 1055 y ss.

5. J. M. Ramos Mejía, *Las multitudes argentinas,* Buenos Aires, Rosso, 1934, p.257.

6. *Ibíd.,* pp. 258-259.

7. L. V. López, *Recuerdos de viaje,* Buenos Aires, La cultura argentina, 1915.

8. J. L. Borges, "Epílogo", en *Obras completas,* Buenos Aires, Emecé, 1989, Tomo I, p.1144.

9. J. A. Wilde, *Buenos Aires desde 70 años atrás,* Buenos Aires, Eudeba, 1960, pp. 239-242.

10. S. Calzadilla, *Las beldades de mi tiempo,* Buenos Aires, Obligado, 1975, p. 58.

11. J. A. Wilde, *op. cit.,* p. 169.

12. S. Calzadilla, *op. cit.,* p. 94.

13. J. L. Romero, "La ciudad burguesa", en J. L. Romero y L. A. Romero, *Buenos Aires. Historia de cuatro siglos,* Tomo II, Buenos Aires, Abril, 1983, pp. 9-18.

14. J. Ingenieros a R. Rivarola, 5-11-1915, en Archivo de la Facultad de Filosofía y Letras, B-3-14, leg. 11; J. A. García, "La ciudad indiana", en *op. cit.,* Tomo I, pp. 286-287.

15. A. Prieto, *El discurso criollista en la formación de la Argentina moderna,* Buenos Aires, Sudamericana, 1985.

Sociabilidades

Eduardo J. Míguez
Sandra Gayol
Romolo Gandolfo

Sociabilidades. *La familia, el café, el barrio. Tres ámbitos delimitan aquí las formas de la experiencia. Una primera observación hace a la historia de la familia, tema ineludible para pensar este momento en el que se ha transformado en la pauta misma de la privacidad aunque, como veremos, el barrio la prolonga en asociaciones vecinales, júbilos callejeros y fastos mortuorios. Las estructuras familiares presentan una notoria diversidad, étnica, por una parte, entre familias urbanas y rurales, entre elites y sectores populares, por otra. Pero se verifica al mismo tiempo la expansión de un modelo que hasta cierto punto reduce las zonas de oposición radical entre familias "decentes" y blancas de la elite y sectores populares: la familia de clase media. Ésta se construye en buena medida sobre un mito que narra su antigua solidez moral y su progresivo deterioro y hace de la mujer el pilar de esta moral asediada. La mujer, "toda maternidad", diría Osvaldo M. Piñero en 1888, como un eco de los fundadores de la "antropología moral" que algunos decenios antes afirmaban que todas las partes del cuerpo femenino –los órganos, los tejidos, las fibras– "respiran la mujer..." (J. L. Brachet). Una segunda observación hace a la marca de la inmigración. Tanto las cadenas migratorias como las elecciones matrimoniales o las redes de sociabilidad vecinal muestran una continuidad con los lugares de origen. En este sentido, y contrariamente a la imagen tradicional que veía exclusivamente una inmigración de hombres solos, es la naturaleza parental, paisana, de buena parte del proceso migratorio, la que explica la reconstrucción de lazos y convivencias. Esa fortaleza de las redes sociales está en el origen de las pautas residenciales y matrimoniales, favorece la mayor nupcialidad de las mujeres inmigrantes que se opone a la frecuencia de nacimientos ilegítimos en esos "hogares criollos" que se multiplican, según la imagen feroz de G. Daireaux, "con una regularidad de majada estacionada". La voluntad de elegir cónyuge, en la medida de lo posible, dentro del propio grupo, acompaña la de vivir cerca de amigos y parientes, de aquellos que van a sostener el intento de ascenso social que se hará más arduo para los inmigrantes tardíos, que crearán entonces sus propias instituciones como lugares desde donde legitimar, ante su grupo de pertenencia, el prestigio acumulado.*

La sociabilidad de los cafés será masculina casi siempre, breve para las elites, que prefieren el club, demorada para los que escapan de la diminuta pieza del conventillo. La ausencia de mujeres no es, sin embargo, necesariamente, la marca de sociabilidades dislocadas con respecto a las de la familia y el barrio, que las integran en mayor medida. Puede revelar, por el contrario, la fortaleza de los vínculos sociales que autorizan la fijación de roles. Murmullos confesionales y pendencias de ebriedad o de ultraje hacen de los cafés un lugar donde se ostenta un honor que más de una vez será, como diría sir John Falstaff, un escudo funerario. Los discursos que condenan la legitimidad de la violencia reparatoria privada surgen con regularidad en los momentos en que una sociedad se dota de instituciones y proyectos de conformación de sujetos políticos sometidos a la centralización. Así había sucedido –va de suyo, con las debidas diferencias– en la Grecia del siglo V, en los numerosos ordenamientos de los siglos XIII y XIV en una Europa donde se gestaba el Estado moderno, en la Argentina del siglo XIX que intentaba imponer los "dictados de la conciencia" por encima de los avatares sangrientos de la reputación. Y estos momentos constituyen por excelencia reconfiguraciones de las fronteras entre público y privado centrados en la idea de que el sujeto político, el súbdito, el ciudadano, entregan ciertas satisfacciones privadas, como llamaría Felipe V a los desafíos y duelos a comienzos del siglo XVIII, a la ficción de un tercero absoluto de las instituciones públicas.

La familia, el café, el barrio. Como se verá, estos ámbitos de sociabilidad desdibujan la oposición entre público y privado o, mejor dicho, dibujan lo que son. Las estructuras familiares obedecen a sistemas complejos y variables de decisión que a su vez acaban respondiendo a ciertos lugares comunes, del mismo modo que, como diría Borges, los payadores acaban abundando en criollismos por influencia de la poesía gauchesca culta. En el café se dirimen las reglas de esa categoría elusiva y múltiple que es la honra y que despliega el esfuerzo de hacer públicos los secretos vanidosos, de postular una moral superior a las normas del Estado, de morir sin un gesto. Mientras que la vida del barrio nos remite a las sociabilidades híbridas que, por ejemplo, encargan a las asociaciones los recordatorios sensibles, las experiencias, los olores, los placeres de la infancia y de la juventud. En los tres casos, también, podemos decir que la sociedad argentina es como "una piel de leopardo"; estrategias de alianza, formas diversas de la vida asociativa, usos múltiples de un mismo espacio, no separan grupos con estrategias sistemáticas y diferenciadas, y los textos que presentamos muestran esta complejidad; pero, como diría Clifford Geertz, es mejor pintar el mar como lo hace Turner que transformarlo en una vaca de Constable.

Fernando Devoto
Marta Madero

Familias de clase media:
la formación de un modelo

Eduardo J. Míguez*

La familia en el pasado evoca sin duda una imagen bien definida: autoridad patriarcal y cierta sumisión de los demás miembros, en particular de las mujeres; una rígida moral, especialmente la moral sexual femenina; concentración de la actividad de las mujeres en las tareas domésticas en tanto que el hombre es quien trabaja fuera del hogar y provee las necesidades económicas; una severa crianza de los hijos –en especial por parte del padre–, hasta la independencia de los varones luego de la adolescencia, y de las mujeres con el matrimonio; un número de hijos bastante mayor que el actual, quizá la presencia de los abuelos en el hogar.

Hasta cierto punto, esta representación de la familia del pasado se construye por contraste con la imagen de la familia actual: más permisiva, con mujeres que buscan su propia realización personal al margen de la vida hogareña, con menor número de hijos, los que son menos respetuosos, pero seguramente más cariñosos con sus padres. Si creemos haber sido testigos de estos cambios de pautas culturales en las últimas dos o tres generaciones, fácil es suponer que cuanto más atrás nos remontemos en el tiempo, más pronunciadas serán las características "conservadoras" de la familia.

¿Confirma la investigación histórica esta imagen? La respuesta es ambigua. En primer lugar hay que señalar que, frente a una rica tradi-

Todos exhiben su mejor vestimenta y el niño, su mayor logro cultural. Por la composición del cuadro familiar, la escena podría ser considerada como la estandarización de las reglas del género fotográfico. Sin embargo, el detalle de la flauta y la partitura se vuelve un artilugio de ostentación que denota el origen social de los actores. Fechada en 1905, la fotografía muestra una familia de inmigrantes trentinos que ha encontrado el camino del ascenso social en un pueblo de la provincia de Buenos Aires. Es posible que una copia haya sido enviada a sus parientes en Italia.
(Archivo personal del autor)

* Agradezco el apoyo de la UNCPBA para este trabajo, y la entusiasta y lúcida asistencia de R. Pasolini.

ción de investigación sobre estos temas en Francia y sobre todo en el mundo anglosajón –que en los últimos treinta años han producido sólidos resultados–, la historia de la familia en nuestro país está aún en estado larval. Dicho esto, lo que sabemos nos hace suponer que esa imagen de la familia del pasado a la que hacíamos referencia al abrir este capítulo es en realidad una construcción bastante más reciente.

En efecto, lo primero que revela una mirada a los testimonios que han sobrevivido hasta nuestros días –memorias, relatos literarios, documentos policiales y legales, registros civiles y eclesiásticos– sobre las familias de fin del siglo pasado y comienzos del actual, es una enorme diversidad. Diversidad étnica, en una población compuesta por piamonteses, genoveses, lombardos, napolitanos, calabreses –decir italianos sería una injustificada generalización–, gallegos, vascos, bearneses, suizo-alemanes, criollos de diversas partes del Interior, etcétera. Pero sobre todo, diversidad social. La familia rural tan diferente de la urbana; la de la elite, diametralmente distinta de la popular.

Lo que en cambio parece posible percibir, en especial a partir de las primeras décadas del siglo actual, es el proceso de construcción de un modelo familiar que, si en los hechos dista mucho de ser capaz de subsumir en su marco las muy diversas prácticas sociales, en las imágenes, al menos, parece capaz de transformarse en el modelo universal de familia. Es, diríamos, el modelo de la "clase media", sector social que se define precisamente a partir de una construcción de imágenes; fruto del proceso de urbanización, de movilidad social, de la diversificación de los consumos, del sincretismo étnico, de la escolarización, de la construcción de la identidad nacional, de la fijación de nuevos estándares de corrección social.[1]

Si en la "Argentina criolla" previa a la gran inmigración, la sociedad –especialmente la urbana– estaba irreductiblemente dividida entre la elite o "gente decente" y los demás, en la que emerge de la gran expansión agroexportadora y del aluvión inmigratorio, el deber ser de las pautas de conducta tiende a unificarse para todos los sectores sociales. Desde ámbitos tan diversos como el Estado, las iglesias, la ciencia, e incluso partidos políticos disidentes –como socialistas y, en cierto sentido, anarquistas– se va construyendo ese modelo de conducta que es lo que hemos denominado la familia de clase media.

Curiosamente, sin embargo, ese modelo nace evocando, como fuente de su legitimidad, no el porvenir, sino el pasado. La familia de clase media o familia burguesa –como suele llamársela– es en nuestro país una creación de los albores de este siglo, y desde su inicio se construye como un polo de resistencia frente a cambios de moral y de conducta destinados a socavar sus cimientos y, con ellos, los de la sociedad toda. Para Raúl Ortega Belgrano:

"La falta de una buena guía permite a la mujer la aceptación de una moda que, al descubrir su cuerpo, acrecienta el número de sus carnales perseguidores y la probabilidad de su caída.

"Si busca en la lectura esparcimiento del espíritu, se encuentra con el folletín que la intoxica moralmente; si acude a las fiestas, el baile moderno fustiga sus instintos, en el íntimo contacto de dos cuerpos dirigidos por un hombre que se esfuerza por despertar reacciones sensuales si, en fin, va al cinematógrafo, encuentra en la mayoría de las vistas deplorables ejemplos de la escuela del crimen y el vicio".[2]

La mujer, pilar de la moral familiar, es asediada por las costumbres mundanas de una sociedad crecientemente corrompida. Sólo el lenguaje permite reconocer que el texto pertenece a la década de 1920; el contenido bien podría haber correspondido, por ejemplo, a los intentos moralizantes de los años 1960. La idea de la solidez moral de la familia tradicional y de su progresivo deterioro forma parte de la imagen de la familia burguesa.

Pero ¿cómo se construye, en realidad, este modelo familiar? Deberemos comenzar, intentando reconstruir la realidad más tangible de las familias de la segunda mitad del siglo pasado.

Familia extendida y familia nuclear

Un tema clásico en los estudios de la familia es la distinción entre familia extendida y nuclear. ¿Convivían varias generaciones bajo el mismo techo, o, por el contrario, el núcleo familiar se reducía a padres e hijos solteros? ¿Los recién casados establecían un hogar independiente (lo que se suele denominar familia "neolocal") o permanecían en la residencia paterna? Las diversas respuestas a estas cuestiones que encontramos en distintas sociedades suelen guardar relación con otros factores: la normas de herencia, la disponibilidad de tierras y viviendas, el tipo de estructura de empleo, etcétera. Pero estas fuerzas sociales "objetivas" actúan sobre una voluntad y una conciencia que suele preservar tradiciones o soluciones peculiares a las situaciones planteadas.

Desde muy temprano, el Río de la Plata ofrecía condiciones harto favorables para una estructura neolocal. La tradición legal castellana y la napoleónica –luego del establecimiento del Código Civil– establecen la partición igualitaria de la herencia, lo que facilita que cada heredero busque su independencia. La abundancia de tierras y un mercado de trabajo donde, en general, la demanda supera la oferta, también propenden al establecimiento autónomo de los nuevos núcleos familiares. Estas condiciones, sin embargo, no se pueden generalizar a todo el país. En un estudio de lo que denominan la "Argentina interior" antes del impacto de la gran inmigración (1869), J. Moreno y C. Cacopardo demuestran que los hogares nucleares simples (padres e hijos solteros) constituían sólo un tercio de los grupos domésticos.[3] Varios factores favorecían allí otras estructuras familiares. La escasez de recursos, las migraciones internas, la inestabilidad de las parejas –una alta proporción estaba constituida por uniones consensuales–, propiciaban tipos muy diversos de hogares. En más de la mitad de los casos éstos estaban encabezados por mujeres cuyos maridos estaban ausentes por migraciones temporarias (que muchas veces se hacían permanentes), o sin maridos. Otras veces, parientes o allegados compartían la vivienda con el núcleo familiar. Tampoco era rara la convivencia de tres o más generaciones en la misma casa.

En las llanuras pampeanas la estructura de los grupos de convivencia era más limitada y el orden familiar no parece excesivamente distinto del Interior. Ya desde épocas coloniales el control social sobre una población dispersa y alejada fue muy poco eficaz. Ni la Iglesia ni el Estado pudieron establecer su influencia sobre la vida cotidiana, bastante librada a su propia suerte. La Independencia debilitó aun más el poder de estas instituciones. Por otro lado, la población rural estaba en buena medida constituida por migrantes de aquella Argentina interior, y en las llanuras pampeanas los recursos, la tierra y el empleo eran más abundantes. Así, el número de uniones consensuales era similar, y también eran frecuentes los hogares encabezados por mujeres, pero en cambio no era tan habitual la convivencia de varias generaciones bajo un mismo techo. En parte, porque la disponibilidad de tierras y empleo propiciaba la familia neolocal, pero también porque el hecho mismo de la migración hacía menos probable la convivencia de varias generaciones.

En los ámbitos urbanos, la situación era bastante distinta. En un extremo, las familias de la elite guardaban, no sin dificultad, el decoro propio de su rango. El torbellino revolucionario sin duda había debilitado la autoridad de las instituciones y el predominio patriarcal, pero el legado de una familia de elite, tanto material como en prestigio y capital relacional (la red de relaciones sociales que aseguraba la pertenencia a esa elite), era demasiado valioso como para que se disipara sin cuidado. La familia es un sustento crucial para la elite. Así, entre estas familias, subsistirán con fuerza los parámetros patriarcales. Esto implica familias "bien constituidas" y una cuidadosa selección de las alianzas matrimoniales. Desde el punto de vista de lo que aquí nos ocupa, sin embargo, la tendencia neolocal parece haber estado sólidamente establecida entre los miembros de la elite desde muy temprano. La viudez no era infrecuente, sobre todo entre las mujeres, quienes a partir de la pubertad tenían expectativas de vida mucho mayores que los varones. Así, los hogares de la elite en general se hallaban encabezados por varones o por mujeres viudas, y estaban constituidos por el núcleo familiar, y como agregada, la servidumbre.

Dos momentos en el ciclo de vida de la pareja, dos imágenes quizá socialmente lejanas, pero que reproducen un mismo esquema en la representación de los géneros.
(Archivo personal del autor)

En los restantes sectores urbanos, la presencia más inmediata del Estado y la Iglesia, y de las aspiraciones de respetabilidad aun en los sectores subalternos, también se traducen en una estructura familiar más estable. La convivencia de varias generaciones era quizás algo más frecuente por la carestía de la vivienda urbana, aunque la consecuencia más visible de este fenómeno eran las casas de inquilinato, que precedían desde mucho tiempo al clásico conventillo de inmigrantes de fin de siglo. Por otro lado, Buenos Aires, el centro urbano por definición, fue siempre una ciudad de inmigrantes externos, y sus pautas familiares se hallan presentes desde mucho antes que la gran oleada inmigratoria afectara la estructura toda de la familia argentina.

Para la década de 1880, este fenómeno ya será visible en toda la región pampeana y empieza a ser notable en zonas del Interior, como Córdoba, Mendoza y Tucumán. A comienzos del siglo XX, quedan pocos

Inmigración y estructura familiar

rincones de la Argentina cuya estructura familiar no estuviera fuertemente influida por las migraciones ultramarinas. ¿Qué efecto tuvieron éstas? Sin duda, fue muy variado. Ante todo, hay que recordar la estructura demográfica de la inmigración a la Argentina. Algunos estudios han mostrado que existieron diversas tipologías en la composición del flujo migratorio. En algunos casos dominó la migración temporaria de hombres solos; en otros, la migración masculina, primero, y la reunificación familiar, después, y también hubo corrientes constituidas por familias enteras.[4] En general, sin embargo, cada una de las corrientes nacionales fue dominada en sus etapas tempranas por un flujo de hombres jóvenes, mayormente solteros, o casados que dejaban a sus familias en sus países de origen. Más tarde, con la reunificación de familias, tiende a equilibrarse la composición por sexos. También una mayor tasa de retorno por parte de los hombres solteros provoca un mayor equilibrio en la composición por sexo de las colectividades migrantes, aunque siempre se mantiene el predominio masculino. La llegada de familias enteras –a diferencia de otras regiones de inmigración, como San Pablo, en Brasil, donde el Estado estimulaba este tipo de inmigración– nunca fue muy numerosa y, por ende, el número de niños europeos en el país siempre fue muy bajo en relación con el número total de inmigrantes. Tampoco fue frecuente la inmigración de personas de edad avanzada –para la época, de más de cincuenta años–, pese a que la Argentina, a diferencia de otros países, no puso en práctica leyes limitativas al respecto.

Esta estructura inmigratoria, y la masividad de las llegadas en relación con la relativamente escasa población local, tendrían consecuencias muy marcadas sobre la estructura de los hogares. Un fenómeno que antes había tenido sólo una expresión marginal: la convivencia de grupos de hombres solteros se hace cada vez más notable. Ya sea en el conventillo, en la pensión o en el rancho para peones, trabajadores agrupados por su origen étnico, por su ocupación o por ambas variables, comparten los gastos de vivienda buscando maximizar el ahorro, que suele ser una parte crucial de su proyecto migratorio. Para los que forman pareja, la posibilidad de convivencia con los padres es muy baja, ya que éstos, en general, no habían migrado. En cambio, aparecen con frecuencia otras formas de familia extensa: hermanos u otros parientes de alguno de los cónyuges comparten el hogar hasta que logran conformar su propia unidad doméstica. No se ha observado que siguieran conviviendo una vez casados.

Para la mujer inmigrante, el matrimonio es su estado natural. Pautas de conducta más severas traídas desde su país de origen, un control social más firme por parte de la comunidad étnica y la escasez de mujeres dentro de estas comunidades tienden a que la nupcialidad sea al-

El rito de la visita de los nietos a sus abuelos se convierte en una situación donde se heredan y consolidan los linajes y las filiaciones más íntimas. (Archivo personal de R. Pasolini)

tísima entre las inmigrantes, y la edad del matrimonio muy temprana. Si, como hemos sugerido, entre las mujeres criollas –particularmente en el Interior y en la campaña– los nacimientos "ilegítimos" eran una norma corriente, para la mujer inmigrante los censos y registros parroquiales y civiles muestran que aquéllos eran fenómenos poco habituales. Y si el diferencial de expectativas de vida también se daba entre los inmigrantes, las mejores posibilidades de matrimonio en segundas nupcias entre las mujeres extranjeras también hacía de la viudez una situación menos frecuente entre aquéllas que entre las nativas. Así, a diferencia del hogar criollo, la jefatura femenina del hogar extranjero es un fenómeno infrecuente.

La inmigración no es un proceso independiente. Va asociado a la proliferación de centros urbanos –tanto el crecimiento de la gran urbe porteña como una red de ciudades intermedias y centros menores–, a la diversificación económica, a la movilidad social. Comienza a surgir así una clase media en la que se tienden a fusionar los nuevos sectores sociales en ascenso y los sectores marginales de la vieja elite que tratan, no siempre con éxito, de frenar allí su vertiginosa caída, como se refleja en la literatura de la época. Personaje típico del teatro de Florencio Sánchez y Gregorio de Laferrère, de la novela de José María Miró (conocido como Julián Martel) o de *Caras y Caretas* es la "familia bien" criolla que trata sin éxito de preservar su situación social y su honra.[5]

Las nuevas parejas

Para la nueva clase media urbana el imperativo modernizador parece claro. En 1905, la revista *Caras y Caretas*[6] estima el costo de la vida familiar "A un amigo que se casa" sobre el precepto tácito de que "el casado casa quiere". Él, un abogado recién recibido que trabaja empleado; ella, una "joven recomendable, bien instruida en las labores de su sexo, y que no aporta capital alguno al matrimonio". El hogar presupuestado es nuclear, pero incluye, naturalmente, a la "sirvienta". Las obras de Sánchez y Laferrère, en cambio, nos proponen hogares nucleares con hijos ya grandes, pero solteros; y la reincorporación de Damián (un hijo casado) al hogar paterno en *En familia* –de F. Sánchez– aparece claramente como un recurso extremo. La presencia de sirvientas en estas familias empobrecidas, claro está, brilla por su ausencia.

En cambio, la convivencia de los dependientes de comercio, connacionales de sus propietarios, con las familias de éstos, es un fenómeno recurrente tanto en los centros urbanos como en comercios rurales. Y los inmigrantes exitosos, que consolidan su posición social, también buscarán en la adopción de pautas señoriales, como la incorporación de servidumbre, una forma de ratificar el éxito económico logrado. Sin duda, la incidencia estadística de estas formas de hogares no es relevante pero contribuye a ilustrar lo que señalábamos respecto de la diversidad social de las estructuras familiares.

Por otro lado, el impacto inmigratorio no será tan homogéneo. Si la tendencia general fue aumentar el número de familias nucleares "clásicas", la abundancia de hombres solos (solteros o con sus familias en la madre patria), sin posibilidades de casarse dentro de su comunidad étnica, llevó a la formación de uniones consensuales –muchas veces de carácter inestable– con mujeres nativas, reproduciendo ese antiguo patrón familiar criollo de hogares cuyo núcleo está constituido por la mujer y sus hijos. Un caso extremo es el de aquella mujer de Azul con dos hijas jóvenes, que lleva a vivir consigo a un muchacho mucho menor que ella. El sumario policial, instruido a comienzos de este siglo, nos relata cómo el joven pasó a ser sucesivamente amante de las tres mujeres, hasta que finalmente es expulsado del rancho. Godofredo Daireaux nos hace la descripción de un caso más frecuente: "Doña Baldomera es la mujer de don Anacleto; no se sabe por cierto si esposa por iglesia o simple compañera, pero viven juntos y tienen familia numerosa. Tienen hijos de todas las edades, desde el hombrecito cuyos labios empiezan a criar vello, hasta la criatura cuyo pudor no exige más que una camisa, y que siguen año a año, con una regularidad de majada estacionada.

"Sólo los más chicos son hijos de Anacleto; los mayores son de su antecesor, pues doña Baldomera ha sido [...] casada varias veces; casamientos sin anotar, la contabilidad del registro parroquial o del re-

gistro civil siendo algo inoficiosa, donde no hay bienes. La procreación, sola, no necesita tanta prolijidad, y la ley divina: 'Multiplicad',
no habla de apuntes".[7]

Los legajos de la defensoría de menores de Tandil sólo confirman la
frecuencia de esta estructura familiar. De ellos se desprende con claridad que, en la mayoría de los casos, son las madres las encargadas de
velar por sus hijos, aunque no siempre los hijos estuvieran dispuestos a
"dejarse cuidar": "ella de ningún modo sólo muerta [volvería con la ma-
dre] por la mala vida que pasaba a su lado por el hombre que vive con
Ud. allegado motivo a que hace un año que avandonó [sic] su casa que
ella se halla muy bien con el hombre que hoy la tiene y le ha prometido
de remediarla más tarde el cual es un hombre sin compromiso [...]".[8]

O aquel otro caso de dos hermanos, de dieciocho y trece años respectivamente, que se niegan a volver con su madre porque los había
abandonado infinidad de veces, y ellos se encuentran muy bien con la
familia que los tiene "conchabados".[9]

Sin duda, la "modernización" se asocia a la familia nuclear y al patrón neolocal. Y pese a la dispersión de comportamientos fácilmente
comprobables a través de la observación de casos, la información estadística sugiere un avance en esta dirección. El significado de este fenómeno debe ser, sin embargo, evaluado con cuidado. La corresiden-
cia no es sin duda requisito necesario para la cooperación. Las estrategias familiares pueden movilizar recursos con un mismo fin, provenientes de integrantes muy dispersos en sus residencias, como lo evi-

*En algunos casos, es la abuela quien
asume el rol protagónico en el mito
familiar, pues la memoria del grupo se
divulga a través de su palabra.*
(Archivo personal de R. Pasolini)

dencia la enorme masa de remesas que año a año enviaban los inmigrantes a sus parientes en Europa. La constitución de familias neolocales, entonces, no refleja necesariamente la debilidad de los lazos de solidaridad familiares.

Más bien al contrario: cuanto más avanzamos en nuestra comprensión de la sociedad de este período, más evidente se hace el papel crucial que jugaban las redes de solidaridad parental. En la decisión de migrar, en la recepción del migrante, en la obtención de vivienda y empleo para éste, era frecuente que la familia jugara un papel importante. Otro tanto ocurría con los migrantes internos. Y en las familias de la elite, las estrategias de poder se desarrollaban con bases familiares, como ilustra bien el caso de los González Bordón de Mendoza –abordado en otro capítulo de esta obra– o el de Julio Roca, insinuado en el *Soy Roca,* de Félix Luna. Compartiera o no el mismo hogar, la familia era el punto de partida de cualquier estrategia de supervivencia y progreso social, y la constitución de parejas, el punto de partida de la formación de la familia.

Amor romántico y elección de pareja

Éste es sin duda el punto más intensamente estudiado sobre la familia en el período que nos ocupa. Sabemos que en la etapa anterior las elites trazaban con cuidado sus estrategias de alianza matrimonial, y que este comportamiento se prolonga, hasta cierto punto, posiblemente hasta finales de siglo. El llamado amor romántico, sin embargo, que exige la libertad de los jóvenes para escoger como cónyuge a quien su pasión indique, siempre ha interferido con la voluntad de racionalizar la selección conyugal en función de objetivos familiares, como lo atestigua el clásico ejemplo de Romeo y Julieta, entre muchos otros. Estudios precisos para el Río de la Plata colonial dan cuenta de los conflictos que ocasionalmente creaba la independencia, especialmente de las mujeres, en la selección de su pareja.

Las biografías y la literatura rioplatense de la segunda mitad del siglo XIX dan poco lugar a los matrimonios arreglados por las familias. Para finales de la década de 1880 se hace evidente un cambio en las formas de cortejo y de selección de pareja. El amor romántico ya juega un papel importante en la forma considerada legítima para la constitución del matrimonio. Si en *La Gran Aldea* Lucio V. López relata un casamiento arreglado entre el "tío Ramón", un anciano acaudalado de la elite, y la joven Blanca Montefiori, también descendiente de una acaudalada familia –aunque el apellido delata la búsqueda de legitimidad social por parte de un inmigrante–, el tono crítico del relato y la pretendida aventura de Blanca con el joven sobrino Julio *(alter ego* del autor) sugieren que, aun para un joven de la más tradicional elite porteña como López, esta forma de arreglo matrimonial carecía ya de legitimidad. En cambio, amor romántico y legitimidad social sólo por excepción generan contradicciones. Y para asegurarse de ello, las normas del cortejo buscaban que la exposición de la mujer al trato social se realizara siempre en situaciones estrechamente vigiladas. La maestra estadounidense Jenny E. Howard, refiriéndose a las provincias de Córdoba y Corrientes a finales del siglo XIX, decía: "Las jóvenes eran mantenidas en parcial reclusión durante su más temprana doncellez. Nunca se las veía en público sino bajo la custodia de algún familiar de más edad o de alguna dama de compañía, y eran estrictamente vigiladas en lo referente a sus amistades del sexo opuesto".[10]

Aun cuando salían, el control de su conducta era intenso: "Si en una reunión, una mujer conversa con un hombre en distintas ocasiones, y con cierto detenimiento, o baila con frecuencia con él, al día siguiente habla todo el mundo de ello en Buenos Aires. Ésta es la causa de que cuando un hombre es presentado a una mujer, ésta se limita siempre a saludarlo, sin entablar conversación con él, por temor a ser observada, pues una mujer comprometida, justa o injustamente, es despreciada por la sociedad. La vida es imposible para ella. No es invitada ni le devuelven las visitas [...] y se dan casos de algunas que, aun siendo ricas, tienen que casarse con jóvenes de un rango social inferior al suyo".[11]

En los sectores medios emergentes, aunque más libres, el contexto ideológico en el que los jóvenes escogen su pareja tiende a evitar la incorrección social de la elección. Así, por ejemplo, los *Cuadros de la ciudad*, de José S. Álvarez (Fray Mocho, 1858-1903), muestran a las jóvenes coquetas manejando un preciso código sobre cómo y por quién dejarse cortejar.[12] También las hijas de doña María en *Las de Barranco* manejan con cuidado su juego de pretendientes.[13]

En los sectores populares todo sugiere una mayor independencia de los jóvenes en la elección de pareja, incluso entre las hijas de los inmigrantes. Así, Florencio Sánchez pinta en *La Gringa* el amor entre Próspero y Victoria –un peón rural y la hija de un chacarero italiano– sin el consentimiento paterno, relación conflictiva que tendrá como final feliz la aceptación de los padres de ella y la formación de "la raza fuerte del porvenir [...]".[14]

¿Qué nos dicen al respecto los estudios estadísticos? A través de ellos no podemos saber cómo se forman las parejas, pero sí tenemos alguna idea de quiénes efectivamente las constituyen. Y la pregunta que ha dominado este tipo de estudio es hasta qué punto se produjo esa fusión de los inmigrantes de distinto origen y los criollos; si realmente existió esa amalgama en el "crisol de razas".

Crisol de razas

Aunque los resultados estadísticos de los primeros estudios eran más bien ambiguos, sus intérpretes no dudaron en ver en ellos el anuncio de una rápida y poco conflictiva fusión entre los variados componentes que venían a conformar esa "raza fuerte del provenir" de la que hablaba Sánchez.[15] La Argentina de mediados del siglo XX presentaba un razonable grado de integración cultural, lo que hizo suponer un cierto carácter lineal en el proceso pasado de integración. Proviniendo de una experiencia bastante diferente, y armados de instrumentos conceptuales distintos, algunos investigadores norteamericanos llamaron la atención sobre el modo como cierta información estadística indicaba un proceso de integración bastante más complejo. Se inició allí una fructífera polémica sobre el tema.[16]

No vale la pena retomar aquí los vaivenes y aspectos técnicos de una producción historiográfica que ha sido muy abundante. Pero podemos sacar algunas conclusiones. Ante todo, resulta evidente que existió una clara preferencia de los migrantes, cualquiera fuere su nacionalidad, por contraer nupcias con personas del mismo origen étnico. Por qué lo hicieron, y cómo se formaron esas parejas, resulta bastante menos claro. Lo primero que hay que señalar es que "el mismo origen étnico" no es sinónimo de "la misma nacionalidad". Por ejemplo, un vasco español se casaba preferentemente con una vasca de su misma provincia pero, de no hacerlo, era más probable que se casara con una vasca francesa que con una gallega o una castellana. Si un piamontés no se casaba con una piamontesa, lo haría con una italiana del Norte, pero rara vez con una del Sur; era más probable que se casara con una argentina hija de piamonteses o con una suiza o austríaca italianoparlante.

No siempre, sin embargo, el matrimonio étnico fue posible. No era infrecuente que por cada joven inmigrante casadera hubiera dos o más varones en la misma situación. Por ello, era muy raro que una joven inmigrante se casara fuera de su comunidad, pero mucho más frecuente que el varón tuviera que hacerlo:

"–¡Pero Eleuterio, ya con Susanita va a ser la quinta de tus hijas que casás y todavía andás con cosquillas!... ¡Bendito sea Dios! [...] Habías de estar en lugar de García, que no ha podido salir de ninguna de las muchachas y veríamos... ¿Qué más querés todavía?

"–¿Como qué más querés Ramona, por Dios?... ¿Y creés que yo, más criollo que la Concepción, vi'astar conforme con que las muchachas se m'estén casando así? [...] La primera que comenzó fue Julia con un alemancito [...] Petrona con un italiano, Antonia con su portugués, Eulogia con su inglesito y aura se nos viene Susana con un francés [...]".[17]

Sin duda, Álvarez, que en sus escritos refleja un cierto resentimiento frente al lugar que los inmigrantes vienen a ocupar en la sociedad, exagera en el caso que nos propone. Pero los estudios estadísticos han mostrado que en la mayoría de las comunidades, y especialmente en las más numerosas, la formación de hogares de extranjeros con mujeres criollas era un fenómeno corriente, ya fuera mediante matrimonios o en uniones de hecho. Por otro lado, no todos parecen tan reticentes a entregar sus hijas a los inmigrantes como Eleuterio. En *Caras y Caretas,* por ejemplo, se pinta a una madre empeñada en "colocar" a alguna de sus hijas (presuntamente bastante "fieras") con un tendero gallego, y la imagen no es por cierto original.[18]

También sabemos que muchos de los casamientos de inmigrantes entre sí se producían entre personas del mismo pueblo, o de localidades muy cercanas. Esto sugiere que no se trataba sólo de una cuestión étnica, sino que el entramado de relaciones personales jugaba un papel importante en la formación de la pareja –ya fuera que el matrimonio se arreglara en el pueblo de origen, o que el círculo de relaciones personales en el que se movían los jóvenes inmigrantes estuviera en buena medida compuesto por "paisanos" del mismo pueblo o la misma microrregión.

La formación de una nueva pareja es una ocasión de reunión familiar. Más allá del acto civil y religioso, la fiesta de boda aparece como el rito máximo en la reproducción cultural de la familia, pues instala un compromiso social que excede a los cónyuges. (Archivo personal del autor)

Ése parece haber sido el caso de Oreste Sola, quien llegó a la Argentina en 1901 proveniente de Valdengo, un pueblo próximo a Biella. En 1908 contrajo matrimonio en Buenos Aires con Corina Chiocchetti, de Gaglianico, también muy próximo a Biella. De la correspondencia de Oreste con sus padres surgen varios aspectos interesantes. La familia de Oreste no tuvo papel alguno en la conformación de la pareja (no sabemos qué papel tuvo la de Corina, pero sí sabemos que sus padres estaban en Gaglianico). Hay, sin embargo, una cierta tensión en la correspondencia de esta época en torno de si los padres de Oreste aprobarían o no la unión; ellos, sin embargo, parecen asumir una actitud "moderna" al adoptar inmediatamente a Corina como "hija". Por otro lado, cuando Oreste informa a sus padres su decisión de casarse, no les cuenta de la identidad de su novia –probablemente como una reafirmación voluntaria de su independencia–. Sin embargo, las redes sociales les permiten enterarse de esta identidad antes de que Oreste decida comunicárselo, lo cual provoca un disgusto a Oreste. Luego de la unión, las familias en el Biellese se ponen en contacto entre sí, aunque nunca volverán a ver a la pareja. Lamentablemente, por la reserva de Oreste, no sabemos cómo se estableció su relación con Corina. Es notable, sin embargo, que aunque se trata de un caso de matrimonio entre personas de pueblos muy vecinos, los padres no parecen haber tenido participación en la formación de la pareja. La tensión en la correspondencia sugiere, en cambio, el carácter anómalo –aunque no excepcional– de ese caso. Finalmente, es muy razonable suponer que la pareja se formó en medio de la trama de interrelaciones sociales que Oreste mantenía regularmente con otros bielleses.[19]

También las nuevas redes sociales creadas en la Argentina, al margen o superponiéndose con las étnicas, han jugado un papel importante en la formación de parejas. Estudios para la ciudad de Córdoba y el barrio de La Boca muestran que el barrio de residencia era un fuerte condicionante del matrimonio. Estos espacios urbanos reducidos, con sus clubes, sus parroquias, sus bailes, sus festividades, como romerías y carnavales, ofrecían centros de sociabilidad propicios para la formación de parejas. Quizás ello explica por qué en otros espacios sociales reducidos –pequeñas ciudades o villas rurales–, que estimulaban relaciones sociales más estrechas entre las diferentes colectividades, los casamientos interétnicos eran más frecuentes.[20] Finalmente, todo parece indicar que, entre los argentinos nacidos de padres extranjeros, la tendencia a casarse con otras personas del mismo origen no fueron muy marcadas, aunque sin duda ello dependía mucho del carácter más o menos étnico del entorno social en que se moviera la familia.

Ahora bien, ¿qué nos dice todo esto sobre la forma en que se cons-

—¡Ay! ¡Qué groseros son en esta sociedad! ¡¡No sacarte á bailar en toda la noche!.... ¡Si no son más que pura chusma!.... *Vamonós, mija.* ¡Lo que siento son los cuatro pesos que me costó el traje!

En las clases medias del fin de siglo porteño, la modalidad del arreglo matrimonial no dejaba de ser una ilusión en donde, por más que las madres intentaran "colocar" a sus hijas, el mercado se presentaba social y étnicamente segmentado.
(Caras y Caretas, Año II, Nº 20, Bs. As., 18-2-1899)

tituían las parejas? A juzgar por el texto de Álvarez, e incluso por el caso de los Sola, en la incipiente clase media todo parece confirmar una considerable independencia de los hijos a la hora de escoger cónyuges. Pero sería riesgoso generalizar. Primero, porque en diferentes comunidades étnicas se preservarían prácticas también distintas; más de una evidencia apunta a la pervivencia del papel de la "casamentera" en las comunidades ruso-judías en nuestro país. En segundo lugar, el condicionante social parece haber sido por lo menos tan fuerte como el étnico. Y en este sentido, hablar de clase media es una generalización exagerada. Se trataba, sin duda, de una sociedad fuertemente estamental, aunque la movilidad entre los estamentos fuera grande y dependiera sobre todo de los niveles de ingreso. Recordemos la frase de Huret: "se dan casos de algunas que, aun siendo ricas, tienen que casarse con jóvenes de un rango social inferior al suyo", que si bien parece referirse prioritariamente a la elite, establece claramente la relación entre rango social y elegibilidad matrimonial. Esto está presente en toda la literatura y las memorias de la época, pero parece actuar preferencialmente en un sentido.

Si en la "Argentina criolla" se esperaba que las alianzas matrimoniales fueran siempre entre iguales, en el mercado matrimonial de fines del

XIX y comienzos del XX, especialmente al margen de la más alta elite, el desequilibrio en la composición por sexos sin duda favorecía las posibilidades matrimoniales de las mujeres. No era infrecuente que los matrimonios entre gringos y criollas permitieran a la hija de un trabajador poco calificado casarse con un artesano, un empleado o un pequeño comerciante. En la ideología patriarcal dominante, todavía parecía necesario preocuparse por conseguir novio a las hijas, [21] pero los dictados de la demografía determinaban que quienes corrían el riesgo de quedarse "para vestir santos" fueran ellos. Quizás esto fue lo que permitió a doña María, en *Las de Barranco,* esquilmar a los pretendientes de sus hijas. [22]

Edad matrimonial y natalidad

A principios de siglo, la infancia conquistó un lugar de importancia en las representaciones sociales. La revista Caras y Caretas incluyó una página infantil, con acertijos y juegos, destinada a los niños, quienes también se convirtieron en un objeto fotográfico de las representaciones familiares.
(Archivo personal del autor)

La consecuencia no fue sólo mejorar las posibilidades para las mujeres de encontrar un "buen partido", sino también un adelantamiento en la edad de casamiento. El patrón europeo clásico establece edades de casamiento más bien tardías para ambos sexos, más tempranas en dos o tres años para la novia. Si bien hay grandes diferencias regionales, edades medias de 23 a 25 años para las mujeres y de 25 a 28 para los varones englobarían la mayor parte de los casos. Las condiciones del nuevo mundo en general, y particularmente en la Argentina, con mercados laborales y de tierras más abiertos, tienden a bajar en un par de años la edad matrimonial de los hombres. Pero la escasez de mujeres hace que la de las novias baje de manera algo más pronunciada, provocando una diferencia de edad media al matrimonio mayor que la europea. Con la disminución del flujo migratorio desde el inicio de la Primera Guerra, con un mercado laboral y de tierras más restringido, y con un mayor equilibrio en la composición por sexos de la población, estas tendencias se comienzan a revertir en la década de 1920; el casamiento se hace más tardío y menos universal para las mujeres.

Estas pautas de conducta matrimonial tendrán un reflejo directo sobre el promedio del número de hijos de los matrimonios. Si bien las prácticas anticonceptivas o abortivas son conocidas desde muy temprano en la historia, existe poca evidencia de la generalización de su uso antes de finales del siglo XIX o comienzos del actual. [23] El mecanismo social más eficaz para regular la cantidad de hijos era básicamente la postergación de la edad matrimonial de la mujer y el celibato definitivo. Así, el adelantamiento de la edad de matrimonio y el escaso número de mujeres solteras tendieron a crear una natalidad muy alta en la Argentina del período. Entre los censos de 1869 y 1914, las mujeres que habían permanecido casadas por veinticinco o más años tenían, término medio, más de siete hijos cada una. [24] Como la mortalidad infantil era muy elevada, esto implicaba que la familia media tenía cinco hijos vivos.

En este punto, las diferencias étnicas se conjugaron con las sociales. Entre las mujeres casadas, se evidencia que las criollas eran las más prolíficas, seguidas por las españolas y las italianas, en tanto que las francesas, si bien muestran al igual que todas las inmigrantes mayor fecundidad que sus coterráneas no migradas, son las menos prolíficas. En términos sociales, las habitantes rurales son más fecundas que las urbanas, y las del Interior superan a las del Litoral, pero en todos los casos se mantienen las diferencias étnicas. Se percibe así claramente una combinación entre la preservación de costumbres provenientes de las sociedades de origen y una adaptación al medio de inserción. Entre las mujeres nativas no casadas, la tendencia es que el número de hijos no sea muy alto, pero esto parece ser el promedio entre mujeres en uniones consensuales estables, con alto número de hijos, y otras con uniones esporádicas, con pocos hijos.[25]

Estos comportamientos parecen modificase hacia la segunda década de este siglo. El postergamiento de la edad matrimonial y la introducción de métodos anticonceptivos modernos se hicieron sentir sobre la fecundidad. Para la década de 1920, el uso del preservativo comenzó a reemplazar al *coitus interruptus* como la única alternativa más o menos eficaz para prevenir los embarazos. Por otro lado, la práctica del aborto por parte de comadronas, parteras e incluso médicos, aunque penalizada, se hallaba bastante generalizada en los sectores medios. Y pese a que mantiene aún una alta cuota de riesgo, comienza a ser más eficaz y segura que los brutales métodos de aborto practicados hasta entonces (y que seguirán siendo frecuentes en los sectores populares).[26] Lamentablemente, no tenemos datos generales confiables entre 1914 y 1947, pero para esta segunda fecha la reducción del tamaño de la familia ya era claramente notable. Aun así, la preocupación de los contemporáneos en las décadas de 1920 y 1930 por la "denatalidad" (como se la llamó entonces) fue en realidad más allá de la importancia efectiva del fenómeno. Así, la práctica real de la reducción de la fecundidad fue acompañada por un discurso natalista y exaltador de la función "maternal".[27] Si formalmente ello conllevaba una contradicción, en la práctica reforzaba el naciente ideal de la familia protectora, caracterizada más que por su alto número de hijos, por el intenso cuidado de los mismos. Esta asociación entre pautas de conducta de clase media y restricción del número de nacimientos no pasa inadvertida para intelectuales de finales de la década de 1920. Escribía Raúl Prebisch en 1927: "Conforme las masas van asimilando los hábitos de las clases superiores, requieren y consumen más riqueza y se ocupan más del porvenir, de allí

De la salud de la madre depende la salud del hijo que ella cria.

EL EXTRACTO DE PABST
(EL MEJOR TÓNICO)

alimenta, fortifica y nutre a la madre, y robustece al niño, aumentando la cantidad y mejorando la calidad de la leche.

EN TODAS LAS FARMACIAS Y ALMACENES

A principios de siglo, la ideología familiar se traduce en una reducción de las representaciones de la mujer a su dimensión maternal.
(Caras y Caretas, Año IX, Nº 392, Bs. As., 7-4-1906)

la generalización de las fuerzas preventivas, del propósito deliberado de restringir la natalidad; propósito que adquiere miras de ganar toda la fuerza y consistencia de un hábito social que se acatará más o menos conscientemente".[28]

La mujer, el trabajo y el hogar

Sin duda, un aspecto central de este cambio es la asignación del papel de la mujer casada dentro del hogar. En el período preindustrial la familia no sólo era la unidad de reproducción social y consumo, sino también un ámbito de producción. En la agricultura y en la artesanía, toda la familia participaba del proceso productivo, según las posibilidades de cada miembro. Con el desarrollo de la sociedad industrial y la especialización laboral, el ámbito de trabajo y el doméstico tendieron a diferenciarse. Aunque mucho más tardío, en la Argentina se da un fenómeno paralelo. En el ámbito rural, entre pequeños propietarios, arrendatarios o aparceros, también toda la familia participa de la producción hasta entrado el siglo XX. En las artesanías, es más frecuente la colaboración en la producción doméstica entre madres e hijas solteras, mientras que los varones buscan empleo externo. Esta estructura se extiende a algunas actividades de servicios, como lavanderas, planchadoras o costureras. Incluso, una parte importante de la naciente industria empleó mano de obra femenina en el ámbito del propio hogar, como la confección textil.[29] Así, sólo una parte relativamente menor del trabajo femenino –principalmente el servicio doméstico, pero también alguna industria como el armado de cigarrillos– se desarrollaba fuera del hogar.

El ingreso de los jóvenes al mundo laboral se da muy temprano, incluso en la última etapa de la niñez. Un estudio centrado en la industria porteña de fines del siglo XIX y comienzos del actual nos muestra cierta cantidad de niños ocupados en ella, aunque los porcentajes sobre el conjunto de la niñez son muy bajos, y tienden incluso a decrecer.[30] En las labores que se desarrollan en el marco familiar la participación infantil es más frecuente. En las cédulas censales de 1869 y 1895 no es raro encontrar niñas de ocho o nueve años descriptas como lavanderas o agricultoras, por ejemplo, junto con su madre y sus hermanas mayores. Cuando la labor se realiza fuera del hogar, los doce o trece años parecen haber sido un punto habitual de ingreso al trabajo. En el censo de 1895 más de la mitad de los jóvenes de quince años figura con ocupación.

En cuanto a las mujeres, típicamente, se ha descripto la evolución temporal de su participación en el mercado de trabajo como una curva con forma de U; alta participación primero, una marcada caída en la primera etapa de modernización, y una creciente participación fe-

Los Alimentos de 'Allenburys'

Un folleto sobre la alimentación y cuidado de las criaturas (48 páginas) será enviado gratis.

MADRE Y NIÑO. *Criatura de 6 meses y medio de edad. Criada desde su nacimiento enteramente con los alimentos de 'ALLENBURYS'.*

Los Alimentos Lácteos "**Allenburys**" *se digieren tan fácilmente como la leche materna, y conducen tanto al* VIGOR *como á la* SALUD *de la criatura durante el desarrollo.*

EN TODAS LAS FARMACIAS
ALLEN y HANBURYS Ltd. (Londres), 737, B. Mitre, Buenos Aires ✱ 218, Misiones, Montevideo: Rio de Janeiro, 143, Rua dos Ourives

ALIMENTO LÁCTEO N.º 1, desde el nacimiento á los 3 meses
ALIMENTO LÁCTEO N.º 2, desde los 3 á 6 meses
ALIMENTO MALTEADO N.º 3, después de los 6 meses

"Hay una verdad ineludible: la mujer es toda maternidad; su organización fisiológica, sus tendencias psicológicas, el rol que debe desempeñar en la conservación de la especie, todo obliga a anteponer esta consideración a todas las demás."
(Osvaldo M. Piñero, Condición jurídica de la mujer, Bs. As., Imprenta de Pablo E. Coni, 1888)

menina en el mercado laboral con posterioridad. También en la Argentina se evidencia este fenómeno, iniciándose la caída a fines del siglo XIX, con el punto más bajo de la curva entre los años 1920 y 1940, y con evidencias de reincorporación de la mujer al ámbito laboral a partir de los años 1950 y 1960.[31]

Dada la composición de la población argentina, sin duda hay factores étnico-sociales que se relacionan con esta evolución. La ocupación femenina se mantuvo alta en las provincias del Interior, donde la mujer solía ser desde siempre el sustento económico de la familia: "Las mujeres guardan la casa, preparan la comida, trasquilan las ovejas, ordeñan las vacas, fabrican los quesos y tejen las groseras telas de que se visten: todas las ocupaciones domésticas, todas las industrias caseras las ejerce la mujer: sobre ella pesa casi todo el trabajo; y gracias si algunos hombres se dedican a cultivar un poco de maíz", escribía Sarmiento en la década de 1840,[32] y la evidencia estadística de los censos de 1869, 1895 e incluso de 1914 muestran la perduración de estas prácticas.[33] Más aún, las migrantes del Interior radicadas en las provincias del Litoral mantuvieron una tasa de ocupación mayor que sus pares locales y que las mujeres inmigrantes.[34]

Pero seguramente son estas últimas las que más influyeron en la evolución del trabajo femenino. Su nivel de ocupación fue relativamente bajo desde un comienzo, en particular entre las casadas (y recordemos que la gran mayoría lo era), pero a partir de comienzos de este siglo bajó aun más. Se ha relacionado esto con factores étnicos (por ejemplo, con el arribo de italianas meridionales, menos acostumbradas a participar del mercado de trabajo),[35] pero seguramente lo determinante fue la estructura de la demanda laboral femenina, la movilidad social,[36] y el desarrollo de un nuevo imaginario familiar. Es posible que en el proyecto mismo de la migración muchas de las mujeres buscaran una vida dedicada al hogar. Así lo sugieren las declaraciones de ocupación al momento del desembarco. Con frecuencia se consigna "sus labores" o "su casa", probablemente indicando más las intenciones futuras de las inmigrantes que su pasada trayectoria. En todo caso, para las que tuvieron éxito, la movilidad social las ubicó por encima de las limitadas tareas que el mercado laboral ofrecía, aunque es posible que el factor más influyente haya sido el creciente modelo de familia de clase media, que remitía a la mujer al hogar, exaltando su función de madre.

El confinamiento simbólico de la mujer al hogar está presente sin duda en la ideología de la elite desde muy temprano, aunque coexista con el carácter más mundano que algunos de sus miembros estaban dispuestos a admitir en el mundo femenino. Sin llegar al escandaloso extremo de la relación de Roca con la esposa de Eduardo Wilde, una imagen etérea de mujeres bellas y sensuales recorre la literatura y las imágenes de la *Belle Époque*. Ella, sin embargo, no oscurece el papel que la misma elite otorgaba a sus miembros femeninos. Miguel Cané resume la idea en una postal dirigida a Victoria Aguirre en 1903:

"Alguna vez entreví una figura ideal, hecha de bondad silenciosa y de dulce y profunda compasión, [que] recorría la tierra deslizándose para no hacer ruido y buscando la sombra para no ser vista. Ha tiempo que perdí sus huellas, pero pensando bien, se me ocurre que en su [huida] al estrépito y a la publicidad, se ha de haber refugiado en el hogar de su alma [...]".[37]

Y en una definición que prescribe el lugar de la mujer, más allá del sector social al que pertenezca, en 1888 Osvaldo M. Piñero señala:

"Hay una verdad ineludible: la mujer es toda maternidad; su organización fisiológica, sus tendencias psicológicas, el rol que debe desempeñar en la conservación de la especie, todo obliga a anteponer esta condición a todo lo demás".[38]

Junto a esta definición del hogar como el ámbito natural de la mujer, domina la concepción del matrimonio y la familia como base de la estabilidad social. Un discípulo de Wilde, Mariano Y. Loza, definía el matrimonio de este modo:

"Base fundamental de la familia, su objeto más importante es la reproducción del hombre, sus fines inmediatos, la educación moral e

Los niños, centro de la vida familiar y del desarrollo social del futuro, aparecen como un argumento publicitario para el reformismo austero de los socialistas. La conciencia infantil es presentada como conciencia colectiva que reproduce, en sus modos ideales de manifestarse, la de los obreros movilizados.
(Guerra al Alcohol, Nº 1, ediciones de la Sociedad Luz)

— GUERRA AL ALCOHOL: Nº 1 —
Ediciones de la SOCIEDAD "LUZ" Universidad Popular
SUAREZ 1301, Buenos Aires

intelectual del mismo y su resultado último, la moralización de las leyes y las costumbres de los pueblos".[39]

Juan Agustín García, buscando modificar la legislación sobre herencia para consolidar el papel de la mujer en la familia, ve en ésta, "el depósito lento y fecundo de la raza; allí están simbolizados todos sus ideales, su religión, su culto, sus amores; todo ese conjunto de cosas buenas y sanas que constituye la moralidad de un pueblo".[40]

García, explícitamente, concibe esta función no como un patrimonio de la elite, sino como extensible a todos los sectores sociales.[41] Así, al menos en el modelo, la mujer de los sectores populares ganará en seguridad y protección, pero a costa de perder la independencia y autonomía de que gozaba como eje estable de la estructura familiar criolla tradicional.

Esta prédica iniciada desde la elite fue asumida, ya en los albores del siglo XX, por las instituciones que representaban a los nuevos sectores sociales. El Partido Socialista, por ejemplo, incorporó en su ideario reformista y moralizante –que buscaba resolver los problemas del proletariado más por su propia redención que por transformaciones de la estructura social– una intensa prédica por la familia y la maternidad. Y aun en la izquierda anarquista, más radical y partidaria del "amor libre", la ideología eugenésica y la actitud austera frente a la vida propiciaban estructuras familiares que, con o sin matrimonio civil, se asemejan bastante al ideal de familia burguesa.[42]

Este ideal de familia es utilizado incluso para justificar un crimen que es caracterizado como la negación del instinto maternal, paradójicamente, base de esa estructura familiar. En efecto, las acusadas de infanticidio en Buenos Aires a fines del siglo XIX intentan con frecuencia justificarse argumentando que el niño era el estigma de la pérdida de su honor, lo que les imposibilitaría en el futuro cumplir su función de esposas y madres en el adecuado contexto del matrimonio.[43]

Esta última y contradictoria imagen, por cierto, nos ayuda a no exagerar en la percepción sobre la eficacia de la prédica moralizante en la construcción de la familia de clase media. Si los casos de infanticidio fueron en realidad muy pocos, el abandono de niños, que en una localidad pequeña como Tandil en la década de 1890 alcanzaba a un siete por ciento de los nacidos vivos,[44] denuncia que en la práctica el control social e ideológico sobre las jóvenes era mucho menos eficaz de lo que se pretendía. Y los niveles de ilegitimidad, que no ceden aun entrado el siglo XX, muestran que los sectores subalternos continuarán con modelos familiares bastante menos estereotipados.

Parece en cambio evidente que, para la década de 1930, el modelo familiar de las elites se diferencia sólo en matices del de la fami-

El discurso sobre la maternidad y la niñez alcanza una hegemonía tal en el campo simbólico, que excede la puja de las diversas matrices ideológicas para convertirse en una temática indiscutida. Una importante cervecería de Buenos Aires podía llegar a promocionar su producto, no por el placer de beber alcohol, sino por las características nutritivas que poseía. (Caras y Caretas, Año II, Nº 23, Bs. As., 11-3-1899)

lia burguesa, adoptado por los nuevos sectores medios. En tanto, el fuerte proceso de urbanización y la aparición del primer medio masivo de comunicación social –la radio–, contribuirían a homogeneizar hacia abajo, si no las estructuras familiares, al menos los estereotipos que se proponían como modelo para el conjunto social. Así, ese ideal de familia, sin duda utópico, que Raúl Ortega Belgrano veía desmoronarse con la emancipación de la mujer en 1927 (según la cita que incluíamos al comienzo de este trabajo), era de trabajosa y reciente creación, y estaba en ese momento en su punto de mayor consolidación. Unas décadas después, la renovación ideológica de la clase media (visible claramente en los años 1960) comenzaría a ponerlo en entredicho.

Notas

1. Una descripción brillante de este proceso para el muy próximo caso del vecino del Plata, en José Pedro Barrán, "El disciplinamiento (1860-1920)", en *Historia de la sensibilidad en el Uruguay*, Tomo II, Montevideo, Ediciones de la Banda Oriental, 1990. No debe sin embargo pensarse que la construcción de este modelo es un proceso lineal, carente de matices y vaivenes, aunque aquí nos ceñiremos a los rasgos que consideramos básicos.

2. Raúl Ortega Belgrano, 1927. El doctor Raúl Ortega Belgrano era presidente del Consejo General del la Cruz Roja Argentina, citado por Dora Barrancos, "Contracepcionalidad y aborto en la década de 1920: problema privado y cuestión pública", en *Estudios Sociales*, N° 1, 1991, p. 75.

3. "Cuando los hombres estaban ausentes: la familia del interior de la Argentina decimonónica", en H. Otero y G. Velázquez, *Poblaciones argentinas. Estudios de demografía diferencial,* Tandil, CIG-IEHS, 1977.

4. F. Devoto, "Las migraciones españolas a la Argentina desde la perspectiva de los partes consulares. Un ejercicio de tipología regional (1910)", en *Estudios Migratorios Latinoamericanos*, N° 34, 1996, pp. 479-506, y "Moving from Cosenza and Cuneo: a view from the Passenger Lists (1910)", inédito.

5. Por ejemplo, "Barranca abajo" y "En familia" en *Teatro de Florencio Sánchez,* Bs. As., Sopena, 1957, 5ª edición; "Las de Barranco" y "Locos de verano", en Gregorio de Laferrère, *Teatro completo*, Santa Fe, Castellví, 1952; Julián Martel, *La Bolsa*, Buenos Aires, Biblioteca de *La Nación,* 1909; *Caras y Caretas,* Año VIII, N° 357, 5-8-1905, "Modelo de Madres", etcétera.

6. Año VIII, N° 328, 14-1-1905.

7. "Hogar criollo", en *Costumbres criollas*, Buenos Aires, Biblioteca de *La Nación,* p. 135.

8. Correspondencia 1887-1906, Archivo Histórico de la Municipalidad de Tandil, 25-8-1886 (*sic*).

9. *Ibíd.*, 15-1-1905.

10. Citado en R. Rodríguez Molas, *Divorcio y familia tradicional*, Buenos Aires, CEAL, 1984, pp. 74-5.

11. Jules Huret, *La Argentina. Del Plata a la cordillera de los Andes*, París, Fasquelle, s/f., p. 39.

12. Bs. As., Eudeba, 1961; véase, por ejemplo, Flirt, pp. 44-48.

13. De Laferrère, *op. cit.*, pp. 275-370, obra estrenada en 1908.

14. *Teatro de Florencio Sánchez, op. cit.*, pp. 47-84, la obra se estrenó en 1904.

15. Franco Savorgnan, "Matrimonial selection and the amalgamation of heterogeneous groups", *Population Studies* (Supplement), 1950, pp. 59-67; Gino Germani, *Política y sociedad en una época de transición*, Buenos Aires, Paidós, 1962. Por supuesto, ellos no usan el muy decimonónico concepto de "raza".

16. Una revisión de la bibliografía en E. Míguez, "Il comportamiento matrimoniale degli italiani in Argentina. Un bilancio", en G. Rosoli (ed.), *Identità degli italiani in Argentina. Reti sociali / famiglia / laboro,* Roma, Edizione Studium, 1993, pp. 81-106.

17. Fray Mocho, "En Familia", en *Cuadros de la ciudad,* Barcelona, Unión Editora Hispano-Americana, 1906, pp. 16-17.

18. Año VIII, N° 357, 5-8-1905, "Modelo de Madres".

19. S. Baily y F. Ramella, *One Family, Two Worlds. An Italian Family's Correspondence across the Atlantic, 1901-1922,* New Brunswick, Rutgers University Press, 1988.

20. M. Oporto y N. Pagano, "La conducta endogámica de los grupos inmigrantes: pautas matrimoniales de los italianos en el barrio de La Boca en 1895", en *Estudios Migratorios Latinoamericanos*, Año 2, N° 4, 1986, pp. 483-97. También en F. Devoto y G. Rosoli, *L'Italia nella Società Argentina,* Roma, Centro Studi Emigrazione, 1988, pp. 90-101; Mark Szuchman, "The Limits of the Melting Pot in Urban Argentina: Marriage and Integration in Córdoba, 1869-1909", en *Hispanic American Historical Review*, Año 57, N° 1, 1977, pp. 24-50, y *Mobility and Integration in Urban Argentina. Córdoba in the Liberal Era*, Austin, University of Texas Press, 1980, cap. 7, pp. 131-47; E. Míguez *et al.,* "Hasta que la Argentina nos una: reconsiderando las pautas matrimoniales de los inmigrantes, el crisol de razas y el pluralismo cultural", en *Hispanic American Historical Review,* Año 71, N° 4, 1991, pp. 781-808.

21. Por ejemplo, *Caras y Caretas* pinta con frecuencia a las madres empeñadas en "colocar" a sus hijas, o incluso a éstas buscando novio, por caso, con una avalancha de respuestas a un anuncio en el periódico, véase, por ejemplo, historietas en Año II, N° 20, 18-12-1899, y Año VIII, N° 355, 22-7-1905. Su fundador, Fray Mocho, en sus cuadros costumbristas, también suele presentar la obsesión femenina por buscar consorte.

22. De Laferrère, *op. cit.*

23. La excepción sería Francia, donde se observa una caída de la fecundidad conyugal ya desde fines del siglo XVIII. Por otro lado, estas prácticas, antes de comienzos del siglo actual, en general eran rudimentarias, peligrosas y/o poco eficaces. La más generalizada parece haber sido el *coitus interruptus.*

24. E. A. Pantelides, "The decline of fertility in Argentina, 1869-1947", tesis doctoral inédita de la Universidad de Texas en Austin; E. Míguez y G. Velázquez, "Un siglo y cuarto de fecundidad en la provincia de Buenos Aires. El caso de Tandil. 1862-1985", seminario *Fertility transition in Latin America*, IUSSP, Buenos Aires, abril, 1990.

25. E. A. Pantelides, "Diferenciales de fecundidad en la transición demográfica", en Otero y Velázquez, *op. cit.* pp. 29-39, *ibíd.*, "Notas sobre la posible influencia de la inmigración europea sobre la fecundidad en la Argentina", en *Estudios Migratorios Latinoamericanos*, Año 1, N° 3, 1986, pp. 351-356; E. Míguez, "Migraciones y repoblación del sudeste bonaerense a fines del siglo XIX" en *Anuario IEHS*, N° 6, 1991, pp. 181-228.

26. Barrancos, *op. cit.*

27. Marcela M. A. Nari, "Las prácticas anticonceptivas, la disminución de la natalidad y el debate médico, 1890-1940", en M. Lobato (ed.), *Política, médicos y enfermedades*, Buenos Aires, Biblos-Universidad de Mar del Plata, 1996.

28. Citado por S. Torrado, *Procreación en la Argentina. Hechos e ideas*, Buenos Aires, Ediciones de la Flor, 1993, p. 254.

29. María del Carmen Feijoo, "Las trabajadoras porteñas a comienzos de siglo", en D. Armus (comp.), *Mundo urbano y cultura popular*, Buenos Aires, Sudamericana, 1990, pp. 281-312.

30. Juan Suriano, "Niños trabajadores. Una aproximación al trabajo infantil en la industria porteña de comienzos de siglo", en Armus (comp.), *op. cit.*

31. Z. R. de Lattes y C. Wainerman, "Empleo femenino y desarrollo económico: algunas evidencias", en *Desarrollo Económico*, N° 66, 1977, pp. 301-317.

32. D. F. Sarmiento, *Facundo*, Bs. As., Sopena, 1938, p. 29.

33. Cacopardo y Moreno, *op. cit.*; H. Otero, "Familia, trabajo y migraciones. Imágenes censales de las estructuras sociodemográficas de la población femenina en la Argentina, 1895-1914", en Eni de Mesquita Samara, *As idéias e os números do Genero. Argentina, Brasil e Chile no século XIX*, São Paulo, Hucitec, 1997.

34. C. L. Frid de Silberstein, "Inmigrantes y trabajo en la Argentina: Discutiendo estereotipos y construyendo imágenes. El caso de las italianas (1870-1900)", en E. de Mesquita Samara, *op. cit.*

35. C. Cacopardo y J. Moreno, *La familia italiana meridional en la emigración a la Argentina*, Nápoles, Edizione Scientifiche Italiane, 1994.

36. Este factor fue destacado por R. Gandolfo, "Del Alto Molise al centro de Buenos Aires: las mujeres agnonesas y la primera emigración transatlántica (1870-1900)", en *Estudios Migratorios Latinoamericanos*, Año 7, N° 20, 1992, pp. 71-99.

37. Archivo General de la Nación, Sala VII, Leg. 2204-4 bis.

38. *Condición jurídica de la mujer*, Buenos Aires, Coni, 1888. Esta concepción, sin duda, perdura por mucho tiempo; véase, por ejemplo, Tomás Amadeo, *La función social de la Universidad, de la madre, del maestro, del empleado público, del agrónomo*, Buenos Aires, Museo Social Argentino, 1929, pp. 40-51.

39. *Estudio médico legal de las causas de nulidad del matrimonio*, Buenos Aires, Facultad de Ciencias Médicas, 1876; en el mismo sentido, el propio Eduardo Wilde en *Curso de higiene pública*, Buenos Aires, Casavalle Editor, 1878, pp. 409-415.

40. Juan A. García, "La legislación de familia" (1916), en *Obras completas*, Buenos Aires, Zamora, 1955, pp. 726.

41. "La familia obrera" (1916), en *ibíd.*, p. 727.

42. Dora Barrancos, "Socialismo, higiene y profilaxis social, 1900-1930", en Lobato (ed.), *op. cit.*; *ibíd.*, "Anarquismo y sexualidad", en Armus (comp.), *op. cit.*; D. Armus, "Salud y anarquismo. La tuberculosis en el discurso libertario argentino, 1890-1940", en Lobato (ed.), *op. cit.*

43. Kristin Ruggiero, "Honor, Maternity and the Disciplining of Women: Infanticide in Late Nineteenth-Century Buenos Aires", en *Hispanic American Historical Review*, Año 72, N° 3, 1992, pp. 353-374.

44. Míguez, "Migraciones y repoblación...", *op. cit.*

Conversaciones y desafíos en los cafés de Buenos Aires (1870-1910)

Sandra Gayol

En las últimas décadas del siglo XIX, Buenos Aires funciona como un espejismo y atrae una gran cantidad de población extranjera. Italianos, españoles y franceses[1] predominan entre los recién venidos, que llegan a representar más de la mitad de la población de la ciudad. Rápidamente, la capital se anuncia a estos nuevos habitantes. En "permanente construcción", al decir de Jules Huret, desde el muelle de pasajeros es fácil percibir su naturaleza inestable y la heterogeneidad expresada en sus edificaciones. Algunas invitan a imaginar su apuesta transitoria, otras rememoran la herencia hispánica y también asoman insultantes las paquetas mansiones de estilo preferentemente francés donde residen los más adinerados. El Hotel de Inmigrantes en la calle Corrientes albergará gratuitamente durante tres días a muchos recién desembarcados. En el corto trayecto desde el puerto hasta este primer hogar por callejuelas irregulares y algunas todavía polvorientas, es imposible no constatar la multitud de cafés. El Paseo de Julio (hoy Leandro Alem), con sus hileras ininterrumpidas de despachos de bebidas, es la primera expresión de una ciudad generosa en estos espacios de sociabilidad.

En casi todos lados y a disposición de todos, hombres de orígenes muy diversos acceden cotidianamente al interior de los cafés. Esta práctica socialmente extendida de encontrarse en esos lugare va gestando la expresión "cafetear" e inunda los documentos de la época. Es raro que las fuentes no los mencionen, es también difícil no toparse con distintos registros discursivos que remiten directa o indirectamente a ellos. Médicos, juristas, policías, gobernantes, hablan con recurrencia de los cafés,

¿Adónde ir para generar y afianzar vínculos en una Buenos Aires que no cesa de transformarse? ¿Qué alternativas existen a la promiscuidad del conventillo? ¿Qué estrategias desarrollar para provocar encuentros con conocidos, desconocidos y extranjeros? El café está a disposición de todos como un espacio social de distracción, de búsqueda y de espera. Interior de despacho de bebidas en el barrio de Barracas, esquina de Caseros y Baigorri, 1910. (Archivo General de la Nación)

convirtiéndolos en el *carrefour* donde confluyen la bebida, el juego, el orden público, la vagancia, la peligrosidad de los pobres, la reforma de sus hábitos y costumbres, y la enfermedad. "Desordenada y viciosa", la clientela es percibida precariamente en términos homogéneos acorde con un fin de siglo que no soporta ni al individuo improductivo ni los desplazamientos sin motivo. Pero esta clientela también se dice y dice del café a partir de lo que hace y declara a la policía. Los archivos policiales revelan las preocupaciones esenciales de quienes deben mantener el orden público, pero también dejan entrever una amplia gama de relaciones sociales, valores culturales y elecciones de los frecuentadores.

Fachadas

La visibilidad de los cafés es insolente; esparcidos por toda la ciudad, diseñando filones ininterrumpidos, sobre la calle, emplazados en las esquinas o en la mitad de la "cuadra", se ofrecen a la consideración y al disfrute de todos. Las guías comerciales, los censos municipales y nacionales, los recortes periodísticos y los recuentos policiales muestran su crecimiento. Los 523 de 1870 serán 1546 en 1909. Vanguardistas y aglutinadores de núcleos aislados de población en los "suburbios", la mayoría de los locales se concentran en las inmediaciones de la Plaza de Mayo, en el resto de la "zona céntrica" y en los mercados. Lugar de tránsito para las actividades económicas, lugar de residencia de la mitad de la población,[2] lugar de paseo y de sociabilidad, la afluencia siempre numerosa de asistentes explica la apertura de los comercios en las inmediaciones de la plaza. La connivencia entre la bebida, la conversación, la disputa, el trabajo y la búsqueda de empleo justifica su emplazamiento en los mercados y en torno de ellos.

Es muy probable que los dueños, en su mayoría extranjeros,[3] no tuvieran experiencia en la actividad. Un "par de mesas y sillas viejas", junto con el vino, la ginebra y el licor, eran suficientes para ingresar en el ramo. Inestable e insegura, como lo muestran las quiebras en cadena provocadas por las crisis económicas de 1873 y 1890, la explotación de un despacho de bebidas fue una oportunidad para que muchos trabajadores alcanzaran la codiciada independencia laboral. Abrir un despacho era un modo de comenzar a dar el salto, de ubicarse mejor en la estratificación profesional y en la estructura económica; luego, si la suerte acompañaba y las condiciones generales eran favorables, se podía ampliar el local o cambiar de ramo dentro del comercio. El despacho era el puntapié inicial que podía conducir a un lujoso hotel o a la exploración de "un café-billar de aspecto decente".[4]

De ladrillo, madera, chapa, e incluso de lata o cartón, estas "empresas" predominantemente familiares son un agregado al almacén de co-

Los hombres trabajan, caminan, se ven y rápidamente "entablan conversación". Al comenzar el muelle, la confitería con piso de madera permite prolongar los encuentros ocasionales y fugaces entre individuos que se prometen un nuevo encuentro y se "ofrecen amistad".
Muelle de pasajeros, década de 1880.
(Archivo General de la Nación)

mestibles. El recinto adicional, separado por una puerta que funciona en la trastienda del almacén, permite la distinción del comercio y la posibilidad de ejercer prácticas diferentes y conductas dispares. Al almacén van las mujeres, los niños y los hombres a comprar artículos que serán consumidos en otro lado. En la trastienda, en el despacho, los hombres establecen lazos sociales en torno de la mesa y la copa de alcohol. Allí se articulan figuras complejas sustentadas en el juego de cartas, la conversación, la lectura del diario, el canto improvisado. El despacho de bebidas podía también imbricarse con la fonda o el bodegón. La venta inicial de "refrescos" pronto compartiría el espacio con la comida que se ofrecía al público. En estos casos, raramente había una separación por medio de salas, ofreciéndose el conjunto de los servicios en un mismo lugar. Los había también asociados con la posada o el más pretencioso hotel. Junto a estos comercios "compuestos" existieron las construcciones individuales, es decir una sala, seguramente de dimensiones reducidas, que ofrecía bebidas y un plato modesto de comida.[5]

La precariedad edilicia general y homogeneizadora de una profunda diversidad llevó rápidamente a asociarlos con "recintos malolientes"[6] y a reprocharles no "poseer el lujo que tenían los de París".[7] Con una única puerta de acceso y generalmente sin ventanas, a partir de los años ochenta la mayoría comienza a incorporar carteles y letreros que indican al caminante el nombre del local y los servicios que ofrece. Algunos abren ventanas laterales "que muestran desde el exterior el recinto", otros se amplían, pues se "trata de perseguir el buen trato y atracción de

Intercalados con otros comercios, con casas de familia en la zona céntrica, o con las primeras edificaciones de una futura zona poblada, no se advierte un rincón de la ciudad sin cafés.
A la izquierda, huelga de foguistas, 1903. (Archivo General de la Nación)
A la derecha, frente de comercios. (Archivo General de la Nación)

*Según Felipe Amadeo Lastra, la
Confitería del Águila "era muy
concurrida a la hora del vermut y se
tenía por punto de reunión de la
juventud. Además, a esa hora se
realizaba el desfile de carruajes con
familias conocidas. En la vereda de
esta confitería se formaba una barra
fuerte y bromista, que algunos
transeúntes preferían esquivar
cruzando a la otra acera para no
prestarse a ser blanco de alguna
chuscada más o menos picante.*
Confitería del Águila, con cartel de
remate, 1971. (Archivo General de la
Nación)

los parroquianos",[8] ciertos comercios empiezan a brindar números musicales fijos a cargo de mujeres, señalando así la tendencia a la distinción entre café-distracción y café-espectáculo, el juego de billar invade a la mayoría y puede convivir con la cancha de bochas o de pelota vasca emplazada en un lateral.

Imposibles de ser delimitados con una definición estricta, la similitud de funciones, de usos y de fachadas permite hablar, indistintamente, de cafecito, café, despacho de bebidas, boliche, confitería..., incluso para referirse a un mismo local. Pero esta indiferenciación desaparece de los documentos en la última década del siglo XIX. Algunas guías incorporan nuevas denominaciones comerciales: chocolaterías, cafés-chocolaterías y cafés-confiterías. Todas distinguen entre despacho y cafecito por un lado y cafés principales por el otro. Ubicados en la "zona céntrica" estos doce "cafés principales", según la *Guía Comercial Kraft* de 1886, quizás encuentren en el café Tortoni y en la confitería del Águila sus representantes más conocidos y paradigmáticos.

"Centro obligado de los paseantes de la aristocrática calle Florida en la que está situado el edificio, conquistándose una clientela vasta y de lo más selecto de la población", la confitería del Águila, "tiene 23 empleados [...] es moderna la construcción y de dos pisos el edificio con todas las dependencias necesarias en cuyo arreglo se ha procedido con gusto, elegancia y lujo".[9] Interiores similares se encuentran en el bar Corrientes y Florida, la confitería también llamado café Aues'Keller así como el café-bar-restaurant El Americano ubicado, según Taullard, en "una calle interesante", esto es, en Cangallo entre Suipacha y Carlos Pellegrini. La clásica fotografía del café Tortoni tomada en pleno festejo del Centenario permite ver las reputadas terrazas, constatar la evidencia del "modernismo" arquitectónico y una clientela menos heterogénea desde el punto de vista de la pertenencia social y del país de origen.

Escasos, apenas doce sobre un total de 596 cafés censados en 1886, los cafés principales fueron suficientes para satisfacer a los más acomodados. Poco presentes en los cafés, quitándoles la centralidad que les concedían antaño, concentrándose en un número determinado de ellos, las elites políticas y económicas hacen un uso diferente del de los otros sectores sociales, al tiempo que frecuentan otros espacios. La literatura sugiere esta transformación mostrando personajes que desfilan por el café pero siempre para continuar hacia otro destino. La imagen que muestran es de premura y transitoriedad en el uso. Los personajes se dan cita en el café y una vez "arreglado el tema" abandonan el lugar. No se quedan a "pasar el rato" y tampoco lo convierten en un espacio para conocer y gestar vínculos sociales, como sí lo hacía la mayoría de los hombres de la ciudad. Los poderosos interactúan esencialmente en el club. Para Andrés, personaje central de la novela *Sin Rumbo*, de Eugenio Cambaceres, la asociación con el mundo de los placeres la brinda el club. Cuando el esposo de la cantante de ópera italiana, de gira por Buenos Aires, le comenta que sabe que la ciudad tiene vida y es alegre, preguntándole además si hay numerosos centros sociales, Andrés no duda en responder: "Sí señor, es cierto, hay varios Clubs". El Del Progreso, el Del Plata, el de Residentes Extranjeros y el Francés, entre otros, permiten el juego de naipes, la práctica de la esgrima, del tiro al blanco o de la natación. Permiten también que los hombres se encuentren a tomar un refresco en una de las salas del edificio que se llama, precisamente, café.

El Jockey Club, los paseos en carruaje por Palermo, las escapadas al circo, además de las veladas de ópera en el Colón, complementaban y devenían espacios de sociabilidad alternativos a los cafés principales. Pero lo que es importante destacar aquí es que esta clientela "selecta" hace un uso privado de este espacio público. Este carácter privado significaba, siguiendo a Richard Sennett, que la conversación sólo podía ser agradable en la medida en que se eligiera a los interlocutores. Cualquiera podía ir, pero de hecho, cotidianamente no iba cualquiera. En palabras de Felipe Amadeo Lastra, "todos los habitués se conocían, casi todos eran amigos", se sabía quién hablaba, desde dónde hablaba y con quién hablaba. Hubiese sido de muy mal gusto que un desconocido empezara a hablar sin ser invitado o que se mezclara en cualquier conversación. Las cosas no suceden del mismo modo en la mayoría de los cafés, despachos y cantinas de la ciudad capital.

El patrón puede entremezclarse con sus clientes, oficiar de "veedor" en un partido de cartas o acompañar con batidos de palmas los acordes de guitarra. Su mujer, encargada de la limpieza y de atender a la clientela, raramente abandona su puesto detrás del mostrador.
Propietarios de una cervecería.
(Archivo General de la Nación)

La elección de los hombres

Con sus puertas casi siempre abiertas, incluso más allá de lo permitido por el reglamento de policía, el café es un espacio cerrado y abierto a la vez por donde pasan cientos de hombres a tomar una copa y donde se encuentran aquellos que no tienen otro lugar para experimentar el placer de estar juntos. ¿Cualquiera puede entrar en este espacio público? ¿El libre acceso implica que todos pueden traspasar el umbral? Felipe Amadeo Lastra, situándose en el año 1902, afirma contundente: "El elemento femenino no concurría ni a los bares ni a las confiterías". Si sus mujeres integran el limitado mundo de las elites, el heterogéneo universo femenino de Buenos Aires también parece haber estado, al menos mayoritariamente, ausente.[10]

En las fuentes, es confuso el lugar de las mujeres. Además de aparecer menos, es difícil saber si su presencia se debe a que habían ido en compañía de un hombre a beber, si se trataba de mujeres que trabajaban en el local, si habían ido al almacén a comprar e indirectamente se vieron envueltas en un incidente que provocó la intervención policial, o si el despacho de bebidas era la pantalla para el ejercicio de la prostitución. Más allá de estas limitaciones, todo parece indicar que, mayoritariamente ausentes de los documentos, también lo estuvieron del interior de los despachos de bebidas. Las restricciones sociales seguramente desviaron a las mujeres del café. La estrecha asociación entre despacho de bebidas –consumo excesivo de alcohol– inmoralidad, estereotipo alimentado por y desde el Estado y apoyado –más allá de las diferencias de objetivos– por los dirigentes sindicales, tanto socialistas como anarquistas, frenó el ingreso de las "mujeres decentes" hasta las primeras décadas de este siglo. La importancia de la familia y el papel clave de la mujer en el hogar como madre y esposa contribuyeron también a desalentar la presencia femenina en el café, que devino así un coto reservado por y para los hombres. Acompañadas de sus maridos, padres o hermanos, el patio del conventillo, el atrio de la iglesia, ocasionalmente el teatro y con mayor frecuencia el circo, fueron los espacios destinados y reservados a las mujeres. Ellas también invocan con desprecio a aquellas que se permiten presentarse en el café.

Pero tampoco todos los hombres podían permanecer en él. El dueño del local expulsa a "individuos que frecuentemente andan armados y son muy barulleros", a quien "emprende cuestiones y peleas con todos", o a aquel que "por su apariencia vestimentaria no parecía una persona respetable".[11] El resto de los hombres puede entrar. ¿Qué hombres? Imposible conocer en su totalidad –sin caer en definiciones demasiado estrictas–, la clientela se insinúa en las afirmaciones que circularon con generosidad en la época: "concurría gente de toda nacionalidad", "vagos, mendigos y prostitutas" de origen nativo, "jóvenes de familias pobres,

Compartiendo la nacionalidad de sus patrones, los "dependientes" eran generalmente varones. Las empleadas no atendían a los clientes, trabajaban como lavanderas o cocineras, "sirvientas" según los documentos de la época.
Café de los Inmortales. (Archivo General de la Nación)

algunos trabajadores y personal de servicio doméstico". Poco proclives a los matices y siempre alimentados tanto por el temor al desorden y la preocupación por la moral como por el prejuicio de clase, estos enunciados, que deben ser tamizados, pueden emplearse como punto de partida. Como dejó asentado en la Memoria de 1881 el jefe de policía de la Capital en una frase tan general como descriptiva, "hay un poco de cada cosa". El café atrajo a todos los sectores sociales pero fue central para los trabajadores. Panaderos, herreros, carpinteros y comerciantes fueron figuras recurrentes. Víctor Bevivino, zapatero italiano "entre las 12 y la 1 entró al almacén junto con Mastovani, Vicente D'Amira y Francisco D'Andrea poniéndose a jugar una partida de naipes después de comer esperando la hora de entrar al trabajo en la fábrica de calzado perteneciente al señor Balaguer".[12]

En estos casos se frecuenta el comercio más próximo al lugar de trabajo. A la salida se puede ingresar nuevamente en él, pero es corriente elegir otro café, el que está camino a la "casa", tal vez muy cercano a ella, lo que no implica el de la esquina. Así se diseña la rotación entre dos o tres cafés, así se deviene habitué. Lugar de conocidos, de clientes que se dicen amigos y que tienden a desempeñar la misma actividad,[13] fue también un espacio para desconocidos y para ir a conocer. En el interior de los locales, especialmente en determinadas zonas de Buenos Aires, puede encontrarse un grupo de artesanos que comparten el espacio e interactúan con hombres que trabajan, por ejemplo, como transportistas. Carreros, cocheros, picadores, changadores, maquinistas y conductores de diferentes nacionalidades y oficios recorren la ciudad y en estos trayectos e itinerancias entran en el café. Es fácil reconstruir sus figuras e imaginar sus gestos tan habituales de detener el carro para ingre-

Recinto ideal para desplegar los rituales de la masculinidad, la sociabilidad de los hombres se construye con la ausencia física de las mujeres. Su rol en la puesta en escena de la virilidad las convierte en objeto de conversación, de rivalidad y de prestigio.
A la izquierda, café-billar El Trompezón, en Charcas y Paseo de Julio, 1907. (Archivo General de la Nación)
A la derecha, interior de una cervecería. (Archivo General de la Nación)

sar en el despacho, de sujetar la tropa e irrumpir en el interior de los locales: "Mateo Malagambe a la 1 pm dejó el coche que guiaba abandonado en la calle Córdoba entre Florida y San Martín penetrando a beber en la fonda situada en Córdoba 537".[14]

Otros, después de llevar pasajeros o esperando la hora para ir a buscarlos, "hacen tiempo" en cualquier despacho. Felipe Amadeo Lastra afirma que en 1890 "en la Avenida Quintana y Junín había un cafetín de mal aspecto, estación de los cocheros de plaza al regresar vacíos de las casas de hospedaje que había entre Recoleta y Palermo". Probablemente en este local los cocheros hayan compartido algunos cafés con otros trabajadores como, por ejemplo, los marineros y estibadores. Estos hombres de nacionalidades diversas y con trabajo inestable, a excepción de quienes tenían tareas especializadas en los más sofisticados buques de vapor que empiezan a generalizarse a fines de los años ochenta, eran clientes fijos en los despachos de bebidas y cafés de la Boca del Riachuelo y del resto de la ribera. Daban el perfil a ciertos locales, como los matarifes de los cafés cercanos a los corrales, sin impedir la presencia de otras personas en su interior.

Los comercios explotados por José Tancredi y Romeo Galusi en la intersección de Suárez y Necochea, en La Boca, ofrecen una extraordinaria diversidad. Romeo explotaba un almacén, un despacho de bebidas ubicado en la trastienda y una sala de baile. Las personas que frecuentan sus instalaciones muestran rostros muy diversos. La noche del 17 de diciembre de 1877, para citar sólo un ejemplo, cuatro italianos que declaran como profesiones la de cocinero, herrero, talabartero y pescador son arrestados por la policía junto con seis argentinos, dos de los cuales se desempeñan como carpinteros y los restantes como procurador, mozo, herrero y panadero. Estos individuos, si aceptamos la información policial, no eran habitués exclusivos de el local: la noche anterior, un oriental desocupado de 24 años también había estado allí. Frente a lo de Romeo se encontraba el comercio de José. Abierto en 1876, comienza como un despacho de bebidas, al poco tiempo solicita autorización para "dar baile los días de fiesta" y luego pide habilitación para abrir una academia. Para Jorge Bossio "ya se bailaba el tango en 1877"; según la policía concurría un "nutrido número de gente de toda nacionalidad".

La multiplicidad de actividades económicas y el flujo permanente de gente explica la coexistencia y entrecruzamiento de profesiones y nacionalidades. En el Paseo de Julio es constatable una realidad similar. Los almacenes mayoristas de las inmediaciones, la aduana y el muelle de pasajeros se asocian a la inmigración pero también a una intensa actividad comercial. El almacenamiento de los productos, la distribución, carga y descarga de mercancías involucran a miles de peones, jornaleros, chan-

Los pequeños territorios que delimitan las mesas y las sillas no impiden la mirada que sirve para comentar, denigrar o mostrar indiferencia. La proximidad física permite el conocimiento de los hábitos de cada cual e impone la comunicación por medio de los gestos y la apariencia.
(Archivo General de la Nación)

gadores, transportistas y marineros que diseñan la heterogeneidad y flui-dez de la asistencia de los espacios de sociabilidad del lugar. Una vez re-modelado y más próximo a las pretensiones de modernidad de la ciudad, el Paseo de Julio se transformará en un lugar de paseo y distracción de amplios sectores sociales urbanos que contribuirán con su presencia a brindar "el aire de Babilonia"[15] que se reproducirá en los locales.

La ciudad se llena de extranjeros que acuden al café. Veintiséis na-cionalidades diferentes[16] impregnan la mayoría de los locales. Con sus "equipajes" culturales diversos, estos hombres de orígenes muy variados pero capitaneados por argentinos, italianos y españoles –en su mayoría solteros–, si bien tienen edades muy disímiles, se encuadran dentro de la franja etaria que domina en la ciudad y da el tono al mercado de traba-jo: 20-39 años.[17]

Entrecruzamientos, eclecticismo y preponderancias son términos in-dispensables para invocar los cafés en general y el interior de cada café en particular. Cambiando con la hora, su ubicación en la ciudad y los años, el interior de los locales era extremadamente complejo. Hubo ca-fés que tendieron a aglutinarse y definirse a partir de la preponderancia de una actividad ocupacional que coincidirá, a su vez, con la proceden-cia geográfica. Esta realidad fue más proclive entre ciertas actividades y, fundamentalmente, en ciertas áreas de la ciudad. Hubo unos pocos cafés que, ubicados en la zona céntrica, adquirieron un claro contenido de cla-se a fines de los años ochenta. Pero la mayoría de los locales proponía un interior social y geográficamente heterogéneo. Si hubo perfiles o ac-tividades profesionales que parecen haber impreso el ritmo en el interior de los locales, no fueron suficientes para impedir que proliferara la diversidad. Más que por una profesión o nacionalidad en particular, los espacios de sociabilidad se definían porque en su interior se desplegaban actividades sociales multiformes pero relativamente específicas: beber, entonar frases con un fondo de guitarras y jugar una partida de cartas. Estas prácticas que configuraban la vida social del café fueron las herramientas para destruir reputaciones desnudando aspectos de la vida privada, al tiempo que develaron también cualidades a partir de las cuales se podía comenzar a edificar una respetabilidad.

La sala de estar

"La mayoría de esta gente, que vive en los conventillos sin aire, sin luz [...] no es una gente bestial [...] ociosa [...] ama la luz, los colores, la limpieza [...] basta observar el esmero con el que se atavían para salir a la calle." Esta observación que "entristece el ánimo" de Aníbal Latino permite imaginar las calles como algo más que un mero lugar de tránsito y el café como un ámbito necesario para una vida que tendía a desarrollarse en el afuera. La omnipresencia de los espacios de sociabilidad está en íntima relación con su papel de complemento y en muchos casos sustituto de la vivienda miserable. Habitaciones de dimensiones exiguas, algunas construidas transitoria y clandestinamente, otras derivadas de las residencias abandonadas por las elites al mudarse al naciente Barrio Norte, el conventillo y las diversas "formas de habitar"[18] expulsan a la gente hacia un afuera más salubre, libre y sociable. Hacer un alto en el camino para tomar la copa antes de emprender el regreso a "casa" es el paso previo al inevitable pero desagradable encuentro con la diminuta pieza del conventillo. El despacho ofrecía alimentos para la gente sola que podía evitar agregar así olores adicionales al sobradamente perfumado "lugar de habitar". Las piezas no poseían cocinas individuales ni el conventillo las tenía comunes; además, el equipamiento doméstico era escaso porque los recursos no eran suficientes para mejorarlo, pero también porque el tamaño de las habitaciones no lo permitía.[19] Las personas, la cama, alguna silla y el baúl con las pertenencias personales se disputaban agriamente la limitada superficie e impedían agregar al hacinamiento la gastronomía doméstica. Quienes residen en el despacho-fonda-posada recorren un camino más corto para satisfacer esta necesidad básica.[20] Otros lo revisitan después de la cena consumida en el lugar de residencia con la familia o los compañeros de cuarto, se quedan allí o rotan entre varios comercios para retornar a una "casa" que era un "simple lugar para dormir".

"... Preguntado dónde había estado a las 10 de la noche, contestó: que en el café de la Sonámbula, donde entró como a las 8, solo y se sentó en una mesa donde habían [*sic*] cuatro o cinco personas más, a las que sólo conocía de vista...” “Que habían andado por varios lugares bebiendo.”[21]

Si el precio de la bebida, vital en estos lugares, dependía del tipo y calidad de la misma, no parece haber superado para 1887 el 0,05% del jornal diario de un trabajador.[22] Para la diversión cotidiana y económicamente accesible[23] las alternativas al café eran nimias. Buenos Aires tampoco ofrecía suficientes lugares para darse cita o para “arreglar cuestiones”. “Dos comerciantes arreglan asuntos de negocios a las tres de la tarde en la trastienda del almacén”[24] mientras que otros esperan para conseguir trabajo. Mucha gente era conchabada en el despacho de bebidas por el capataz de una cuadrilla, que ingresaba a buscar peones. También los contactos que podían anudarse entre los asistentes permitieron acceder al empleo o proveerse de la información necesaria para intentar conseguirlo.

Para exigir “satisfacción por problemas familiares [a las] 11 de la mañana”[25] el escenario era nuevamente el café. La “casa” no era el lugar más propicio para mantener en secreto y dirimir un asunto privado. En el conventillo las paredes escuchan, las discusiones se filtran y el chisme las multiplica. En el conventillo los hombres carecen de espacio físico y de “espacio cultural”. Los “hábitos culturales” impedían convertirlo en el lugar para convenir, arreglar, profundizar relaciones. Al interior sólo debían ingresar los parientes y, si las mujeres estaban solas, no debían hacerlo. La “casa” ilumina la geografía del honor, del orden, de la familia. Las mujeres que eran visitadas, las que charlaban siendo casadas con otro hombre que no fuera su marido en una pieza del conventillo, eran sospechadas de deshonestas.

“El testigo [...] preguntado si la mujer [...] faltando a la fe conyugal haya cometido el delito de adulterio responde que: hace como cuatro meses fue a visitar al marido [...] y cuando penetró a la pieza que ocupaba con su esposa vio que ésta estaba jugando de manos con [...]; la otra testigo [...] preguntada si la mujer [...] faltando a la fe conyugal haya cometido el delito de adulterio dijo que no sabe si fue infiel pero que cada vez que llegaba [...] le pedía a la compareciente que se retirase y la esposa se quedaba sola; que cuando este último no se presentaba no le decía nada.”[26]

La densidad de este ambiente de vecindad, la extrema proximidad física, invitaban a espiar en la vida privada de los otros. Los intrusos pueden ser calificados de “malos, intrigantes y habladores” y con frecuencia se les reprocha “tener la lengua muy larga”. Si los actores se oponen con furia “a las habladurías” y defienden con esmero la esfera de su vida privada, no se contienen cuando pueden hurgar en la intimidad de los otros. El conventillo muestra de manera ejemplar la invasión de jurisdicciones.

Revela la privacidad en permanente riesgo al mismo tiempo que la muestra como estrategia predilecta para canalizar odios y rencores, para zanjar antiguas cuestiones y deslegitimar posiciones, esencialmente a través de las referencias a las promiscuidades femeninas y a las virilidades dudosas. La mudanza del conventillo y la renovación permanente de residentes reconoce aquí una de sus causas. Muchas familias cambian de habitación para reconquistar la paz. Los hombres, siempre que pueden, van al café, para no tener que suplicar que "no pronunciara incendios", para intentar preservar el secreto e impedir la irrupción de los vecinos en sus vidas privadas. Allí las intromisiones en la privacidad eran tan frecuentes como en el conventillo, pero no siempre por los mismos motivos y, al menos, bajo la exclusiva mirada de los hombres.

Los rituales del beber

La escala generalmente reducida de los comercios tornaba inevitables los contactos y exigía la renuncia de una parte de los derechos territoriales de cada uno en el espacio limitado y densamente poblado del café. Esta proximidad física facilitaba los encuentros y el inmediato conocimiento de la información que irradian los otros. Los secretos susurrados entre amigos pueden súbitamente volverse públicos, y la privacidad buscada puede ser interrumpida en cualquier momento y bajo cualquier pretexto. Es muchas veces en este contexto donde se producen las alusiones a la sexualidad. La propia dinámica de la sociabilidad, que tornaba partícipes a todos los presentes con señas, miradas, batidos de palmas, acciones y gestos, hacía que se viviera a la vista de los otros y en cierto modo en función de su mirada vigilante. Los rituales del beber con sus múltiples significados los ejemplifican con claridad.

Invitar a beber era una "excusa" legítima para iniciar el diálogo con un desconocido, también con quien se había visto alguna vez. Era un gesto de mediación entre la soledad y la compañía agradable, entre la falta de referentes y el punto de apoyo que permitiría, tal vez, expandir las redes de sociabilidad. Invitar reduce la distancia física y diluye las distancias sociales, ya que la invitación en la calle, y también en el café, no se funda en la afirmación de una superioridad, de una posición o de una calidad. Los desconocidos son inicialmente iguales en la medida en que las posibles distancias sociales se reducen en los gestos compartidos y en el riesgo de la ebriedad.[27] El gesto de invitar implica hospitalidad, camaradería y un futuro de nuevos encuentros. Para compartir la soledad con mayor dignidad son necesarias, al menos hipotéticamente, determinadas respuestas. El ritual indicaba que había que aceptar y devolver la invitación. Los rituales del vino exigen

Los locales permiten difundir objetos y prácticas, garantizando la libertad de continuar con aquéllas del país de origen. La textura cultural del café se edifica a través de préstamos, coexistencias y resemantizaciones. Interior de un café y bar turco donde algunos parroquianos fuman el narguile. (Archivo General de la Nación)

reciprocidad y es así como se van gestando los lazos. Iniciada la dinámica, se supone que conversarán, quizá jueguen a las cartas y se prometan un nuevo encuentro, tal vez salgan juntos del local.

Presentar un desconocido al grupo implicaba transformarse en anfitrión y tener la obligación de iniciar la vuelta. Luego un segundo invitaba y se repetía la ronda. Este ritual insume tiempo y, fundamentalmente, dinero. Es caro pero también constituye una actividad social necesaria para ser reconocido como hombre adulto. Para disminuir los gastos, los hombres inventan estrategias de postergación "que mañana", "déme la penúltima", "que ahora no porque no podía".[28] No se puede decir no. Negarse es "conducirse mal", "despreciar", actitudes resumidas en un "mal hombre". Pero en la bebida aparece también otro sentido de la equidad. Para que sea posible entre amigos y conocidos no debe "haber desinteligencias". Una cosa es el vino ofrecido en la calle y otra es la cadena, más sutil y compleja, que se diseña cuando existe una relación de amistad. El vino compartido equipara tanto como distancia, crea orgullos individuales, marca identidades comunes y personales, es señal de paz pero también provocación y desafío. Cuando "hay antecedentes" hay que saber decir no: "¿cómo iban a beber si andaban mal?".[29] Invitar a alguien con quien se tenía "cuestión" era sinónimo de provocación y bien valía que el invitante "se fuera a pasear".[30] Porque "beber juntos" permitía pasar del consumo igualitario a la reafirmación de las diferencias y la convalidación de las jerarquías. Resulta difícil, si no, explicar las competencias enhebradas por la copa, el juego por ella y el triunfo que la misma concede. Los hombres compiten para saber "quién bebe más" e "insisten en seguir bebiendo". Había que beber, saber beber y saber comportarse, es decir, no "perder la razón". En el café aflora el ideal masculino del buen bebedor que se opone a quien bebe sin controlarse, a quien trasciende el ideal de la moderación. El hombre de buena presencia, trabajador y capaz de controlarse a sí mismo se opone a quien no trabaja y no actúa como lo indica su "naturaleza".

Al mismo tiempo, era difícil salir de la ronda del beber, en la medida en que difícilmente se aceptaba que uno de los participantes mantuviera la mesura en medio de las ingestiones del grupo. Antonio D'Andrea fue víctima de desenlace generado por abandonar un encuentro que su participación había coadyuvado a edificar. La noche del 28 de julio de 1894, Antonio jugaba a los naipes y tomaba una copa con tres italianos más; "a eso de las 9 D'Andrea manifestó que iba a retirarse, pagó lo que debía y se retiraba". Ángel Paggi le pidió que se quedara, pero Antonio estaba dispuesto a abandonar el local. A los pocos minutos el cuchillo de Ángel provocó su muerte. Antes de matarlo, Ángel le había pedido nuevamente que se quedara y ante la negativa de Antonio le había advertido "que se las iba a pagar".[31] La retirada quebraba el juego de cartas y Antonio dejaba de exponerse. El alcohol hace hablar y permite hacerse escuchar. Pero cuando no se deja de hablar y cuando no se miden las palabras, las osadías del vino se hacen inaceptables. Sería un error pensar que los "dichos" de un borracho no se tomaban en serio. El impacto y la validez de sus proclamas dependían del tipo de relación mantenida con el destinatario y los integrantes de la audiencia. Si eran amigos y no había antecedentes, los enunciados podían continuarse con gestos festivos y comentarios jocosos. Si existían "antecedentes", la "pérdida de los sentidos" rápidamente invocada no era suficiente para menguar el efecto de las palabras. Si el auditorio estaba integrado por gente que se conocía bien, la trayectoria personal era prueba suficiente para hacer un "mentís" del agravio. Pero en el café lo más frecuente era una clientela de "amigos" y desconocidos frente a los cuales todos quedaban expuestos y a su merced. Si no se defiende el honor nace el desprecio público. El capital simbólico del honor se juega en la retórica de la bebida. Hay que beber con alguien igual en honor y beber más que él para posicionarse mejor. En los juegos de cartas o en las payadas, que tienen la bebida como compañera y como recompensa material inmediata, se juega algo más que un vaso de vino. Beber como se espera, aceptar o respetar lo pautado, plantear una jugada que demuestre habilidad e inteligencia, otorgan prestigio y ventaja relativa a quien lo hace, generan admiración y son fuente de poder.[32]

El *padrone e sotto* es un claro ejemplo. En realidad, no era un juego propiamente dicho, en la medida en que se llegaba a él a través de la brisca, el punto, el truco, etcétera. Se jugaba por la copa de vino y el que ganaba *(padrone)* tenía derecho a invitar a los que se encontraban en el local, pagando el que perdía *(sotto)*. "El *padrone* es el rey y señor absoluto del vino que en la partida se ha jugado y el perdedor, vasallo designado de lo que el rey disponga. Este rey, de buen humor porque la suerte le ha sonreído, resuelve que el vino lo beban y festejen todos menos el perdidoso, con lo que sufre y se exalta el amor propio o las malas inclinaciones de éste."[33] El *padrone,* amo y señor, deja debajo de él a quien ha perdido, *sotto*. La significación de estos términos y la jerarquía dictada por el resultado fueron motivo de numerosas disputas y profusas discusiones entre los jugadores y el público, que también tomaba partido. El esmero para discutir un punto, así como la energía empleada para revertir el resultado que el final de la partida exponía con claridad, se explican por el efecto cuestionador de la capacidad de cada uno para improvisar ardides y subterfugios. Había que tener ojo clínico para descifrar las tretas y las trampas posibles. El "tonto" había mostrado la falta de habilidad. La "ilegalidad", insistentemente denunciada por el "perdidoso" y escasamente probada, ponía en evidencia su menor destreza, pero también la fragilidad de la victoria que será necesario reactualizar permanentemente. En medio de este intercambio de dignidades masculinas que concitan la atención y

En momentos de conflictividad social, el café brinda una posibilidad más para realizar actividades de propaganda que tienen como epicentro las organizaciones sindicales. Es frecuente alquilar los "altos de un café" para pronunciarse frente un acontencimiento o realizar una conmemoración.
Huelga de estibadores, 1904. (Archivo General de la Nación)

despiertan complicidades entre el auditorio, es trivial pasar de la broma permitida al insulto insostenible. Los límites son tan delgados y difusos que el deslizamiento hacia uno u otro extremo podía ser inevitable: "y luego con la hira [*sic*] que lo dominó empezó a tirar sin saber a quién apuntó por el estado de ofuscación en que se hallaba...";[34] "que el eho que los demás se enteraran tenía vergüenza [*sic*] [...]".[35] Develar lo que debía permanecer oculto, atacar el honor, sagrado y vulnerable, capital privado que necesita de un público, producen indignación y violencia.

Entre la publicidad y el secreto

"Premisa común"[36] por medio de la cual se pronunciaban sentencias diferentes, el honor es un bien primordial, una necesidad indispensable. Noción globalizante, a menudo vaga, también a veces extremadamente concreta, emerge despojada de la continuidad y densidad temporal que deviene esencial en otros contextos históricos. En una Buenos Aires con poco de pasado y mucho de presente es lo que está ahí, lo que se ve inmediatamente, lo que se muestra en gestos, poses y actitudes rápidamente aprehensibles por una audiencia de conocidos, desconocidos y extranjeros. "Que creyó que era un hombre honrado", "que intercambiaron palabras y luego se dieron la mano como prueba de verdad", "él lo sabía hacer mejor", "si era hombre lo esperaba", "que no lo desacredite porque no le debía nada", "que si él no tenía vergüenza, él sí la tenía", "que él tenía tanta fuerza como él". Estas frases suenan en los cafés, interfieren en los juegos, rompen la armonía y conviven con el aspecto más "tradicional" del honor: las normas de la conducta sexual. Hablar de esta forma esencial de la privacidad es cimentar gloriosos e irrecuperables denuestos. La sociabilidad masculina está constantemente modelada en ausencia de las mujeres y, en parte, en referencia a las mujeres por el papel que éstas juegan en la puesta en escena de la virilidad. Tema frecuente de conversación, objeto de rivalidad, de posesión y de prestigio, las alusiones a sus comportamientos sexuales remiten directamente al honor de los hombres.[37]

El 3 de abril de 1901, el italiano Roque Filipponi, de 28 años, con tres de residencia, casado y de profesión marmolero, dispara un tiro de revólver a Nicolás Polini. Según su declaración, "conocía al damnificado desde hacía dos años, con quien estrechó la amistad llegando a estimarlo como a un hermano, pero Polini correspondía mal a esta estimación, pues desde hace ocho meses trataba de todas maneras de demostrar al compareciente que seguía a su esposa Cristina y pretender hacerle creer que tenía relaciones con ella, parándose en la esquina de la casa que como domicilio ha dado, en las horas en que el declarante iba y venía a trabajar [...] como Polini perseguía en sus propósitos, creyóse engañado el confesante y separóse de su esposa [...] que Polini había dicho que si le hacía eso era por mero placer, para que no fuera celoso, y que en vista de las separación de los esposos le prometía no incomodar al marido en lo sucesivo, promesa que ratificó escribiendo una carta a Pascualacci en la cual le manifestaba que Filipponi podía unirse a su esposa, lo cual hizo el confesante, pero a las dos o tres semanas volvió Polini a importunarle en la misma forma hasta que el día del suceso encontrándose el exponente en la cantina [...] penetró al negocio Nicolás Polini y sin decirle nada al exponente le hizo con la mano derecha, encogiendo los dedos pulgar, mayor y anular y extendiendo el meñique y el índice, la señal de unos cuernos, la cual lo puso fuera de sí y ciego de ira desnudó el cuchillo [...] el testigo Juan Carozzi expresa que estando con Filipponi y unos amigos llegó Polini y aquél cambiando de color y se conocía que sufría a juzgar por el estado nervioso en que se ponía, habiéndole oído decir a la víctima que el reo era un zonzo y para j... a él, se necesitaban cuatro Filipponi".[38]

En los documentos se utiliza la expresión "poner los cuernos" o "hacer los cuernos". Poner los cuernos es cosa de mujeres, es la esposa del cornudo y no el rival del marido quien carga con la responsabilidad principal de ponerle los cuernos en la cabeza. Ser cornudo es transformarse simbólicamente en mujer: los cuernos en la cabeza de un hombre lo feminizan y es una manera de robarle su masculinidad. Los comportamientos "irregulares" o "sospechosos" de las mujeres cuestionaban la virilidad al sugerir incapacidad de satisfacerlas sexualmente y de imponer su autoridad. Vigilar el comportamiento de sus mujeres iba a la par del intento de conquistar las de los otros, en la medida en que capitular ante el atractivo sexual fue un lujo viril. Publicitar una conquista amorosa, "pasear por la puerta del café en compañía de una mujer", "confesar que andaba en amores con una muchacha", o irrumpir como hace Vélez en el café que está en la esquina de Suárez y Necochea diciendo en alta voz "amigos tomen lo que quieran porque me voy a vivir con María Sotelo",[39] es afirmar en público un triunfo privado.

Una vestimenta y una apariencia honorable son necesarias para ingresar al café. La respetabilidad de una combinación de prendas, colores y texturas es indispensable para anudar vínculos con los iguales, y para diferenciarse de ellos.
(Archivo General de la Nación)

Esta "intimidad pública" buscada, deseada y necesaria permite un mejor posicionamiento en un espacio como el café. Entre estos hombres que son lo que parecen, para poder interactuar, inspirar confianza, negociar, gestar solidaridades y diferenciarse, es necesario recurrir a lo que se lleva puesto, que en ocasiones es lo único que se tiene: el honor. De ahí la exhibición, a veces exultante; por ello también, la imperiosa necesidad de defenderlo. En el café los hombres son juzgados por el modo de comportarse en un partido de naipes, por el respeto a los rituales del consumo de alcohol, por lo que se dice de ellos y por la contundencia con que defienden su reputación y estima. Allí empiezan las ofensas y se lanzan los desafíos. Cuando los mecanismos para retardar o incluso desviar la pelea física dejan de ser suficientes, los individuos abandonan el local para dirimir el conflicto en la calle: "que Juan Saccone y Fructuoso Marin estaban enemistados por hechos anteriores a la noche en que tuvo lugar el delito [...] encontrándose ambos esa noche en un baile en la calle Andes, salió primero de la casa Saccone y estaba en la esquina de Andes y Santa Fe, cuando vino Marin y lo invitó a seguir sólo con él por la calle Andes, lo que consintió y se alejaron".[40] El bajo, las zonas escasamente iluminadas, los huecos y baldíos, Palermo, son los escenarios predilectos. La intención de ir a "un paraje apropiado para contestar" es explicada por los protagonistas como un intento de "no alterar la tranquilidad de los demás".[41] Todo parece desarrollarse como si la última vindicación del honor cuestionado en público se consumara en la más absoluta soledad.

Esta pretensión de intimidad para la recuperación de lo más íntimo no claudicaba ante el deseo de hacer un "buen papel", de teatralizar correctamente el drama: ponerse en igualdad de condiciones, tener el mismo tipo de armas y lucirse a partir de esa igualdad inicial. Un buen papel era tener una buena performance, ganar desplegando generosamente todos los "haberes" personales y no tomar ventaja respecto del adversario. "Estos espectáculos que no eran dados de presenciar al público y en los que los hombres se matan casi científicamente",[42] tienen como condición la ficción de un público. La habilidad y la destreza podían garantizar el triunfo, pero todos los gestos del encuentro estaban destinados a trascender. Que "el asunto se supiera" era necesario para la recuperación del honor, pero no implicaba contarlo a la policía. Manuel Pelliza agrega que "él era bastante hombre para no decir nada si era herido y que esperaba haría otro tanto él".[43] Es que Manuel y su rival no actúan porque la justicia o la policía no llegaron a tiempo, tampoco porque "para ellos no hay justicia", como decía Juan Moreira, sino que lo hacen en nombre propio, como representantes de su justicia y en tanto partícipes de un conflicto privado y que como tal merecía resolverse.

Estos acuerdos tácitos, la connivencia en el silencio frente a la autoridad pública, despertaron reacciones contra "el puntilloso sentido del honor", para decirlo en palabras de un juez. No se tratará de desterrar el imperio del honor, que en la legislación argentina recibe un tratamiento particular y no se equipara a los restantes delitos, como acontece en otros países, sino de intentar que el honor que defendían los hombres privados pudiera ser defendido por las autoridades públicas. La defensa del honor personal debe trasladarse a los hombres de leyes, únicos capaces de actuar "con un criterio jurídico y examinar cada caso a la luz de la psicología positiva".[44] El estudio minucioso del hecho que se juzga inducirá, por un lado, a que algunos especialistas propongan la revisión de la noción de "delito pasional", dentro de la cual podía encontrarse el honor,[45] y, por otro, a una necesidad de acotar el significado de la noción de honor.

Privacidades masculinas

Frecuentado diariamente por una clientela móvil de rostros multifacéticos, el café es un espacio público donde se anudan sociabilidades sometidas casi inevitablemente a la consideración pública. Debido a su extensión limitada, así como por la propia dinámica de la vida social, ir al café podía derivar de una decisión individual pero era poco frecuente que se bebiera en soledad. Quien llega al café sin compañía, rápidamente "entabla conversación", y entre copa y copa nacen las promesas, las buenas intenciones y los "ofrecimientos de amistad". En este ambiente bullicioso y abierto a la observación general, la intimidad es a menudo difícil, pero siempre buscada y tenazmente defendida.

Las condiciones de habitabilidad, unidas a la escasez de lugares de encuentro, convierten al café en el centro elegido por miles de hombres para forjar las dimensiones de una privacidad necesariamente improvisada en los espacios de lo posible. La expresión, la constitución y la noción misma de vida privada para los hombres se identifica menos con la esfera doméstica que con el espacio público del café. Éste ofrece cientos de meandros de donde brotan multiformes expresiones de una privacidad furtiva, acotada a menudo a un momento específico y efímero. Estas injerencias que diseñan el flujo de las fronteras entre esfera privada y esfera pública son sentidas, en ocasiones, como una intolerable intrusión, al mismo tiempo que sabidas como tal por quien ejerce la invasión.

Develar lo que debe permanecer en secreto exige la venganza, el descrédito del enemigo y el ajuste de cuentas. Todos saben que recurrir al honor es el camino más fértil para estos objetivos. Todos saben que exhibir el honor, o defenderlo cuando es cuestionado, es necesario tanto para la identidad social como para la existencia y la afirmación individual. Articulándose de manera cambiante, el honor es un bien privado que necesita de un público. Son los hombres los que tienen el derecho y el deber de defenderlo individual y privadamente siguiendo las pautas fijadas y reconocidas públicamente. El Estado disputa este poder. Los hombres deben cederle el derecho de defender su honor en aras de la tranquilidad pública. Este honor "civil" se fundiría con el respeto al orden y hallaría cabida en un mundo donde debe preocuparse más por obedecer a los dictados de la conciencia que a la tiranía de la reputación.

Notas

1. Los italianos representaban el 31,1% de la población total de la ciudad; los españoles el 10% y los franceses el 4,6%. Cf. *Primer Censo general de población, edificación, comercio e industrias de la ciudad de Buenos Aires,* Buenos Aires, 1887.

2. En 1869 casi la mitad de la población de la ciudad se ubica allí; en 1887, la cuarta parte y en 1909, una décima parte de la población. J. Scobie, *Buenos Aires. Del centro a los barrios, 1870-1910,* Buenos Aires, Solar-Hachette, 1977, p. 44.

3. El 94,4% de explotadores extranjeros se contrapone al 5,5% de argentinos. Cf. *Censo económico y social de la República Argentina,* Buenos Aires, 1895.

4. Así cierra su itinerario José Daggiore, inmigrante italiano y personaje central de la novela de Argerich: cuando llega a Buenos Aires, José comienza trabajando como peón de campo, luego de lustrabotas, albañil y vendedor ambulante, abre una fonda y cierra su carrera con el "café-billar de aspecto decente". A. Argerich, *¿Inocentes o culpables?,* Buenos Aires, Hyspamérica, 1985.

5. S. Gayol, *Sociabilidad en Buenos Aires. Hombres, honor y cafés, 1860-1910,* Buenos Aires, A-Z, pp. 44-45 (en prensa).

6. A. Taullard, *Los planos más antiguos de Buenos Aires, 1580-1880,* Buenos Aires, Peuser, 1940, p. 79.

7. Ventura Lynch (h), artículo publicado en *La Patria Argentina,* 20-5-1883.

8. Archivo Histórico Municipalidad de Buenos Aires, "Economía", 103, 1888 y 1889.

9. A. Galarce, *Bosquejo de Buenos Aires. Capital de la Nación Argentina,* Buenos Aires, 1886-1887, Tomo II.

10. El más heterogéneo universo femenino de Florencio Sánchez presente en el recambio de siglo está también ausente en los cafés. Como dice el autor en un pasaje de *Los Muertos:* "al café concurren mujeres de vida alegre". Amelia "ha tenido el coraje de emanciparse de su marido", pero no es una "cualquiera", tiene reparos y se resiste a exhibirse en un café. María Julia, "mujer de vida alegre", le aconseja: "no salga nunca con él [se refiere a su amante]. No es malo, pero acostumbrado a tratar con nosotras, cree que todas las mujeres son iguales". El gesto de Amelia y la indicación de María Julia son muy significativos en un autor que permite más de una licencia al sexo femenino.

11. Archivo Policial. Copiador de Notas o Libro de Notas de la policía de la Capital (en adelante, L.P.) N° 1, Sección I, 26-2-1864; N° 9, Sección I, 26 -6-1869 y N° 11, Sección XX, 18-4-1887.

12. Archivo General de la Nación (AGN). Tribunal Criminal, primera serie A-Z, Testimonio de Sentencia (en adelante T.S.), Legajo N° 2256, año 1889.

13. Gayol, *op. cit.*, p. 138.

14. L.P. N° 53, Sección I, 22-5-1892.

15. Informe de Policía de 1888.

16. Gayol, *op. cit.*, p. 156.

17. Para el año 1887, sobre un total de 243.152 hombres que vivían en Buenos Aires,

58.544 tenían entre 20-29 años (24%) y 47.313 entre 30-39 años (19%). Cf. *Censo Municipal de población, edificación y comercio de 1887.*

18. D. Armus y J. E. Hardoy, "Conventillos, ranchos y casa propia en el mundo urbano del novecientos", en D. Armus (comp.), *Mundo urbano y cultura popular. Estudios de historia social argentina,* Buenos Aires, Sudamericana, 1990.

19. L. Gutiérrez, "Condiciones de la vida material de los sectores populares en Buenos Aires, 1880-1914", en *Siglo XIX. Revista de Historia,* año III, N° 6, julio-diciembre, 1988.

20. Un número importante de fondas, bodegones y despachos contaba con cuartos que se alquilaban fundamentalmente a jóvenes solteros. O. Yujnovsky, "Políticas de vivienda en la ciudad de Buenos Aires, 1887-1914", en *Desarrollo Económico,* N° 5, 1971.

21. L.P. N° 7, Sección XX, 11-5-1881 y T.S., Legajo N° 2343, año 1890.

22. Así, siguiendo el Censo Municipal de 1887, vemos que el vaso de refresco oscilaba entre 5, 13 y 15 centavos; el de cerveza, entre 5, 10 y 15 centavos; y la copa de licores, entre 10, 15 y 20 centavos. Los salarios eran también extremadamente variables. Las fluctuaciones se daban entre cada una de las profesiones y dentro de cada una de ellas, al mismo tiempo que las incompletas series disponibles acusan una aguda variación de un año a otro y en un mismo año. Para 1887, siguiendo a Julio Godio, un ajustador ganaba entre 2 y 5 pesos diarios; un albañil, entre 1 y 3 pesos diarios y un cigarrero 1 peso diario. Si consideramos el precio más bajo del vaso de refresco respecto del jornal más bajo vemos que el vaso equivalía al 0,05% del jornal diario de un trabajador. Sobre las fluctuaciones salariales y las limitaciones documentales para estimarlas: Scobie, *op. cit.*; L. Gutiérrez, "Los trabajadores y sus luchas", en J. L. Romero y L. A. Romero, *Buenos Aires. Historia de cuatro siglos,* Buenos Aires, Abril, 1983, Tomo II, pp. 67-83.

23. Dentro de la telaraña cultural que se iba creando en Buenos Aires, el teatro y el circo fueron las alternativas más importantes. Entre 1889 y 1925 la cifra de espectadores anuales al teatro crece de 2,5 millones a 6,9 millones. Estas cifras implican que en 1910 cada habitante asistía 2,6 veces al teatro. También para 1910 sabemos que el precio de la entrada oscilaba entre 2 y 4 pesos mientras que una entrada al cine costaba 50 centavos y un vaso de vino, 5 centavos. Es atinado concluir que la asistencia al teatro por parte de la mayoría de los trabajadores es esporádica y hasta casual.

24. L.P. N° 28, Sección I, 2-1-1878.

25. L.P. N° 60, Sección I, 23-8-1895.

26. T.S., Legajo N° 1058, 1894.

27. S. Gayol, *op. cit.*

28. L.P. N° 9, Sección XX, 22-2-1885; N° 35, Sección I, 21-3-1882 y N°13, Sección XX, 28-12-1888.

29. L.P. N° 11, Sección XX, 5-1-1887.

30. L.P. N° 15, Sección XX, 1-12-1890.

31. T.S., Legajo N° 4414, 1895.

32. Gayol, *op. cit.*

33. *Revista de Policía,* N° 51, 1-7-1899, p. 40.

34. T.S., Legajo N° 3112, 1892.

35. L.P., Sección I, N° 45, 26-2-1889.

36. J. Pitt-Rivers, *Antropología del honor o política de los sexos,* Barcelona, Crítica-Grijalbo, 1979, p. 8.

37. S. Gayol, "La sexualité des femmes à Buenos Aires: honneur et enjeu masculins (1860-1900)", en *Histoire et Sociétés de l'Amérique Latine,* N° 5, marzo, 1997.

38. T.S., Legajo N° 9256, año 1901.

39. L.P. N° 13, Sección XX, 15-6-1888; N°11, Sección XX, 11-9-1886 y N° 6, Sección XX, 29-12-1881.

40. T.S., Legajo N° 4358, 1895.

41. T.S., Legajo N° 498, 8-1-1877.

42. *Caras y caretas,* N° 31, 6-5-1899.

43. T.S., Legajo N° 1941, 1894.

44. E. Gómez, "La defensa del honor", en *Revista de Criminología, Psiquiatría y Medicina Legal,* Buenos Aires, 1914, Tomo I, p. 197.

45. Algunos juristas consideraban que muchos individuos, "auténticos criminales", eran puestos en libertad porque sus actos se explicaban y justificaban apelando a la pasión. La recurrencia abusiva a la pasión, la necesidad de diferenciarla de la emoción y de recortar y precisar sus alcances derivó en el plano jurídico en una mayor severidad en los actos juzgados por causas de honor.

Un barrio de italianos meridionales en el Buenos Aires de fines del siglo XIX

Romolo Gandolfo

Agnone es una pequeña ciudad rural italiana de diez mil habitantes, escondida entre los Apeninos del Molise, a mitad de camino entre Ná-poles y Roma. Desde 1870, centenares de familias la abandonaron para radicarse en la Argentina y en los Estados Unidos. Los que vinieron a Sudamérica se quedaron en su mayoría en Buenos Aires, donde con el tiempo se formó una colonia numerosa y activa. La gran mayoría de ellos vivía en un cuadrilátero de veinticuatro manzanas delimitado por las calles Paraguay y Lavalle, Rodríguez Peña y Talcahuano. Muchos observadores llamaban por entonces a esa zona el "barrio del Carmen" (por la iglesia que estaba en el centro del mismo) o "barrio de los napo-litanos".

Pero, ¿se trataba verdaderamente de un barrio de inmigrantes meri-dionales, y agnoneses en particular? De los boletines originales del cen-so de 1895 se trasluce una realidad social compleja y multiforme. En esas veinticuatro manzanas al borde entre la 5ª y la 15ª sección de poli-cía se encuentra de todo: casas de inquilinato repletas de inmigrantes; mansiones de diputados, generales y hacendados argentinos; cambala-ches de judíos huidos de Europa oriental; familias de rentistas de la "vie-ja inmigración" genovesa, lombarda y piamontesa; núcleos de vendedo-res ambulantes y jornaleros recién llegados de Calabria y Basicalata. En muchas casas de inquilinato la escena no varía mucho. Aquí no encon-tramos la misma heterogeneidad social, pero sí una gran heterogeneidad nacional: inmigrantes italianos, españoles, franceses, unos pocos ingle-ses y alemanes, muchas familias argentinas.

La iglesia del Carmen era uno de los puntos nodales del barrio donde vivían los agnoneses de Buenos Aires. Como tantos otros barrios, su vida social alcanza a comprenderse si se la mira como una piel de leopardo, compuesta por diversos grupos, más que como un tejido homogéneo o acrisolado.

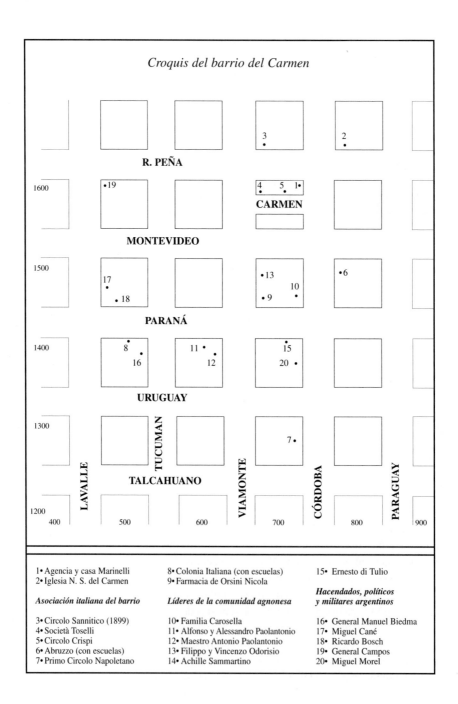

Croquis del barrio del Carmen

1• Agencia y casa Marinelli
2• Iglesia N. S. del Carmen

Asociación italiana del barrio

3• Circolo Sannitico (1899)
4• Società Toselli
5• Circolo Crispi
6• Abruzzo (con escuelas)
7• Primo Circolo Napoletano

8• Colonia Italiana (con escuelas)
9• Farmacia de Orsini Nicola

Líderes de la comunidad agnonesa

10• Familia Carosella
11• Alfonso y Alessandro Paolantonio
12• Maestro Antonio Paolantonio
13• Filippo y Vincenzo Odorisio
14• Achille Sammartino

15• Ernesto di Tulio

**Hacendados, políticos
y militares argentinos**

16• General Manuel Biedma
17• Miguel Cané
18• Ricardo Bosch
19• General Campos
20• Miguel Morel

Incluso los emigrantes del sur de Italia con destino a la Argentina se embarcaban principalmente en Génova, donde estaban instaladas las principales compañías italianas que tenían el control del tráfico hacia Sudamérica.
Carteles publicitarios. (A la izquierda, The World in my Hand. Italian Emigration in the World 1860/1960, Centro Studi Emigrazione di Roma, 1997. Abajo, La Via delle Americhe. Fondazione Regionale Cristoforo Colombo-Centro Ligure di Storia Sociale, Genova, SAGEP Editrice, 1989. Colección Ostuni)

Sin embargo, si nos detenemos en la composición de cada manzana, el barrio nos aparece más bien como una piel de jaguar: hay manzanas donde se concentran los ricos argentinos; otras donde más numerosos son los jornaleros y los vendedores ambulantes recién llegados; otras, en fin, donde hay una mayoría de familias enteramente argentinas. Dentro del barrio del Carmen se vislumbra otro barrio, un archipiélago de manzanas en las que los agnoneses (y, en general, los abruzos) son particularmente numerosos. Como el censo no pedía a los extranjeros que declararan su lugar de nacimiento, es difícil detectar el origen de cada núcleo familiar inmigrante. Esta información se puede todavía encontrar en los registros de socios de las sociedades mutuales y en los diarios étnicos que, en ciertas ocasiones (colectas, fiestas, etcétera), publicaban largas listas de paisanos del mismo pueblo o de la misma región. Afortunadamente, además hubo algunos empadronadores que se equivocaron y registraron el lugar de nacimiento de todos los habitantes de algunas manzanas. Lo que sí podemos decir es que en 1895 este barrio de Buenos Aires estaba social y étnicamente más diferenciado que las *little Italies* de Nueva York, de Boston o de Chicago. La urbanización de Buenos Aires presenta rasgos peculiares, distintos de los que caracterizaron a la urbanización de las grandes metrópolis de inmigración de Norteamérica.[1]

De todas maneras, la identificación del barrio del Carmen como barrio de los meridionales no era ni un error ni una exageración. Como veremos, los numerosos meridionales que vivían en aquellas veinticuatro manzanas tenían una vida social tan intensa y tan visible que terminaba por conferir

Con sus bártulos a cuestas, hombres, mujeres y niños comenzaban la aventura de la emigración tomando el tren para dirigirse a alguno de los puertos de embarque.
(The World in my Hand. Italian Emigration in the World 1860/1960, Centro Studi Emigrazione di Roma, 1997)

a todo el barrio una inconfundible atmósfera étnica. De esa intensa vida étnica la colectividad agnonesa era sin duda el motor principal.

Género, trabajo y familia en una comunidad de inmigrantes

Esa colectividad agnonesa presentaba un rasgo que la distinguía de otras del mismo origen que existían en Norteamérica: estaba compuesta por hombres y mujeres. El proceso de migración "en cadena" había llevado en primer lugar a los miembros masculinos de la familia –a veces un hombre joven, otras, un padre y uno o dos hijos varones–, que luego llamaban a las integrantes femeninas de la misma; ellas llegaban acompañadas por los niños menores (si los había).

En conjunto, la comunidad agnonesa del barrio tenía un equilibrado número de hombres y mujeres y un notable peso de las edades inferiores a veinte años. Los hombres desempeñaban numerosas profesiones pero predominaban entre ellos los artesanos. En cambio, sólo una mínima parte de las mujeres declaraba alguna ocupación a los censistas que las visitaron en 1895.

Las únicas que declaraban (pero no siempre) tener una ocupación eran las mujeres solteras o sin hijos. Éstas trabajaban casi siempre en la casa, por lo general en actividades vinculadas a la confección: muchas costureras, alguna modista, alguna bordadora. (El hilado doméstico había desaparecido.) Pocas eran las mujeres que ayudaban regularmente al padre o al marido en las respectivas actividades artesanales o comerciales. Por aquí y por allá se encuentra alguna hija que trabaja con su padre zapatero, otra que colabora con el marido sastre, o bien alguna otra empleada en un taller o negocio de orfebrería. Ninguna mujer, a juzgar por el censo, se dedicaba a la venta ambulante, una de las actividades más difundidas entre los inmigrantes agnoneses de origen campesino.

En una comunidad como ésta, compuesta por núcleos familiares y redes parentales emigradas "en cadena", la inserción de las mujeres debía realizarse sin grandes traumas iniciales. Llegando al Carmen, alguna se reencontraba con el marido; otra, con una hermana; otra, con un grupo de primos: todas tenían un pariente o un conocido que no veían hacía años. Establecerse en el barrio quería decir, por lo tanto, restablecer una apretada trama de afectos y de vínculos interpersonales que el tiempo había congelado. El principal soporte psicológico derivaba, naturalmente, de la familia: la mayor parte de las mujeres agnonesas adultas llegaban a Buenos Aires con uno o más hijos, y las continuas atenciones que éstos recibían contribuían a disminuir el impacto con la nueva realidad argentina. La relación con el cónyuge (que en general no había sido elegido libremente, con el cual frecuentemente se había convivido pocos meses, y a quien no veían hacía años), tardaba, en cambio, más tiempo en restablecerse y comportaba la necesidad de una serie de delicados ajustes recíprocos. El período de adaptación inicial concluía casi siempre con el nacimiento del primer hijo "argentino". La vida recomenzaba entonces a correr de un modo más tranquilo, enteramente centrada en torno de la familia y de una restringida red de parientes y vecinos.

Pero la emigración estaba compuesta también por nuevas soledades. Como revelan las cédulas originales del Censo argentino de 1895, muchas mujeres del Carmen permanecían solas largos períodos del año, mientras que los maridos y los hijos mayores se movían de una provincia a otra, dedicándose ya sea a la recolección de cereales, ya sea al co-

Durante el viaje, la vida se desarrollaba forzosamente en cubierta, donde se llevaban a cabo todas las actividades cotidianas durante el día, debido a la estrechez del espacio en los dormitorios de tercera clase. Inmigrantes en cubierta. (Archivo Centro Studi Emigrazione di Roma [CSER]. Una Valiglia Piena di América. Ministero per I Beni Culturali e Ambientali-Uficio Centrale per I Beni Librari e gli Istituti Culturali)

mercio ambulante, ya sea a los trabajos manuales en las construcciones.[2]
Las dimensiones exactas de este fenómeno de "emigración dentro de la
emigración" no son conocidas, pero es cierto que la movilidad de la mano
de obra masculina (sobre todo entre los ex campesinos) era altísima. Durante estas largas ausencias de los hombres, las mujeres podían contar
con el apoyo de otros familiares masculinos y con redes de solidaridad
femenina que a veces se extendían más allá del ámbito de parientes y
copaisanos. La realidad étnica del barrio era, de hecho, compleja y muchas familias agnonesas tenían como vecinos a inmigrantes de otras nacionalidades. Los vínculos con estos inmigrantes, así como con italianos
de otras regiones, se veían obstaculizados, sin embargo, no sólo por barreras culturales sino también lingüísticas. Los testimonios orales que
hemos recogido son unánimes en sostener que las mujeres agnonesas tuvieron un trabajo mucho mayor que los hombres para adquirir un español, aunque sea, elemental. El hecho de que fuesen casi todas analfabe-
tas y que raramente saliesen del umbral de sus casas hacía particularmente lento el aprendizaje de la nueva lengua.

El dialecto reconstruía los vínculos dentro de la comunidad emigrada, pero acentuaba aquel sentido de extrañamiento frente al mundo circundante que asaltaba con particular frecuencia a las mujeres. Aun en un
barrio como el del Carmen, la soledad podía dejar espacio a la nostalgia.
Nostalgia por los parientes que permanecían en Agnone (pocos eran los
que tenían éxito en transferir al Plata la familia entera), por los lugares y
los espacios donde uno había crecido (la amplia cuenca del Verrino cir-
cundada de altas montañas) y por tantas tradiciones del pueblo, irreme-
diablemente perdidas a partir del desembarco en Buenos Aires.

Si es cierto que los factores económicos y ambientales influyen en
la organización familiar,[3] es probable que la emigración haya contribui-
do a multiplicar el número de familias nucleares. La mentalidad "indi-
vidualista" del emigrante, su propensión a moverse frecuentemente y a
experimentar cientos de trabajos, favorecían la afirmación de esta forma
"moderna" de organización familiar.

Cuando, sin embargo, como en el caso agnonés, la emigración
comprendía grupos parentales extensos emigrados en cadena, junto a
la familia nuclear (por cierto ampliamente predominante) encontramos
otras formas (más complejas y más antiguas) de convivencia familiar.
Se trata de formas que se vinculan, de un modo o de otro, con la "familia patriarcal extensa", en la cual los hijos varones, aun después casados, continúan viviendo y trabajando en la casa paterna, completamente sometidos a la autoridad del anciano progenitor. Como ha de-
mostrado convincentemente W. Douglass, ésta era, hasta hace pocos
decenios, la forma "ideal" de organización familiar en Agnone.[4] Las

probabilidades de que este tipo de familia, en su forma originaria, pudiese sobrevivir la emigración eran objetivamente muy limitadas. Ninguna familia patriarcal extensa emigró en bloque a América. Muchos jóvenes emigrantes, sin embargo, habían crecido dentro de familias patriarcales, y algunos de éstos, una vez establecidos en Buenos Aires, trataron de reproducir aquel tipo de organización familiar. El censo de 1895 muestra diversos casos de "familias patriarcales en vía de formación", de familias en las cuales, por ejemplo, uno de los hijos se casa pero continúa viviendo en casa de sus padres junto a hermanos aún solteros. Es excepcional el caso de dos parejas de más de setenta años, emparentadas entre sí, que conviven bajo el mismo techo junto con algunos de sus hijos, a su vez casados y con hijos. En vez, estaba más difundido el caso de dos hermanos (o de un hermano y una hermana), casados ambos, que decidían convivir con sus respectivas familias. Mucho más común, en fin, era el caso de parejas que convivían con uno o más parientes no casados. Así como en Agnone los miembros de las familias patriarcales extensas se dedicaban a una misma actividad económica, en Buenos Aires encontramos que casi todos los casos de

Dado que los agnoneses llegaban a través de amigos y parientes, no necesitaban permanecer alojados en el Hotel de Inmigrantes. Una vez aprobado el control aduanero y sanitario, traspasaban la verja para encontrarse con el copaisano que los aguardaba.
1904.(Archivo General de la Nación)

convivencia entre familias de hermanos o parientes cercanos tenían cierta motivación económica. Por lo general se trataba de artesanos y de comerciantes, que administraban en conjunto el taller o el negocio contiguo a las habitaciones. Las cadenas migratorias familiares, enlazándose y superponiéndose a las cadenas migratorias por oficio, favorecían la reconstrucción de núcleos familiares extensos, de tipo tendencialmente patriarcal.

Como habíamos mencionado, la mayoría de los inmigrantes vivía en familias nucleares. A diferencia de lo que sucedía en Agnone, sin embargo, muchas de estas familias nucleares hospedaban otros copaisanos, casados y no casados, los cuales podían ser socios de negocios, compañeros de trabajo o simples subinquilinos. En síntesis, si la emigración favorecía, por un lado, la formación de familias nucleares, por el otro producía también formas inéditas de cohabitación extendidas. En relación con la tradicional organización alto molisana, el ambiente doméstico en el cual se movían las mujeres agnonesas del Carmen contenía elementos tanto de continuidad como de cambio.

Notables y mediadores: historia de dos hermanos

Los agnoneses en la Argentina encontraban en los hermanos Enrico y Francesco Paolo Marinelli su principal punto de referencia. Éstos eran dueños desde 1890 de una agencia (véase croquis, punto 1) que dirigía la cadena migratoria, es decir, el flujo de personas, dinero e informaciones entre la "madrepatria" Agnone y sus "colonias" radicadas en la Argentina. Los hermanos Marinelli proporcionaban todo servicio que los inmigrantes agnoneses pudieran necesitar: como agencia marítima, vendían pasajes y enviaban boletos prepagos a Italia; como banco, cambiaban, remitían dinero, aceptaban sumas en depósito y otorgaban préstamos; como informal agencia inmobiliaria y de colocaciones, buscaban casa y trabajo para los candidatos a la emigración; como oficina postal, escribían cartas para los paisanos analfabetos y, si era necesario, las enviaban con respuesta prepaga; casi seguramente funcionaban también como kiosco, al vender *L'Eco del Samnio,* el diario de Agnone dirigido por un amigo abogado. Anexo a la agencia tenían también un gran depósito de vinos donde se vendían (al por mayor y al por menor) los vinos que se tomaban en Agnone. La agencia-depósito era tan conocida entre los agnoneses que nunca necesitó hacerse publicidad en los diarios italianos. Al parecer, no tenía competidores dentro de la colonia y gozaba de una exclusiva, de hecho, sobre las remesas hacia Agnone, donde funcionaba la oficina central de la agencia.

Los hermanos Marinelli vivían detrás de la agencia en una casa de un piso con un amplio patio, donde podían recibir los centenares de

Como en todos los barrios de Buenos Aires, también en el del Carmen proliferaban los conventillos. Allí, los agnoneses con sus amigos y parientes permanecían temporariamente junto a inmigrantes de otros orígenes, hasta poder buscar una residencia más estable donde establecerse definitivamente o retornar a su pueblo. Inmigrantes en la Argentina, 1890. (Archivo General de la Nación)

agnoneses que, periódicamente, iban a homenajearlos. Los diarios de la época nos cuentan que, con ocasión de fiestas públicas o aniversarios de familia, se formaban largos cortejos agnoneses que desfilaban por las calles del barrio detrás de su Banda Sannitica. A veces llegaban hasta las redacciones de *L'Italia al Plata* y de *L'Operaio Italiano* (calle Cuyo, hoy Sarmiento), donde aclamaban a sus directores y a sus redactores, invitándolos a incorporarse al desfile para ir juntos a festejar en la casa Marinelli. Los dos hermanos ofrecían generosamente su vino y el homenaje terminaba entre aplausos y vivas con un discurso de encomio y gratitud pronunciado por un miembro de la joven elite agnonesa.[5]

Los Marinelli eran, pues, una de las muchas familias de la burguesía meridional italiana que emigraron a las Américas junto a la masa de los *cafoni*. Francesco Paolo Marinelli había llegado a la Argentina con otros *pioneers* en 1876, a los 15 años. Como había estudiado, se inició enseguida como empleado postal en Lomas de Zamora (Buenos Aires). Al trasladarse más tarde a la Capital, abrió un negocio de comestibles importados de Italia. Volvió a Agnone en 1884, pero regresó definitivamente a Buenos Aires en 1888. Pese a los comienzos aparentemente modestos, Franceso Paolo Marinelli pertenecía a una familia bastante acomodada de la clase media de Agnone, a la que pertenecía también Ascenso Marinelli, un sacerdote liberal que tuvo una gran actuación en el ámbito regional como político, educador e historiador. En Agnone, Francesco Paolo tenía también un hermano abogado que dirigía la agencia bancaria y marítima.

En la patria de origen así como en el extranjero, la especialidad de familias de clase media como los Marinelli era la protección y la intermediación, la prestación de servicios y de contactos. Casi siempre con un buen nivel de educación, bien conectados con los latifundistas y los políticos de su pueblo, extremadamente hábiles en reconstruir en cualquier lado extensas redes sociales, esos intermediarios fueron anillos muy importantes en el funcionamiento de las cadenas migratorias. La sociedad norteamericana los censuró en grupo al llamarlos con desprecio *padroni*. Los casos de inmigrantes estafados por banqueros, agentes marítimos y contratadores de mano de obra eran frecuentes, y las autoridades norteamericanas (a menudo xenófobas) se convencieron de que detrás de todo inmigrante-intermediario se escondía un explotador, un criminal real o potencial.[6] Nada similar pasó en la Argentina, donde la intermediación era una práctica común y socialmente no desprestigiada. Aquí se entendía mejor la naturaleza ambigua de toda intermediación, el código tácito que regula su funcionamiento.

Pero esas cosas no se daban en la agencia Marinelli. Estafas y explotación eran frecuentes en las agencias más impersonales del Paseo de Julio, mucho menos en las agencias de comunidades emigradas en cadena. La agencia prosperó.[7]

En 1900, a los 37 años, Enrico Marinelli regresaba rico a Agnone, desde donde seguiría controlando la cadena.[8] Dirigiendo la agencia de Buenos Aires quedaban Francesco Paolo (cuya reputación comercial creció hasta ser elegido presidente de la asociación de subagentes marítimos) y Vincenzo, un hermano menor recién llegado de Italia. En la Argentina quedaba también el hermano Nicola, sacerdote secular que tuvo una destacada actuación en las provincias.[9]

Junto a otras familias de agnoneses y de meridionales, los Marinelli organizaban cada año la fiesta patronal de la capilla-convento de Nuestra Señora del Carmen (véase croquis, punto 2). Durante los tres días de fiesta, el barrio del Carmen parecía transformarse en un verdadero pueblo del Sur italiano. La Banda Sannitica empezaba muy temprano a recorrer las calles embanderadas del barrio y terminaba de noche, después de la misa, la procesión y el infaltable espectáculo de fuegos de artificio. Grupos de mujeres cocinaban y vendían en las calles *spaghetti alla pomarola, caciocavallo* y otros productos típicos del Sur de Italia. Millares de personas se amontonaban en el Recreo Posillipo, en la Trattoria Molisana y en el despacho de los hermanos Marinelli que llegaban entonces a vender mil litros de vino al día.[10]

Terminadas las fiestas, la colonia agnonesa volvía a sus ocupaciones cotidianas, interrumpidas de vez en cuando por las reuniones del *Circolo Sannitico*, la sociedad de socorros mutuos fundada en 1883 por iniciativa de un grupo de agnoneses (véase croquis, punto 3).[11] Entre los iniciadores del *Circolo* probablemente había algunos que antes de emigrar habían integrado la Sociedad Obrera de Agnone, fundada en

1868 por un sacerdote liberal y otros miembros de las capas medias locales. Sin embargo, ni los fundadores ni los socios del *Circolo Sannitico* tenían a principios de los años ochenta la sólida tradición asociativa que ya llevaban muchos inmigrantes del Norte. En todo caso, se trataba de una tradición mutualista que había tenido orígenes distintos en el Sur que en el Norte.

No debe extrañar que la relación entre el *Circolo Sannitico* y los agentes Marinelli fuese marcadamente clientelística. Aun sin ocupar la presidencia, los hermanos Marinelli fueron miembros influyentes del directorio del *Circolo*. Cuando no estaban desiertas por la indiferencia crónica que carcterizaba la vida institucional de las sociedades mutuales de Buenos Aires, las asambleas del *Circolo* terminaban regularmente en un desfile hasta la casa Marinelli y una serie de brindis a su salud.

Como otras sociedades pequeñas, tambien el *Circolo Sannitico* debía su supervivencia y su prosperidad a los esfuerzos de un grupo dirigente que veía su interés por el bienestar de los copaisanos como la mejor manera de acrecentar su status social. Sin embargo, la tarea no era nada fácil, porque se trataba de actuar frente a cuatro públicos diferentes: la colonia agnonesa en la Argentina; los paisanos que los miraban desde la madre patria Agnone; la colectividad italiana de Buenos Aires; y la sociedad porteña con la cual esos líderes se iban gradualmente asimilando.

Dirigencia y vida a sociativa

El status social, el prestigio y la reputación eran las principales preocupaciones de los líderes agnoneses. Los celos y las viejas enemistades de pueblo, que la cadena migratoria había traído a Buenos Aires, representaban una amenaza constante a su reputación. Por eso había que reaccionar con decisión frente a cualquier falta de respeto. El increíble escándalo que se armó entre Agnone y Buenos Aires cuando el agente Francesco Paolo Marinelli se enteró de que su firma había sido borrada del pergamino que acompañaba una importante donación de los agnoneses de la Argentina para la construcción de un jardín de infancia en Agnone, nos deja entrever un mundo en el que los inmigrantes que desde muchos años viven en una gran ciudad americana siguen preocupados principalmente por su reputación en el pueblo de origen. La facilidad con la cual los agnoneses de Buenos Aires se dividieron en bandos opuestos nos indica que la colonia agnonesa, como toda colonia emigrada en cadena, no formaba necesariamente un grupo armónico y solidario. Ese "escándalo de las firmas" nos revela, en cambio, la existencia de fuertes resentimientos personales entre los miembros de la comunidad y aun de tensiones latentes entre aquellos líderes del

Circolo Sannitico que, por lo demás, parecen comportarse siempre como un grupo muy unido.[12]

En el consejo directivo del *Circolo Sannitico* encontramos tres categorías de agnoneses: los intelectuales, los comerciantes y los artesanos especializados.[13] Entre los intelectuales sobresalía el profesor Benedetto Meoli. Licenciado en ciencias clásicas, monárquico, bien conectado con las autoridades diplomáticas italianas, Meoli fue el incansable organizador de comités y asociaciones meridionales en Buenos Aires.[14] Pero los intelectuales más populares eran, sin duda, los profesores y los maestros de música, que abundaban en las grandes familias Paolantonio y Sammartino.[15] La música era una vieja tradición agnonesa. El profesor Antonio Paolantonio ya había sido director de la Banda Sannitica de Agnone antes de salir hacia el Plata en busca de fortuna. En Buenos Aires la Banda Sannitica (o Paolantonio) se volvió famosa. Sus cien músicos (entre los cuales había muchos agnoneses) tocaban vestidos de *bersaglieri*, suscitando entusiasmo patriótico entre los italianos, curiosidad y asombro entre argentinos y demás extranjeros.[16] La Banda Sannitica era para los agnoneses motivo de orgullo y elemento de decoro. A su alrededor se fue construyendo la imagen pública de la colonia. Esa imagen pública ayudó a la colonia a conservar una fuerte identidad de grupo.

Entre los comerciantes que ocupaban cargos importantes en la sociedad (monopolizando casi siempre el cargo de tesorero) encontramos, por supuesto, a los hermanos Marinelli. Diferenciar entre comerciantes, fabricantes y artesanos, sin embargo, no es fácil porque en aquella época la mayoría de los fabricantes y de los artesanos vendía sus productos directamente al público. Si hablamos de los artesanos agnoneses como de una categoría aparte, es porque queremos resaltar su alto nivel de especialización productiva. Casi todos los miembros de esa joven elite agnonesa en formación eran sastres u orfebres-joyeros (incluyendo en esa categoría a plateros y relojeros). Cada uno tenía su pequeño taller-tienda en el que trabajaba la familia.[17] Es probable que entre ellos existieran formas de cooperación económica.

Los dirigentes del *Circolo Sannitico* tenían muchas ambiciones pero poca práctica con los problemas de gestión técnica de una sociedad de socorros mutuos. Las finanzas de la sociedad no les permitieron realizar dos grandes sueños: el de abrir una escuela propia y el de admitir a las mujeres y los hijos de los socios de la sociedad. Los dos proyectos fueron examinados por comisiones especiales y discretamente postergados hasta tiempos mejores.[18]

En 1898 la deuda acumulada por el *Circolo* con la farmacia social de Nicola Orsini había alcanzado proporciones dramáticas. Frente al peli-

Debido a que los agnoneses llegaron más tarde que los inmigrantes septentrionales, les costó hacerse un lugar en la elite italiana de Buenos Aires. Una de las grandes sociedades de socorros mutuos en la que consiguieron escalar posiciones fue la "Colonia italiana", con sede en la calle Paraná entre Lavalle y Tucumán. (Il Lavoro degli Italiani nella Repubblica Argentina dal 1516 al 1910, Emilio Zuccarini)

gro de una posible quiebra, cien socios abandonaron la sociedad y así precipitaron la crisis. Si la sociedad no podía pagar el farmacéutico, podía por lo menos compensarlo ofreciéndole el cargo social más importante. Al ser electo presidente, el farmacéutico resolvió en poco tiempo la crisis. Formalmente, la sociedad reembolsó toda su deuda, pero en cambio el nuevo presidente abonó los costos de todos los medicamentos suministrados a los socios durante los primeros seis meses de su gestión y regaló al *Circolo* los 104 pesos que faltaban para que el balance social volviera a registrar un saldo activo. Los miembros que habían desertado regresaron en masa.[19] El *Circolo Sannitico* había sido salvado por ese joven piamontés de Cuneo, cuya gran farmacia se encontraba en una de las manzanas del barrio donde más numerosos eran los agnoneses (véase croquis, punto 9).

Gracias a Nicola Orsini los agnoneses entraron en contacto con un grupo de influyentes piamonteses, miembros de la sociedad *Il Piemonte*. En las fiestas de piamonteses que el farmacéutico organizaba en su nueva villa de Bernal participaban al principio sólo algunos miembros escogidos de la elite meridional del Carmen. Pero al ser incorporado a la elite agnonesa por haber resuelto la crisis financiera de 1898, Nicola Orsini abrió las puertas de su villa a todos los agnoneses del *Circolo*.[20] En estas fiestas, además de piamonteses y agnoneses de la Capital, participaba también la elite agnonesa de las provincias, cuyo núcleo más importante se había formado en Bell Ville (Córdoba) alrededor de la familia Carlomagno. Giovanni Carlomagno, el viejo patriarca de esa numerosa familia de terratenientes y grandes exportadores de alfalfa (los

Una de las canciones más populares de los emigrantes italianos que se cantaba, cualquiera fuese el pueblo de origen, era: "Mamma mia dammi cento lire/Che nell'America io voglio andar". (The World in my Hand. Italian Emigration in the World 1860/1960, Centro Studi Emigrazione di Roma, 1997)

llamaban los "reyes del pasto"), era considerado el líder máximo de la colonia agnonesa en la Argentina y, como tal, presidía todo comité de beneficencia en favor de la "madrepatria" Agnone. En Bell Ville los Carlomagno se destacaban por ser, a la vez, agentes consulares y líderes de la *Società Italiana de Mutuo Soccorso*.[21]

Así como no todos los inmigrantes agnoneses vivían en Buenos Aires, no todos los que se habían radicado en la Capital se habían quedado en el céntrico barrio del Carmen. Hacia 1895 la elite del *Circolo Sannitico* se propuso organizar estos núcleos dispersos. Dos nuevas sociedades mutuales fueron establecidas: la Umberto I, que recogía a los agnoneses residentes en los Corrales, en los extremos límites de la Capital;[22] y la Savoia, ubicada en una zona mas céntrica, en la calle Bustamante.[23]

Los dirigentes de estas nuevas sociedades eran los mismos del *Circolo Sannitico*. El profesor Meoli las presidía y Enrico Marinelli, como tesorero, las administraba. Aun siendo formalmente abiertas a todo italiano, éstas eran de hecho sociedades regionales. Su carácter localista había sido disfrazado detrás de nombres (Umberto y Savoia) que las ubicaban abiertamente en el campo de oficialismo monárquico. Al escoger nombres de reyes y príncipes o de héroes (meridionales), los dirigentes de las nuevas asociaciones regionales esperaban entrar más fácilmente en la vida pública de la colonia.[24] Pues no cabe duda de que hacia el final del siglo pasado el regionalismo era considerado en Buenos Aires una fuerza disgregadora de la "colonia italiana" y era criticado tanto por las autoridades diplomáticas como por la elite de la vieja inmigración que controlaba las instituciones principales de la colectividad italiana.

Sin embargo, su carácter localista no le dificultó al *Circolo Sannitico* desarrollar una ambiciosa y exitosa política de relaciones públicas. El presidente Meoli había logrado conectarse con el entonces ministro de Italia, Conde Antonelli. Ese contacto iba a demostrarse importantísimo. En ocasión de las celebraciones del 20 de septiembre de 1895, el ministro de Italia les hizo el honor a los agnoneses del *Circolo* de participar en su banquete.[25] Cuando, un año después, el conde Antonelli fue llamado a Roma, el *Circolo* organizó en su honor un extraordinario banquete en el suntuoso Pabellón Argentino. En la mesa principal, junto al embajador italiano, al ministro de Relaciones Exteriores argentino y a los diputados Almada, Gouchon y Morel, se sentó también el presidente del *Circolo Sannitico*.[26]

La compleja aventura del ascenso

Los tiempos parecían maduros para el ingreso de la elite agnonesa en el campo de la política, tanto italiana como argentina. Por lo que respecta a Italia, los agnoneses nunca habían perdido contacto con los notables de su pueblo o con los representantes de su circunscripción al Parlamento de Roma. Parientes de algunas familias emigradas a Buenos Aires eran miembros del Concejo Municipal de Agnone. Uno de los concejales había vivido durante muchos años en la Argentina.[27]

La gran emoción y los encendidos debates que la derrota del ejército italiano en África en 1896 provocó entre los italianos de Buenos Aires, brindó a la elite agnonesa una buena ocasión para poner de manifiesto su ideario político. Los líderes agnoneses se destacaron entre los organizadores de la colecta en favor de las familias de los caídos, así como de un mitin de protesta contra las violentas manifestaciones antiitalianas ocurridas en Brasil.[28] Pero mientras la vieja elite inmigrante de extracción mazziniana tenía una actitud más ambivalente hacia la política de expansión militar en África y hubiera preferido una política pacífica de expansión comercial y cultural en los países de América latina donde vivían tantos súbditos italianos,[29] la elite agnonesa (como en general todas las nuevas elites inmigrantes meridionales con fuertes simpatías monárquicas) apoyaban sin reservas la política africanista que tenía en Francesco Crispi a su máximo campeón, y fue al nombre de Crispi al que las elites meridionales del barrio del Carmen decidieron dedicar su nuevo círculo político y social. Además de establecer un contacto directo con el viejo estadista siciliano, el *Circolo* Crispi recreaba dentro del barrio aquella distancia social entre *galantuomini* y *cafoni* que la emigración parecía haber borrado un poco. No todos los líderes agnoneses ni los de otras sociedades de socorros mutuos regionales ubicadas en el barrio del Carmen (*Circolo Toselli, Primo Circolo Napoletano, Abruzzo;* véase croquis, puntos 4, 6, 7) eran todavía lo bastante adinerados o lo bastante cultos como para ser admitidos en los salones cosmopolitas del prestigioso *Circolo Italiano*.[30] Pero en las modestas salas del *Circolo Crispi* las elites del barrio podían por fin restablecer aquella tradición de los notables de los pueblos del Sur de Italia de reunirse en círculos de *galantuomini*.[31]

El nombramiento de Crispi como presidente honorario de ese círculo marcaba el comienzo de un nuevo capítulo en la vida política de la colonia italiana en el Plata. De ese nuevo capítulo cabe destacar aquí sólo algunos aspectos sobresalientes; el creciente dinamismo de las nuevas elites meridionales, sus ideas y prácticas políticas disímiles de las que habían llevado a la formación de grupos de elites entre los viejos inmigrantes y, en fin, la aparición de por lo menos dos constelaciones de elites en competencia por el liderazgo de la colonia y el control de sus principales instituciones. Dentro de su "constelación meridional", la elite agnonesa era seguramente una de las estrellas más luminosas.

El dinamismo de la colonia agnonesa no tardó en manifestarse también en el campo de la política argentina. Para eso podía contar con la amistad de algunos jóvenes líderes del grupo mitrista. La participación de los diputados Emilio Gouchon y Miguel Morel en el banquete organizado en 1896 por el *Circolo Sannitico* no fue un episodio aislado y extraordinario. Esos mitristas estaban empeñados en una compleja maniobra de acercamiento político hacia los inmigrantes italianos. Católico practicante y al mismo tiempo influyente jefe masónico, Emilio Gou-

chon había logrado establecer estrechas vinculaciones con distintos núcleos de inmigrantes italianos que estaban registrados en los padrones
electorales administrativos.[32] Que Morel y Gouchon fuesen particularmente amigos de la elite agnonesa no sorprende. Sus casas se encontraban en el barrio del Carmen, muy cerca de la agencia de los hermanos
Marinelli (véase croquis, punto 20).[33] La concurrencia diaria de tantos
agnoneses a la agencia y, sobre todo, los frecuentes y ruidosos homena-
jes a sus dueños debieron convencerlos de que esa colonia tan activa y
ambiciosa constituía una potencial clientela política que una interesante
propuesta política habría conquistado definitivamente al partido mitrista.
Así fue. Después del banquete en honor del embajador italiano, los dirigentes mitristas informaron a los líderes de la colonia agnonesa de su interés en sostener la candidatura de uno de ellos para cubrir el cargo de
concejal municipal en representación de la parroquia de la Piedad, un
cargo que hasta entonces ocupaba Gouchon mismo. Durante una reunión
del club electoral, fue propuesta la candidatura de Giovanni Carosella,

La mayoría de los restaurantes más prestigiosos del Buenos Aires de principios de siglo, como el Pedemonte o La Emiliana, pertenecían a inmigrantes italianos.
(The World in my Hand. Italian Emigration in the World 1860/1960, Centro Studi Emigrazione di Roma, 1997)

un comerciante de 38 años, hijo del agnonés más rico de Buenos Aires (véase croquis, punto 10).[34] En noviembre las calles del barrio del Carmen y de toda la parroquia de la Piedad se cubrieron de manifiestos en apoyo a la candidatura de Carosella. Estaban firmados por los comerciantes y artesanos agnoneses con derecho al voto municipal, y por los demás miembros de la elite meridional que se reunían en el *Circolo Crispi*. Entre los "grandes electores" figuraban los nombres de Morel y de Gouchon, del general Viedma (véase croquis, punto 16) y de otros miembros de la clase alta argentina del barrio.[35]

Carosella resultó electo con 152 votos, siete más que su adversario, el abogado Mujica, un liberal argentino gran admirador de Mazzini, cuya obra política había conmemorado antes de las elecciones en el salón de la sociedad *Unione e Benevolenza* frente a un público de republicanos intransigentes italianos.[36]

La elección de Carosella, un hombre nuevo, extraño tanto en los círculos porteños como en los de la vieja inmigración italiana, suscitó sorpresa y provocó protestas. Su elección fue inmediatamente impugnada por no tener, el electo, uno de los requisitos fundamentales para los candidatos extranjeros: el pleno dominio del idioma nacional. Desgraciadamente, era verdad. Pese a haberse casado con una argentina (hija de italianos) y pese a tener más de diez años trabajando en Buenos Aires, el castellano de Carosella era todavía rudimentario. El Concejo dispuso someterlo a un humillante examen a puertas cerradas, en el que le pidieron que escribiera una defensa jurídica de la legitimidad de su elección.

Carosella insistió para que le permitieran escribir, en cambio, una carta a su madre. Pero la carta resultó un fracaso gramatical y sintáctico. La primera carrera política de un agnonese en la Argentina había terminado aun antes de comenzar.[37] Nuevas elecciones llevaron al Concejo al conocido abogado Mujica, apoyado, entre otros, por los viejos comerciantes originarios del Norte de Italia que vivían pocas cuadras más allá del barrio del Carmen, cruzando Corrientes.

Derrotada en el plano político-electoral, la elite agnonesa concentró sus ambiciones sobre las instituciones italianas y en particular sobre la Colonia Italiana, una de las sociedades de socorros mutuos más grandes y prestigiosas de Buenos Aires. Ésta era la única gran sociedad mutual que se encontraba dentro de los límites del barrio del Carmen y era por eso un blanco natural para los líderes agnoneses (véase croquis, punto 8). Durante los años noventa, muchos agnoneses se habían afiliado a esa sociedad para poder inscribir a sus hijas en la escuela femenina gratuita que administraba. Lo mismo había pasado con la Sociedad Abruzzo, que tenía una escuela para niños. En general, los agnoneses se preocupaban mucho por la educación de sus hijos argentinos, pero, como nunca descartaban la posibilidad de regresar un día a Italia, preferían las escuelas primarias italianas a las argentinas. En esas escuelas mutuales los hijos de la elite agnonesa se destacaban regularmente entre los alumnos premiados a final del año.[38] Al mismo tiempo sus padres iban destacándose entre los miembros de los consejos directivos. En 1898, por ejemplo, ya había cinco agnoneses entre los consejeros de la Colonia Italiana.[39] Uno de ellos era Giovanni Carosella, cuya carrera política había terminado tan bruscamente en 1896. Junto con otros meridionales del barrio, los agnoneses lograron crear y legitimar un espacio cultural propio dentro de la Colonia Italiana. Tarantellas, poemas y canzonetas napolitanas fueron aceptadas en los programas de las fiestas sociales, tradicionalmente basadas en óperas y romanzas. Probablemente más que cualquier otra vieja sociedad de socorros mutuos, la Colonia Italiana se abrió a los nuevos inmigrantes del sur de Italia y a la cultura que llevaban consigo. La escalada de los líderes agnoneses hacia sus más altos cargos resultó irresistible, pues se trataba de una escalada en la que unos pocos trepaban con el apoyo de todos los demás. Después de 1900, el agente Francesco Paolo Marinelli fue electo miembro de la junta de instrucción de la escuela femenina, tesorero y, en fin, presidente de la asociación. Con esta elección la elite agnonesa entraba definitivamente en la elite de la colectividad italiana de Buenos Aires.

Notas

1. Sobre la urbanización de Buenos Aires, véanse las obras ya clásicas de Guy Bourde, *Urbanisation et inmigration en Amérique Latine: Buenos Aires,* París, Aubier, 1974, y de James R. Scobie, *Buenos Aires: Plaza to Suburb, 1870-1910,* Nueva York, Oxford U.P., 1974. Véase también el trabajo de Samuel Baily, "Patrones de residencia de los italianos en Buenos Aires y Nueva York", en *Estudios migratorios latinoamericanos,* 1, 1, 1985.

2. En un cierto sentido las mujeres agnonesas estaban ya habituadas a estos prolongados períodos de soledad estacional. Durante el ochocientos, era fuerte la emigración desde Agnone y de todo el Molise hacia el Tavoliere de Puglia, la llamada Terra di Lavoto y la Capitanata, y el Agro Romano. Cf. A. Massafra, *Campagne e territorio nel mezzogiorno fra '700 e '800,* Bari, 1984, pp. 97-98.

3. Como sostiene, entre otros, S. Silverman, "Agricultural Organization, Social Structure and Values in Italy: Amoral Familism Reconsidered", en *American Anthropologist,* 70, N° 1 (1968), pp. 1-20. Sobre la historia de la familia en Italia, véase M. Barbagli, *Sotto lo stesso tetto,* Bologna, Il Molino, 1988; D. Kertzer, *Family Life in Central Italy, 1880-1910,* New Brunswick, Rutgers University Press, 1984; G. Delille, *Famiglia e propieta nel Regno di Napoli,* Torino, 1988.

4. W. Douglass, "The South Italian Family: a Critique", en *Journal of Family History,* 5, N° 4 (1980), pp. 338-59. Douglass distingue la *patrilineal joint family* donde al menos dos hermanos casados conviven con sus progenitores (o con uno de ellos) de la *stem family,* en la cual un solo hijo casado permanece conviviendo con sus padres. Según Douglass, en Agnone, la *stem family* representaba una fase intermedia hacia la formación de verdaderas *joint families.*

5. Por ejemplo, "Una simpática dimostrazione ai fratelli Marinelli e all' Operaio Italiano", *Operaio Italiano,* 28-7-1896, p. 2.

6. Véase H. S. Nelli, "The Italian Padrone System in the United States", en *Labor History,* primavera, 1964, y las agudas observaciones de R. Harney, "The Commerce of Migration", en *Canadian Ethnic Studies,* 1977, N° 9, pp. 42-53, y "The Padrone and the Inmigrant", en *Canadian Review of American Studies,* 1974, N° 5, pp.101-118.

7. Por intermedio de corresponsables *ad hoc,* la agencia Marinelli extendió su acción a toda la República. La clientela se expandió hasta incluir a los inmigrantes de otros pueblos de Abruzos y Molise, así como a los de otra comunidad emigrada en cadena desde Corigliano Calabro (Cosenza). Entre 1890 y 1900 la agencia envió 38.732 remesas. Entre 1901 y 1910 el número de remesas aumentó a 149.742. El valor de las remesas aumentó de 5.879.062 liras en el quinquenio 1901-1905, a 22.120.306 liras en el quinquenio 1906-1910. Véase "La casa bancaria Francesco P. Marinelli", en "Comitato della Camera di Commercio ed Arti di Buenos Aires", en *Gli Italiani nella Republica Argentina all'Esposizione di Torino: 1911,* Buenos Aires, Compañía General de Fósforos, 1911. La expansión de la agencia se dio sobre todo entre 1900 y 1910.

8. *L'Italia al Plata,* 30-1-1900, p. 4.

9. En 1896 el profesor don Nicola Marinelli fue nombrado inspector de la escuela social que los agnoneses de Buenos Aires trataron sin éxito de crear (*L'Italia al Plata,* 23-2-1896, p. 2, col. 3). Más tarde se desempeñó en la parroquia de San José de Rosario (Santa Fe) y en 1899 fue llamado a dirigir la parroquia del Carmen, en la ciudad de Santa Fe. Se trataba de una parroquia muy prestigiosa, al haber sido administrada hasta aquel momento por el diputado nacional doctor Romero, quien acababa de ser nombrado obispo (*L'Italia al Plata,* 8-10-1899, p. 4).

10. *L'Italia al Plata,* 15-7-1898, p. 5; 17-7-1898, p. 5; 18-7-1898, p. 5; 18-7-1899, p. 5.

11. En 1898 el *Circolo Sannitico* tenía 327 socios y un patrimonio modesto de 3.160 pesos (véase "Comitato della Camera di Commercio e Arti di Buenos Aires", en *Gli Italiani nella Republica Argentina,* Buenos Aires, 1898, p. 237) En 1908, el *Circolo* ya no era más una sociedad de socorros mutuos sino una simple sociedad de recreo ("Le società italiane all'estero", en *Bollettino dell'emigrazione,* Nº 24, 1908, p. 4). De acuerdo con el tercer censo nacional argentino, por el año 1914 el *Circolo Sannitico* había dejado de existir.

12. El "escándalo de las firmas" llevó a varias reuniones a las que concurrieron centenares de agnoneses. Los discursos de F. P. Marinelli, las acusaciones recíprocas y las cartas de los distintos líderes agnoneses fueron enviadas al *L'Italia al Plata* (Buenos Aires) y al *Eco del Sannio* (Agnone) para que fueran publicadas en sus columnas de "comunicados". Estos comunicados son testimonios valiosos no sólo porque nos proporcionan mucha información, sino porque nos dejan entender los valores de los agnoneses y pentrar en el "discurso" paternalista de su elite. Véase *L'Italia al Plata,* 25-12-1895, p. 2; 27-12-1895, p. 2; 28-12-1895, p. 2; 29-12-1895, p. 2; 30-12-1895, p. 2; 5-1-1896, p. 2; 11-1-1896, p. 2.

13. Véase, por ejemplo, la composición del consejo directivo de 1896 en *L'Operaio Italiano,* 14-1-1896, p. 2. Las ocupaciones de cada uno se encuentran en los boletines originales del censo nacional de 1895, Archivo de la Nación Argentina, Legajos Nº 491-92-93-94-95.

14. Benedetto Meoli no había nacido en Agnone sino en Sepino (Campobasso). Sin embargo, se había incorporado a la elite agnonesa y participaba en todas sus actividades. Gracias a su dinamismo y a sus conexiones políticas, Meoli fue nombrado en 1899 miembro de la Comisión de Higiene de la Parroquia de la Piedad, junto con dos líderes agnoneses *(L'Italia al Plata,* 11-1-1899, p. 5). Poco después, fue nombrado profesor de latín en el Colegio Nacional de La Plata. En 1901 publicó un libro sobre la polémica que se arrastraba desde varios años sobre la supuesta amenaza que la enseñanza del idioma italiano en las escuelas públicas hubiera podido representar para la nacionalidad argentina: *L'idioma italiano e la nazionalitá argentina,* Buenos Aires, Tipografía de la Penintenciaría Nacional, 1901.

15. Sobre la destacada carrera musical de estas dos familias, véase D. Petriella, *Diccionario biográfico ítalo-argentino,* Buenos Aires, Dante Alighieri, 1976, pp. 511-512, 602. Sobre los hermanos Paolantonio, véase también V. Gesualdo, *Historia de la música en la Argentina,* Buenos Aires, Tomo II, pp. 623 y 757.

16. *L'Italia al Plata*, 23-5-1899, p. 4, y p. 5.

17. Censo económico-social de 1895. Legajos Nº 104 y 112.

18. En enero de 1896 fue nombrada una comisión escolar *(L'Italia al Plata,* 14-1-1896, p. 2). En marzo el *Circolo Sannitico* abrió las inscripciones a la nueva escuela social, pero debió de ser un fracaso total, porque nunca más se volvió a hablar de esta escuela (*ibíd.*, 23-2-1899, p. 2). Una escuela social fue abierta en 1899 por la Sociedad Abruzzo, de la que los líderes agnoneses del barrio del Carmen eran también miembros influyentes (*ibíd.,* 7-3-1899, p. 5). Sobre el proyecto de admitir a los familiares de los socios en el *Circolo Sannitico, ibíd.*, 9-1-1900, p. 5.

19. *L'Italia al Plata,* 17-7-1898, p. 5.

20. *Ibíd.*, 21-3-1899, p. 5.

21. *Ibíd.*, 3-10-1899, p. 6. En ocasión de las celebraciones del 20 de Septiembre, Carlos Carlomagno, dirigente de la Sociedad Italiana de Bell Ville, solía distribuir personalmente 200 porciones de carne y de papas a los pobres del pueblo, mientras Zoila F. de Carlomagno, presidenta de la comisión de fiestas de la misma sociedad, or-

ganizaba banquetes para las señoras de clase media del pueblo. Otros núcleos de agnoneses se encontraban en Chañares, Chacabuco, Estación Ferrari y las Perdices *(ibíd.*, 9-4-1899, p. 5; 14-5-1899, p. 5).

22. El núcleo agnonese en los Corrales era ya bastante numeroso y estaba desarrollando ya su propia *leadership* de barrio, que, a veces, se relacionaba directamente con las autoridades civiles de Agnone sin pasar por la intermediación de los líderes del barrio del Carmen. Véase el mensaje de felicitaciones enviado por la elite agnonesa de los Corrales al alcalde de Agnone en ocasión de su reelección, *ibíd.*, 24-11-1899, p. 5. Sobre la formación de la Umberto I, *Società de mutuo soccorso, istruzione, lavoro e protezione,* véase *ibíd.,* 27-7-1896, p. 2, 13-12-1896, p. 2; 15-12-1896, p. 2; 8-2-1898, p. 2; y 23-8-1898, p. 5.

23. *Ibíd.*, 27-7-1898, p. 5; 21-8-1898, p. 5; 23-8-1898, p. 5, 26-9-1899, p. 4.

24. Algunos ejemplos: la sociedad Gabriele Pepe era una nueva asociación de inmigrantes del Molise. A quienes la criticaron por "hacer regionalismo", los dirigentes contestaron que G. Pepe fue "una gloria de Italia y no sólo del Molise" *(ibíd.,* 8-11-1896, p. 2). A Mario Pagano, héroe de la revolución napolitana de 1799 fue dedicada otra sociedad de italianos del Sur *(ibíd.,* 22-10-1899, p. 5, 29-10-1899, pp. 4-5). A Fernando Petruccelli della Gattina, político y escritor, nacido en Moliterno y muy famoso en Italia durante el siglo pasado, los inmigrantes de Moliterno en Buenos Aires dedicaron su sociedad de socorros mutuos. Sobre la fama de Petruccelli della Gattina al Plata, véase *L'Amico del Popolo,* II, 60, 29-2-1880, pp. 3-4. Sobre la sociedad, véase *L'Italia al Plata,* 12-2-1899, p. 6. Entre las sociedades italianas de socorros mutuos en Buenos Aires el localismo y el regionalismo eran más comunes de lo que aparece a primera vista examinando los censos de mutualidades. Además, hay que considerar que muchas sociedades de esta índole no aparecieron en los censos por varias razones: por no tener personería jurídica argentina; por su pequeña dimensión; por haberse constituido después del levantamiento de un censo y haberse disuelto antes de que se llevara a cabo el siguiente. A este respecto, futuras investigaciones habrán de matizar y calificar mejor algunas de las conclusiones a las que llegó Baily con respecto al peso del regionalismo dentro de la colectividad italiana; véase "Las sociedades de ayuda mutua y el desarrollo de una comunidad italiana en Buenos Aires, 1858-1918", *Desarrollo Económico,* enero-marzo de 1984, vol. 21, Nº 84.

25. *L'Italia al Plata,* 17-9-1895, p. 2.

26. Al comentar sobre este banquete, *L'Operaio Italiano* lo calificó con desprecio *"un'affermazione di volgare cortigianeria"* (28-6-1896, p. 2). *L'Italia al Plata* reprodujo el texto original del discurso del presidente Meoli, en el que justifica y exalta el carácter localista del *Circolo Sannitico* (28-6-1896, p. 4).

27. La familia de los músicos Sammartino tenía un pariente en el Concejo Municipal. El concejal, que había vivido en la Argentina durante años, era Pepino Carlomagno, pariente de los Carlomagno de Bell Ville *(L'Italia al Plata,* 22-10-1895).

28. *Ibíd.*, 27-8-1896, p. 2.

29. Gigliola Dinucci, "Il modello della colonia libera nell'ideologia espansionistica italiana. Dagli anni '80 alla fine del secolo", en *Storia Contemporanea,* X, 3, junio, 1979, pp. 427-479.

30. Sus nombres no aparecen en las tres muestras de nuevos socios 1890-1900 que he levantado en los archivos del *Circolo Italiano.* Véase Archivo del Círculo Italiano, *Libro dei nuovi soci,* vol. I y II.

31. Sobre los círculos de *galantuomini* en Molise, véase R. Cavallaro, *La sociología dei gruppi primari,* pp. 236-237. En Agnone el círculo de los *gualantuomini* se llama-

ba "Casino dell'Unione" y estaba vinculado a la elite agnonesa de Buenos Aires (*L'Italia al Plata,* 22-10-1895, p. 1).

32. Los mitristas tenían, por ejemplo, fuertes vinculaciones con grupos de "clericales" de La Boca y en algunas ocasiones lograron movilizar a varios masones del barrio en favor de los candidatos del partido católico (*L'Italia al Plata,* 28-11-1899, p. 5). Los mitristas de la parroquia de Monserrat (entre los cuales encontramos a muchos italianos liderados por el doctor Diego B. Scotto) se reunían en la sede de la sociedad mutual L'Italia al Plata (5-11-1896, p. 2, col. 2). Con respecto a la elite agnonesa, parece que ya antes de 1896 ésta hubiese participado en la elección de líderes mitristas a cargos municipales (*ibíd.,* 29-10-1896, p. 2).

33. La agencia Marinelli se hallaba en Córdoba al 1680; la casa de Morel (presidente del comité mitrista de la Capital) al 1448; y la casa de Gouchon (que no aparece en croquis), al 1869.

34. Su padre era Luigi Carosella, un propietario de inmuebles que ya en 1895 se declaraba "rentista". Su hermano menor, Rafael, había nacido en la Argentina en 1879. A los 17 años era estudiante en la Facultad de Derecho, donde se destacaba como organizador de comités políticos, sobre todo entre los estudiantes ítalo-argentinos. En el barrio del Carmen, Rafael llegó a ocupar a los 18 años cargos muy importantes en el *Círculo Sannitico* y en el *Circolo Crispi.* En política siguió él también a los mitristas. En 1899 era secretario del *comitato* de propaganda electoral para la U.C.N. en su parroquia de la Piedad, y en 1914 concejal municipal de Buenos aires. El argentino Rafael Carosella siguió participando en las actividades promovidas por la elite italiana de Buenos Aires.

35. *Ibíd.,* 26-11-1896, p. 2; *L'Operaio Italiano,* 26-11-1896, p. 2.

36. *L'Italia a Plata,* 29-10-1896, p. 2, col. 2; 4-11-1896, p. 2.

37. Véase *L'Operaio Italiano,* 3,4,5,6 y 12 de diciembre de 1896. *L'Italia al Plata* prefirió no comentar la humillante historia del examen. La prensa argentina era generalmente favorable a someter a Carosella "a un riguroso examen de idioma nacional". Que Carosella fuese un desconocido en los círculos porteños lo demuestra un artículo de *El Diario,* según el cual Carosella "hablaba en dialecto genovés [*sic*] de tal manera enmarañado, que haría indispensable un intérprete *zeneixe* para entenderlo" (29-11-1896, p. 1).

38. *L'Italia al Plata,* 22-10-1899, p. 5 (escuelas de la Abruzzo); *ibíd.,* 1-6-1896, p. 2, (escuelas de la Colonia Italiana).

39. *Ibíd.,* 1-2-1898, p. 2.

Espacios y lugares

Francisco Liernur
Julio César Ríos y Ana María Talak
Eduardo Hourcade
Daniel Campi

En Espacios y lugares *se han realizado elecciones que articulan diver-*
samente estos conceptos. Mientras que en el primer volumen de esta obra
los espacios designaban lugares físicos –los confines del virreinato, la lla-
nura de vieja colonización, el desierto–, se tratará aquí de los discursos
que configuran y asignan sentido al espacio habitable, de los ámbitos po-
sibles de la niñez tal y como los designa la psicología y la criminología,
de los espacios en buena medida virtuales en los que se intenta reprodu-
cir la experiencia de los lugares de origen de las cohortes de inmigrantes
y, finalmente, de la vida en lo que, para la historiografía, han sido los
márgenes de lo humanamente soportable: el espacio físico de los inge-
nios. Esta diversidad está, no obstante, atravesada por un gesto común:
el que confiere a los deseos y a los discursos (higienista, positivista, evo-
lucionista, publicitario) la capacidad de construir espacios y prácticas de
la privacidad. El análisis de la construcción del dispositivo doméstico
moderno, que abre esta sección, muestra como éste coincide con la gran
expansión de los sectores medios. Así, entre la proliferación de boudoirs,
antecámaras, saloncitos y otros refugios de la intimidad de las casas bur-
guesas, y el despojo de las casas obreras, surgen las estrategias interme-
dias que los medios de comunicación contribuyen a imponer. La "gracia"
es más recurrente que la codificación de estilos y las pautas higiénicas.
El dormitorio se erige en santuario de la privacidad, opuesto a las zonas
"públicas" de la casa, "fuero interno" para la pedagogía masculina,
"capilla secreta" para la femenina. Los sillones rígidos de la sala dejan
paso a los mullidos del living-room. *La cocina, "símbolo compendioso de*
la Naturaleza" donde la madre, síntesis de Lavoisier, Berzelius y Pasteur,
canta destilando milagros proteicos, se carga con todas las prescripcio-
nes de la lavabilidad. Y el baño, ese dispositivo "nómade", empieza a ser
objeto, desde finales de la década del diez, de los consejos destinados a
resaltar "lo bello y lo estético en la decente tarea de tomar un baño". Se
arma así el escenario prescriptivo, diferenciado y complejo de la vida pri-
vada de los sectores medios según principios sucesivos de higiene, senci-
llez, gracia, coquetería, frivolidad. Paralelamente a esta consagración de
la estética hogareña, la psicología y la pedagogía construyen –en el ám-

bito familiar o en las instituciones que lo reemplazan, por una parte, y en la escuela, por otra– subjetividades adaptadas a un proyecto de "normalidad" infantil que consiste precisamente en borrar sus "tendencias criminosas filogenéticas". Se trata, por lo tanto, de la configuración de espacios opuestos a la calle, donde las formas de la privacidad, que pueden llegar hasta el encierro, se organicen con el fin de producir "niños argentinos", "ciudadanos aptos –como dirá Julio Roca en 1894– para la sociedad y la patria", aquellos que formarán los batallones escolares que desfilan junto a los militares en los años finales de la década del ochenta. El texto muestra cómo esa figura central de la experiencia privada en la que se ha transformado la infancia se elabora a través de los discursos normativos que, junto a los frisos con dibujos y los muebles de colores de los dormitorios de los "reyes del hogar", forjan los contornos esperados de la normalidad. Afuera quedan las "patologías" de pobreza, los vendedores ambulantes, los pequeños mendigos, las huérfanas y provincianas, "hijas de nadie" en las que se ceban los señoritos.

En los proyectos urbanos y en las formas de sociabilidad de la pampa gringa veremos en cierto modo una experiencia opuesta a la de la constitución de espacios diferenciados. Aun en pleno siglo XX no siempre se ha producido una separación clara entre lo privado y lo público en tanto el vacío del Estado en el plano de salud, de la escolaridad, de la planificación urbana, hace que recaiga sobre las asociaciones de diverso tipo la carga de las responsabilidades públicas. Frente a esa anomia institucional, en ese espacio llano y vacío, se han de construir nuevas Romas imaginarias y anticlericales en las que vivirían, sin embargo, mujeres piadosas y a las que se invita irónicamente a un Papa "prisionero". Allí se ensayarán nuevas formas de derrotar la "barbarie", de organizar la "modernidad", de representar las jerarquías, como en los entierros más visibles, más barrocos, de la pompa italiana, que darían lustre a más de un pobre diablo. Finalmente, los ingenios. El texto pone en evidencia que se trata de ámbitos más complejos que los infiernos que la historiografía argentina había elaborado. No porque las condiciones de vida de los indígenas sometidos al poder ilimitado de los patrones sean menos implacables que lo que se decía, sino porque se trata de lugares de "disciplinamiento" –con lo que esto conlleva de ambigüedad–, donde el discurso higienista reclama el despliegue de dispositivos "civilizatorios". El texto muestra también un obstáculo: las fuentes sólo parecen permitir instalar el escenario de una privacidad que se infiere in absentia, como si tuviésemos que llenar el silencio de los parques y salones vagamente orientales y el desamparo de las paredes miserables de los rancheríos tucumanos.

Fernando Devoto
Marta Madero

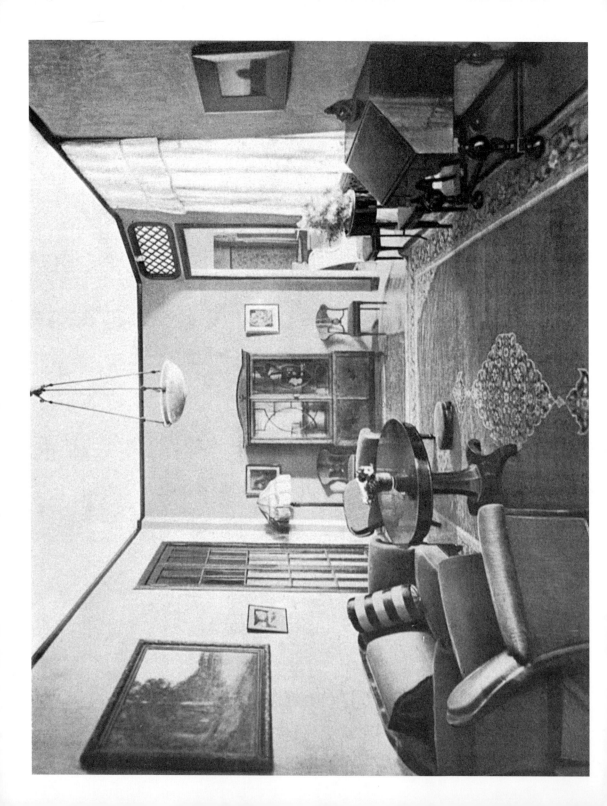

Casas y jardines. La construcción del dispositivo doméstico moderno (1870-1930)

Jorge Francisco Liernur

Desde un punto de vista amplio y a la vez sintético, la casa puede concebirse como una complejización de las acciones elementales de abrigo y guardado. Abrigarse es proteger al cuerpo de rigores climáticos, roces y miradas; guardar es proteger objetos que el cuerpo y el espíritu necesitan para sobrevivir. Abrigar y guardar son dos formas de separar del resto del mundo determinados cuerpos y cosas. La creación humana más elemental destinada al abrigo es el tejido; la destinada al guardado es el cofre. El tejido y el cofre están en la protohistoria de la casa, son sus embriones.

La vivienda de los pueblos y ciudades de las llanuras cercanas al litoral argentino se estabilizó a lo largo de los siglos coloniales básicamente en dos tipos: el rancho y la casa de una planta con azotea. Una y otra formaban parte de un sistema de abrigo y protección privado, y se completaban con las acciones de interrelación ampliada de cuerpos y cosas que constituyen el sistema de espacios públicos. El vestido, el cofre son las formas más irreductibles de protección íntima, a diferencia de la casa y el rancho, que incluyen y articulan dispositivos mixtos de funciones privadas y públicas. Las acciones de la vida cotidiana de los habitantes de los pueblos y ciudades coloniales tenían lugar en un espacio que fluía desde el abrigo íntimo de los tejidos, en el caso más simple, hasta la plaza, el espacio público más complejo por su densidad.[1]

El interior y el exterior, lo público y lo privado, no tenían los mismos alcances que definen el espacio moderno. La casa tradicional de es-

Intimidad, publicidad

Teatro de la ceremonia mediante la cual el mundo íntimo se manifiesta, la sala era un lugar de transición. En ella, los sillones tenían la rigidez de los instrumentos rituales. En la década del veinte es desplazada por el living room: una habitación en la cual se puede pasar todo el día.
(Plus Ultra, Año VI, Nº 57, enero, 1921)

tos pueblos y ciudades de la llanura nos habla de unas regiones pobres y lejanas de los centros de poder y riqueza, y de una sociedad que exhibe o desarrolla en espacios públicos muchas de las funciones que posteriormente se irán haciendo opacas en el espacio de la intimidad.[2] Esto supone el movimiento opuesto, vale decir que muchas de las funciones que luego se considerarán del ámbito público se desempeñan en los recintos domésticos. Si las calles y las plazas son patios de juegos de los niños, dormitorios de indigentes, albergue de barberos, talleres, lavanderías y comedores, las casas son a su vez comercios y oficinas, centros de entretenimiento y núcleos políticos, escuelas y manicomios. Y a su modo –el de la miseria–, también lo son los ranchos.

La casa de azotea no era confortable, nos dirán los comentaristas del ochenta o del Centenario. Pero ¿de que confort nos hablan?[3] En esos grandes cuartos de seis varas de lado y altura se sentirá frío en el invierno sólo cuando se haya instalado un código que, como parte de esa nueva separación, distinga el interior del exterior por la cantidad de ropa que se lleva. Los cuerpos se moverán libremente dentro de la casa, dejando poco a poco formas y ceremonias para el espacio público. Es más razonable suponer que ni los cuerpos del siglo XIX eran hipocalóricos, ni los seres propensos al sufrimiento, y que para vivir en esos cuartos frescos en verano y fríos en invierno, eran las reglas de la moda y los hábitos de higiene los que diferían respecto de los que caracterizarían a épocas posteriores. Si los límites entre el interior y el exterior eran lábiles para las actividades, es razonable que lo mismo ocurriera con las cosas y personas en ellas involucradas. El retrete o el baldaquino que encierra el lecho son los únicos sitios de relativa opacidad en esas grandes casas tradicionales: constituyen la protección espacial última de los cuerpos desnudos. De características indiferenciadas, los demás lugares son transparentes, y en ellos se pueden desarrollar actividades diversas.

En este universo premoderno también hunde sus raíces la casa de patio lateral con cuartos en ristra, la "casa chorizo". Quizá porque su versión más elemental la constituye un cubículo único, al que el aumento de población o de recursos podrá agregar otras unidades iguales, este tipo de vivienda cuenta con una larga historia que, según Fernando Aliata, precede en al menos un siglo a la gran ola inmigratoria.[4] Sus cuartos sin diferencias permiten que se transformen total o parcialmente en otros espacios: pueden ser depósito, hotel, taller, comercio o escuela.

Vida nueva, casa nueva   Como en todos los órdenes de la existencia, la modernización provocará la especialización de los usos y funciones del habitar doméstico.

Esto significa, ante todo, una separación clara entre los espacios de la intimidad y el mundo exterior, público o privado. Con el nacimiento y desarrollo de nuevas formas de subjetividad, las casas, en este primer sentido de su condición moderna, se harán totalmente opacas, recintos perfectos, en el extremo, para una pudorosa utopía nudista. Vicio privado, pública virtud.

Esa separación afecta también el interior de las casas de ricos durante el inicio del período que analizamos.[5] No bastará separar el cada vez más poblado mundo de las acciones privadas de la mirada externa; habrá que separar además las miradas de patrones y sirvientes, de padres e hijos, de hombres y mujeres. Se adoptará entonces el pasillo: con él, las habitaciones ya no se conectan unas con otras sólo mediante puertas. Entre ellas, ordenándolas, crece la red de estos tubos para la circulación separada de los cuerpos y de las cosas. La marca principal de las casas modernas, nuevas máquinas destinadas a la reproducción de cuerpos y valores, son las tuberías. Por ellas circulan mensajes de papel, aguas, cenizas, desechos, sonidos, vapores y la novedosa energía de la electricidad.

Mientras las casas de ricos se especializan y engrosan en sus servicios y funciones, los sectores populares del Río de la Plata continuarán prefiriendo el tipo antiguo y austero de patio lateral. Su resistencia a los cambios tiene varios motivos. Los más obvios son la falta de recursos, pero hay que considerar otras razones. La relativa inestabilidad de la estructura productiva argentina, sus cambios y adaptaciones a los vaivenes de la demanda internacional, las variaciones estacionarias de empleo en el campo y las oscilaciones del movimiento inmigratorio están también

Las casas de patio lateral, conocidas como "casas chorizo", son el prototipo más singular de las viviendas adoptadas en Buenos Aires y otras ciudades del área vinculada con el Río de la Plata.
(Revista de Arquitectura, octubre, 1931)

en la base de esa persistencia.[6] La casa de patio lateral y habitaciones en ristra responde con extraordinaria eficiencia a esa condición: puede albergar a una unidad familiar compleja y ampliada, puede funcionar como fuente eventual de recursos mediante el alquiler de sus cuartos por separado o alojar pequeños talleres de costura, artesanías o reparaciones.[7] Y mientras tanto, determina y permite en su relativa transparencia las relaciones fluidas entre los seres –de potenciación y conflicto– que requiere la vida en contextos como los de los alejados vecindarios, en buena medida basados en la solidaridad entre sus habitantes.[8]

Entre la compleja casa de los ricos y ese organismo simple de los suburbios más pobres, se desarrollan las nuevas formas de habitar de los sectores medios: básicamente el *cottage* y el chalé. Las ideas que informan su constitución provienen del mundo anglosajón, y devienen de la expansión urbana permitida por el desarrollo de los transportes públicos (hasta la segunda década del siglo XX inaccesibles por su costo a los obreros), por la difusión de las teorías antiurbanas, por la consolidación de las familias mononucleares, por la creación de dispositivos higiénicos y por el estímulo sanitario a nuevas formas de actividades al aire libre. A diferencia de las complejas estructuras de las casas de la alta burguesía, desarrolladas especialmente en Francia, las casas de estas familias de profesionales, burócratas, empleados directivos, comerciantes y pequeños industriales se caracterizan por su tendencia a la compactación y la articulación de los espacios que las componen. Por eso mismo, implantadas en terrenos pequeños, suelen tener dos plantas. En muchos casos se confunden con las construcciones destinadas al *week end*.

Los barrios de empleados construidos por las empresas ferroviarias, a la manera de los de Gran Bretaña, eran departamentos agrupados en tiras de dos pisos.
(Archivo personal del autor)

La compactación ensayada en *bungalows, cottages* o chalés se produce en forma paralela a la paulatina difusión y definición de otra creación doméstica, probablemente la más importante del período que analizamos: el "departamento", forma con la que la habitación alcanza el estatuto de la "mercancía", categoría nuclear de la producción moderna. En tal carácter, el "departamento" es un producto de actores anónimos destinados a usuarios anónimos. Si no se construye desde el principio de manera industrializada, eso es debido a las especiales inercias de este tipo de actividad, pero con el tiempo también sus procesos de producción irán apuntando a conseguir la máxima reproductibilidad. Como mercancía, el "departamento" debe tender a ser inmediatamente fungible. Sin embargo, pasarán varias décadas hasta que pueda reformarse la norma de propiedad fijada en el Código Civil que impide la posesión de títulos sobre estas fetas en el espacio.[9] Básicamente por ese motivo, la primera forma del departamento moderno en las grandes ciudades de la Argentina fue la de las pequeñas "casitas" agrupadas a lo largo de corredores, que en otros sitios son conocidos como "cités", y que pueden asimilarse a nuestros "pasajes" (aunque en estos últimos el corredor es una estructura pública). Estos conjuntos podían desarrollarse a lo largo de un solo lado de los estrechos terrenos de diez varas, o tomar varios de aquéllos y extenderse hasta atravesar enteramente y en distintas direcciones la manzana. El departamento más frecuentemente utilizado en estos casos consistía en una casa de patio lateral de dos o tres cuartos. A lo sumo, estas construcciones sumaban unidades de dos plantas.[10]

Una solución intermedia fue la del apilamiento de unidades de tipo "chorizo" en no más de tres plantas con accesos independientes a la calle. El desarrollo técnico y el aumento de valor de las áreas centrales –especialmente como resultado de las inversiones públicas (cloacas, pavimentación, electrificación, transporte, etcétera)– dio lugar a la aparición de estructuras de este tipo desarrolladas en vertical, ocupando hasta siete o diez plantas.[10]

De manera llamativa y bastante singular, en el caso de Buenos Aires, estos primeros edificios de renta en altura empleaban también el tipo de la casa de cuartos en ristra a lo largo de un patio lateral.[11] De este modo, multiplicaban soluciones ensayadas en edificios más bajos o en "cité". Varias de las condiciones de flexibilidad se conservan aunque se agregaron nuevos inconvenientes higiénicos, como iluminación y ventilación deficientes en las plantas bajas, o una creciente promiscuidad sonora.

En paralelo con lo ocurrido con las "casas", entre las últimas décadas del siglo XIX y la década 1930, las transformaciones operadas en y a

El "departamento": la casa como mercancía

Con su gran tamaño y su fachada clasicista, la casa colectiva se presenta como una "mansión para obreros". Se trata de la primera intervención directa de la Comisión Nacional de Casas Baratas.
(Archivo personal del autor)

través de la multiplicación de "departamentos" pueden caracterizarse según dos movimientos. En el primero se advierte el intento de reemplazar las organizaciones relativamente simples heredadas del período colonial por organizaciones complejas como las que hemos descripto para las viviendas de los sectores más acomodados; en el segundo –más significativo– se produce lo que identificamos como proceso de compactación. La casa colectiva en altura es un tipo edilicio creado con el objetivo de obtener el máximo beneficio en operaciones inmobiliarias de tipo comercial. Dado que el ascenso por escalera se hace excesivamente incómodo a partir de cierta altura, y que las estructuras de mampostería son en sí mismas pesadas y requieren de importantes aumentos en la masa muraria de las plantas inferiores para soportar cargas crecientes, estas construcciones no fueron frecuentes hasta la difusión de los ascensores electromecánicos y las estructuras en acero. La incorporación de estas novedades técnicas permitió reducir al mínimo las superficies ocupadas por las construcciones con función estructural, liberando de este modo la planta –vale decir, las formas de organización y distribución de los ámbitos que la componen– de los edificios de gran altura, condición básica del proceso de compactación a que hemos aludido.

Consecuencia a su vez del objetivo de máximo beneficio, la compactación no hubiera sido posible de no mediar importantes transformaciones culturales que permitieron admitir como aceptable e incluso deseable el desarrollo de la vida doméstica en ámbitos de dimensiones relativamente más pequeñas, limitación que en etapas anteriores sólo era atri-

Los sectores más desprovistos de recursos, entre los que se contaban quienes optaban por subsistir escarbando las basuras que se arrojaban en un área del borde del Riachuelo, construyeron las primeras "villas miseria", como la del barrio llamado "Las Ranas".
(Archivo General de la Nación)

La zona de Retiro recién se consolidó como preeminentemente residencial luego de los primeros años del siglo XX. Hasta entonces aún era ocupada por estructuras precarias.
(Archivo personal del autor)

buto de pobreza. A la construcción de esa nuevo imaginario del mundo doméstico nos referiremos más adelante, pero antes conviene describir más apropiadamente los aspectos de la casa afectados por el proceso de compactación.

En primer lugar, la hasta aquí analizada *disminución de los espesores estructurales y de tabiques.* En segundo lugar, la *desaparición de los límites formales de los recintos.* La máxima expresión de esta característica se alcanzará en los *lofts* contemporáneos, y consiste en la reducción de la casa a un ambiente único en el que las distintas funciones se desarrollan en ámbitos separados entre sí de manera virtual, transitoria o incompleta. En el límite, esto supone una ruptura radical con la noción de "casa" como articulación de recintos diferenciados –hiperdiferenciados, como ya vimos, a finales del siglo XIX– y caracterizados por particulares formas, dimensiones, texturas, colores y equipamiento. En un estadio intermedio del proceso, esta puesta en crisis de los límites de los recintos dará lugar a las fórmulas mixtas del lavadero-cocina, la cocina-comedor, el living-comedor o el "tercer" dormitorio que puede funcionar como tal o como escritorio, comedor o habitación de huéspedes. En tercer lugar, la *concentración de las zonas de servicios.* Veremos luego en detalle la constitución del baño mediante la integración de funciones previamente dispersas en la casa. También las cocinas fueron afectadas por transformaciones técnicas (energía, conservación de alimentos, etcétera) que permitieron la reducción de sus superficies y una articulación crecientemente fluida con los sectores de estar.

Un cuarto sector que se reduce a sus expresiones mínimas es la *zona destinada al personal doméstico,* una parte de la casa cuya caracterización es inestable, incluso hasta los comienzos de la década de 1930. En relación con este tema, lo que diferencia a las construcciones argentinas de las francesas –mayoritariamente su modelo de referencia– es la ubicación de estas dependencias, si destinadas a mujeres, dentro de los departamentos y no en las azoteas de las construcciones *(chambre de bonne)*. Esta particularidad es coherente con varias características de nuestra formación social. La primera se refiere a la peculiar división moral que admitía tácitamente la autonomía sexual del varón mientras condenara a la de la mujer. Las habitaciones separadas del personal doméstico suponen una libertad de movimientos ocluida en la respuesta local. Pero esta particularidad es también signo de un retraso relativo de la estructura social, determinado por la tardía aprobación (1947) de leyes nacionales de protección y reglamentación de este tipo de trabajo, lo que prolongó el mantenimiento de rasgos premodernos de servidumbre. En la primera década del siglo, estas habitaciones formaban parte de los departamentos del "señor" o la "señora", para luego desplazarse hacia el área de servicios en torno de la cocina. No dejará de notarse que esta rémora premoderna es contraria al proceso de compactación, lo que genera especiales problemas en terrenos estrechos como los habituales en las ciudades más grandes, puesto que la ventilación de estos ambientes debe hacerse a patios interiores que, resueltos con criterios tradicionales, ocupan espacios considerables. Estos problemas se resolvieron en el plano ideológico, aceptándose que las necesidades de espacio vital, ventilación e iluminación de las personas encargadas de los trabajos domésticos son menores que las de las restantes personas que habitan la casa. A este extraño criterio dual se adaptaron las reglamentaciones, y la compactación de este sector condujo a experiencias diversas y extremas, como la reducción de la habitación para el personal doméstico a un cubículo colocado sobre la cocina, de altura mínima, con cucheta *pullman*, accesible por una escalerilla desmontable. En los años treinta, esta zona del "departamento" tendió a estabilizarse en habitaciones de mínimas dimensiones provistas de una única cama y ventiladas a través de una suerte de pequeñas galerías interiores que oficiaban como lavaderos.

En quinto lugar se produjo una radical *eliminación de los lugares intermedios y de circulación*. Ya hemos mencionado la condensación de varios ambientes, diferenciados al comienzo del período, en la figura del "baño". A esto debe agregarse la drástica desaparición de los lugares introductorios, y en particular de los "ante" que engordaban las casas de fin de siglo: el antecomedor, la antecámara, la antesala. Seguramente, como resultado de la transformación (simplificación) de la moda (paulatino abandono de bastones, sombreros, capas, sombrillas, chales, man-

En medio de un barrio fabril, las casitas de alquiler, construidas en torno de un jardín central en cruz, recrean un clima de comunidad "decente" de clase media.
Parque Patricios. Barrio municipal.
(Archivo personal del autor)

tos, mantillas, mantones, guantes, batas, etcétera) y de la creciente disolución metropolitana de las "formas" sociales, del mismo modo se eliminan los *halls* de diversa graduación y los vinculados a las ceremonias del vestido o la entrada.

La compactación de los ambientes de circulación contó con la transformación por causas higiénicas y culturales del vestuario femenino. Por un lado, para evitar el arrastre y acumulación de gérmenes, se acortaron las faldas; por otro, como es sabido, luego de la Primera Guerra Mundial se produjo un cambio en la mentalidad occidental que permitió la valorización de las formas del cuerpo femenino en libertad, despojándolo de elementos distorsionantes de sus dimensiones naturales. Los vestidos cortos, adaptados libremente a los perfiles de la mujer, contribuyeron a disminuir los anchos de vanos y circulaciones interiores. Sumado a esto, la eliminación de las ceremonias permitió reducir todas las áreas de movimiento –varias de las cuales, como el *hall* o el *porch*, habían sido hasta entonces "lugares"– a la condición exclusivamente funcional de "circulaciones".

Por último, la compactación pudo producirse como consecuencia del abandono de las normativas clásicas de la composición arquitectónica, las que, si bien no habían regido a la totalidad de las construcciones domésticas en períodos anteriores, habían fijado al menos los horizontes relativos de máximo valor. Las más importantes reglas de composición dejadas de lado fueron el ordenamiento axial, la simetría, la unidad de los recintos, la euritmia, las tramas modulares constantes, la *marche* y el *poché*.

Significado de las habitaciones

Así como el período que estudiamos puede dividirse entre una primera etapa en la que se formularon y constituyeron los nuevos dispositivos del habitar moderno, y una segunda etapa en la que todos ellos se compactaron, una mirada más cercana permite comprobar que el paso de una a otra fase fue acompañado por cambios en las características de las funciones, las formas, las texturas y el equipamiento de los ámbitos que integraban tales dispositivos. Analizando estos cambios veremos que a un período caracterizado por la máxima oposición entre la superabundancia de la mansión burguesa y el despojamiento de la casa obrera, siguió otro en el que todos los sectores sociales pasaron a tener como referente un nuevo imaginario doméstico común, no vinculado a estilos codificados o, en su reemplazo, a pautas ético-higiénicas de austeridad, sino a lo que podemos llamar la "gracia", vale decir, un variable gusto medio construido por los medios masivos de comunicación. En los parágrafos que siguen veremos cómo fueron emergiendo estas transformaciones, prestando atención a la formación del discurso doméstico en diarios, revistas, libros de escuela y manuales para la mujer.[12]

El dormitorio

Durante el período que analizamos pueden registrarse tres etapas en las reflexiones publicadas en manuales y revistas acerca del dormitorio. La primera se extiende hasta aproximadamente 1910. En este período la habitación debe cumplir con múltiples funciones. En primera instancia se constituye como el ámbito destinado al reposo, el lugar en que el sueño "aportará el olvido de sus penas y de sus sufrimientos y le devolverá un nuevo vigor para retomar las obligaciones del día siguiente".[13] Aunque la presuponen, estas publicaciones refieren rara vez a la sexualidad en la alcoba, y cuando lo hacen, sus indicaciones tiene un carácter represivo. ¿Por qué tanta importancia dada al temprano tendido de las camas? Barrantes Molina lo explicará más tarde: la lascivia "prepara el crimen [puesto que] el que se habitúa a satisfacer todos sus malos deseos jamás fortifica su voluntad"; "para evitar estos riesgos deben los padres mantener en la conciencia del niño la noción que reprueba la sensualidad", por eso "ningún adolescente ha de permanecer en la cama después de despertarse por la mañana".

Es cierto que el cuarto de dormir va definiéndose en estos años como el recinto reservado a la mayor privacidad[14] en relación con las zonas públicas de la casa: "la alcoba es el fuero interno", se explica en un dialogo entre padre e hijo;[15] "el dormitorio es la capilla secreta [...], es la conciencia", se indica a las niñas.[16] Se trata de una convicción que quedará instalada como constante también en las etapas que siguen:

"El dormitorio es la habitación que lleva más marcado el carácter de su habitante", se repetirá todavía en 1922.[17] Pero en los lustros finales del siglo, el ámbito de intimidad no se reduce exclusivamente al individuo. Para los pobres o para los ricos la alcoba es todavía colectiva, un dispositivo que a lo sumo separa a cada uno de los demás al instalarlo en su propio lecho. Araoz Alfaro asegura que "es común en familias poco acomodadas y aun en algunas de buena posición, que el dormitorio común del padre y de la madre lo sea también de dos o más niños, y si el padre no duerme en la habitación es frecuentemente reemplazado por la nodriza o la niñera [...] El ideal sería que en la habitación no durmiera más que el niño o la persona que lo cría (madre o nodriza) [...] Si el padre y la madre duermen en la misma habitación no debe haber más que un niño".

La convivencia nocturna con otros se completa durante el día compartiendo distintas actividades. El dormitorio incluye el *boudoir* y por lo tanto es el lugar donde las jóvenes reciben a sus amigas, pero también debe servir como escritorio, o para aislar a los enfermos, de acuerdo con la difusión de los nuevos descubrimientos médicos. Por otra parte, dado que la ciudad aún no ha completado el tendido de la red de servicios sanitarios, o en la medida en que no todos los que pueden disponer de ella cuentan con instalaciones domiciliarias apropiadas, en el dormitorio deben poder cumplirse asimismo las funciones que, como luego veremos,

Construido en torno de una mesa, el comedor debía ser un lugar tranquilo. El aparador, el trinchante, algún florero y quizá un reloj eran los objetos que conformaban el espacio considerado como verdadero lugar de reunión familiar.
(Plus Ultra, Año VI, Nº 57, enero, 1921)

concentrará más adelante el baño. Por eso es que, en esta primer etapa, en los consejos para la alcoba domina la preocupación higiénica. "Un dormitorio moderno debe ser espacioso, accesible al sol, debe ventilarse fácilmente, debe, si es posible, estar alejado del ruido y del movimiento exterior; todas las comodidades, todas las exigencias de la limpieza y el 'confort' han de ser preferidos a los caprichos de la moda"; "los muebles de la alcoba se reducirán a los necesarios, porque ocupan lugar y disminuyen la cantidad de aire. Pocos o ningún cortinado, que son nidos de polvo , camas preferentemente de bronce o de hierro laqueado, son las indicaciones que se encuentran con mayor frecuencia.[18] "Sólidas, bellas, elegantes", si las primeras son inaccesibles, a los más pobres les queda el recurso de las otras, pintadas "al laqué blanco o de otro color adecuado, con o sin ornamentos de bronce [que] son tan higiénicas, fuertes y hasta elegantes como las otras, no de tanto lujo pero sí de mucho menor costo".[19]

A mediados de la primera década del nuevo siglo parece iniciarse una segunda etapa que se distingue por la separación entre adultos y niños y por la caracterización del cuarto en función de quien lo habita. El niño se convierte en una figura protagónica, y especificaciones sobre la forma con que debe organizarse su habitación se registran desde 1906.[20] Nace en estos años la identidad del pequeño ser que la articulación entre leyes de protección a la infancia, estructuras educativas y represivas tiende a eliminar de la calle; al unísono con el proceso de densificación en altura de las áreas centrales y la expansión de los sectores populares hacia la periferia. Si el descampado sigue siendo un "territorio de aventuras" para los muchachitos de los barrios, el problema se presenta con mayor agudeza en las niñas, y en ambos en los nuevos edificios de renta. (Según el censo municipal de 1904, en Buenos Aires había 60 casas de 4 pisos, 40 de 5 y 38 de 6. En 1909 el parque se había duplicado: 146 casas de 4 pisos, 92 de 5 y 68 de 6, a lo que deben agregarse los numerosos departamentos construidos por debajo de esa altura.) Todavía, el "cuarto del niño" es, más que ninguno, un dispositivo higiénico, presidido por el principio de la lavabilidad. Pero además quiere constituirse como una verdadera máquina pedagógica, que retenga y enseñe. Mueblecitos a su escala, colores especiales, frisos con dibujos de pequeños animales y hasta imágenes con máximas morales deben conformar el armónico paisaje cotidiano de los nuevos "reyes del hogar". Una y otra vez se destaca "lo fácil que es amueblar un dormitorio donde la permanencia se haga grata al niño, donde éste pueda recibir ya desde sus primeros años las nociones de lo bello, educando sus sentimientos".[21] Así construido, será "la habitación principal de una casa",[22] que "se grabará en la memoria de los niños y perdurará toda la vida".[23] En este cuarto se establece una particular dialéctica: si, por un lado, el lugar funciona como una máquina pedagógica, también deberá ser un reflejo de la personalidad infantil. Es ocioso aclarar que esta dialéctica que se inicia en los años que ahora observamos continúa vigente en nuestros días, y lo fue en los restantes años del período. El protagonismo infantil alcanza, en el universo que observamos, un punto culminante en 1925[24] cuando, además de necesidades particulares, se reconozcan al niño voz y capacidad de decisión sobre su ambiente. Se trata en realidad de un desplazamiento del principio de la "casa imán": la intervención en esas elecciones provocará en los chicos "orgullo de mostrar el cuarto a sus amiguitos para que admiren el aseo y el orden del mismo", y la armonía de un cuarto así creado les producirá "un reposo espiritual tan grande que lejos de ansiar irse de su casa desearán traer a sus amigos".

No es una novedad que en los modelos sajón o francés de la casa burguesa los dormitorios del señor y la señora se diferencien. En torno de ambos se organizaban verdaderos "apartamentos" mediante una serie de cuartos de intermediación, como el *boudoir*, la antecámara, el saloncito, la biblioteca o la sala de fumar. Pero en estos años –lo registramos desde 1914–[25] se difunde una versión mas modesta de esa diferencia, caracterizando cada cuarto simplemente mediante el recurso del estilo, los colores o los accesorios. En los modelos más lujosos, a la habitación del señor, preferentemente en sobrio italiano primitivo (telas satinadas, nogal tallado, cortinas damasco), se sumará la de la "señora joven en estilo Luis XVI" (también Luis XV y Luis XIV), la de la señorita soltera o la del jovencito.

La tercer etapa, iniciada aproximadamente en los primeros años de la década del veinte, se caracteriza por la aparición de nuevos sujetos y por la contracción espacial, fenómenos ambos ligados a la acelerada metropolización. Llamamos nuevo sujeto a una figura hasta entonces no legitimada en estas construcciones de los habitantes del hogar: la de los solitarios que no remiten a la imagen de la familia tradicional.[26] Con cierto retardo, el discurso comienza de este modo a hacerse cargo de una condición real de la sociedad argentina. Debe recordarse que en 1904 en la Capital Federal eran solteros el 61,4 % de los hombres mayores de 20 años y de las mujeres mayores de 15 años; asimismo, eran numerosas las familias no unidas en matrimonio religioso (50.649 contra 85.656 civiles), y se daba una alta proporción de nacimientos ilegítimos –211 por cada mil–, "muy elevada si se la comparaba con las naciones europeas y los Estados Unidos".[27] Analizando los avisos de oferta de alquileres en los diarios, puede advertirse también que es en las muestras de 1916 y 1926 donde se registra un mayor número de oferta de "dormitorios" o "habitaciones" aisladas.[28] Si bien es cierto que una gran proporción de la

Secuencia de las operaciones requeridas para el tendido de la cama y la mesa, según un libro de lectura obligatoria de las escuelas primarias a principios del siglo.
(Archivo personal del autor)

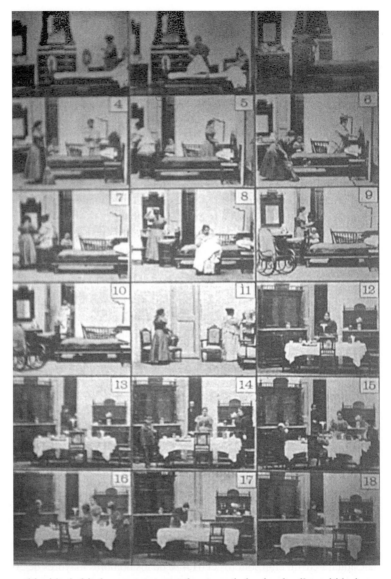

población habitaba en cuartos cada vez más hacinados,[29] también lo es que no son pocos los que lograban acceder, especialmente a partir de 1907, a pequeños cuartos aislados en los suburbios, o los que tomaban cuartos en casas particulares. Quizá por eso, los avisos analizados concentran en la muestra de 1912 un fuerte interés por las características familiares que ofrece la unidad en alquiler, registrándose un mayor número de aquellos que se identifican como "de familia", "decente", o simplemente "casa tranquila".[30]

El tema de la casa, departamento o cuarto para hombres o mujeres solos constituye una expresión particular, en cierto modo camuflada, del agudo proceso de contracción de la habitación promovido por la especulación inmobiliaria. El problema consiste ahora en cómo organizar un pequeño espacio en el que, de algún modo, se vuelta a las condiciones iniciales de coexistencia de distintas actividades en una misma habitación.[31] Todos los recursos técnicos y estéticos se concentran entonces en la reducción al mínimo indispensable de los espacios. Una serie de ingeniosos mecanismos permiten la producción de híbridos, y si en la primera etapa la alcoba era a la vez escritorio, *boudoir,* baño y sala, ahora esa pluralidad extendida de funciones se condensa en los nuevos objetos, y la cama será biblioteca, repisa, mesa, sillón o aparador. En 1910 registramos la primera mención a una "cama diván", "un lecho que durante el día pueda doblarse y no haga mal papel en la habitación".[32] Se reconoce que "la necesidad de vivir estrechamente ha aguzado el ingenio de no pocos hombres para reducir el mobiliario de una casa a términos inverosímiles", a punto tal que en el dormitorio, ampliado, ahora pueden desempeñarse una multiplicidad de funciones gracias a inventos como ese baúl desarmable capaz de transportar cinco muebles, desde mesas y cajones hasta las camas del matrimonio y los niños,[33] o aquel otro que se desplaza sobre rieles instalados debajo de la cama.[34]

Si antes era frecuente aludir al "sucucho" habitado por los más miserables, ahora el orden y la sencillez vienen en ayuda de los sectores medios, o al menos de estas figuras solitarias: "en la habitación donde no hay espacio para moverse, se pierde el valor artístico de todo porque hay demasiadas cosas para ver", lo mas aconsejable entonces será reducir al máximo los objetos visibles. El ropero empotrado surge en este período como un recurso para el ahorro de espacio.[35]

Hay algunas observaciones sobre el dormitorio que conviene hacer contemplando la totalidad del período. Hemos visto que, salvo en las menciones de carácter represivo, en la primera etapa el sexo está ausente en los victorianos enunciados de los discursos analizados. Sin embargo, aunque en ningún momento se registraron cambios sustantivos en este sentido, puede decirse que, atenuada, pero no por ello ausente, con el tiempo va buscándose una suerte de "sensualidad" para los cuartos de dormir. Ello se observa en las transformaciones de la decoración. Si la consagración de una permanente "alegría" es recurrente en esta consejería doméstica, avanzando con el nuevo siglo comienzan a tramarse con ella otros valores: al principio, la "coquetería" y, más tarde, la "frivolidad".

Por empezar, estas transformaciones se manifiestan en la protagonista principal de las habitaciones: la cama. Al hacer en 1907 una "Historia de la cama", *Caras y Caretas* difunde en su amplio círculo de lectores algunas de las alternativas que podrán oponerse a las camas de bronce o hierro fundido laqueadas que habían sido el *desiderátum* higiénico en la etapa anterior. Desde estos años comienza a observarse el rechazo de esas piezas. Al principio, para atenuar su fría e impersonal presencia en el cuarto, se recomendarán modos de transformarla en "alcoba" adosándoles un armazón de madera y cortinados,[36] o cubriéndola con fundas y colchas de muselina.[37] La condena llegará con contundencia en la década siguiente, cuando directamente se recomiende "no comprar camas de bronce y metal; son feas y malogran la belleza de cualquier habitación";[38] hasta que finalmente se constate que "desaparecen las feas camas de hierro y las blancas colchas de algodón".[39] Por otra parte, así como el cuarto de dormir debe ser la expresión más personal de quien lo habita, la cama debe servir a este objetivo, y distinto deberá ser el lecho en relación con la introspección o la socialidad de su propietario.

Reemplazada o forrada la cama de metal, el segundo cambio que en el cuarto de dormir respondió a las normas del higienismo afectó a las *draperies*. En rigor, este cambio responde a la evolución de las industrias textil y química. La reducción de la cantidad de telas en el dormitorio que proponía el enfoque médico, respondía a la necesidad de evitar la acumulación de polvo; cuanto menor la calidad de los jabones y más frecuentes los lavados, con mayor rapidez se deteriorarían y deberían reemplazarse las telas. Para un hogar modesto era por este motivo conveniente disminuir su número. Pero además, la fabricación de colores tuvo un gran avance en los últimos años del siglo; con anterioridad, o bien se diluían fácilmente con los lavados o la exposición a la luz solar, o bien eran altamente tóxicos. Con una industria textil en expansión que favorecía la reducción de los precios y con una industria química renovada, los colores pudieron comenzar a reaparecer en los ambientes más humildes. No es aventurado afirmar que la clase media se constituye con las telas de cretona. Obviamente, las nuevas telas no se instalaron sólo en los dormitorios; como en los otros cuartos de la casa, cumplieron allí un papel importante en el abandono de su carácter monacal. El cambio fue notable y no sin debates: mientras que algunos defendían a rajatablas las normas higienistas,[40] incluso todavía a fines de la década del treinta,[41] otros daban prioridad al embellecimiento y recomendaban la profusión de cortinados y telas "a pesar de lo que dicen los higienistas, pero ellos no son artistas".[42] Esta profusión de telas es acompañada por una serie de indicaciones acerca de la fabricación casera no sólo de cortinados y fundas, sino también de cubrecamas, almohadones y carpetillas. Hasta que la cretona, que había logrado suplir al terciopelo y el satén,[43] hacia finales de la década del veinte también sucumbió.[44] La cretona aportó colores y dibujos; los *voiles,* brocados y muselinas, los encajes, las cintas y *bibelots* hicieron a esos adornos vaporosos y coquetos, y dieron a los cuartos un nuevo carácter "alegre y frívolo".[45] Esa alegría y esa frivolidad se vieron subrayadas por los muros, que, de blancos, pasaron a adquirir los colores y dibujos del papel o los nuevos tonos uniformes de las pinturas industriales. En los primeros años de nuestro análisis, revocadas y blancas, las paredes podían actuar sólo como austeros soportes de cuadros de familia y de algún crucifijo o imagen religiosa, desterrando los empapelados precarios hechos con páginas de diarios o *magazines* populares que abundaban en las piezas de los conventillos. Con los cambios de que estamos dando cuenta y gracias a los avances en la reproducción de imágenes, los muros fueron transformándose en el fondo para una íntima galería kitsch.

Una reflexión más detenida la exigen los espejos, esos otros objetos protagónicos del cuarto de dormir. Hemos hallado una tempranísima alusión a ellos en *El Nacional*,[46] que nos sorprende por un tono libertino que no reencontramos en los textos posteriores. "La moda nos acaba de enviar desde París –se dice allí– unos lechos tan hermosos y tan mullidos, que nos convidan a dormir como musulmanes, a roncar como Don Joaco [...] Los nuevos lechos permiten colocar un gran espejo en la parte superior de la cabecera, de este modo nos podemos mirar la cara hasta en sueños [...] Esta moda es una invención ideal para novios, propicia el amor." Infrecuentemente a raíz de su atractivo "amoroso", aunque determinado casi siempre según una argumentación de él derivada –la coquetería–, el espejo fue desterrado de la sala y encontró su refugio en el cuarto de dormir. Distracción del visitante en la primera, el espejo era en el cuarto el foco de la cotidiana ceremonia del establecimiento de la identidad con el propio cuerpo. Lo ha dicho Baudrillard: "La luna es un lugar privilegiado en la habitación. Por esta razón, desempeña por doquier, en la domesticidad acomodada, su papel ideológico de redundancia, de superfluidad, de reflejo: es un objeto rico, en el que la práctica respetuosa de sí misma de la persona burguesa encuentra el privilegio de multiplicar su apariencia y de jugar con sus bienes. Digamos, en términos más generales, que el espejo, objeto de orden simbólico, no sólo refleja los rasgos del individuo, sino que acompaña en su desarrollo el desarrollo histórico de la conciencia individual". Pero estas consideraciones, ¿valen sólo para la "persona burguesa"? ¿No constituyen también en su capacidad de ilusión los rasgos de los nuevos sectores medios de la sociedad? "Más que adorno –se propone en *PBT*– el espejo es un mueble útil, necesario, imprescindible. Debe siembre haber uno antes de llegar a la habitación en donde la señora espere sus visitas para que éstas puedan rectificar algunos detalles de su tocado", y, más modestos, con frecuencia se incluyen en los dormitorios que hemos descripto, los roperos de tres lunas.

El living

En la casa de los primeros años del siglo, la sala no es todavía –puede comprobarse examinando el dormitorio o la cocina– el lugar donde trabaja, estudia o conversa la familia. El manual de Appleton lo postulaba ya en 1888: de la sala "puede decirse que es la única habitación de la casa en que ni se come, ni se duerme, ni se trabaja por regla general".[47] ¿Qué función cumple entonces? Es "el recibimiento que nos acoge y recibe [...] expresivo como una mano".[48] Lugar de transición, la sala no actúa como filtro entre lo privado y lo externo, entre los habitantes y los "otros", ya que esta articulación se realiza en el interior mismo de las restantes habitaciones. La sala se instala más bien como una rótula entre el espacio doméstico y el espacio público. Es el teatro de la ceremonia mediante la cual, con selecciones y censuras, el mundo íntimo se manifiesta, dibuja su propio perfil. Con sus afeites y con sus joyas la sala es la verdadera cara de la casa. Por eso es "el lugar propio para objetos bonitos"[49] y, como ya dijimos, se instalan en ella los retratos de la familia[50] y los cuadros de valor. No pueden dejar de recordarse aquí las conocidas reflexiones de Walter Benjamin respecto de este coleccionismo del interior, este "quitar a las cosas, mediante su posesión, el carácter de mercancías".[51]

Para homogeneizar y perfeccionar ese espacio puramente convencional, los *magazines* de estos primeros años se dirigen a sus lectores en segunda persona del plural, como si éstos fueran absolutamente ignorantes de las normas del comportamiento: "manténganse en la silla con naturalidad y quietud [...], no toquen a las personas al dirigirles la palabra [...], no insistan sobre el esplendor de otras casas [...], no fijen la mirada en los muebles, cuadros u otros objetos y, sobre todo, no la fijen en las personas presentes".[52] Si las mesitas, las repisas, las vitrinas cobijan a los objetos –protagonistas principales de la sala– los sillones son los lugares de ceremonias cuya intensidad mide el paso del tiempo. En esta habitación de algún modo arcaica que es la sala, los sillones tienen todavía la rigidez de los instrumentos rituales. Cuando la máscara se descarte y la intimidad doméstica pueda ser ofrecida como un bien en sí, los sillones se ablandarán y dejarán que los cuerpos se sumerjan en ellos. Habrá llegado entonces el momento del *living-room*. Analicemos ahora la transformación del comedor y volvamos luego a este tema.

Según Leune Demailly, el verdadero lugar de reunión de la familia es el comedor, donde "se querrá no sólo encontrar el reconforto físico sino también moral".[53] El comedor debe ser un lugar tranquilo, de colores no contrastantes. Del mismo modo que en los cuadros de la sala se evitarán los asuntos lóbregos, se prescribe que del comedor deben ahuyentarse las penas. "Debe presentar un aspecto lo más agradable que sea

Abierto o parcialmente techado con galerías, el patio es un recinto intermedio entre el exterior propiamente dicho y el interior. Ilustración de libro de lectura obligatoria en la escuela primaria, circa 1900.
(Archivo personal del autor)

posible, puesto que gran parte de nuestro bienestar depende de los alimentos que tomamos y de la manera como los tomamos", y si cuando se come se olvidan "por el momento todos los disgustos y contrariedades de la vida, los manjares parecerán entonces mejores y serán de más fácil digestión".[54] Se constituye, obviamente, en torno de una mesa, pero conviene también tener a mano el aparador, donde se guardarán la vajilla y los manteles, y el trinchante. Se admiten en él adornos florales, un reloj y algún "estantito porta diarios y nada más"; "en el comedor, más aún que en las otras habitaciones, debe cuidarse de no amontonar los objetos de fantasía y observar la clase y el estilo de los muebles a fin de que no riñan, es decir, por ejemplo, no mezclar lo alegre y moderno con lo imponente y lo severo".[55] Y esta opinión sobre el carácter de este recinto, formulada en los primeros años del siglo, se mantendrá dos décadas más tarde: "Tanto las pinturas, decorados o empapelados como los muebles del comedor democrático, deben contribuir a darle un aspecto más bien alegre y sonriente que de majestad y grandeza".[56] A partir de esta multiplicidad funcional que desde el inicio caracteriza al comedor en relación con la sala, el proceso de compactación de las superficies conducirá a la fusión de ambos ambientes en un recinto único, tan inédito y moderno como el baño: el *living-room.*

En 1911 ya se critica a la sala como una "pieza completamente inútil para la mayoría de las familias",[57] aunque por el momento sólo se propugna su fusión con el estudio o escritorio. La misma puesta en cuestión vuelve a aparecer ese mismo año, pero esta vez a favor de una unidad entre la sala y el *boudoir.*[58] El manual de Bassi admite que en las casas pequeñas, donde no hay sala, "las personas de la amistad se reciben en el escritorio o en el comedor", donde la familia no sólo se reúne "para tomar alimentos [sino también en la que] pasa otras horas del día y hace sus habituales veladas nocturnas". Y en esos años de la década del veinte se consigue una definición de este nuevo sector. El *living-room* "es una habitación que se transforma y en la cual se puede pasar todo el día".[59] "En la vida moderna nuestras habitaciones han perdido su carácter definido. Ya no pueden ser etiquetadas como 'sala' o 'escritorio'. La sala ha tomado el carácter serio del escritorio y el escritorio se ha suavizado, adquiriendo las alegres cualidades de la sala. Hasta el comedor suele ser un lugar de recibo [...] El secreto de muchas de las salas modernas consiste en que son adecuadas a nuestra vida [...] En lugar de adornos y retratos, se prefiere libros, diarios, revistas sobre nuestros escritorios y mesas [...] El deseo de belleza y comodidad ha creado nuestras salas modernas, verdaderos *living-room* en su traducción literal."[60]

La cocina

Cuando los manuales y *magazines* comienzan a ocuparse de ellas, ¿están difundidas esas unidades discretas y eficientes destinadas a la producción de alimentos relativamente sencillos denominadas cocina moderna? Dicho de otro modo, ¿estamos frente a comentarios acerca de unos hechos ya ocurridos y unas formas ya consolidadas o, como en otros aspectos de la casa, esos dispositivos se están construyendo como resultado de un complejo operativo económico y técnico, pero también social y cultural, del que estos textos forman parte? ¿Cuál era el estado de las cosas en Buenos Aires?

Emergiendo de las costumbres aldeanas de la primera mitad del siglo, en un extremo debe ubicarse el modelo de la gran cocina burguesa, heredera sin demasiadas distinciones de su antepasada aristocrática. Si se toma un clásico usado en Inglaterra como *The Compleat Servant* se advierte la sofisticación que podía alcanzar ese sector de la casa cuando se lee la lista de empleados que allí trabajan: un cocinero francés, una doncella de cocina, una doncella de conservas y un pinche. En las grandes mansiones de Buenos Aires la complejidad no era menor. Según testimonios citados por Isabel Cárdenas, el personal ocupado en la cocina de los Álzaga, por ejemplo, consistía en un cocinero francés, dos peones en la cocina y dos afuera, a los que se sumaban mucamas y mucamos que se ocupaban del servicio.[61] En cuanto al otro polo del arco social, no es necesario dar cuenta de cualquiera de los incontables testimonios de todo tipo de que se dispone, para mostrar una cocina que se reduce al brasero instalado en la pieza o el patio del conventillo.

Al enorme espacio intermedio entre ambos polos debemos referirnos ahora. Para imaginar cómo se constituye recordaremos algunas condiciones que la definen.

En primer término, debemos considerar que los gastos en alimentación eran extraordinariamente importantes para las unidades domésticas populares, de las que tomaban un 50% con picos de hasta un 70% de los ingresos.[62] Los precios de estos artículos eran, además, muy altos en relación con los de otras ciudades: en una serie construida por el Departamento Nacional de Trabajo, en la que compara la evolución de los precios de Buenos Aires con Nueva York, Amsterdam, Londres, París, Edimburgo, Dublín y Berlín entre 1902 y 1912, resulta que sólo en la capital alemana se supera lo pagado en Buenos Aires. En relación con París, los porteños debían gastar casi el doble de dinero en sus comidas.[63]

La segunda consideración se debe a la organización del abasto urbano que contó con un único edificio, el Mercado del Centro, hasta 1855. En 1856 se creó el Mercado del Plata y comenzaron a construirse nuevas instalaciones que fueron acompañando el crecimiento de la ciudad, hasta contar con más de treinta mercados (la mayoría privados) en 1900. Si bien, como hemos visto, estos nuevos edificios no contribuyeron a abaratar los alimentos, brindaron al menos a algunos la oportunidad de adquirir mercaderías a un precio algo menor que en los pequeños comercios de barrio, los que, como sabemos por numerosos testimonios, competían ofreciendo crédito.

En tercer término, sólo el 14% de las viviendas de Buenos Aires contaba en 1887 con agua potable distribuida por red, extendiéndose ésta a un 53% en 1910. La electricidad comenzó a tener una distribución domiciliaria amplia a mediados de la década del veinte, aunque todavía era cara para su uso como energía doméstica. Recién en la década del treinta comenzó a contarse con distribución domiciliaria de gas. De manera que en todo el período que analizamos la energía doméstica fundamental era provista por el carbón, un combustible económico a juzgar por su baja incidencia en los presupuestos populares (en 1912, 3 pesos mensuales sobre un total de gastos de entre 125 y 185 pesos).

Finalmente, en estos años se produjo un crecimiento de la producción de braseros de tal magnitud que impulsó el nacimiento de las grandes empresas metalúrgicas nacionales: Zamboni, Spinola, Vasena, Rezzonico y Merlini. Y no eran las únicas, puesto que sabemos que en 1885 había en Buenos Aires 19 fábricas de cocinas; número que se elevó a 30 en 1904. Como es obvio, este crecimiento de los establecimientos da cuenta de un fuerte crecimiento en la demanda de estos artefactos, acompañados seguramente por otros elementales enseres metálicos como cacerolas, ollas y sartenes.

Se comprende entonces que –a diferencia de lo que ocurre con otros sectores de la casa– en el interés por un correcto adecuamiento del lugar destinado al almacenamiento y preparación de los alimentos, confluyeran de manera más directa las políticas educativas oficiales con las necesidades de la gente que constituía cada unidad doméstica. Abaratar la alimentación mediante un mejor aprovechamiento de los componentes o su almacenamiento y conservación, era una conveniencia generalizada. Si, como leemos en *El Hogar*,[64] en 1906 las cocinas económicas "van reemplazando" al fogón de baldosas y a los hornillos de ladrillos, y si, de algún modo, como propagandiza el fabricante Cassels, "la familia modesta puede disfrutar de los beneficios de una cocina moderna, igualmente con la del millonario, pues la más chica de las cocinas Cassels funciona con la misma perfección que la grande",[65] ¿qué problemas debían afrontarse, suponiendo un mínimo progreso como la construcción de un cuarto destinado a este fin? Testimonios posteriores describen a estos cuartos con características poco acogedoras. Eran

La suburbanización permitió el empleo de los terrenos propios y baldíos como pequeñas huertas y granjas que completaban la dieta alimentaria de las familias.
Ilustración de un libro de lectura obligatoria en la escuela primaria, circa 1900. (Archivo personal del autor)

"una habitación oscura, saturada de los gases de combustión, penetrada hasta el interior de sus paredes de olores de comida, negra de humo y hollín, sucia de cenizas, con una temperatura endiablada".[66] En el marco de una "casa ordenada", la cocina constituía una permanente y bullente amenaza, y por eso al comienzo de nuestro período tendió a separársela de otras funciones y a relegársela a "un lugar muy inferior y ya no se utilizó como comedor". De aquí que los reglamentos las consideraran por mucho tiempo entre los "locales no habitables" de la casa. Orden e higiene eran en ella imperativos primordiales. "La salud de la familia depende en gran parte de una cocina aseada y del modo limpio de preparar los alimentos. En una cocina en que reina la limpieza y en que todo se presenta a la vista bajo un exterior agradable, parece que hasta los alimentos se pueden preparar de una manera mejor; y lo que cueste conservar la cocina en el estado en que siempre debe tenerse, está más que compensado con el aumento de bienestar de que disfrutan todos los miembros de la familia", se planteaba en 1888.[67] Y por cierto que costaba conservarla; las "Veinte Lecciones de Economía Doméstica"[68] describen así algunas de las tareas necesarias: "cuando se concluyó de comer, se guardarán bien tapadas las sobras y se recogerán los desperdicios llevándolos afuera", luego "se cepilla y lustra la cocina y se barre el piso adyacente", y para evitar la acumulación del hollín y que la herrumbre acabe con los utensilios fabricados con metales pobres se hace necesario engrasarlos, dejarlos reposar, volver a lavarlos y luego fregarlos con ladrillo.

Si se pretendía obtener pequeños ahorros comprando los alimentos al por mayor, tampoco era una tarea fácil conservarlos. Los abundantes roedores eran una permanente amenaza, pero a esto se agregaban los insectos que proliferaban en las legumbres secas, el moho en la harina, los brotes en las papas, leche y manteca que fácilmente se ponían rancias, la rápida putrefacción de la carne.[69] La huerta que podía cultivarse en los terrenos de los nuevos barrios periféricos formados como producto de la especulación y el abaratamiento tranviario constituía así una doble ventaja, y su cultivo era auspiciado en algunos manuales. Como bien lo advirtió tempranamente Leandro Gutiérrez, de este modo se "creó la posibilidad de la producción de bienes para el autoconsumo, lo que seguramente significó algunas diferencias en las dietas alimentarias respecto de las que podían conformarse en el ámbito de la pieza de inquilinato". Según los escritores domésticos, "una familia compuesta de cinco personas puede ser abastecida totalmente por una huerta de 20 metros por 15 metros, poco más o menos".

Estas primeras "cocinas modernas" fueron entonces conformándose según el ideal extremo que expresó en 1917 el arquitecto Pablo Hary: como un "laboratorio químico". La idea no era nueva, y circulaba desde finales del siglo anterior. La enseñanza de cocina a las niñas de las escuelas primarias se implementaba en el cuarto grado, y en ellas se procuraba seguir el ejemplo de los Estados Unidos, donde según los informes no se enseñaba "el arte de cocinar" sino la "ciencia de manejar la casa".[70] Estas lecciones se basaban en el principio: "Así como comes, así trabajas. Un obrero mal e irregularmente alimentado gasta su capital y no gana".[71] Las niñas estudiaban en ellas cómo había evolucionado la cocina desde los "tiempos primitivos", y comprobaban cómo "actualmente son otras las facilidades que el hombre cuenta para preparar los alimentos"; incluso se les hacía estudiar los distintos tipos de combustibles y los esfuerzos y modalidades de extracción. Con una analogía biológica se difundía la idea de que "la cocina [es] el estómago, el vientre, cuyo íntimo trajín mantiene la vida de todo el hogar [...]. Cuando la cocina trabaja activamente y lo que allí se guisa es limpio, delicado y copioso; una saludable corriente de optimismo y vigor redobla las energías de la familia: la risa cunde, los niños levantan la voz, la madre canta [...] todo es orden, limpieza, brillo [...] [Las cocinas] son el símbolo compendioso de la Naturaleza, donde todo se disuelve para renacer [...] Una cocina es un laboratorio químico y Lavoisier, Berzelius, Pasteur... todos esos grandes hechiceros que bucearon en las entrañas del cosmos, poco valen ante los milagros proteicos de la cocina [...] Las cocinitas constituyen uno de los juguetes predilectos de las niñas pobres, pues encuentran en ellas algo que halaga sus instintos ordenadores de futuras 'dueñas de casa' [...] Las niñitas aristocráticas desprecian las cocinitas imitando a sus madres, que rara vez se acercan al fogón".[72] Sin embargo, si por un lado la economía doméstica parecía reducirse a las lecciones de cocina,[73] por el otro no sólo las "niñitas aristocráticas" despreciaban estas clases: en 1907, el doctor Zubiaur, en un capítulo sobre la educación práctica de la mujer en la República Argentina cita la afirmación hecha al corresponsal de un diario por una maestra, de que las jóvenes se resisten a practicar la cocina en la escuela porque desean ser señoritas, y consideran así esa ocupación como deshonrosa.[74]

Resumiendo: con sus azulejos blancos, sus metales relucientes, sus pisos brillantes, sus armarios prolijamente ordenados, sus escasas cortinas, su mesa y sus sillas también blancas y austeras, su estricto control de los componentes de los alimentos, la "cocina moderna ideal" del Centenario se asemeja a una dependencia de hospital, y su versión real, a un recinto fabril. La clase media se constituye con la transformación de este recinto en el corazón del hogar. Tal como venía conformándose, la "cocina moderna" era un compartimiento opaco donde la "gracia femenina" debía ser abandonada y la mujer adquiría la traza y los comportamientos de una obrera. El viraje se operó, entre otros motivos, como respuesta a esas "resistencias" y al imperativo de integrar la cocina, de hacerla "transparente". Si la primera fase de la modernización supuso una división de las funciones, y con ello la separación del recinto, la segunda verá su paulatina fusión con el "comedor", fusión que fue operándose articulada con el proceso general de compactación de las superficies. Obviamente, este proceso fue facilitado por el cambio en las fuentes de energía, pero el inicio de la tendencia precedió a ese cambio. Por un lado en la década del veinte ya no basta preparar comidas "nutritivas". De este modo, la alimentación se estetiza. Si no está a su alance "pagarse un *cordon-bleu*", ella "va a la cocina, prepara los platos combinando sabiamente el valor alimenticio de los mismos y su buena alimentación. Así, cuando regrese el esposo, hallará en su hogar todas las comodidades y refinamientos que una mujer inútil y frívola no sabría proporcionarle". Así, entre la "bestia de lujo" y la "bestia de carga" se introduce en la cocina la nueva figura de la "gracia". El marido, entonces, no la deseará por sus encantos ni la someterá por sus servicios: "Comerá bien, y esto constituye para los hombres uno de los mayores atractivos del *home*, pasados los entusiasmos de los primeros tiempos de la vida matrimonial".[75] Las indicaciones sobre la cocina en los *magazines* dejan de referirse a adelantos técnicos, al uso de los utensilios o a las cualidades nutritivas de los alimentos y se expanden en cambio los recetarios: "el arte que en estos tiempos tomó la dirección de la casa, ha entrado también en la cocina", comienza a advertirse en 1915.[76] De esta manera, junto con los alimentos se inicia la estetización de las cosas y del ambiente y el proceso de integración con el comedor que desarrollaremos luego. En 1923 ya se señala que la cocina "ultramoderna" es eficiente pero fría, muy pulcra pero poco atractiva, y se sugiere decorarla para que "no parezca un hospital".[77] Los cambios principales estarán determinados por la introducción de nuevas fuentes de energía, inodoras y atérmicas. A esto se agregará el señalado progreso en las tinturas, que permite la introducción de colores en las cortinas y los muros.[78]

El baño

Compartimentación novedosa y moderna como ninguna otra dentro de la historia de la casa, el baño es un dispositivo migrante (Sigfried Giedion se refería al "nomadismo del cuarto de baño") y toma algún tiempo la fijación de los componentes mínimos (ducha y/o bañadera, lavabo, inodoro y bidé) que lo caracterizan hasta nuestros días. Al comienzo del período, como hemos visto, las funciones higiénicas se realizan en el dormitorio, en la cocina o en un retrete ubicado en una zona alejada del núcleo de la casa. Para la limpieza del cuerpo "un pedazo de hule o encerado de una cara en cuadro extendido en el piso puede suplir la bañadera o la tina".[79] La relativa inestabilidad o movilidad del baño en la casa persiste en la medida en que no existen conexiones fijas a una red mediante la que se introducen o retiran los líquidos de la casa. Por razones económicas, técnicas e higiénicas se hará entonces conveniente que los artefactos servidos por la red se alejen lo menos posible de la línea municipal. El ritmo que esta transformación adquiere en Buenos Aires es lento. Pese a que desde 1895 la Municipalidad ha prohibido la excavación de pozos ciegos, según el censo de 1910 sólo un 40% de las viviendas de la ciudad está conectado a la red cloacal. La introducción del

Hasta que se consolidaron las normas de higiene y las instalaciones técnicas adecuadas, las acciones que luego tuvieron lugar en lo que se llamaría "baño" eran realizadas en distintos ámbitos de la casa.
(El Hogar, Año XXI, N° 814, 22-5-1925)

Barrio creado para albergar a los trabajadores ferroviarios de los grandes talleres en Tafí Viejo, sus construcciones emplean una infrecuente tecnología de muros de bloques, pero repiten las tipologías de patio lateral.
(Archivo personal del autor)

inodoro aproximadamente a partir de 1885 será determinante en este proceso de fijación y especialización técnica de la unidad "baño". Las características del artefacto fueron reglamentadas en 1887 por la Comisión de Obras de Salubridad, estableciéndose prescripciones funcionales y constructivas, terminaciones y modelos aptos, que se extendieron asimismo a mingitorios, lavatorios y bañeras.

A juzgar por el lugar que ocupa la mención de las características del baño en los avisos clasificados que hemos analizado, el interés por el baño es marcadamente creciente, pasando de ocupar un 8% y 4% del total en las muestras de 1870 y 1890, respectivamente, al 24% en 1933. Sin embargo, quizá como consecuencia de esta suerte de captura técnica de sus artefactos y funciones, o por efecto de una tácita censura, es notable que este recinto no ocupe un lugar destacado en los discursos sobre la casa. Aunque deberíamos ser más precisos: son las deposiciones y evacuaciones las que se mudan al neutro lenguaje de médicos e ingenieros.

Manuales y *magazines,* en cambio, tematizan otra zona de mezcla: la *toilette.* Todavía en 1910, el espejo y el mueble de roble con tapa de mármol sobre el que se apoyaban palangana, jarras y frascos podían estar rodeados de "cortinitas y bordados que armonicen con las cortinas o el cubrecama".[80] Hecha de paño y maderas, esta estética del dormir que se impone al *boudoir* debe variar radicalmente al someterse a la norma, clave en el baño, de la lavabilidad. Hacia 1920, "cuarto de baño y tocador se van refundiendo en uno solo, sobre todo cuando la amplitud del local del primero y la superficie de las instalaciones lo permiten. La tendencia que se va generalizando entre la gente modesta es que todos, o la mayor parte de los miembros de la familia, acuden a un mismo lugar, al cuarto de baño a asear y aliñar su persona".[81]

En la primera etapa de su aparición, el baño se constituye de este modo como la cámara aséptica de la casa, un lugar sin "personalidad", regido por la estandarización, desprendido del estilo del resto de la casa y refractario a las cualidades de la gracia. Aunque puede decirse que ésta es una característica general, debe señalarse que da cuenta principalmente de las casas de los nuevos sectores emergentes. Pero también el cuarto de baño se verá afectado por las reacciones al riguroso ascetismo higiénico y moral. En las grandes mansiones y aun en los *petits hôtels* realizados por arquitectos para sectores de mayores recursos, la alternativa estética se intentará buscando puentes más o menos obvios con las culturas históricas "higiénicas", la romana y la árabe especialmente. En el ámbito que nos ocupa, y aunque por intermediación de las cualidades de la *toilette* la aspiración nunca había desaparecido, los consejos para que esta habitación "pierda su carácter utilitario y aparezca lo bello y lo estético en la decente tarea de tomar un baño" comienzan a difundirse desde finales de la década del diez.[82]

El proceso de construcción de los espacios domésticos, e incluso de las expectativas en relación con ellos, tuvo por sujetos a agentes difusos como periodistas, editores, arquitectos, amas de casa, médicos, sacerdotes, abogados o ingenieros que protagonizaron la construcción de los discursos que analizamos. Pero también se originó en acciones individuales y creaciones grupales de los propios habitantes y, en el otro polo, como consecuencia de políticas activas impulsadas por diversas instituciones.[83]

El ámbito doméstico de los sectores populares

Los vecindarios que se organizaron como resultado de los loteos en las periferias de Buenos Aires y los principales núcleos urbanos argentinos durante las últimas décadas del siglo XIX fueron pequeñas unidades complejas del habitar que funcionaban con una fluidez entre exterior e interior, público y privado, cercana a las formas premodernas que analizamos al comienzo.[84] Pero existe una diferencia que vale la pena destacar: en los inicios de la expansión no todas las unidades eran fijas; la inestabilidad del empleo rural y urbano determinó dos modos de habitar en el área de las ciudades. Uno, el del hacinamiento en las piezas de los conventillos –soportable, entre otras cosas, por su presunta transitoriedad–, el otro, alternativo, el de las casillas de madera transportables que podían instalarse ocupando o alquilando sitios variables.[85]

El sistema doméstico de los vecindarios populares no era de total opacidad, como comenzaría a suceder en los niveles sociales más acomodados. Por el contrario, pasará tiempo hasta que las funciones que absorbe el dispositivo de la casa popular de patio lateral con habitaciones en ristra obtengan las sedes externas identificadas y especializadas (asilos, hospitales o ambulatorios, preescolares y jardines de infantes, industrias, bibliotecas, clubes y comercios) que darán consistencia a los barrios. La flexibilidad y transparencia de estas casas, en los comienzos aisladas, son ventajas que irán transformándose en desventajas con el avance de la mancha urbana, y con ella del delito, la burocracia, las comunicaciones y el control central.[86] Las instituciones comenzaron a intervenir cuando fue comprendiéndose, o al menos intuyéndose vagamente, que esa forma que se iría identificando como la "casa moderna" era parte integrante, resultado y a la vez instrumento, de un nuevo sistema de producción y de vida. Para eso debieron darse varios hechos.

Por empezar, el proceso de expansión de las principales ciudades del Litoral y la llanura, doblemente impresionante por inesperado y gigantesco, por cuanto este tipo de concentraciones humanas no había estado en los planes de las elites dirigentes.[87] Hasta el Centenario, al menos, el "urbanismo" –así era designado el proceso de urbanización– había sido identificado como un mal que había que corregir, y las ciudades deseadas eran unos organismos relativamente pequeños, con funciones administrativas y comerciales, núcleos articuladores de un país rural.[88] Para ese modelo no era conveniente alentar la permanencia de los inmigrantes en esos nudos ni, mucho menos, "políticas de vivienda" que facilitaran su residencia. Por ese motivo, las primeras propuestas que aludían a este tema se limitaban al mejoramiento higiénico de las soluciones existentes, particularmente de los conventillos, pero no proyectaban su reemplazo por nuevas unidades estables.

Pero esas condiciones de habitación generaron, a su vez, situaciones que desbordaron sus límites. Por un lado, debido a la gravedad de las consecuencias higiénicas del hacinamiento, que llegaron a afectar de manera fatal a la totalidad de la población urbana sin excepciones.[89] Por otro, porque los conventillos revelaron ser ámbitos que, al propiciar de manera inédita la mezcla de etnias, profesiones, sexos, edades e ideas, actuaban como nuevos dispositivos generadores de una producción cultural, social y política de nuevo tipo. Después de varias décadas de existencia, esas construcciones miserables comenzaron a dar origen o, al menos, a facilitar nuevas formas de solidaridad y de protesta (las huelgas de alquileres),[90] nuevos espectáculos (el sainete criollo) y hasta una nueva música (el tango). Productos estos que en todos los casos eran vividos como amenazas por parte de las elites dirigentes. Al comienzo, individuos aislados –ingenieros, arquitectos, médicos, etcétera– fueron imaginando organismos alternativos para la vivienda popular, que en la misma oscilación de la designación reflejaba las muchas y cambiantes formas en que se la concebía: mansiones obreras, casas baratas, casas de obreros, *cottages*, habitaciones populares, etcétera. Luego vendrían las instituciones.

A partir de la década del setenta se conocieron los estudios realizados desde una óptica médica por los doctores Guillermo Rawson, Eduardo Wilde y Emilio Coni.[91] En 1877 fue el turno de la primera tesis universitaria, de Raimundo Battle; en la década del ochenta, el de los primeros proyectos de arquitectos (Juan Buschiazzo para el intendente Alvear en Buenos Aires), y en la del noventa el de los primeros artículos en la flamante revista de la Sociedad Central de Arquitectos (*Arquitectura*), y en otros medios como el periódico *El Constructor*. Mediante escritos técnicos –pero también a través de manuales, revistas y periódicos–, maestros, curas, moralistas, empresarios, especuladores, médicos, abogados, políticos, periodistas, construyeron la noción de "vivienda popular" y sus posibles modelos.

Las primeras casas para obreros se edificaron en torno del Edificio Recoleta (actual Museo de Bellas Artes) en la primera mitad de la década del setenta, vinculadas con las obras públicas. También de estos años son las que se hicieron junto a la fábrica de ladrillos de San Isidro. En 1882, Juan y Ema de la Barra construyeron el "barrio de mil casas" en Tolosa (provincia de Buenos Aires) para obreros del ferrocarril. En 1884, la Dirección de Obras Públicas de la Municipalidad de Buenos Aires proyectó en el terreno limitado por las calles Pueyrredón, Las Heras, Larrea y Melo, una "casa para obreros" articulada en torno de un gran patio central, y en 1885 Juan Buschiazzo propuso para el mismo terreno una solución en tiras que se inauguró en 1889. Samuel Gache publicó en 1900 el proyecto de Charles Doynel de una "ciudad obrera" de 270 habitaciones, y una de las propuestas más interesantes por su radicalidad –un verdadero pueblo de 3500

Teorías y experiencias

Destinado a los empleados y obreros ferroviarios de los talleres de Remedios de Escalada, aunque con espíritu británico pero sin pavimentos ni otras infraestructuras, el barrio fue construido mediante unidades muy simples y pequeñas.
(Archivo personal del autor)

casas individuales compactas de sólo dos tipos repetidos en serie– fue presentada por los ingenieros Fernández Poblet y Ortúzar para un terreno en el bajo de Flores (1909).[92]

En general, las viviendas construidas por las empresas no estaban destinadas a los obreros sino a dirigentes o empleados medios. Un modelo de este tipo lo constituyó el "pacificado" barrio jardín construido en Quilmes (1895) por la cervecería del mismo nombre.[93] En los ingenios de Tucumán, estas construcciones comenzaron a realizarse en los primeros años del siglo: el informe de Bialet Masse sobre los trabajadores, de 1904, consignaba la existencia de estas construcciones en los establecimientos San Juan y Esperanza, y en 1908 se edificaron en el Bella Vista.[94] En el mismo año, Chambers y Newbery Thomas proyectaron un conjunto de viviendas anexo a los talleres del Ferrocarril Sud (Remedios de Escalada, provincia de Buenos Aires); en 1910, la fábrica Lutz Schultz levantó 24 casas para su personal, y Establecimientos Americanos Gratry, 3 bloques para 600 personas en un terreno cercano al Riachuelo.

Era habitual también que se alojara a los obreros en conventillos construidos por las mismas empresas, como el caso de la curtiembre Alejandro Nogué de Rosario o la fábrica de carnes conservadas Higland Scott Conning Company en Quilmes (1890). A partir de la encíclica *Rerum Novarum*, y como parte de su nueva política hacia los trabajadores, la Iglesia católica fue dándose formas de intervención en el problema de la vivienda, y una de sus primeras acciones fue la construcción de un conjunto en el barrio de Parque Patricios, para el que contó con fondos provenientes del Jockey Club (1902).

En 1907 se produjo una gigantesca huelga contra los altos alquileres por parte de los inquilinos de la Capital Federal, y ese mismo año, duran-

Portal de entrada del barrio "Arzobispo Espinoza", construido con fondos de la colecta nacional promovida por grupos católicos. Barrio San Vicente de Paul. (Archivo personal del autor)

La Comisión Nacional de Casas Baratas promovió construcciones de distintos tipos y materiales en todas las zonas del país, especialmente en las que constituían Territorios Nacionales.
(Archivo personal del autor)

te el Segundo Congreso de Católicos Argentinos, Juan Cafferata hizo un llamamiento para que el problema contara con claras acciones por parte de ese sector confesional.[95] Garzón Maceda consiguió que se aprobara la Ley de Casas Baratas en la provincia de Córdoba, y en la Capital Federal la donación de un terreno por parte de Azucena Butteler dio lugar a la primera intervención de la Municipalidad.

Los primeros proyectos de legislación comenzaron a discutirse al comenzar el nuevo siglo –el del diputado Irigoyen en 1904 y al año siguiente el del diputado Gouchon–, y en 1905 se sancionó la ley que permitía a la Municipalidad de Buenos Aires emitir títulos y transferir terrenos destinados a la construcción de barrios obreros. La gigantesca huelga de 1907 dio un nuevo impulso a este debate, y ese año comenzó a hacerse efectiva esa ley y se dictó otra, la N° 1951, que destinaba con el mismo objetivo fondos del Jockey Club, con los que, a partir de 1909, se llevó a cabo un barrio municipal en Parque Patricios. En 1910 el debate recrudeció a partir de una presentación de los diputados Estrada, Rodríguez Jurado, Parera, Serrey, Moreno y Pena. ¿Cuáles eran los términos de estas discusiones? Por un lado, los financieros: vista desde un punto de vista técnico –no ideológico, político o religioso–, la factibilidad de las obras estaba en directa relación con la capacidad o incapacidad de ahorro de sus futuros ocupantes. En caso de ser destinadas a la venta: ¿estarían sus propietarios en condiciones de sostener los créditos de larguísimo plazo que eran necesarios?, y si se ofrecían en alquiler, ¿recuperaría el operador su inversión con las correspondientes ganancias en un tiempo razonable? Pero las argumentaciones financieras se anudaban con concepciones más generales: ¿los trabajadores no podían acceder a las cuotas porque los sueldos

eran bajos o por su "innata" resistencia al ahorro?, ¿eran los sueldos realmente bajos y debían aumentarse, o se trataba de abaratar los consumos?,
¿podía o debía equipararse la vivienda a cualquier otro bien y por lo tanto ser regida por las leyes del mercado?, ¿era la vivienda sólo una cuestión económica o también un instrumento de educación moral?, y en ese
caso, ¿debía ser administrada por el Estado, por privados o por otro tipo
de entidades?

Los socialistas miraban con ojos críticos una política de vivienda que
pusiera en manos de las elites conservadoras que dominaban el Estado recursos que, pensaban, serían empleados como palancas clientelísticas. Por
ese motivo, el Partido Socialista fundó en 1905 la Cooperativa El Hogar
Obrero, con el objetivo de apoyar la acción mancomunada y el esfuerzo
de los trabajadores, y demostrar que el problema podía resolverse si se eli-
minaba el plusvalor que pretendían las empresas capitalistas. Con algunas
excepciones, el resultado de esa política en esta etapa fue la construcción
de viviendas unifamiliares y de algunos pequeños conjuntos de casas individuales.

En 1915 todas estas discusiones y experiencias alcanzaron un momento culminante con la creación de la Comisión Nacional de Casas
Baratas (Ley 9677).[96] Financiada con fondos provenientes de las carreras de caballos, la Comisión estaría dedicada a buscar las soluciones
más aptas para el problema y a estimular su aplicación concreta por parte de entidades públicas y privadas. Su propósito era de orden pedagógico: se pretendía demostrar a los gobiernos provinciales y municipales,
pero también a los empresarios y a las organizaciones de trabajadores,
que era posible, además de conveniente, construir viviendas populares.
Según elementales principios liberales, la acción del Estado no debía su-
plantar sino, a lo sumo, promover y orientar a la acción privada, para lo
cual la ley debía tener una función ejemplar y promover legislaciones y
acciones similares en otros territorios del país. Con este último propósito se formaron en distintas provincias Juntas Honorarias de Casas Baratas integradas por vecinos, especialmente con el objetivo de lograr la
construcción de viviendas rurales. Se había llegado a la conclusión de
que el encarecimiento de la vivienda se debía no tanto a la escasez de
oferta, sino a la excesiva demanda provocada por el establecimiento de
los inmigrantes en los centros urbanos.

Siguiendo estos criterios, las primeras casas construidas por ese sistema estatal (Valentín Alsina, 1920; barrio Cafferata, 1921; casa Rivadavia,
1922; barrio Alvear, 1923) fueron experimentos en los que se ensayaron
formas de agrupación (colectivas e individuales) y técnicas constructivas
y de administración. Las conclusiones no fueron demasiado auspiciosas:
en parte debido al proceso inflacionario desencadenado a partir de la Pri-

*Las pequeñas casitas, organizadas
como una suerte de fortaleza en torno
de una torre de agua/mangrullo/reloj,
se componen de unas pocas
habitaciones ventiladas e iluminadas
por patios.*
(Archivo personal del autor)

mera Guerra Mundial, pero también por la propia condición de casos singulares que impedían la aplicación de prácticas industrializadas, las construcciones alcanzaban costos extremadamente superiores a los previstos, y totalmente fuera del alcance de los sectores a los que supuestamente estaban dirigidas. De esta manera era imposible cumplir con los propósitos demostrativos de la conveniencia y factibilidad de incluir las viviendas populares en el ciclo de producción capitalista. Pero además también fracasaron los propósitos "educativos": lejos de integrar comunidades pacificadas y ejemplares, los ocupantes no pagaban sus cuotas, organizaban movimientos de resistencia y llegaban a abandonar las viviendas, dando lugar a numerosos conflictos sociales y jurídicos de alcance político.

De manera que en la segunda mitad de la década de 1920 se debilitaron las posiciones rígidamente higienistas, filantrópicas o ideológicas que caracterizaron el debate sobre la vivienda en períodos anteriores, y comenzó a comprenderse la pluralidad y complejidad de la cuestión de la casa, y sobre todo de sus derivaciones, desde las condiciones y políticas de inserción del flujo migratorio hasta el desarrollo de las industrias locales, el manejo del crédito y los negocios financieros, el estatuto jurídico de la propiedad o las estrategias de ocupación del territorio urbano. Combinados con los últimos intentos de imaginar una estrategia de equilibrio de la totalidad del territorio, éstos serán los temas que ocuparán el centro de la discusión hasta que a partir de 1943 se pongan en marcha las políticas estatales activas de alcance masivo.

Notas

1. La relación entre privacidad doméstica y espacio público a comienzos del siglo XIX en Buenos Aires ha sido estudiada por Fernando Aliata, "La ciudad regular. Arquitectura, programas e instituciones en el Buenos Aires post revolucionario (1821-1835)", Tesis doctoral, Facultad de Filosofía y Letras, Universidad de Buenos Aires, 1999. Cf. también James Scobie, "Consideraciones acerca de la atracción de la plaza en las ciudades provinciales argentinas 1850-1900", en AAVV, *De historia e historiadores. Homenaje a José Luis Romero*, México, 1982.

2. Cf. por ejemplo Lucio V. Mansilla, *Memorias de infancia y adolescencia*, Buenos Aires, 1956: "[...] en nuestra América no se respetan puertas cerradas. Todos, grandes y chicos, patrones y sirvientes empujan, abren sin anunciarse en forma alguna y a lo que los grandes sólo perturba a los niños despierta la imaginación". En Víctor Gálvez, *Memorias de un viejo. Escenas y costumbres de la República Argentina*, Buenos Aires, 1990 leemos: "Éste es un verdadero progreso social: ya no se creyó que era bastante los patios grandes, las galerías interiores, la crujía de piezas, de modo que desde la calle la vista penetraba por una serie de puertas enfrente de otras, ahora se pensaba en la higiene, en tener aire, luz y a la vez independencia de los señores de la servidumbre" (véase más adelante). Aliata, *op. cit.*, ha analizado el tema. Otras aproximaciones en José Torre Revelo, "La vivienda en el Buenos Aires Antiguo. Desde los orígenes hasta los comienzos del siglo XIX", en *Anales del Instituto de Arte Americano e Investigaciones Estéticas*, N° 10, 1957; Manuel Augusto Domínguez, "La vivienda colonial porteña", *ibíd.*; también Mark D. Szuchman, *Order, Family and Community in Buenos Aires 1810-1860*, Stanford, 1988; Susan Socolow, *Los mercaderes del Buenos Aires virreinal: familia y comercios*, Buenos Aires, 1991; y Rodolfo Giunta y Alicia Novick, *Acerca del urbanismo borbónico y la casona colonial*, Buenos Aires, 1992, mimeo.

3. Torre Revelo *op. cit.*, cita a un viajero de 1896: "demasiado chicas, *incómodas*, mal distribuidas desde el punto de vista de la higiene y completamente desprovistas del confort moderno".

4. Cf. Aliata, *op. cit.*

5. Estas casas han sido estudiadas en James Scobie, *Buenos Aires, del centro a los barrios, 1870-1910*, Buenos Aires, 1977; Diego Lecuona, *La vivienda de criollos e inmigrantes en el siglo XIX,* Tucumán, 1984; Rafael Iglesia, "La vivienda opulenta en Buenos Aires 1880-1900. Hechos y Testimonios", en *SUMMA*, 211, abril, 1985.

6. Cf. Jorge Sábato, *La clase dominante en la Argentina moderna; formación y características*, Buenos Aires, Grupo Editor Latinoamericano, 1988.

7. He analizado el funcionamiento del conjunto de estos factores en "El dispositivo de la casa autoconstruida", en Diego Armus (comp.), *Sectores populares y vida urbana*, Buenos Aires, Sudamericana, 1984.

8. La constitución de estos lazos fue estudiada en Adrián Gorelik, *La grilla y el parque. Espacio público y cultura urbana en Buenos Aires, 1887-1936,* Buenos Aires, 1998. Cf. también Leandro Gutiérrez y Luis Alberto Romero, *Sectores populares, cultura y política: Buenos Aires en la entreguerra*, Buenos Aires, Sudamericana, 1995.

9. La propiedad de la vivienda estaba fijada por el artículo 2617 del Código Civil, dictado en 1869. La Ley de propiedad horizontal reformando dicho artículo se dictó en 1948. Cf. Eduardo José Laje, *La Propiedad Horizontal en la Legislación Argentina*, Buenos Aires, 1957.

10. Según el censo municipal de 1904, en Buenos Aires había 60 casas de 4 pisos, 40 de 5 y 38 de 6. El parque se duplicó en 1909 (146 casas de 4 pisos, 92 de 5 y 68 de

6), y nuevamente en 1914 (360 de 4, 224 de 5, 138 de 6 o más). De las ciudades del Interior, Rosario se destacaba con unas 30 casas de tres pisos en 1906; sólo un 1% de construcciones de dos pisos se contarían en Tucumán en 1913; en Córdoba y las restantes capitales provinciales ningún edificio sobrepasaba las dos plantas.

11. Una notable concentración de estos edificios fue estimulada por el trazado y construcción de la Avenida de Mayo. Los casos resultantes fueron relevados por Carlos Hunter, y Graciela Conde, en "La Avenida de Mayo. Un proyecto incONcluso", en Carlos Hunter y Justo Solsona (comp.), *La Avenida de Mayo: un proyecto inconcluso*, Buenos Aires, CP 67, 1990.

12. Un estudio de la constitución del espacio doméstico en la Argentina como contracara del desarrollo de los procesos de metropolización en Jorge Francisco Liernur, "El nido en la tempestad. La formación de la casa moderna en la Argentina a través de manuales y artículos de economía doméstica (1870-1910)", en *Entrepasado*s, N° 13, 1997.

13. A. Leune y E. Demailly, *Cours d'Enseignement ménager. Science et morale*, París, (*circa*) 1885.

14. Appleton (F. Atkinson, J. García Puron, F. Sellen y E. Molina), *Economía e higiene doméstica*, Nueva York, 1888.

15. "La alcoba", en *El Hogar* (en adelante, *EH*), 14-9-07.

16. Eduardo Zamalois, "Páginas infantiles; y "Cocinitas", en *PBT*, N° 128, 1907.

17. "El adorno de las camas", en *Para Ti* (en adelante, *PT*), N° 11, 1922.

18. Appleton, *op. cit.*, Leune Demailly, *op. cit., Caras y Caretas* (en adelante *C y C*), 6-4-1901; *PBT*, N° 26, 1905; *El Hogar,* 15-4-1906.

19. Ángel Bassi, *Gobierno e higiene del hogar*, Buenos Aires, 1920.

20. "El hombre, arreglo y elegancia. El cuarto de los niños", en *EH,* 30-4-1906.

21. "La habitación del niño", en *EH,* 25-2-1926.

22. "La habitación principal de una casa", en *PBT,* 23-5-22.

23. Cf. "Un dormitorio art nouveau para niña"; en *C y C,* 10-8-1908; "Habitaciones infantiles y su decoración artística", en *EH,* 28-5-1915; "La habitación del niño", en *EH,* 25-2-1916; "El arte en el hogar" "Muebles y juguetes para los niños", en *EH,* 12-10-1917; "La habitación de la señorita", en *EH,* 18-8-1916; "El dormitorio de Anita", en *PT,* 30-5-1922;"Habitaciones para jovencitas y muchachos", en *PT,* 19-12-1922; "El reino de los niños", en *PT,* 26-12-1922.

24. "La niñez y el amor al hogar", en *PT,* 10-3-1925.

25. En *EH,* 11-12-1914.

26. Algunas notas sobre estos nuevos sujetos son: "Cuando se vive sola", en *PT,* 1-2-1927; "Cómo se arreglan piezas pequeñas para una persona sola", en *PT,* 8-5-1923; "Habitaciones para hombres", en *PT,* 27-2-1923; "Modelo de casita de campo" (de un ambiente "para un modesto hombre de la clase media"), en *EH,* 9-9-1927.

27. Cf. Héctor Recalde, *Matrimonio civil y divorcio*, Buenos Aires, 1986.

28. "Dormitorio": 1870:0; 1890:32; 1912:45; 1926:91; 1933:0. "Habitación": 1870:0; 1890:0; 1912:48; 1926:278; 1933:0. No se consideran aquí los "dormitorios" ofrecidos en bloques de 1 a 5.

29. 1878: 51.915 habitantes de los conventillos a razón de 2,16 por pieza; 1883: 65.400 a 2,55; 1890: 94.723 a 2,51; 1904:138.188 a 3,14 (Scobie).

30. "De familia": 118; "Decente": 35; "Para extranjero": 13; "Casa matrimonio": 14; "Casa honorable": 15; "Familia limpia y buena": 2; "Familia francesa": 24; "Casa tranquila": 40; "Familia respetable": 16; "Corta familia": 32.

31. Cf. "Cómo se transforma un dormitorio en salita", en *PT,* 4 10 1927.

32. "Una cama diván", en *EH,* 30-1-1910. Otras notas sobre estos mecanismos: "Nuevos muebles para casas modernas" (con dibujos satíricos de muebles divididos por la mitad, cama suspendida en el aire, etcétera, para las "nuevas habitaciones cada vez mas chicas"), en *EH,* 26-2-1913; mesita plegable, en *C y C,* 10-6-16; "Tres muebles en uno" (mesa y alacena para comidas de campo) en *C y C,* 12-1-1918; "El arte de economizar espacio" (ideas para casas chicas: mesas plegables, camas que se convierten en divanes armarios; biombos, costurero portátil; cajones divanes con almohadones para sentarse; muebles aparadores bajo ventana; puertas corredizas), en *PT,* 25-8-1925; "Para la casa de campo. Cómo pueden ocultarse las camas plegadizas" (cómo "hacerlas aparecer como un mueble elegante y lleno de atractivo, tras una cortina, enmarcada por una biblioteca) en *Femenil (*en adelante, *Fl),* 4-1-1926; "Comodidad, economía, utilidad" (distintos mecanismos para ahorrar espacio: cama doble que se abre o se mete una en otra a voluntad; aparato para guardar los cepillos, la pala y demás enseres de limpieza; mesa cama combinada que estando abierta resulta una cama con la cabecera formada por la mesa), en *Fl,* 15-2-1926.

33. "Ajuares condensados", en *EH,* 1-4-1921.

34. "Economía Doméstica", en *EH,* 17-11-1913.

35. "Todo un guardarropa en un solo mueble", en *Fl,* 21-9-1925.

36. "La mujer en el hogar", en *EH,* 15-8-1910.

37. "El hogar moderno; cómo arreglar una casa de campo", en *EH,* 9-11-1910.

38. "Las camas", en *PT,* 23-9-1924.

39. En *PT,* 17-5-1927.

40. Cf. "Sección para la familia", en *C y C,* 4-5-1907.

41. Cf. María Arcelli, *Ciencias Domésticas. Apuntes de higiene de la habitación*, Buenos Aires, 1938.

42. "Para embellecer el hogar; cortinajes", en *EH,* 15-9-1908. Cf. también "La mujer en el hogar", en *EH,* 15-8-1910.

43. "Decoración del siglo XX", en *PT,* 13-11-1928.

44. "Para la dueña de casa; las cretonas", en *PT,* 6-10-1925.

45. En *PT,* 19-12-1922.

46. Cf. *El Nacional*, 30-3-70.

47. Appleton, *op. cit.*

48. "Páginas infantiles", en *PBT,* Nº 128, 1907.

49. Appleton, *op. cit.*

50. "Nuestra casa; el estudio sala", en *EH,* 24-5-1911, recomienda en cambio: "nada de retratos".

51. W. Benjamin, "Luis Felipe o el interior", en "Acerca de algunos motivos en Baudelaire, en *Angelus Novus,* 1976.

52. *PBT,* N° 11, 1904.

53. Leune y Demailly, *op. cit.*

54. Appleton, *op. cit.*

55. "Arreglo y elegancia; el comedor", en *EH,* 15-3-1906.

56. Bassi, *op. cit.*

57. "Nuestra casa; el estudio-sala", *EH,* 24-5-1911.

58. "El hogar moderno", en *EH,* 12-5-1911.

59. "Living room", *en Fl,* 26-10-1925

60. "La sala antigua y la moderna", en *PT,* 7-9-1926.

61. En Isabel Laura Cárdenas, *Ramona y el robot,* Buenos Aires, Búsqueda de Ayllu, 1986.

62. Cf. Roberto Conde Cortés, Apéndice, cuadro N° 10, en *El progreso Argentino,* Buenos Aires, 1979.

63. *Cit.* en José Panettieri, *Los trabajadores,* Buenos Aires, CEAL, 1982 (reed.).

64. "El home. Utensilios indispensables", en *EH,* 15-7-1906.

65. Aviso en *C y C,* 30-11-1901.

66. Cf. Silvestri Liernur, "El torbellino de la electrificación", en *El umbral de la metrópolis, op. cit.*

67. Appleton, *op. cit.*

68. *Cit.* en Nancy Armstrong, *Deseo y ficción doméstica,* Madrid, 1991.

69. Cf. Alberta Lyford Carrie (trad. Rita Bertelli), "Veinte lecciones de economía doméstica", en *Extensión Popular,* Boletín N° 23 de la Universidad de Tucumán, mayo, 1914.

70. Ruth Everett, "El arte de la cocina", en *El Monitor de la Educación Común* (en adelante, EMEC), Tomo 19, p. 918, 1904.

71. "Ciencia y artes domésticas", *EMEC,* vol. 18, p. 3, 1903.

72. Eduardo Zamalois, *op. cit.*

73. Clotilde Guillén, "Algunas observaciones sobre el funcionamiento de las clases de cocina", en *EMEC,* vol. 23, p. 182, 1907.

74. J. B. Zubiaur (resumen), "La enseñanza práctica e industrial en la República Argentina", en *EMEC,* vol. 23, p. 431, 1907.

75. Renee de Spangenberg, *Informe sobre economía doméstica en los Estados Unidos de Norte América*, Escuela Nacional de Agricultura de Casilda, Editado por la Sección de Propaganda e Informes del Ministerio de Agricultura de la República Argentina, Buenos Aires, 1925.

76. "La cocina moderna" y "La Mujer y La Casa", en *C y C*, 28-8-1915.

77. "La originalidad en el arreglo de la cocina", en *PT*, 13-3-1923.

78. "Para la dueña de casa. Cómo debe equiparse la cocina", en *PT,* 6-4-1926; "Para la dueña de casa; el color de la cocina", *PT,* 12-7-1927.

79. Appleton, *op. cit.*

80. "El cuarto tocador", en *EH*, 30-1-1910; "El gabinete de toilette", en *EH,* 30-7-1913; "Breviario femenino", en *EH*, 30-7-1913; "El arte del hogar", en *EH*, 5-10-1917.

81. Bassi, *op. cit.* Cf. también: "Para la casa moderna", en *EH,* 7-5-1926; o "El cuarto de baño", en *PT,* 16-8-1927.

82. "El baño y la estética", en *C y C*, 24-12-1917; *EH,* 31-7-1925; "El cuarto de baño", en *PT,* 16-8-1927.

83. Para una información general acerca del estado de la vivienda popular a comienzos del siglo XX, cf. AAVV, "La habitación", en *Boletín del Departamento Nacional del Trabajo*, Buenos Aires, noviembre, 1912; "La cuestión de la vivienda", en *Boletín del Museo Social Argentino*, Buenos Aires, junio, 1912; Jorge Páez, *El Conventillo*, Buenos Aires, 1976; Leandro Gutiérrez, "Condiciones de la vida material de los sectores populares en Buenos Aires 1880-1914", *en Revista de Indias* 163/164, Madrid, junio de 1981; José Panettieri, *Los trabajadores*, Buenos Aires, 1982. Otros estudios sobre la historia de la vivienda popular, en AAVV, I Jornadas de Historia de la Ciudad de Buenos Aires: "La vivienda en Buenos Aires", 1984, Buenos Aires, 1988; y Oscar Yujnovsky, "Políticas de vivienda en la ciudad de Buenos Aires, 1880-1914", en *Desarrollo Económico,* N° 54, Buenos Aires, 1974.

84. La conformación de los vecindarios y su transformación en barrios ha sido estudiada por Adrian Gorelik, *op cit.*

85. Cf. Jorge Liernur, "La ciudad efímera", en J. Liernur y G. Silvestri, *El umbral de la Metrópolis*, Buenos Aires, Sudamericana, 1993.

86. Estudié las relaciones entre viviendas, infraestructura y equipamientos en la construcción de un vecindario y su transformación en barrio en el caso de San Cristóbal Sur, Jorge Liernur (director), *Formación y desarrollo del Barrio de San Cristóbal (1870–1940)* (mimeo), Informe Final PID/CONICET, Buenos Aires, 1991.

87. F. R. Cibils, "La descentralización urbana de la ciudad de Buenos Aires", en *Boletín del Departamento Nacional del Trabajo*, N° 16, Buenos Aires, 1911.

88. Sobre la idea de Buenos Aires como "ciudad pequeña", cf. Gorelik, *op. cit.*

89. Cf. *Primeras Jornadas de Historia de la Ciudad de Buenos Aires. La Salud en Buenos Aires*, Buenos Aires, 1988.

90. Cf. Juan Suriano, "La huelga de inquilinos de 1907 en Buenos Aires", en Armus, *op. cit.*

91. Guillermo Rawson, "Estudio sobre las casas de inquilinato en Buenos Aires", en *Escritos y discursos del doctor Guillermo Rawson*, Buenos Aires, 1981; Eduardo Wilde, "El conventillo y sus características," en *Curso de Higiene Pública, Obras com-*

pletas, 1ª parte, Buenos Aires, 1981; Samuel Gache, *Les logements ouvriers à Buenos Aires*, París, 1900.

92. Alejandro Ortúzar y Fernando Poblet, "Proyecto de 3412 casas en villa La Tablada", en *Actas del Concejo Deliberante de la Ciudad de Buenos Aires*, 6-8-1909.

93. Cf. María M. Lupano, "El barrio de la cervecería Quilmes*", en *Fichas del Instituto de Arte Americano e Investigaciones Estéticas "Mario J. Buschiazzo"*, Buenos Aires, 1988.

94. Cf. Olga Paterlini de Koch, *Pueblos azucareros del Tucumán*, Tucumán, 1987.

95. Cf. J. Cafferata "El saneamiento de la vivienda obrera en Córdoba", en *Conferencia Nacional de profilaxis contra la tuberculosis*, Córdoba, 1917. Cf. Anahí Ballent, "Iglesia y vivienda popular. La Gran Colecta Nacional de 1919", en Armus , *op cit.*

96. Cf. Jorge Liernur, "Comisión Nacional de Casas Baratas", en J. Liernur y F. Aliata, *Diccionario histórico del habitat, la ciudad y la arquitectura en la Argentina*, Buenos Aires, 1999 (en prensa).

La niñez en los espacios urbanos (1890-1920)

Julio César Ríos y Ana María Talak

Al dirigir la mirada sobre la construcción de los significados sociales en torno a la niñez en los espacios urbanos de principios del siglo XX, se observan ciertos recorridos específicos en los cuales se viven vidas de niño muy diferentes. Estos circuitos no sólo encauzan la vida de los niños como moldes preestablecidos sino que se conforman, a la vez, a partir de las representaciones que se van construyendo sobre lo que debe ser la niñez, su evolución esperable y normal, y las desviaciones con respecto a esta norma.

Dos circuitos básicos parecen surgir en la articulación de estas configuraciones vivenciales y representativas, fuera de las cuales no hay referencias discursivas sobre la niñez. Uno de estos circuitos se mueve entre la familia y la escuela. Una familia "bien constituida", que cumple con su función moralizadora fundamental y con la educación obligatoria, exigida por el Estado desde el año 1900. En la articulación de estos espacios se define lo normal en la niñez a través de una gama de representaciones y de intervenciones que se constituyen en modelo normativo y se entroncan con valoraciones propias de discursos políticos. El otro circuito tiene como centro la calle, entendida como lugar de desamparo y abandono, debido a una inexistente o frustrada relación con un ámbito familiar contenedor; la calle como el espacio de la vagancia, la mendicidad, la enfermedad, la explotación del trabajo infantil, la prostitución y la delincuencia. Este lugar opera como fuente de referencias para otro abanico de representaciones y de intervenciones sobre la niñez. La calle se vincula en forma necesaria a otros espacios de alternancia,

El fuerte crecimiento poblacional, inmigración mediante, de finales de siglo en la Argentina, instala en las calles la presencia de grupos de niños que circulan libremente, muchos de ellos sin contención familiar.
Los "niños pobres" abandonados, desamparados afectivamente, serán los que engrosarán las filas del Patronato de la Infancia de la Ciudad de Buenos Aires. Entre 1880 y 1912 se internaron 32.725 niños. En el mismo período murieron en el asilo el cincuenta y un por ciento de ellos.
Niños ingresantes al Patronato de la Infancia, 1900. (Archivo General de la Nación)

con objetivos específicos de intervención "regeneradora": los institutos de menores en un sentido amplio, los cuales abarcan desde correccionales hasta asilos y orfanatos, dirigidos desde los poderes públicos estatales, provinciales o municipales, desde la institución policial o bien desde asociaciones de beneficencia privadas. Por otro lado, entre 1880 y 1930 cobra gran impulso una serie de sociedades, asociaciones o centros dedicados a la atención de la niñez, que representan una iniciativa no vinculada al aparato estatal ni a la beneficencia católica. Si bien estas "sociedades populares de educación" se vinculan especialmente al circuito "familia-escuela", emergen de su seno movimientos que pugnan por crear espacios alternativos para la niñez marginal y abandonada, que critican severamente los institutos impuestos por el poder público o la modalidad de la beneficencia. Veamos cómo se conforma diferenciadamente "la vida de la niñez" en estos circuitos.

La familia y la escuela

En la Argentina de fin de siglo XIX y principios del siglo XX, una vez lograda la organización institucional del Estado, se plantea como problema el logro de la integración social en un contexto de crisis política –Revolución del 90– del modelo de "Paz y Administración" del primer gobierno de Roca (1880-1886). Este modelo genera un rápido proceso de modernización y crecimiento demográfico de la sociedad civil aluvial y trae una serie de consecuencias en relación con la composición social y moral, vinculadas, fundamentalmente, a la inmigración europea meridional. En este sentido, en el segundo gobierno del presidente Roca (1898-1904) se afianza una política de centralización institucional estatal que apunta a un doble objetivo: por un lado, consolidar un proyecto de apertura hacia afuera, en procura de una inserción definitiva dentro del conjunto de naciones civilizadas, y por el otro, a través de una mirada interna, lograr una homogeneización geopolítica de toda la nación a partir de un repertorio consensuado de emblemas culturales, costumbres sociales e ideologías nacionales que marcan el desarrollo de la nación. Las expresiones científicas y ensayísticas del pensamiento positivista intentan articular una interpretación de esta realidad social nacional con la acción concreta de instituciones públicas y estatales –educativas, jurídicas, sanitarias y militares– sobre los problemas de este contexto señalado: una masa social en proceso de integración; una distribución marcadamente desigual del crecimiento económico, producto de la economía agroexportadora favorecida por la coyuntura mundial. Desde el discurso académico –biologicista y medicalizado–, estos y otros obstáculos y efectos no deseados del proceso de modernización son interpretados como expresiones de patologías sociales e individuales. Estas

patologías, como la delincuencia, exigirán una intervención racional para restablecer desviaciones o favorecer el desarrollo esperado tanto del individuo como de la sociedad.

Desde este discurso académico,[1] la concepción del niño se aleja de la figura del inocente, ángel, libre de pecados. En el marco de la ley biogenética fundamental haeckeliana, según la cual el desarrollo del individuo recapitula las etapas del desarrollo de la propia especie, adquiere la categoría de "evidencia" que el niño contenga manifestaciones de violencia de la personalidad primitiva y poco desarrollada del hombre en su adaptación al medio. Constituye una analogía entre el período infantil de la humanidad y las etapas infantiles del futuro adulto.

"Filogenéticamente consideradas las tendencias criminosas le son naturales como eran naturales en el hombre primitivo [...] El niño no nace un dechado de bondades, por el contrario, la germinación delictuosa es mucho más activa y variada que en el adulto."[2]

En armonía con la matriz evolucionista del darwinismo social, don-

Hacia 1914, veintidós años después del Congreso Pedagógico Nacional, el país cuenta con seiscientos cuarenta y cuatro escuelas para 190.000 alumnos. Pero esa cifra constituye la mitad de la población en edad escolar. Tanto en las zonas urbanas como rurales, las menores tasas de escolaridad corresponden a los sectores de menores recursos económicos. El sueño sarmientino de difundir la instrucción pública entre las clases y las regiones del país menos favorecidas se encuentra aún lejos de realizarse.
Los niños en la escuela en 1914. (Colección particular de la familia Pareto)

de herencia y adaptación al medio son indisolubles en la ecuación evolutiva resultante, los criterios de adaptación estarán regidos por la normativa legal y moral que las sociedades occidentales establezcan. El niño no puede ser librado a sus propias tendencias instintivas, sino que la educación debe encauzar su desarrollo de acuerdo con las normas sociales aceptadas que definen la normalidad. De esta manera, la escuela y la familia se convierten en los espacios centrales a través de los cuales los niños deben circular para lograr su desarrollo pleno de acuerdo con las normas sociales esperables, que lo identifican como hijo y alumno.

Está claro que uno de los temas de la historia social occidental moderna es la construcción de la familia burguesa, cuya conformación se produce de manera paralela y a la vez inescindible con el lugar simbólico y real que tendrá la niñez en el mundo de los adultos. En ese sentido, destacar una dimensión particular del circuito familia-niño no puede dejar de lado planteos propios de una historia de valores, creencias y representaciones con un fuerte impacto en el mundo moral. Esto supone aceptar que no es solamente desde la faz pública de la institución familiar como se puede pensar la emergencia del niño en calidad de nuevo actor social. Se necesita, en ese sentido, indagar la faz subjetiva e íntima de vínculos que tienden a constituirse en un campo de tensiones entre la dimensión gobernada por los ideales del orden público y político de las sociedades modernas y la experiencia individual, psicológica de los integrantes del seno familiar.

En la representación tradicional de la familia argentina y las alianzas matrimoniales, se deben considerar los conflictos en torno a la mezcla de sangre y de apellido, la preeminencia social y simbólica del blanco respecto del indio y el mulato. Las actitudes y prejuicios sostenidos colocan a la familia y al linaje como una fuente fundamental de la identidad y el status social de la progenie. Y si el matrimonio es concebido como una institución central del sistema de lugares y de prestigios, se entiende que emerja allí, como un efecto no deseado, la figura del hijo natural, ilegítimo, posteriormente abandonado a su suerte.

Esta problemática queda ampliada enormemente ante la inmigración, fenómeno social que trastoca la red de relaciones afectivas y familiares. Las nuevas familias en la nueva sociedad del Proyecto del 80 conforman ideales que hacia el fin del siglo XIX requieren algún tipo de adecuación con lo que realmente se va constituyendo. La inmigración trae a las costas del Plata un ejército de hombres solos, que después de un tiempo mandan llamar a sus familias para instalarse definitivamente. Pero existe también la inmigración de conjuntos familiares ("la familia ampliada"), que se instalan mayormente en los centros urbanos del litoral. La conformación de nuevas familias porteñas basadas en la población inmigratoria requiere, además, de un tiempo necesario y suficiente para el acomodamiento de los primeros flujos poblacionales inmigratorios.

La llamada familia nuclear argentina, en cuanto nuevo modelo familiar, no se constituye según la totalidad del modelo de la familia tradicional. Intenta reproducir de ella, al menos, los rasgos de orden y estabilidad en relación con los roles materno y paterno que se le reconocen, que tienden a ser proyectados en la construcción de este nuevo modelo familiar. En la construcción de este modelo, la familia popular inmigrante queda enlazada a los problemas de la gran ciudad: la salud pública, la vivienda y el trabajo. La situación de la vivienda obrera, marcada por espacios reducidos como las habitaciones de los conventillos,[3] genera un grado de hacinamiento tal que los hijos, desde muy temprana edad, prefieren el espacio de la calle, tanto para la diversión como para la comunicación vital con el exterior. Si se agrega a esta situación la ausencia, en muchos casos, de las madres y los padres, dedicados al trabajo, el tiempo que los niños pasan sin el cuidado y la atención de ellos es enorme, y con consecuencias que serán vistas como perniciosas para su formación. Por otra parte, el alto grado de mortalidad infantil es compensado con un crecimiento en los índices de natalidad. Si bien esto se va paliando lentamente por la acción preventiva a nivel nacional del dispositivo médico higienista, la relación individualizada de los padres con los niños no puede estabilizarse debido a otros factores: la muerte de las madres en los partos y el abandono de los hijos por parte de los padres. Es en ese contexto donde las dificultades de vínculos paternofiliales en esta naciente familia nuclear necesitan de la ortopedia estatal para conducir la educación y los cuidados del niño, a través de la institución sanitaria, escolar o religiosa. Tan sólo después de que las condiciones de vida de las familias obreras porteñas mejoren, sobre todo con la construcción de viviendas no colectivas –las casas en los barrios–, el niño podrá encontrar en el seno del hogar una red de contención vincular y tendrá mayores posibilidades de desarrollar una experiencia escolar constante.

Simultáneamente, a medida que avanza el proceso de organización del sistema público de educación y su expansión, emerge con perfiles propios una preocupación por la niñez en cuanto objeto de intervenciones, no sólo desde los discursos pedagógicos, sino también desde diferentes ámbitos de prácticas y de reflexión que se ocupan del problema más amplio y complejo del logro de una identidad nacional. En el tratamiento de este problema se entrecruzan consideraciones políticas, históricas, sociológicas, psicológicas, biológicas, etcétera. Todas, aun las de

Entre la educación normalizadora y la indisciplina como desviación

carácter más especulativo, apuntan al diseño de una forma de intervención concreta que transforme la sociedad en la dirección deseada. Al considerar las formas eficaces de intervenir en la realidad social, estos discursos desembocan en el tema de la educación pública. Desde la obra de Sarmiento, la educación pública se conceptualiza como el medio que permite alcanzar un doble objetivo. Por un lado, la adquisición del conocimiento y el desarrollo de la cultura civilizada como patrimonio universal. Por el otro, la concepción y utilización de la educación pública como medio para promover los valores propios de la nacionalidad, comprometida así en la construcción de un sujeto social y moral: el niño argentino.[4]

Ahora bien, la eficacia del sistema de educación pública plantea una doble exigencia: definir claramente los fines de la educación (en concordancia con los fines de la sociedad en la que se desarrolla) e implementar los medios adecuados para el logro de aquellos fines. En los discursos pedagógicos aparece asumida como "natural" cierta valoración ideológica en relación con los fines, al mismo tiempo que la pedagogía y la didáctica se presentan como disciplinas científicas, objetivas y neutras, que basan sus conclusiones en el conocimiento psicológico científico y en la reflexión filosófica "positiva", en cuanto reflexión a partir de lo que los hechos muestran y como complemento de los mismos. Se busca en la psicología el conocimiento científico de los procesos de conocimiento (en relación con los problemas del conocimiento en general) y del desarrollo del niño (en relación con las cuestiones evolutivas), a partir del cual los educadores intentan "deducir" conclusiones prescriptivas que guían las intervenciones didácticas.[5] Desde estas ideas se intenta fundamentar la necesidad de desarrollar una "pedagogía nacional", una "pedagogía argentina" que persiga como fin primordial el desarrollo de la nacionalidad. Se señala la necesidad de partir de un nivel local e inmediato para luego acceder al plano de lo universal y a los ideales más lejanos.[6] También aparece aquí la idea sobre la posibilidad y la necesidad de prever la dirección de la evolución y anticiparse a ella para evitar o corregir desviaciones, interrupciones, etcétera. En última instancia, toda intervención que no sea exclusivamente sobre lo orgánico supone una intervención educadora, y como tal es interpretada como una intervención psicológica, ya que se actúa sobre los procesos de conocimiento, el desarrollo de aptitudes y de comportamiento.

"Lo normal" en el ámbito escolar queda definido como "la norma de desempeño esperable para la etapa evolutiva en la que se encuentra el niño". Pero esta norma encierra, paradójicamente y en forma oculta, una descripción estadística y una valoración ideal,[7] a partir de la cual lo que se aleja de ella significativamente es catalogado como "anormal".

La "norma" pretende apoyarse en una norma "natural", definida por la propia evolución. Esto lleva a que ciertas carencias del niño con respecto al estado adulto sean "toleradas" como normales. Sin embargo, esta norma supuestamente "natural" encierra un ideal, el ideal educativo propio del ámbito escolar. Y como la escuela, en cuanto proyecto moderno, encarna los ideales de racionalidad propios de la cultura occidental adulta, la definición de la norma y lo normal en el niño-alumno queda enraizada en un ideal propio de la etapa adulta de una determinada cultura. Así, la indisciplina se plantea como un problema de intervención sobre la desviación con respecto a la norma, como un problema de intervención sobre lo "anormal". De esta forma, no se ve la contradicción entre postular como conocimiento natural las tendencias violentas en la evolución individual del niño (que reproduciría etapas más primitivas de la evolución de la humanidad) y concebir la indisciplina como algo anormal.

La educación "completa" del niño-alumno se concibe como una educación física, intelectual y de los sentimientos. Esta última, identifi-

No lejos del centro, en las zonas más pobres del sur de la ciudad de Buenos Aires, el juego y el ocio callejero de los niños lleva al doctor José María Ramos Mejía a opinar que los niños porteños viven más en las calles que en ninguna otra ciudad del mundo. Pero las viviendas de Buenos Aires ofrecen pocas posibilidades para "retener" al niño en los espacios reducidos de las piezas de conventillo y las precarias viviendas de los suburbios.
Niños jugando, 1905. (Archivo General de la Nación)

cada con la educación moral y estética, se convierte en el marco dentro del cual se plantea el problema de la indisciplina escolar, formulado en estrecha conexión con el problema de la criminalidad infantil. Ambos son manifestaciones de estados patológicos. Si la falta de disciplina expresa un estado patológico, debe ser considerada sólo como un síntoma, no como el problema en sí. Y así como en las enfermedades orgánicas se debe conocer la etiología del estado patológico para intentar la curación atacando la causa y no el síntoma, la educación de los sentimientos basada en conocimientos científicos permitiría intervenir pedagógicamente en forma diferenciada de una forma más eficaz, como medio de corregir la desviación con respecto a lo normal. "La eficacia de la educación como medio de desviar y aun neutralizar taras patológicas, cargadas, así como para contrarrestar una adaptación social perniciosa [...] está perfectamente comprobada."[8] "Los estudios sobre la educación de los sentimientos del niño, mientras no se funden en el conocimiento de la psicología normal y patológica, adolecerán siempre de los inconvenientes y errores inherentes a las teorizaciones o especulaciones puras. No se podrá corregir a un niño racionalmente, es decir, no se podrá establecer su cura psíquica, hasta que no se conozca la etiología de su conducta."[9]

De esta manera, los discursos políticos sobre la importancia social de la escuela pública aparecen reforzados desde los discursos académicos, que pretenden fundamentar científicamente ciertas representaciones e intervenciones sobre la niñez, al mismo tiempo que ubican al escolar indisciplinado al lado del niño delincuente. "Los exámenes practicados [...] constatan que el 50% de los niños indisciplinados, viciosos o delincuentes, son degenerados más o menos típicos, para los cuales se hace necesaria una educación racional adecuada, es decir, no pueden quedar librados a los medios educativos empleados con los normales."[10]

La identidad hijo-alumno configura una vida privada de la niñez compartimentada en estos espacios, definidos a su vez en su función pública. La vida del niño se convierte en un objeto público, que define qué tipo de subjetividad debe desarrollarse para que ésta pueda formar parte del espacio público. De ahí los debates en torno de la necesidad de intervención del Estado cuando las funciones familiares no se cumplen y se ven obstruidas también las de la escuela. La pérdida de la patria potestad y su asunción por parte del Estado muestran esta visión de no dejar librado al azar el desarrollo de la vida infantil y de moldearla según modelos claros y estrechos, aunque a la vez constituye un hecho la incapacidad de estas instancias para hacerse cargo de la niñez desamparada que permanece al margen de este circuito.

La vida en la calle

Fuera del circuito familia-escuela se encuentran muchos niños cuyas condiciones de vida no les permiten ubicarse dentro de las representaciones de normalidad esperada. Niños huérfanos o abandonados por padres no incorporados al trabajo asalariado; hijos de padres enfermos y sin atención sanitaria; niños trabajadores, obreros, vendedores ambulantes; "niños de la calle" que vagabundean, mendigan o cometen delitos. La ausencia de un espacio familiar contenedor, que cumpla con la función rectora de las tendencias infantiles, traslada a "la calle" el espacio vital de la niñez, donde otras reglas son necesarias para poder sobrevivir.

No se trata ya de la calle como ámbito de encuentro con los amigos del barrio, que se complementa con el hogar al que siempre se puede volver en busca de refugio. En esos casos, siguen siendo la casa o la escuela los lugares privilegiados. Se trata más bien de la "calle" en cuanto ausencia de refugio, en donde la privacidad ha dejado de existir como tal, ya que todo queda a la vista, donde el propio espacio es aquel por el que todos circulan, es de todos y de nadie a la vez, fuente de peligros y de inmoralidad en tanto no respeta los límites de la privacidad e intimidad. Como señala Philippe Ariès,[11] la calle sólo deja de ser inmoral cuando se convierte en un lugar de tránsito y cuando pierde "el carácter y la tentación de la permanencia".

No obstante, la calle como espacio de exclusión no se caracteriza sólo por su sentido negativo (porque no se tiene otro espacio para vivir). Adquiere también una caraterización propia: constituye el espacio de los pobres, de lo marginal, de lo masculino, de la "mala vida". Cuando el niño tiene una casa, o bien ésta es demasiado pequeña y obliga a salir y permanecer fuera de ella, o bien contiene un ambiente sumamente violento y desgraciado que empuja a buscar algo distinto fuera de ella. La calle se convierte en un espacio sin adentro y sin afuera, que ofusca otras discriminaciones. El lustrabotas, el vendedor ambulante, el vendedor de diarios, el vago, el mendigo, el delincuente, todos terminan bajo una misma representación que los abarca y los incluye dentro de la inmoralidad, el riesgo y la peligrosidad.

Asilos y reformatorios

La preocupación por la infancia marginada se traduce en iniciativas que buscan "salvar" y "regenerar" a estos niños, creando otros espacios cerrados que limiten la abierta e indómita libertad de la calle. Los institutos de menores, ya sean reformatorios o colonias agrícolas, y los asilos religiosos tratan de constituirse en alternativas altruistas que los mantengan alejados del "exterior". En cierta forma, estas iniciativas esconden la percepción de que la libertad de las tendencias no posibilita la formación de la subjetividad social y medida, adaptada a la moral vigente, que asegura la propia perpetuación; subjetividad que sólo las inhibiciones de la educación puede formar. De ahí que las formas de rescatar a los niños de la calle serán siempre formas que privilegian el encierro, como si éste fuera el antídoto más perfecto para atenuar o anular el atrevido exceso de apertura y disipación que atenta contra toda moralidad. A la ausencia de discriminación de actividades se contraponen los hábitos fijos y estereotipados, las horas compartimentadas en trabajo, estudio, descanso... Se busca anular un exceso con otro exceso. Pareciera que, en el encauzamiento de un desarrollo desviado, subyace la regla de que "mientras más libre, más encierro". Es necesario reemplazar la sociabilidad perniciosa de la calle por otra que reconozca el límite de lo público y lo privado, aunque en ese acto de salvación la privacidad del niño se construya como una trama de restricciones.

El abandono, la vagancia y la mendicidad constituyen los problemas de referencia desde los cuales derivan la prostitución infantil y la delincuencia. "La vagancia en sí –dice Paz Anchorena en 1917–[12] no puede constituir un delito, pero, dentro del sistema preventivo, debe verse una predisposición para delinquir; por consiguiente, las instituciones de prevención deben, principalmente, atender ya la vagancia habitual, ya la mendicidad profesional, como un síntoma para la formación de los futuros delincuentes." De ahí que "al vagabundo debe considerárselo en estado peligroso; por consiguiente se le debe aplicar una medida de seguridad que, en este caso, sería la casa de trabajo". Sin embargo, dice el mismo autor, "actualmente la vagancia no puede ser reprimida por falta de establecimientos para detener a los vagos, ni tampoco prevenida por falta de sistemas racionales que organicen el trabajo en colonias o talleres *ad hoc"*.

La cantidad de niños abandonados no constituye tampoco una cuestión menor. El fiscal Coll señala en ese mismo año que sólo en la ciudad de Buenos Aires existen 40.000 niños abandonados mientras que, por ejemplo, la colonia para niños abandonados que se está construyendo en Olivera podrá albergar sólo a 1200. Por otra parte, Vicente Sierra[13] relata con patetismo la situación en la que se encuentran estos niños: "La inhabilidad de los padres está determinada por una multitud de problemas, siendo uno de los más fundamentales el industrialismo, que, al llevar a la mujer a la fábrica, obliga al abandono de los hijos, unido esto a las dificultades que, en general, presenta la vida obrera en nuestro país.

"Las condiciones económicas tienen sobre las morales una influencia determinante en sumo grado, y así en las familias pobres, donde la fecundidad parece estar en razón inversa a los recursos, la educación de

El conventillo o vivienda colectiva cumple las funciones de refugio transitorio para las familias inmigrantes. También es la residencia más o menos permanente que permite intercambios de pautas culturales, costumbres sociales, donde se forjan vínculos familiares y hasta alianzas matrimoniales. Muchos de los niños de los conventillos son la expresión concreta de ese cruce de nacionalidades y mezcla de "sangres".
La niñez en los conventillos, 1902.
(Archivo General de la Nación)

un crecido número de hijos se dificulta en forma tal, que el abandono de los menores resulta un hecho dolorosamente lógico.

"La mayor parte de los [menores] penados, con familia, son los hijos menores de hogares pobres, cuyos padres necesitan el día íntegro para obtener el sustento de todos, con lo que se ve claramente que la vagancia tiene que ser un modo de vida común de vida en esos menores.

"Los hijos llegan a ser una carga pesada y nadie puede sorprenderse, si conoce las condiciones de la vida obrera, y de los barrios bajos de nuestra metrópoli, si de 200 menores detenidos en la cárcel de Encausados, 83 no recibieron visita alguna durante su estadía en el establecimiento; 81, fueron visitados por uno de los padres solamente y sólo en 36 casos se registró la visita de ambos padres. Se sabe, también, de padres que han cambiado secretamente de domicilio, estando el hijo preso, para perderlo definitivamente".

Los menores "fugados" son, muchas veces, "huérfanos entregados a familias que prometen cuidarlos, cuando sólo buscan un 'sirviente' barato y sumiso; bestia de carga que –salvo excepciones– realiza todos los trabajos en casa de sus protectores".

"Son muchos los menores que, en esas condiciones huyen de tales hogares; como son muchas las menores que ceden a los halagos del 'niño' de la casa, que encuentra cómodo, compatible con la moral, prostituir a la hija de nadie que en ella se alberga.

"Es esto un foco de delincuencia en el que la falta de una familia propia, y la falta de dirección moral de la ajena –sería interesante que la defensoría averiguara cuántos de los niños depositados en casas particulares van a la escuela– pervierte al menor [...]".

La miseria, el maltrato y la falta de amor, tristemente aparecen reflejado en un poema titulado "Educación, Amor y Miseria" que Josefa M. R. Martínez[14] publica en el periódico feminista anarquista *La Voz de la Mujer*, aparecido entre 1896 y 1897:

> *–Señora ¿por qué cruel,*
> *De tal modo castigáis*
> *A ese niño inocente?*
>
> *–¿Qué os importa? ¡Impertinente!*
> *¿Sois acaso padre de él?*
>
> *–Su padre no soy mas digo*
> *No lo debéis maltratar.*
>
> *–¿No le he de castigar*
> *Siendo tan mal educado?*
>
> *–De él la culpa no es.*
> *Es de quien mal le educó.*
>
> *–¡Torpe sois! ¿No comprendéis*
> *Que no he podido, ¡ay de mí!*
> *Darle mejor educación?*
>
> *–¿Por qué, pues con torpe afán*
> *Le disteis vida al niño?*
> *¿Fruto no es de aquel cariño...?*
>
> *–¡Jamás para mí lo ha habido!*
>
> *–¿Pues entonces por qué lo ha sido?*
>
> *–¡Por un pedazo de pan!*

Por todas estas razones, la atención de la infancia se plantea como una intervención en el campo más amplio de la familia pobre, hacinada en espacios promiscuos como el conventillo, en donde la madre, en su necesidad de trabajo doméstico u obrero, o en el ejercicio de la prostitución, falla en su función moralizadora. La escasez y mala calidad de

La tarea emprendida por las
instituciones del Estado, tendiente a
formar y educar a los niños argentinos
desde una perspectiva psicosocial,
trata de imponer la identidad nacional
a los hijos de inmigrantes: reverenciar
los símbolos patrios así como
participar de la ceremonia diaria de
entonación del Himno nacional.
En esto se basa el ideal de formación
patriótica-pedagógica: incorpora
símbolos y emblemas que constituirán
los valores de la nacionalidad.
El niño argentino, 1910. (Archivo
General de la Nación)

la vivienda obrera constituye un problema constante de estas décadas, como ya se dijo, en donde más de la mitad del caudal inmigratorio se asienta principalmente en los centros urbanos del litoral, Buenos Aires y Rosario, y no se implementan desde el Estado políticas sociales diseñadas para su solución o atenuación.

Con respecto a los llamados "niños delincuentes", las formas de intervención (prevención y rehabilitación) no pueden separarse de las for-

Hacia 1900, la función normalizadora que cumple la educación primaria como proceso de integración social requiere de la transferencia al Estado del dominio de la instrucción pública. Sin embargo, las realizaciones posteriores en la construcción del sistema educativo formal necesitan instrumentos no sólo retóricos, por ejemplo, una legislación tendiente a subvencionar la educación pública nacional: la Ley Láinez de 1905.
Acto oficial en el Consejo Nacional de Educación, 1902. (Archivo General de la Nación)

mas de plantear los problemas y construir sus interpretaciones (darles forma y sentido). Por otro lado, en estos procesos constructivos las intervenciones en cuanto prácticas que se llevan a cabo en diferentes ámbitos introducen aspectos heterogéneos, no siempre coherentes, y consolidadores de representaciones vigentes del "sentido común". Por eso, las relaciones entre los discursos y las prácticas no son indagadas en cuanto búsqueda de la aplicación directa de teorías ni como discursos teóricos que subyacen a las prácticas. Resulta más fructífero explorar las relaciones abiertas y cruzadas, no deducibles, las irrupciones y las modificaciones mutuas.

La mala vida: castigar, reformar, educar

Las acciones que se realizan para resolver estos problemas específicos se dan en campos diferentes. Desde el punto de vista del Derecho, el Código Penal de 1886 sostiene en el artículo 81 inciso 2º que los menores de diez años están exentos de pena. La ley presume *juris et jure* que a esa edad no existe discernimiento en el niño. El inciso 3º del mismo artículo dice: "Quedan exentos de pena: los mayores de 10 años y menores de 15 a no ser que hayan obrado con discernimiento". Como el juez tiene que decidir si ha obrado con discernimiento o no para declararlo culpable, debe indagar y apoyarse en informaciones confiables antes de establecer una conclusión fundamentada.[15] El problema del discernimiento no es, por otra parte, una cuestión menor, ya que dentro del marco naturalista determinista de pensamiento que se extiende por estos años, el libre albedrío y la responsabilidad terminarán constituyendo categorías metafísicas incompatibles con la "nueva concepción científica" de la moral y el derecho.

En la represión y prevención de la delincuencia infantil se unen indisolublemente los aparatos represivos y normalizadores, que buscan individualizar y separar a los elementos disgregadores del orden social proyectado, al mismo tiempo que regenerarlos por medio de una acción educadora. Como señala B. Ruibal,[16] "la cárcel en sus distintas variantes constituía un espacio de exclusión y encierro para aplicar en él diferentes terapias de recuperación". Si bien el orden de lo constitucional (orgánico y psicológico) y la influencia del medio, son ambos componentes infaltables en toda explicación del delito, en el caso de los menores delincuentes aparece un mayor optimismo con respecto a la posibilidad de la "regeneración". Por un lado, las tendencias innatas pueden ser "encauzadas" por medio de la educación. Se interpreta que en los niños éstas todavía no han adquirido sus cauces definitivos, como sí ocurre en general con los delincuentes profesionales adultos. Por lo tanto, se abre un margen para la acción reeducadora (regeneradora) que corrija la desviación establecida. Por otro lado, la misma naturaleza moldeable del niño y su espíritu de imitación acentúan el peso de la acción del medio ambiente en el logro de la prevención y corrección de la delincuencia precoz. De ahí la unificación de la intervención sobre los niños delincuentes y los niños abandonados, que viven "la mala vida" de las calles. Los diversos aspectos de este problema se visualizan a través de la creación de distintos tipos de instituciones ocupadas del menor (asilos, colonias agrícolas, institutos correccionales, Patronato de la Infancia y otras organizaciones "populares" no gubernamentales creadas para pro-

En los terrenos del Puerto Madero
Bs. Aires.   Rep. Argentina

Para los niños del Centenario los espacios abiertos se constituyen en una necesidad vital para gozar del sol y del aire libre. Una alternativa es la puerta de entrada a la urbe cosmopolita, ya que por esta época, Buenos Aires prácticamente no cuenta con plazas de juegos distribuidas en el espacio urbano.

Niños en los terrenos de Puerto Madero. (Colección particular)

Los niños en riesgo, aquellos que no se benefician con la crianza y la educación y se transforman en los pequeños vendedores callejeros, comparten el mercado laboral de los adultos. Lo que se vuelve una situación inadmisible no es tanto el trabajo infantil entendido como esfuerzo y capacitación para los niños, sino el contacto diurno y nocturno con el mundo delincuencial, la vagancia, los vicios morales, en suma, la mala vida, lo que convierte los oficios callejeros en la antesala para la infancia peligrosa: "la criminalidad infantil". Pequeño vendedor ambulante, 1910. (Archivo General de la Nación)

teger y educar a la infancia) y a través de las cuestiones legales en torno a la asunción por parte del Estado de la patria potestad de los niños desamparados física y moralmente.

El director de la Prisión Nacional, José Luis Duffy, propone en 1904 al Poder Ejecutivo que, para evitar la recaída del menor en el mismo ambiente, se retire a los padres la patria potestad cuando éstos sean indignos o inhábiles, y que se remita a los menores a la Colonia de Reforma de Marcos Paz, hasta los 18 años. El ministro Joaquín V. González, durante la presidencia de Quintana (1904-1906), así lo dispone a través del decreto del 31 de agosto de 1905. En agosto de 1906, la Cámara de Apelaciones resuelve que el decreto no está autorizado por ley, ya que el artículo 363 del Código de Procedimientos establece que la libertad de las personas, salvo en caso de pena sentenciada, sólo puede restringirse con el carácter de detención o prisión preventiva. Recién en 1919, con la sanción de la Ley del Patronato, se estipulan claramente las causas de pérdida de la patria potestad: abandono o exposición de los hijos, colocación de los mismos en peligro moral o material, por delincuencia, por tratar a los hijos con excesiva dureza, por ebriedad consuetudinaria o inconducta notoria. En estos casos, los menores quedan bajo patronato del Estado nacional o provincial.

A pesar de los pedidos de una intervención estatal más contundente en los problemas sobre patria potestad, no dejan de presentarse situaciones que, como la siguiente, muestran la rigidez del sistema o simplemente la falta de previsión de circunstancias no poco frecuentes en relación con ella.

"En el transcurso del año pasado, al retirarnos una mañana de nuestro servicio en el Hospital Alvear, un grupo de cinco o seis madres que acababan de ser dadas de alta conjuntamente con sus hijitos lloraban amargamente, al despedirse de la Maternidad. Nuestro primer impulso fue sospechar que sólo se trataría de la exteriorización de un sentimiento de cariño o de gratitud para con la casa que las había rotulado madre; pero después la sospecha de que a su vez pudiera ser la resultante de alguna inconveniencia, nos determinaron a indagar su verdadera causa.

"Se trataba de cinco madres menores de edad que regresaban al 'Asilo Correccional de Mujeres', de donde habían sido enviadas para su asistencia, por sus defensores respectivos. Interpeladas por la razón de sus lágrimas, la más entera nos sorprendió dolorosamente con la siguiente respuesta: 'Doctor, lloramos porque cuando lleguemos al Asilo, [¡] nos van a quitar nuestros hijos para mandarlos a la Cuna! [Casa de Expósitos], y nosotras quisiéramos criarlos, para que sean hijos nuestros'.

"Perplejos ante semejante declaración, nos resistíamos a creer que hubiese, no digo un código, una ley o un procedimiento, ni siquiera po-

der humano, capaz de cometer semejante atentado al derecho más legítimo y noble de una madre [...]

"Todos conocen perfectamente la situación especial que nuestro Código Civil y la Ley Orgánica de los Tribunales de la Capital asignan a la
mujer menor de edad que por circunstancias diversas deja de estar [bajo]
la *patria potestad* de sus padres. La ley la pone bajo la tutela inmediata
del ministerio público denominado Defensoría de Menores, que será el
encargado de su mejor proteción hasta la mayoría de edad.

"[...] Ahora bien, si por accidente, alguna de estas menores llega a
ser madre, no obstante las generosas prescripciones de la ley y el celo y
paternal interés de los señores defensores de menores, la menor no encuentra ya hogar que la ampare con su hijo.

"El asilo no puede ofrecérselo, dado su carácter y organización actual. [...] Para que esta desgraciada madre pueda encontrar ubicación se
hace forzoso separarla de su hijo y es lo que por desgracia acontece en
la mayoría de los casos.

"[...] [El hecho expuesto] deriva exclusivamente de una imprevisión
del legislador o más especialmente del poder público que al organizar el
ministerio de menores no tuvo presente la contingencia de que la tutela
tuviera que extenderse a la menor madre [...]."[17]

La niñez desamparada y la niñez delincuente reciben un tratamiento similar en las instituciones públicas que intentan ocuparse de ellas.
Si el objetivo principal es sustituir el medio ambiente de la calle por
otro que cumpla las funciones que deberían cumplir la familia bien
constituida y la escuela, los institutos de menores ejercerán una educación entendida como "regeneración",[18] en tanto un camino evolutivo
"desviado" ya ha comenzado a formarse. Si bien las ideas sobre pena,
castigo y educación aparecen vinculadas no siempre de una forma uní-
voca, desde la primera tesis sobre el tema en 1900 (Meléndez) hasta las
manifestaciones de Levellier en 1910 y de Ingenieros en 1911 (al aludir al Congreso Penitenciario Internacional realizado en Washington
en 1910),[19] se observa una orientación cada vez más definida hacia una
educación regenerativa del menor desvalido que excluya la consideración del castigo en calidad de pena, aunque sí mantiene el castigo en
cuanto forma de disciplinamiento como lo tiene también la educación
escolar o familiar. El "castigar educando"[20] de principios del siglo, se
tranforma en la segunda década en el "reformar educando".[21]

*En el artículo titulado "Estudios sobre
la prostitución infantil", el doctor
Carlos Arenaza sostiene que la
existencia de la prostitución precoz no
debe concebirse como excepción del
fenómeno psicosocial de la prostitución
en general. La miseria, el abandono
familiar y el contacto con los "peligros
de la vida en la calle" son los factores
determinantes de estas "patologías
sexuales".*
(Revista de Criminología y ciencias
afines, 1919)

La tarea filantrópica realizada por el Patronato de la Infancia desde
1892 resulta paradigmática de la concepción del niño desvalido. Concebido desde sus inicios como una institución filantrópica privada, se au-

Patronato del "amor"

Los asilados con su banda de música

os alumnos de farmacia acudieron el
martes al Congreso Nacional a fin de presentar una solicitud recabando sus derechos.
—Tres pérdidas dolorosas para Buenos
Aires: La distinguida matrona señora Clara Ocampo de Cobos, era genuina representación de aquella laboriosidad característica de las damas patricias.
—El doctor Enrique Obarrio era una

esperanza de la patria. Había hecho brillante carrera y dictó la cátedra de Derecho Romano en nuestra Facultad.
—La señorita Diana Geily, era otro
preciosa gala de la sociedad porteña. A
los atractivos de su belleza física unía e
consorcio de su bondad.
—En el vapor «Montevideo» partieror
para Formosa don Domingo Astorga y
dos compañeros, que se proponen explo

La obra filantrópica y asistencial del Patronato difundida en las publicaciones de la época, como Caras y Caretas, PBT o en La Nación, convierte en noticia social los logros que en materia de disciplina e higiene se alcanzan con la infancia abandonada y desamparada.
(PBT. Semanario Infantil Ilustrado, Mayo, 1905)

toimpone la condición de alternativa de hogar transitorio para los "niños carenciados". Se podría decir que reúne en esta denominación una serie de significados respecto del niño pobre, asimilado a las figuras de un niño abandonado, desamparado afectivamente, enfermo, maltratado, solo y errabundo en la vida. Y en ese sentido, los niños de conventillo se convierten en los principales destinatarios de las atenciones gratuitas de este voluntariado en el que se "dispensa amor, alojamiento, vestimenta, alimentación, atención de la salud, formación moral, educación y capacitación".[22]

Fundado en 1892, bajo la presidencia del doctor José Ayerza, la institución comienza a desarrollar tareas asumiento tres modelos diferentes: el modelo asistencialista del higienismo médico, el programa de instrucción pública y universal, y el programa de la caridad cristiana de asistencia a los pobres.

En concordancia con estas direcciones, el Patronato desarrolla diversas actividades. En primer lugar, establece un convenio con la Congregación Salesiana y de las Hermanas de María Auxiliadora para confiarles el cuidado y administración de la primera sala-cuna. Al mismo tiempo, inaugura consultorios médicos externos gratuitos del Sanatorio de Menores en el primer edificio del Patronato, en la calle Humberto I° 250. Y, años después, se crea el Instituto de Menores Manuel Aguirre, que funciona como hogar-escuela para la instrucción primaria y la capacitación laboral. Éste llega a albergar a 250 niños entre diez y catorce años que hasta ese momento "eran entregados a la Armada para servir como grumetes bajo pena de azotes, o bien iban a la penitenciaría a ocupar una celda, entregados a la ociosidad, mal vestidos, peor alimentados, en contacto con criminales por el delito de no tener padres".[23]

El ideal de acompañar el crecimiento de estos niños –su salud física, mental y moral– se va materializando a través de estos establecimientos de semiexclusión, en el que el orden y la disciplina homogeinizan todo trato personal con estos niños. La aplicación de programas de educación no sólo escolar sino también en las costumbres, en los tratos, en la adquisición de una conducta sumisa y obediente se vincula a los principios de la fe católica y a los ideales de forjar una futura sociedad laboriosa y pujante, tal como el presidente Julio Roca afirma en 1894 en la inauguración del Instituto Aguirre: "Velar por el desarrollo y el crecimiento de la infancia para formar ciudadanos aptos para la sociedad y la patria".[24] El Estado busca colaborar con organizaciones civiles de este tipo, que contribuyen a la realización de tales objetivos. Así, la asistencia médica a través de los consultorios del Sanatorio de Menores y la Sala Cuna son los dos ámbitos principales en donde se ejerce el control y la asistencia sanitarios y la indispensable atención a los huérfanos por parte de las amas de leche.[25]

El Patronato publica entre 1892 y 1914 la *Revista de Higiene Infantil*, dirigida por dos de los principales médicos higienistas de nuestro país, Emilio Coni y Manuel T. Podestá. En esta revista intentan dar cuenta de la actividad médico-asistencial, medicina clínica y cirugía infantil, realizada en el Sanatorio de Menores, y además difundir "consejos especiales para las madres de familia sobre la crianza de los niños, para los maestros sobre la higiene del niño en la escuela y para los industriales dueños de fábricas, etcétera, sobre la higiene del niño en los talleres" en la llamada "sección doctrinal". Otro ejemplo de esta vinculación entre el Patronato y la asistencia sanitaria se da en 1893 cuando, a través de esta publicación, se propone la creación de colonias de verano para niños débiles, proyecto que se lleva a cabo en 1902 en colaboración con la Liga Argentina de Lucha contra la Tuberculosis.

En el dominio de la capacitación laboral, el Patronato se propone crear la Escuela de Artes y Oficios y para eso instrumenta colectas nacionales y las famosas fiestas primaverales del parque Lezama. También en 1900 se pone en marcha la instalación de una colonia agrícola en terrenos cedidos por el Estado en la localidad de Claypole, provincia de Buenos Aires.

A partir de 1902, el Patronato funda las llamadas "escuelas patrias",[26] la segunda sala cuna y patrocina un nuevo proyecto de ley de protección a la infancia en el que propone que los menores de diecio-

La confrontación con las políticas del Estado por parte de los grupos socialistas y libertarios exhiben un ideario basado en la responsabilidad y el protagonismo de clase. Esta concepción de un individuo pleno de derechos que constituiría un nuevo orden social y económico, una nueva sociedad, se sostiene en la lucha y la participación de todo el conjunto del pueblo, sin exclusiones.
Niños en un acto político, 1905.
(Archivo General de la Nación)

cho años expósitos, huérfanos, abandonados o maltratados queden bajo la protección del Ministerio Público de Menores y de las sociedades de beneficencia creadas para tal fin.

Utopía y fatalidad
No obstante, esta concepción de la atención de la niñez resulta inconciliable con la de otros sectores civiles, como el feminismo anarquista y socialista. Las llamadas "sociedades populares de educación" en general apuntan al logro de la escolarización masiva y a atender las necesidades específicas de la niñez. Dentro de éstas, son las vinculadas al socialismo y al anarquismo las que producen intervenciones originales. Las mujeres de estos movimientos realizan un importante trabajo vinculado a la docencia, promoviendo una educación más democrática y laica, desvinculada de la moral religiosa católica. En este sentido, buscan integrar en forma más igualitaria a los niños marginales a través de formas participativas, y trabajando sobre y a partir de las condiciones sociales de la vida infantil. Denuncian activamente las condiciones de explotación del trabajo de niños y mujeres en publicaciones de la época y en congresos (el Congreso Feminista Internacional de 1910, los Congresos del Niño de 1913 y 1916).[27] Por otro lado, desde estas intervenciones docentes y sociales concretas, critican severamente la exclusión de los niños marginales que se refuerza desde las intervenciones estatales o privadas católicas a través de los institutos de menores, asilos, orfanatos, el Patronato de la Infancia, etcétera. La forma de institucionalizar esta franja de la población infantil más carenciada a través de estos encierros, estigmatiza la propia identidad de los niños, al mismo tiempo que institucionaliza su separación del resto de la población infantil con la creación de una especie de "sistema educativo paralelo".[28]

La valoración de la infancia como un sujeto de derechos en los movimientos anarquistas y socialistas, y no sólo como objeto de asistencia,[29] se cristaliza en la promoción de la participación de los niños en eventos políticos (la huelga de inquilinos de 1907 y las celebraciones del 1° de Mayo), sociales (a través de asociaciones como el "Hogar de Canillitas", la "Sociedad Protectora de la Infancia de La Plata") y escolares (la instalación del "gobierno propio" infantil en varias escuelas del país, promovido por maestros e inspectores militantes socialistas). Las representaciones y valoraciones en torno a la mujer y el niño en el marco de la familia obrera cobran nuevas significaciones a medida que los roles se reacomodan y crean ellos mismos nuevas condiciones.

No obstante, mientras avanza la actuación del Estado en la segunda década del siglo (sobre todo a partir de 1914-1916) en el terreno del sistema oficial de educación pública, la identidad del niño-alumno se ins-

tala en forma más estable y extensa, y las contribuciones e innovaciones de estas asociaciones quedan encauzadas y subordinadas en forma más definida dentro del sistema oficial. A la vez, el mencionado sistema de exclusión de los niños recluidos en los institutos y asilos, a fines de la segunda década queda cristalizado, marcando irreversiblemente la fragmentación entre las diferentes vidas de los niños argentinos.

El niño escolarizado cuenta con el espacio que le brinda la institución escolar obligatoria como ámbito considerado imprescindible para su desarrollo individual y social.
Niños en la escuela en la década del veinte. (Colección particular de la familia Hernández)

Notas

1. J. C. Ríos y A. M. Talak, "La Sociedad de Psicología de Buenos Aires de 1908", en *Anuario de investigaciones,* vol. VI, Buenos Aires, Fac. de Psicología, Univ. de Bs. As, 1998.

2. V. Mercante, "Notas sobre criminología infantil", en *Archivos de psiquiatría, criminología y ciencias afines*, Tomo I, 1902, p. 34.

3. La familia promedio de cinco personas compartía una habitación de 3,6 x 3,6 metros, aproximadamente. C. Solberg, *Inmigration and Nationalism in Argentina and Chile: 1890-1914*, Austin, University of Texas Press, 1970.

4. Las escuelas normales creadas a partir de 1880, el Instituto Nacional de Profesorado Secundario (que después de varios inconvenientes, comienza a funcionar en 1908), la Sección Pedagógica de la Facultad de Derecho y Ciencias Sociales de la Universidad de La Plata (a partir de 1906, convertida en Facultad de Ciencias de la Educación en 1914), así como la Facultad de Filosofía y Letras de la Universidad de Buenos Aires, abordan el problema de la formación docente como la clave para incidir en la transformación del sistema educativo. Dentro de estas perspectivas, la didáctica y la pedagogía se ocupan en forma primaria de la educación pública y ven la psicología como un instrumento indispensable.

5. Vidal, "Los factores psicológicos del movimiento educacional argentino", en *Anales de Psicología*, Sociedad de Psicología de Buenos Aires, Tomo III, 1914, p. 501.

6. La aparente paradoja entre la promoción de un desarrollo nacional y local y, al mismo tiempo, el intento de introducir el país en un orden internacional y según los ideales de la cultura moderna, son resueltas a partir de una postulación de orden metafísico, la unidad de lo real, y de un modelo de progreso único, inexorable, donde lo racional termina por triunfar e imponerse. De esta manera, el desarrollo de la nación se integra en un orden internacional en el que los progresos de las diversas naciones terminan compartiendo los mismos caracteres e ideales universales.

7. Cf. el análisis de la noción de "lo normal" en G. Canguilhem, *Lo normal y lo patológico*, Buenos Aires, Siglo XXI, 1974.

8. R. Senet, *Elementos de psicología infantil*, Buenos Aires, Cabaut y Cía., "Prefacio" 1911, reproducido en Vezzetti, *El nacimiento de la psicología en la Argentina*. Buenos Aires, Puntosur, 1988, p. 124.

9. *Ibíd.* p.126.

10. *Ibíd.* p. 123.

11. P. Ariès, *Ensayos de la memoria 1943-1983*, Colombia, Norma, 1996, p. 283.

12. J. M. Paz Anchorena, "Prevención de la vagancia", en *Revista de Criminología, Psiquiatría y Medicina Legal*, V, 1918, p. 711.

13. V. Sierra, "La minoridad que delinque en la ciudad de Buenos Aires", en *Revista de Criminología, Psiquiatría y Medicina Legal*, IV, 1017, pp. 59-60.

14. *La Voz de la Mujer*, Año 1, N° 2, Buenos Aires, 31-1-1896.

15. En 1893 se crea el Depósito 24 de Noviembre para alojar a los sospechosos de delitos, en tanto el Departamento Central de Policía queda para los contraventores y detenidos preventivamente. En este último, mientras se instruye el sumario, los menores permanecen con los detenidos adultos. Las penas (art. 54 del Código Penal)

pueden ser prisión, penitenciaría y presidio, de las cuales sólo la primera puede ser aplicada a los menores. La Prisión Nacional (antes Asilo de Reforma de menores varones y Cárcel de Encausados) contiene pabellones separados para menores y adultos.

16. C. Ruibal, *Ideología del control social Buenos Aires 1880-1920*, Buenos Aires, Centro Editor de América Latina, 1993, p. 41.

17. U. Fernández, "La protección y asistencia social del recién nacido, hijo de menores sujetos a la tutela del Ministerio Público", en *Revista de Criminología, Psiquiatría y Medicina Legal*, IV, 1917, pp. 295-297.

18. J. C. Ríos, "José Ingenieros, psicología y mala vida", en *Anuario de investigaciones*, Vol.V, Buenos Aires, Fac. de Psicología, Univ. de Bs. As., 1997.

19. Ingenieros menciona que en este Congreso hubo una sección dedicada a los menores, en la cual se establece un criterio de distinción sustancial entre el adulto y el niño: las faltas o delitos de este último no permiten calificarlo de criminal. El menor en esta situación no puede ser "penado", sino "corregido, educado y reformado", Ingenieros (1916), en *Criminología*, *Obras completas,* Tomo II, Buenos Aires, Ediciones Mar Océano, 1962, pp. 387-8.

20. P. Meléndez, "Breve estudio sobre menores delincuentes y escuela correccional", tesis doctoral, Buenos Aires, 1900, p. 9.

21. Ingenieros, *op. cit.*

22. *Cien años de amor*, Buenos Aires, Patronato de la Infancia, 1993.

23. *Ibíd.*

24. *Ibíd.*

25. El Patronato de la Infancia cuenta con un registro de nodrizas que ejerce el control sanitario respectivo, y por consiguiente una correspondiente selección de aptitud lactaria y de salud física en general. E. Pagani, y M. V. Alcaraz, *Las nodrizas en Buenos Aires. Un estudio histórico (1880-1940)*, Buenos Aires, Centro Editor de América Latina, 1988.

26. En 1907 aparece un artículo periodístico del doctor Francisco Lavalle titulado "Los horrores de la quema de basura", en el que describe el espectáculo de hombres y niños buscando su alimento entre los desperdicios de la Reina del Plata. Esto inspira a las autoridades del Patronato a crear tres escuelas aledañas al llamado "barrio de la quema" en Flores y al "barrio de las ranas" en el Parque de los Patricios, donde los niños recibirán instrucción pública y alimentación diaria, convirtiéndose en los primeros comedores escolares en la ciudad de Buenos Aires.

27. Cf. Little, "Education, philanthropy, and feminism: components of Argentine womanhood 1860-1926", en A. Lavrin (comp.), *Latin American Women*, Westport, CT, Greenwood Press, 1978, pp. 235-253.

28. Sandra Carli ha trabajado esa problemática en el Informe Final de su investigación "Transformaciones del concepto de infancia en las alternativas pedagógicas 1900-1955", APPEAL-CONICET.

29. Idea expresada en la "Liga Nacional de Maestros", fundada en 1910 por el maestro anarquista Julio Barcos.

La pampa gringa, invención de una sociabilidad europea en el desierto

Eduardo Hourcade

La expresión "pampa gringa", especialmente su uso más reciente en la historiografía argentina, hace referencia al área sur de la provincia de Santa Fe, junto al sur cordobés y el norte bonaerense, zonas valorizadas mayoritariamente por el aporte de inmigrantes ultramarinos a fines del siglo XIX y comienzos del siglo XX. Tales trabajos historiográficos, por lo general, subrayan el aspecto económico de dicho proceso, al tiempo que también se han ocupado de los conflictos sociales y políticos derivados de esa intensa experiencia modernizadora.[1]

Pero a nuestro juicio, tal vez no se ha prestado demasiada atención al hecho de que construir una nueva sociedad en la pampa ha sido también una experiencia de producción de sociabilidad, en la que se entrecruzaron variados horizontes de representaciones y se ordenaron en diferentes proyectos tendientes a una vida social más rica, con todo un nuevo mundo de instituciones y con códigos convencionales propios. Al mismo tiempo, la introducción de un nuevo estilo civilizatorio aparejó también la constitución y divulgación de nuevas maneras de la sensibilidad privada.

Para bosquejar los rasgos de esta nueva sociabilidad que se gesta en la pampa gringa, abordaremos, en primer lugar, las modalidades de organización de los emplazamientos urbanos. En segundo lugar, y ya en el ámbito específico de la vida cultural urbana, veremos más de cerca algunas de las prácticas que la componen, y finalizaremos nuestro recorrido con un inventario de las ceremonias que le están asociadas. Asimis-

La fiesta del santo local es una expresión de la sociabilidad que se gestó en la pampa gringa. En la procesión de la imagen venerada, al igual que en los desfiles oficiales, se realizaba la exhibición de la ciudad. (P. Grela, La Pampa, génesis de la Colonia y Pueblo Chabás, Rosario, Pago de los Arroyos, 1983)

mo, intentaremos mostrar cómo cada una de estas instancias "públicas" se conecta con la producción de esa nueva sensibilidad "privada", completando un circuito de sentidos.

Para empezar, no obstante ser bien conocido, resulta necesario hacer una breve referencia al "escenario del proceso". En la segunda mitad del siglo pasado, la provincia de Santa Fe tiene un papel protagónico en el crecimiento socioeconómico que experimenta la Pampa Húmeda como conjunto, a través de la integración en el mercado mundial sobre la base de la exportación de productos de origen rural.

El ritmo vertiginoso con el que esta modernización se lleva a cabo, nos informa del aumento de la superficie ocupada por la provincia de Santa Fe:[2]

Año	Superficie provincial (en km^2)
1853	24.100
1867	57.000
1876	82.585
1890	131.582 (aprox. actual)

Como puede verse, en el corto lapso de 40 años, el territorio ocupado por la provincia se multiplicó por cinco (para ser precisos, un 546%). Buena parte de esta expansión se realizó sobre los suelos pampeanos, muy aptos para la moderna producción de alimentos.

Junto al proceso de ocupación de nuevas tierras, debe anotarse, como factor destacado de la expansión, el aumento de la población en cuanto resultado, sobre todo, de la afluencia de inmigrantes de ultramar. Dicho crecimiento poblacional está correlacionado también con la fuerte expansión de la población urbanizada, como consecuencia de las nuevas colonias, pero sobre todo por el acelerado crecimiento demográfico de Rosario y de Santa Fe, aunque esta última con menor ritmo.

La ocupación del suelo y la radicación de nuevos habitantes abocados a tareas rurales no determinó necesariamente la formación de una sociedad agraria. Por las características de este proceso de modernización organizado alrededor del mercado y del comercio, ese mundo agrario es subsidiario de una economía que tiene sus principales nudos en las "ciudades". Toda una trama de urbanización constituida por pequeños núcleos poblados que, por medio de la estación de ferrocarril, conectan las hasta entonces aisladas regiones pampeanas con el resto del mundo y, además de ser proveedores de capital y de hombres para el trabajo, son igualmente proveedores de imágenes acerca de lo que debe ser la vida social en las condiciones modernas.

Nos interesa subrayar esta centralidad del fenómeno urbano, a veces ignorada. Durante el período comprendido entre 1870 y 1920, en la provincia de Santa Fe se fundan centenares de localidades. Varias de ellas hoy han desaparecido y algunas pocas lograron consolidarse hacia el Centenario como centros urbanos de importancia. Un siglo más tarde, la significación de la mayoría de estos emplazamientos –especialmente en el sentido que aquí los analizamos, esto es, como sitios de producción y difusión de nuevos estilos de vida públicos y privados– se ha reducido considerablemente. Pero estas localidades, consideradas como centros urbanos, no sólo fueron sede de ciertas actividades económicas cruciales en el proceso productivo, sino que también produjeron significaciones y prácticas nuevas. Por ejemplo, nuevas relaciones entre las personas y entre los géneros, cierto aumento de la heterogeneidad social y nuevos modos de la acción individual y colectiva.

Es posible rastrear en ellas las modalidades de puesta en marcha de un tipo de sociabilidad que se propone alcanzar un registro "civilizado", con ciertas presunciones de sofisticación. Así entendemos que estos núcleos urbanos sean también un espacio de producción cultural. Si la civilización ha de derrotar a la "barbarie" –entendiendo por ello nuevas maneras de organizar el espacio, de representar las distancias sociales, de señalar separaciones entre los sexos y de promover la instrucción y la elevación espiritual de cuantos se reúnen en sus inmediaciones–, estas pequeñas localidades fueron la sede de una experiencia de urbanidad cuyo papel merece ser destacado. La vida privada también va a ser redefinida en ese clima de organización más "moderno" que se respira en el ambiente.

La utopía urbana

El trazado de las nuevas colonias en la "pampa gringa" remite a un esquema de ordenamiento espacial donde se puede observar, a un tiempo, una serie de imposiciones derivadas del ordenamiento legal que regula con precisión sitios y funciones, mientras que también nos enfrenta con otro ordenamiento, contenido en las representaciones mentales acerca de lo urbano, y que ha dejado como consecuencia unas modalidades muy homogéneas de urbanización, donde cada localidad se parece casi exactamente a su vecina.

Por una parte, existen disposiciones legales que exigen la disponibilidad de una porción de las tierras públicas en la colonia, destinadas a plaza, iglesia y edificios de uso público –escuela, comisaría, autoridades locales–, cuya delimitación es exigida a los colonizadores como requisito para la aprobación de su plan de urbanización. En segundo término, las representaciones formales del tejido urbano que recurren primordialmente a la cuadrícula y las líneas rectas, dan forma al espacio literalmente vacío que se intenta convertir en urbe. Y dado que el terreno donde las colonias se edifican es casi absolutamente plano, nada parece capaz de interrumpir esa geografía monótona. La línea férrea, establecerá, no obstante, principios de separación. La instalación de los edificios de uso público y su envoltura de construcciones más o menos presentables se hace frente a la estación del ferrocarril. A sus espaldas, en cambio, "del otro lado de la vía" toma forma una comunidad de habitantes menos integrados en el ensayo urbanizador pero, a la larga, igualmente sometidos a la geometría de loteos y cuadrícula.

Este tipo de organización previa del espacio permite apreciar una matriz de ideas acerca de lo que debe ser la sociedad. En principio, estas futuras urbes están diseñadas para evitar el hacinamiento. Por cierto que tal fenómeno no era imaginable en un espacio casi "vacío" –al menos desde el punto de vista de los recién llegados–, pero no quedan dudas de que los planos de la futura localidad tratan de tomar distancia tanto de los modelos de habitación predominantes en Europa –urbes de densidad elevada y de una intensa convivencia entre sus habitantes–, como del fenómeno del hacinamiento urbano, esta vez de tipo americano, que se producía en las grandes ciudades como Buenos Aires o Rosario. Como consecuencia de ello, se da una vida familiar más concentrada en sí misma, con una separación bien marcada entre vivienda y vivienda, en la que la esfera de lo íntimo puede expandirse con mayor fuerza. A diferencia de las grandes ciudades –donde para ingresos no muy modestos el acceso a una vivienda con suficiente espacio para habitaciones, con algún jardín y árboles frutales, sólo era posible en regiones relativamente periféricas–,[3] en estas localidades resulta más sencillo disponer de espacio más abundante para cada familia.

Si la fundación de las colonias y su posterior desarrollo hacia centros urbanos más o menos logrados fueron consecuencia de impulsos de naturaleza económica y comercial, el resultado ya apuntado de un tipo de urbanización en serie, tan homogénea, tan idéntica de una localidad a la otra –como son idénticas entre sí las estaciones del ferrocarril a cuya vera están construidos estos emplazamientos–, es el producto de un imaginario, entre otros posibles, acerca de las notas de la vida moderna que aquí va a desarrollarse. Unas calles relativamente anchas, el arbolado de veredas y plazas, algunas avenidas, a veces un boulevard, unen los sitios nodales de la vida local. La estación de ferrocarril, junto a la que encontramos, infaltable, un almacén y despacho de bebidas –más tarde–. La misma estación funciona como área de servicios para público y

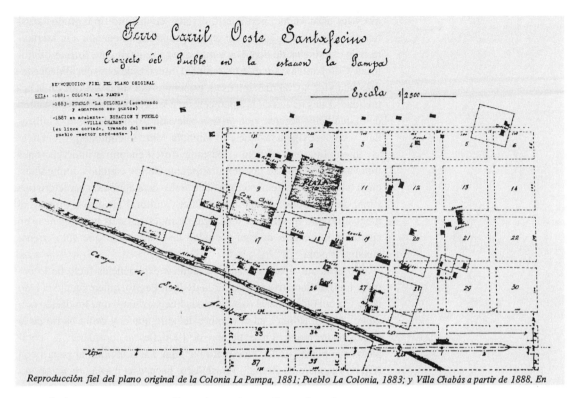

Reproducción fiel del plano original de la Colonia La Pampa, 1881; Pueblo La Colonia, 1883; y Villa Chabás a partir de 1888. En

mercaderías, en tanto, a corta distancia, se desarrolla un área de comercios al por mayor y menor.

Por precaria que sea la estructura edilicia de los nuevos poblados, contienen en germen el conjunto de instituciones que se espera crecerán más tarde armónicamente. Estas ciudades "sin historia" tienen, no obstante, un pasado que se encuentra fuera de ellas mismas, y quienes vienen a organizarlas y poblarlas comparten una serie de nociones respecto de lo que deben llegar a ser. Es decir que si carecen de historia, no se puede decir que carezcan de "futuro", entendiendo por tal cosa representaciones acerca de lo que se espera alcanzar con el paso del tiempo. Sólo un ejemplo: la colonia Esperanza, con su prensa trilingüe –en momentos en que en el resto de la provincia y en sus ciudades más importantes apenas hay periódicos que sostengan una aparición regular–, muestra con claridad lo que queremos expresar: que los precarios tejidos urbanos exhibían –o al menos intentaban hacerlo– cristalizaciones que iban bastante más allá de lo esperable; un tanto artificiosamente, trataban de dar la idea de una vida algo más rica que lo de era en realidad.

Vemos así proliferar en las nuevas localidades, entre principios de si-

La organización del espacio urbano terminó de definirse con la extensión del ferrocarril. A través de las vías el pueblo quedó dividido en dos partes. Plano del Ferrocarril Oeste Santafesino. (Grela, P., La Pampa, génesis de la colonia y Pueblo Chabás, Rosario, Pago de los Arroyos, 1983)

glo y los años veinte, periódicos, revistas de distinto tipo, grupos artísticos inclinados a la ópera o al teatro, grupos de iniciación a la literatura o de estudiosos de diversos temas que se reunían para formar bibliotecas. Comparadas con nuestra realidad, muchas de estas localidades tenían una vida social más intensa a principios del siglo XX que en la actualidad. Tales realizaciones parecen ser posibles por una representación de lo que debía ser una vida urbana "elevada", o simplemente "civilizada", y de las exigencias que ello imponía sobre lo cotidiano.

Si en el terreno edilicio es bastante difícil encontrar intervenciones innovadoras, o que se aparten claramente de los cánones dominantes, en el terreno de las realizaciones culturales esta apuntada característica serial de la producción de vida urbana y cultural alcanza a ofrecer, al menos durante un tiempo, una serie de muestras más heterogéneas en cuanto a iniciativas de una sociedad civil que sabe que sólo cuenta consigo misma.

No obstante, aparecen también algunas experiencias fuera de lo común. La más llamativa parece ser la de Juan Pescio, quien intentó al lado de la Colonia Candelaria –actual ciudad de Casilda–, una fundación original: "Nueva Roma", tal el nombre del sitio que hoy es un barrio de la mencionada ciudad.[4] En septiembre de 1900, Pescio considerará tan completos sus planes de la "Nueva Roma", que hasta invitará al papa León XIII, "prisionero de Roma", a trasladarse hacia esta nueva urbanización.

La invitación es en realidad una ironía, porque Juan Pescio considera que la "vieja" Roma debería imitar a la "Nueva Roma", reino de la libertad y del anticlericalismo, en donde el 20 de septiembre de 1900 se conmemora el trigésimo aniversario del ingreso de las tropas italianas a la "vieja" Roma. Esta impostura alcanza su máxima expresión en el siguiente diálogo recitado por dos niñas, una simbolizando a la "vieja" Roma y otra, a la "Nueva Roma". También participaba del diálogo su autor, igualmente fundador de la "Nueva Roma":

"Roma (madre): Hija, reconozco que el sentimiento italiano no ha degenerado en ti, y que tu creador, señor Juan Pescio, supo infundirte sanas doctrinas. ¡A ti la palma... y que ella te sea presagio de gloria! ¡Y a tu fundador, mi gratitud por su amor patrio!

"Nueva Roma (hija): Madre, orgullosa acepto la palma con que premias mis humildes sentimientos, y te juro que sabré conservarla pura, siendo para mí un amuleto contra las funestas intrigas del Partido Negro. En estas lejanas regiones del Plata, en esta gloriosa República Argentina que es mi patria nativa y a la sombra de los sagrados colores blanco y azul, mostraré al universo que sé conservar bien y difundir mejor las ideas de libertad que me han sido enseñadas.

"Juan Pescio: ¡Oh, Magna Roma!, la gratitud es para mí premio más

sagrado que mi vida. A su vez juro que jamás los puros y nobles sentimientos de mi adorada 'Nueva Roma' serán manchados por la podredumbre del clericalismo. ¡Viva Italia, España, Colombo y la República Argentina, mi segunda patria!".

"Nueva Roma" no fue un proyecto exitoso, al menos en el sentido grandioso con que lo imaginara su autor, y a pocos años de su fundación fue unida a su vecino más desarrollado, Casilda; pero durante cerca de una década, Pescio dedicó una parte de su fortuna a convencer a autoridades locales, corresponsales extranjeros y a los propios habitantes que comenzaban a poblar su urbanización, de que el suelo americano podría ser buen receptor de este ideario, capaz de albergar una serie de construcciones que rivalizaran con la magnificencia de la ciudad papal. En tal sentido, Pescio lanzó una serie de suscripciones de lotes de tierras ubicados en posiciones centrales dentro de los planos de "Nueva Roma" con el objeto de financiar un gigantesco edificio destinado a rememorar la gesta de Colón. Estaría emplazado en el centro de la nueva colonia, conformado por una torre cónica consistente en una serie de pisos encolumnados que se elevarían hasta los 250 metros sobre una planta circular que en la base alcanzaría los 125 metros de diámetro. "El número de columnas que constituirán el monumento será de 8584, de 55 metros de alto y cinco metros de diámetro cada una, siendo construida de hierras seccionales, machihembrados el uno con el otro y de un metro de alto." El gigantesco complejo sería ocupado por un sinnúmero de actividades culturales, teatros, exposiciones, casas de comercio, actividades recreativas, música, observatorio astronómico, etcétera. El remate de la torre estaría compuesto por una esfera metálica de 18 metros de diámetro, sobre la que se colocaría una estatua de Colón de 9 metros de altura.

Como resulta obvio, los terrenos de "Nueva Roma" eran demasiado baratos como para que su venta procurara los recursos para la construcción de tal conjunto monumental (y cuya factibilidad técnica en la época era cuando menos dudosa). Jamás llegaría a realizarse, y el destino americano de la "Nueva Roma" sería bastante menos luminoso de lo que su fundador imaginara. Pese a su carácter fallido, tal vez "Nueva Roma" sea una muestra de lo que estas utopías urbanas aspiraban a desarrollar.

Para empezar, el lugar elegido por Pescio para su emplazamiento no podría haber sido mejor. Sin sospechar que ello luego la condenaría a una subalternidad definitiva, "Nueva Roma" fue emplazada vecina a Casilda, una de las colonias más dinámicas hacia los años 1880. En parte, fueron las utilidades que esta colonia dejó a su propietario-administrador, Carlos Casado del Alisal, las que le permitieron desarrollar un sistema ferroviario que sería próspero y autónomo durante cerca de dos

El proyecto de Juan Pescio es una de las representaciones de la utopía urbana. El gigantesco complejo, con el fin de rememorar la gesta de Colón, sería sede de un sinnúmero de actividades.
Juan Pescio junto a su proyecto. (A. Ascolani, Nueva Roma. El frustrado pueblo de Juan Pescio, Casilda, Platino, 1991)

décadas. ¿Es que no hay también algo de utópico en la acelerada edificación del paisaje urbano de Casilda, no por cierto en lo que hace a su originalidad, sino en la vertiginosa velocidad con que la naturaleza es reemplazada por el control humano?

Para respondernos, veamos a un entusiasta observador que recorre la Colonia Candelaria. Se trata de Estanislao Zeballos. "Estamos ya en el laberinto de zics zacs [*sic*] formados por las calles perfectamente rectas, anchas y limpias que dividen los cuadros de trigo, de lino, de maíz. Tomamos la calle real. ¿Tiene Buenos Aires una avenida más larga, más ancha, más espaciosa, mejor festoneada de árboles? ¿Hay en nuestra metrópoli una calle más hermosa y apropiada para grandes y marciales revistas, para las cabalgatas de los carreristas y paseantes o para el desfile de las carrozas deslumbrantes? Prolongad la avenida Sarmiento en un trayecto de cuatro kilómetros, poned en lugar de sus lánguidas palmeras, dobles filas de esbeltos y rumorosos álamos, y tendréis la calle real de la colonia Candelaria. Las calles laterales que caen a la avenida están igualmente guarnecidas de hileras de árboles, porque éste es el cerco que se exige para las concesiones, de tal suerte que se viene a los ojos el espectáculo de una ciudad del nuevo sistema, la más higiénica ciudad imaginable, formada de colosales manzanas o cuadras de dorado aspecto, con marcos de lozano verdor."[5]

Este modelo de "ciudad higiénica" –sobre el que se ha llamado poco la atención–, se reproduce por centenares en la región, con características, como ya dijimos, más o menos equivalentes. Es igualmente cierto que en el proyecto de estas ciudades están ausentes los parques y los espacios verdes, pero no porque los mismos se hayan desconsiderado, sino porque forman parte de lo "privado". Lo que en la gran urbe debe, casi forzosamente, ser espacio público, en estos nuevos sitios queda incluido en el dominio de lo particular de sus habitantes.[6] La imposición de esta variante del modelo de "grilla", propio de la pampa gringa, se produce con una sistematicidad equivalente a la que alentaba el proceso de cuadrícula en las grandes ciudades, como podemos ver en el caso siguiente.

Siempre en la misma región, a 20 kilómetros hacia el SO de la Colonia Candelaria se encuentra la localidad de Chabás, así denominada a partir de 1892, pero que preexistía con otro nombre. Carlos Casado había vendido tierras en la zona indicada a Pascual Chabás, quien, sin obtener autorización de ninguna clase, organizó una colonia. En 1883, Chabás instala un almacén de ramos generales en la zona, que pronto se ve rodeado de una carnicería, una carpintería, y se comienzan a agregar ranchos en diversas ubicaciones. El paraje, conocido como La Colonia, reserva un terreno de forma oblicua que ha sido designado para plaza, pero no hay planos, y las viviendas y las actividades se configuran de manera irregular. El aumento de residentes en el lugar –aproximadamente unas quinientas personas– obliga a que el Estado designe un policía para tratar de imponer algún tipo de control sobre una población en la que con cierta frecuencia se producían hechos de sangre. No obstante la nueva presencia estatal, La Colonia sigue sin cumplir las exigencias legales, y pese a no encuadrarse dentro de las normas que regulan las actividades del colonizador, Chabás seguirá loteando sus terrenos y traspasándolos a manos de compradores extranjeros.

Este modo, si se quiere anárquico o al menos desordenado, de organización del espacio urbano tendrá su fin poco tiempo más tarde, cuando Carlos Casado extienda el Ferrocarril Oeste Santafesino y alcance las tierras de lo que de ahora en adelante va a ser conocido como Villa Chabás. La llegada del tren reorganizó completamente esa modalidad "atípica" constitutiva de lo urbano. Las vías dividen en dos al pueblo, y las nuevas calles se organizan en paralelo y en perpendicular al trazado de las vías, de manera que el centro del poblado es relocalizado y la cuadrícula típica será aplicada de aquí en más con mayor rigurosidad. Casi simultáneamente, en 1888 se organiza la primera Comisión de Fomento, aunque las dificultades ocasionadas por la carencia de fondos la sometieron a reiteradas crisis.[7]

Las preocupaciones de los funcionarios estatales o agentes de los ferrocarriles por ocupar con "racionalidad" el espacio –tal como se pudo apreciar en el texto de Zeballos–, no apuntan simplemente a un ordenamiento que pueda favorecer algún tipo de actividades productivas o de tránsito más facilitado. Resultan de un modo de organizar espacialmente la convivencia. Con seguridad estas pequeñas localidades albergaban en su interior muchas distancias sociales, pero también es seguro que, a diferencia de las grandes urbes como Buenos Aires y la misma Rosario, la distancia sociocultural entre ricos y pobres no fuera tan grande, al tiempo que sus respectivas experiencias tenían muchos puntos de contacto (la escuela, las actividades deportivas, etcétera). En un cierto sentido, estas pequeñas localidades eran sociedades con un nivel de integración bastante más fuerte que el que podía existir en esas otras urbes de mayor tamaño y anonimato.

Por otra parte, el ritmo vertiginoso del proceso expansivo ya reseñado encontró al Estado provincial poco o nada preparado para confrontarse con los efectos del nuevo clima que vivirá la provincia después de 1870. La limitación de los recursos económicos, sumada a ciertas perplejidades de los administradores provinciales frente a los nuevos fenómenos urbanos y migratorios, llevaron a una suerte de "coincidencia" entre las elites políticas y quienes ocupaban los espacios más notables en estas pequeñas aldeas, que se expresó en la relativa autonomía y autoadministración de las colonias por sus mismos colonos –ya hemos mencionado a las Comisiones de Fomento–. Pese a las instancias de conflicto entre poder local y poder provincial, estas pequeñas localidades nos ofrecen también una serie muy amplia de puestas en forma de la "sociedad civil", y en consecuencia hacen posible observar una serie de movimientos más "autónomos" por parte de ciudadanos que debían lidiar con la alteridad generada por orígenes nacionales ajenos, con una tendencia a identificarse con la Argentina como "segunda patria", siendo entonces productores de nuevas posibilidades simbólicas de la existencia.

Un tejido de instituciones

Un segundo aspecto a ser tenido en cuenta en este proceso de producción de una sociedad "civilizada", es el desarrollo de instituciones adecuadas para producir la complejidad de la vida social que se espera de estos núcleos urbanos. Como ya hemos dicho, el tipo de asentamientos en estas localidades expande las posibilidades de una vida íntima. En estas condiciones, donde el encuentro cara a cara de las personas no tiene tantas oportunidades como el que produce naturalmente la densidad de la vida cotidiana en las grandes urbes, es también necesario el desarrollo de ámbitos de encuentro colectivo para la resolución común de diferentes necesidades.

Las mismas deben atender, en primer lugar, a las funciones del (auto) gobierno local, a la organización de las instituciones de asistencia mutual y educativas, donde se entrecruza lo "estatal" con lo privado, y a la creación de asociaciones de distinto tipo con finalidades de promoción sociocultural.

Tomemos por caso la localidad de Alcorta, famosa por el conflicto agrícola de 1912. La línea férrea que une Villa Constitución con la Estación Alcorta fue inaugurada en mayo de 1890. Dos años más tarde, Juan Iturraspe solicitaba autorización al gobierno provincial para la fundación del pueblo en sus tierras. El plano elevado a la Oficina Topográfica preveía que los distintos lotes de tierra para labranza serían delimitados por árboles, y que se destinaría una serie de terrenos a las funciones que indicaba la ley, esto es, al Lazareto en la manzana número 110; en la manzana 3, los lotes D, E y F serían destinados a la escuela, y el juzgado se ubicaría en otros tres lotes de la manzana número 13. El propietario obtenía una serie de exenciones impositivas, pero, sobre todo, se beneficiaba con la venta de terrenos.

No bien se avanza en la organización del pueblo, se autoriza la primera Comisión de Fomento, en abril de 1895. Integrada por un presidente, un vicepresidente y un secretario, esta Comisión de Fomento es una muestra de la emergencia de un pequeño grupo de organizadores y dirigentes. Su presidente, el señor Martelli, es uno "de los primeros pobladores, agricultor, e integrante de la firma cerealera Genoud, Benvenuto, Martelli y Cía.". Igualmente, el secretario de la Comisión de Fomento, Pedro Pujol, es juez de paz de la localidad. Por falta de local propio, la Comisión de Fomento utiliza las instalaciones del Juzgado de Paz. Al año siguiente, organiza una suscripción para comprar un lote de terreno donde poder construir su propia sede.[8]

En su heterogeneidad y simpleza, las tareas que desarrolla esta comisión nos permiten percibir lo que entendían como labor pública. Comienzan por la organización de un matadero, financiado con un impuesto por cabeza a los que allí faenaran. Atender al alumbrado público es la segunda ocupación, y crea los primeros empleos para estas funciones. Los escasos fondos públicos son utilizados también para hacer fundir en Buenos Aires una campana para la iglesia. La atención de una mejor recaudación de fondos se encara mediante la creación de puestos de inspectores de abasto y de patentes. Si desde el punto de vista de la vida privada los nuevos emplazamientos crean unas posibilidades de difusión de modelos familiares más intimistas, la edificación

El establecimiento de instituciones de fomento y ayuda mutua expresa la necesidad de desarrollar ámbitos de encuentro colectivo para promover la resolución de las diversas necesidades de la comunidad.
Inauguración nueva sede social de la Sociedad Italiana. (A. Galletti y A. Pérez, Historia de un pueblo santafesino en los años de entreguerras. Totoras [1914-1943], Rosario, Fundación U.N.R., 1995)

de estas nuevas sociedades exigirá también la producción de espacios y funciones comunes.

En 1897 se comienza la construcción de la plaza pública, cuyo terreno estaba previsto en el plano fundacional. Para ello se adquieren álamos, quince bancos, y se monta un molino para irrigación. Las tareas comunales en los años siguientes incluirán la organización del cementerio y el empleo de un sepulturero, el otorgamiento de subvenciones a la escuela con destino a útiles –también recibirá una subvención el cura párroco– y la realización de obras de caridad de distinto tipo.

En 1901 se incorpora en calidad de vicepresidente comunal el señor Echezarreta, propietario de una cremería en la zona y dirigente radical que llegaría a ser parlamentario provincial. Un año más tarde, Echezarreta se convierte en el nuevo presidente de la Comisión de Fomento. La nueva gestión se encargará de regularizar la ocupación de espacios, especialmente en lo que hace a las veredas y construcción de tapiales, tareas para las que requerirá el trabajo de los presos por medio de un convenio con la Policía local. También se organizan los primeros festejos de carnaval y se mejoran las instalaciones de la propia Comisión de Fomento, ahora con galpones y depósitos. Como ya había ocurrido, pocos meses antes del fin de la gestión del presidente comunal es incorporado un nuevo secretario, que lo sucederá.

Para este tercer presidente comunal, las principales tareas serían pedir a la empresa ferrocarrilera la apertura de nuevos pasos a nivel –de modo que la traza urbana no fuera el paso obligado de las tropas de ganado que se llevaban de un sitio a otro–, atender una crisis suscitada por la aparición de una epidemia, de viruela, para cuya atención fue trasladado el Lazareto y reforzada su dotación presupuestaria. Igualmente y en atención a esta epidemia, se solicitó al presbítero la suspensión de reuniones. Rasgo indudable de la curiosidad de estas localidades por lo novedoso, esta solicitud se hizo también para unos empresarios que realizaban exhibiciones cinemátográficas.

El 25 de Mayo de 1910 será objeto de un especial festejo organizado por esta Comisión de Fomento. Se solicitó el cierre de puertas a los comercios de la localidad en adhesión a la fecha y se colocó una placa que fue donada al pueblo por la colectividad italiana. La invitación a esta ceremonia convocaba a que, "guiados por un mismo ideal, y confundidos en una sola agrupación, nos veamos argentinos y extranjeros, rodeando el sagrado emblema de la patria, cuyos valores simbolizan la inmensidad del infinito y la bondad sin límites, así sentiremos latir nuestros corazones ante la gloriosa enseña de mayo".

Aunque fuera notoria la presencia italiana, ésta no era, por supuesto, la única afluencia de extranjeros. En un informe elevado por la co-

En Casilda, a partir de 1875, la Unione e Benevolenza inició su actividad. A la instalación de una sala de enfermería siguió la fundación de una escuela, ampliando luego sus funciones en el ámbito económico. Interior de la Sociedad Unione e Benevolenza. (A. Ascolani, Nueva Roma. El frustrado pueblo de Juan Pescio, Casilda, Platino, 1991)

muna alcortense al Departamento de Trabajo en el año 1909, se detalla que la cantidad de trabajadores en el distrito alcanza a los 500. De ellos, 450 eran hombres, y se discriminaban así: 150 italianos, 90 españoles y el resto, argentinos. También los españoles habían organizado su propia asociación, correspondiéndole a don Ángel Bujarrabal ser fundador y primer presidente de la Sociedad Española de Socorros Mutuos. Bujarrabal era propietario de un almacén de ramos generales, y como tal patrocinó activamente la promoción de las actividades de organización de los arrendatarios que culminarían en la huelga que conocemos como "Grito de Alcorta".

Efectivamente, Bujarrabal facilitó el local donde se llevaron a cabo las reuniones previas: el sótano de su negocio. En junio de 1912 comenzará el conflicto agrario ya mencionado, y la presidencia de la Comisión de Fomento quedará a cargo de Bujarrabal al mes siguiente. El cura párroco, presbítero Netri, contribuirá al movimiento convocando a su hermano, un abogado de Rosario, para la dirección del proceso. La Comisión de Fomento dio un paso importante hacia la constitución de una especie de foco local de poder, que, por supuesto, terminó en conflicto con las autoridades provinciales.

Aunque el "Grito de Alcorta" impresiona como principio de un movimiento social de inusitadas proporciones, el hecho de que las comisiones de Fomento se convirtieran en protagonistas e impulsoras de movimientos políticos en contra de las autoridades provinciales tenía mucho menos de excepcional, como muestran los repetidos conflictos, incluso armados, entre grupos de residentes extranjeros apoyados en sus organizaciones étnicas y también en los espacios públicos del que disponían, con las autoridades civiles y policiales.[9]

El local donde los agricultores decidieron iniciar su movilización fue el de la *Società di Mutuo Soccorso de Istruzione Italia,* existente desde 1901, aunque sus estatutos recién fueron autorizados legalmente una década más tarde. La sociedad italiana, como la española, los clubes deportivos y los comedores y almacenes, eran los lugares de encuentro de los recién llegados. Reunidos en un espacio físico muy pequeño, definen en cada una de estas organizaciones actividades que les son propias, pero donde las pertenencias se yuxtaponen y las distinciones en momentos cruciales, como los de la movilización agraria, tienden a borrarse. Para el caso de Alcorta, "la casa de comercio de Ángel Bujarrabal, ubicada en el corazón del pueblo, fue el punto obligado de las reuniones de los agricultores y peones rurales, los cuales por entonces tenían acreencias por valor de $ 300.000. [...] Frente al negocio de Bujarrabal estaba instalado un bebedero para los animales, el cual medía seis o siete metros, y una estacada de madera donde los colonos amarraban las correas que sujetaban a los caballos. Cerca de aquel sitio funcionaba el Hotel Roma, el más lujoso de Alcorta, donde solían reunirse agricultores y obreros rurales. [...] Contiguos a dicho hotel tenían su sede los clubes Social y Unión, este último fundado en 1907, por lo que se los considera, junto con la Sociedad Italiana, como las instituciones más antiguas de Alcorta".[10]

Este modelo asociacionista se había difundido por toda la región desde Buenos Aires y Rosario. En esta última ciudad, a partir de 1854, las diferentes comunidades étnicas crearon sus asociaciones de asistencia mutua. Para el caso de los italianos, la *Unione e Benevolenza* fue organizada en 1868, y su influencia y ejemplo repercutieron después por toda la pampa gringa.[11] Resulta igualmente cierto que cuanto menos simple es el tejido social donde la mutualidad se implante, mayor será la serie de tareas que tenderá a desarrollar.

Tomemos nuevamente el caso de Casilda, donde la Unione e Bene-volenza se hace presente a partir de 1875. En primer lugar, instalaron una sala de enfermería, entonces la única facilidad de atención a la salud existente en la localidad; luego fundaron una escuela, cuya dirección fue confiada a un maestro de música. Ampliando sus funciones al ámbito económico, adquirió una trilladora con el objeto de servir a la extendida comunidad de los agricultores de origen italiano, pero la empresa resultó fallida. No obstante, las finanzas de la Asociación Italiana de Socorros Mutuos no iban mal. Apoyada en la contribución que cobraba a sus setenta asociados cotizantes, más el beneficio de una rifa, en 1882 logró equipar una nueva sede administrativa que incluía un salón para funciones teatrales. La fiesta principal tenía lugar los días 20 de septiembre, recordado como día de la Unificación Italiana, multiplicándose a lo largo del año los bailes o funciones destinados a promover fondos benéficos para la escuela o para los asociados en dificultades. La coordinación de la lucha contra la peste bubónica de 1900 también se llevó a cabo en su seno, y el éxito económico de la región y de la propia ciudad de Casilda se expresaron igualmente en la consolidación económica e institucional de la Sociedad Italiana de Socorros Mutuos hacia principios del siglo XX. Para ser integrante de la misma se exigía ser italiano o hijo de italiano y residir en Villa Casilda y alrededores. Los subsidios se otorgaban en caso de accidente, enfermedad o sepelio.

La promoción de instituciones educativas respondió predominantemente a la iniciativa estatal. En Villa Casilda, la organización escolar comenzó con la fundación de la localidad. Escuela Nº 242. (A. Galletti y A. Pérez, Historia de un pueblo santafesino en los años de entreguerras. Totoras [1914-1943], Rosario, Fundación U.N.R., 1995)

En cuanto a su equivalente para los inmigrantes de origen español, la Asociación Española de Socorros Mutuos se organizó en 1894, cuando fue fundado el "Centro Español", en momentos que la inmigración de estos orígenes comenzaba a hacer sentir su presencia numérica en la zona. Inicialmente abocada a actividades recreativas, recién en 1903 pudo organizarse como mutual. Los fines de la institución, tal como los expresara su estatuto, son: "la creación de un fondo común para socorro a enfermos, la acción armonizadora en las relaciones e intereses hispanoamericanos, y la conservación del amor a la madre patria.

Las instituciones que tendrían como objeto la educación también se ubicaron entre las primeras en desarrollarse, aunque en este caso la iniciativa estatal fue predominante. En la Villa Casilda, los intentos de organización escolar comenzaron con la misma fundación de la localidad, cuando se integró una "Comisión de Distrito Escolar" que, entre otros, incluía al organizador de la colonia, señor Carlos Casado. Sin obtener ayuda del gobierno provincial, intentaron sostener la escuela por sus propios medios, pero la llegada de malas cosechas interrumpió el pago al maestro. En 1879 se crearon dos escuelas fiscales, una para niños y otra para niñas, que funcionaron en locales inadecuados durante varios años, atendiendo a una población creciente. La escuela de niñas funcionaba en un local provisto por la Sociedad de Beneficencia, mientras que una escuela privada de varones ocupaba una sede alquilada. Aunque el precio era diferente (la de varones era más cara), ambas escuelas eran pagas.

En 1889 se empezó a organizar una escuela de grados, es decir, una oferta de estudios más completos que los "elementales" que hasta ese momento se habían dispensado. Años más tarde, en esa misma escuela se desarrollaría un curso nocturno para los adultos. El apoyo de la Comisión de Fomento con la cesión de un terreno permitió que se comenzara a edificar un local propio. El principal sostén de la actividad escolar era la propia Comisión de Fomento, que debería aportar fondos para proveer casi todo el funcionamiento. Igualmente se hallaba a cargo de estas comisiones la supervisión de la actividad educacional, esto es, el control del número de los alumnos, de las actividades desarrolladas por los maestros e incluso la revisión de los exámenes.

No obstante las dificultades, el aumento de la matrícula fue sostenido. En el Centenario, en Villa Casilda funcionaban tres escuelas fiscales, una de ellas "elemental", y había en total alrededor de un millar de estudiantes. En cuanto a las escuelas privadas, se hallaban vinculadas a las organizaciones étnicas. La sociedad italiana tuvo su escuela tempranamente, a la que se sumaron la Escuela Franco-Argentina en 1890 y el Colegio Argentino-Alemán en la misma década. La escuela privada de mayor prestigio estaba dirigida por un español secundado por dos maes-

Los locales de las asociaciones y sus bares eran los sitios donde podía producirse un encuentro casual, un espacio donde establecer vínculos y reforzarlos.
Salón de la Sociedad Italiana y cine. (A. Galletti y A. Pérez, Historia de un pueblo santafesino en los años de entreguerras. Totoras [1914-1943], Rosario, Fundación U.N.R., 1995)

tros de igual nacionalidad. También para las niñas de las familias acaudaladas existía un colegio católico, aunque la enseñanza religiosa fuese más bien excepción que regla en un medio cultural muy poco denso, y evidentemente laicista.

Un sistema ceremonial

La vida de las nuevas y precarias colectividades urbanas tenía también sus espacios celebratorios y sus sitios de conmemoración. Primer espacio público, la plaza de la localidad es el emplazamiento obligatorio de las ceremonias oficiales, que son básicamente de dos tipos: por una parte, las conmemoraciones de la "argentinidad" –25 de Mayo y 9 de Julio–, y en segundo lugar, el festejo de la fundación local.

En la mayoría de los casos, un mástil permitiría el izamiento de la bandera, luego de lo cual tendría lugar un "desfile". Empezando por los escolares, todas las personas con algún tipo de encuadramiento institucional participaban de esta exhibición que la localidad se daba a sí misma. Las asociaciones étnicas, del trabajo y de productores se sucedían, dándole así a la jornada variado carácter. Por una parte, ceremonia de identificación nacional y reunión festiva de un día feriado. También, y sobre todo, a partir del Centenario, manifestación de un compromiso adquirido con esta tierra americana por parte de quienes eran recién llegados, pero que imaginaban un futuro grandioso para la empresa personal y colectiva en la que se hallaban inmersos.

La ritualidad ceremonial tiene también la función de situar a cada uno en su lugar, exhibiendo así un tipo de "orden social" tal vez más ne-

La plaza, espacio público por excelencia, era el emplazamiento obligatorio de las ceremonias oficiales. Particularmente a partir del Centenario, en ellas se manifestaba el compromiso asumido con la "nueva tierra".
Fiesta del Centenario. (A. Ascolani, Nueva Roma. El frustrado pueblo de Juan Pescio, Casilda, Platino, 1991)

cesario que en otras partes, por cuanto se trataba de una sociedad en movimiento acelerado, y donde esta exhibición de título y funciones permitía un rápido y mutuo reconocimiento.[12]

En este sistema ceremonial, y aquí en una mayor relación con lo íntimo, las funciones religiosas tienen también un papel muy destacado. Si hemos comentado las dificultades de estas pequeñas localidades para darse una estructura mínima de funciones "estatales", complicaciones de naturaleza similar se aprecian tanto a la hora de asegurar lugares de culto (católico) dignos, como de obtener la dotación de sacerdotes necesaria. A pesar de las opiniones políticas más o menos anticlericales de muchos de quienes se integraron en la pampa gringa, por sus propios orígenes culturales resultaba inimaginable una completa vida civil sin la inclusión de las expresiones propias de la religiosidad y sin un sitio adecuado de ceremonias.

En este sentido, tal vez fuera posible distinguir un anticlericalismo de alcance político, acendrado en la tradición del pensamiento unitario italiano y que tan entusiastamente se expresara, por ejemplo, en las conmemoraciones del 20 de Septiembre de un sentimiento religioso que, reservado en el espacio privado, se mantiene igualmente fuerte. En el nuevo espacio social de la pampa gringa, es bastante obvio que, desde el punto de vista político, la Iglesia (el "Partido Negro" mencionado por Pescio) no era una presencia que pudiera infundir algún temor. En consecuencia, no sorprende que, siendo –como todo parece indicarlo– muy fuerte el sentimiento religioso en el mundo privado, esta misma cultura "laica" necesitara construir cuanto antes los espacios de la expresión de esa religiosidad más privada.

Para ello, se parte de considerar que en la fundación de la colonia había un solar destinado a la construcción de la iglesia, que también era consagrado en el momento de fundarse la localidad. Pero, al igual que el resto de los edificios, debía ser construido con rapidez y sobre todo de una manera digna a sus propósitos. En ocasiones, los fundadores agregaban además donaciones especiales y, en la medida en que la situación económica de los colonos lo hiciera posible, se realizaban trabajos de embellecimiento, adquisición de imágenes y objetos de culto.

A esta trabajosa tarea, en la que las distintas colonias competían por mostrar un mejor templo, se agregaba además el reconocimiento por parte de las autoridades religiosas como sede parroquial, lo que implicaba la designación de un cura a cargo de la labor pastoral. Dada la escasez de sacerdotes –recordemos una vez más la celeridad con que se llevan a cabo estos procesos de urbanización–, la asignación o no de un oficiante dependía de la magnitud de la localidad en cuestión, e incluso de los modos en que las jurisdicciones de las localidades eran definidas por el Estado provincial, en tanto esto delimitaba una superficie más o menos amplia donde el sacerdote debía ejercer su guarda de almas.[13] Pero incluso una vez obtenida la asignación del curato, era necesario proveer al mantenimiento del mismo. Cuando se comprobaba que, luego de un cierto tiempo, la comunidad de feligreses no era capaz de sostener materialmente al sacerdote, éste era autorizado para trasladarse a algún sitio cercano donde su vida fuera más aliviada y desde allí atender sus tareas en la sede anterior.[14]

Más allá de las opiniones políticas de corte anticlerical de muchos de los que se integraron en la Pampa Gringa, la vida civil incluía expresiones de religiosidad propias de sus orígenes culturales.
Iglesia de Santa Teresa. (A. Galletti y A. Pérez, Historia de un pueblo santafesino en los años de entreguerras. Totoras [1914-1943], Rosario, Fundación U.N.R., 1995)

Fuera de las ceremonias de identificación colectiva, las de mayor relevancia eran los entierros. En ellos, la exhibición comunitaria se trastroca en solidaridad frente al dolor. Sepelio en la vieja iglesia de Santa Teresa. (A. Galletti y A. Pérez, Historia de un pueblo santafesino en los años de entreguerras. Totoras [1914-1943], Rosario, Fundación U.N.R., 1995)

Teniendo edificio y cura párroco permanente, la iglesia se convertía también en sitio de conmemoración e identificación. Si las festividades "laicas" son las de la conmemoración nacional o las de la fecha de la fundación de la localidad, la fiestas religiosas son las propias del calendario católico, pero muy especialmente la del santo a cuya devoción ha sido consagrado el templo. La consagración del templo a un santo particular dependía de varios factores. A veces sus patrocinantes originarios decidían a quién estaría dedicado el sitio. Otras veces esto se decidía de manera formal, adoptando al santo de la jornada consagratoria. Pero también eran las simpatías de los colonos residentes en el lugar, en diálogo con el párroco, las que muchas veces definían la advocación definitiva, permitiendo así una mejor continuidad con las prácticas religiosas más caras al grupo a que iban destinadas.

La fiesta del santo de la localidad, acompañada por la procesión de la imagen venerada, es el complemento de las ceremonias laicas antes mencionadas, al igual que la exhibición de la ciudad a sí misma de una manera que no variaba demasiado de la del desfile oficial. Por supuesto, aquí la precedencia es diferente, porque corresponde al párroco –en ocasiones hasta el mismo obispo se puede hacer presente–; a continuación se colocan los miembros de la cofradía del santo y toda la población participará de la ceremonia. Entierros, matrimonios y bautismos son también momentos obligados de paso por la iglesia y de reunión de los habitantes del lugar, especialmente los primeros.

Si dejamos las ceremonias de la identificación colectiva y pasamos a aquellas que se vinculan particularmente a las personas, las de mayor relevancia son, indudablemente, los entierros. También en ellos los habitantes de la localidad se reúnen, pero no para exhibirse como conjunto, sino para hacer llegar a los deudos su solidaridad en el dolor. Salvo que se trate de la muerte de algún funcionario, o de la de algún dirigente de una asociación en ejercicio de sus funciones, el lugar del velatorio es en general la vivienda del muerto. Allí su familia trata, a un tiempo, de consolar su dolor y de brindar una acogida amable a quienes vienen a acercar su simpatía.

Las distancias sociales son especialmente visibles en la ceremonia fúnebre, y en todas las localidades de cierta importancia se cuenta con una empresa capaz de brindar los servicios con la "pompa" requerida. Esta exhibición de las diferencias sociales también es evidente en el cementerio, espacio ritual y de conmemoración, a cuya edificación y conservación se dedica considerable esfuerzo. La mayoría de las colonias

El cementerio, espacio ritual y de conmemoración, era objeto de considerables esfuerzos. Allí, al igual que en las ceremonias fúnebres, las distancias sociales eran visibles. Entierro de Francisco Pipino. (A. Galletti y A. Pérez, Historia de un pueblo santafesino en los años de entreguerras. Totoras [1914-1943], Rosario, Fundación U.N.R., 1995)

El baile, cierre apropiado de las ceremonias oficiales y otros eventos, promovía momentos de esparcimiento, donde se exhibían los vínculos existentes entre los habitantes.
(A. Galletti y A. Pérez, Historia de un pueblo santafesino en los años de entreguerras. Totoras [1914-1943], Rosario, Fundación U.N.R., 1995)

fue fundada en momentos en que la ley nacional establecía que la organización de los cementerios fuera responsabilidad estatal. La misma fue trabajosamente cumplida por las diferentes comunas y municipalidades, que encontraron un modo de combinar el esfuerzo público con la cesión de parcelas a particulares para que construyeran sus propios panteones privados, bastante lujosos y con una decoración preferentemente de estilo italiano.[15]

La ceremonia del entierro podía tener, sin embargo, variantes dadas por el mayor o menor sentimiento religioso del muerto o de sus familiares. No eran infrecuentes los funerales laicos –aunque su inhumación generalmente terminase en el sitio habitual del cementerio católico–, que en ciertos momentos del velorio o de la marcha previa al entierro exhibían sus notas distintivas: ausencia del sacerdote y de crucifijos –que podían ser reemplazados por elementos que distinguieran la nacionalidad o creencias liberales del muerto–, y, eventualmente, una detención ritual del cortejo en algún lugar donde el fallecido había desempeñado sus labores o expresado su pertenencia.

Además de las mencionadas tareas de asistencia y de educación consignadas, las sedes de las sociedades italianas, o la española, o la de alguna entidad de fomento, eran también sitios de reunión con funcionalidad diversa. Para empezar, estas asociaciones –que promueven actividades artísticas y culturales de diverso tipo– en muchos casos han impulsado la creación de un teatro o de un amplio salón. Asimismo y en tanto los asociados concurrían a su sede con frecuencia, se terminaba agregando un bar o casa de comidas, cuando no un alojamiento.

El local de la asociación y su bar adjunto son los sitios donde se produce un encuentro casual, donde se anudan relaciones amistosas, y que se convertirán en la punta de inicio de otras actividades, como las deportivas, que rápidamente tendrán también sus propios espacios y organizaciones. Pero los locales asociativos mantuvieron su primacía en lo que fuera la congregación festiva de los habitantes de estas localidades, especialmente la organización periódica de bailes que brindaran momentos de esparcimiento pero también de exhibición de los vínculos que mantenían reunidos a los habitantes del lugar. Así, el clima festivo del baile era el cierre apropiado para las ceremonias oficiales o para la despedida de los conscriptos que partían hacia el cumplimiento del servicio militar.

En este medio de relativa pobreza en cuanto a recursos materiales o, en todo caso, con muy bajo grado de contribución estatal para estas tareas, debe llamarnos la atención el empeño puesto por estas asociaciones en la organización de actividades que tendían a incrementar el nivel cultural de las pequeñas localidades. Nos referimos a las bibliotecas, a las asociaciones musicales –especialmente operísticas– y a la organización de grupos vocacionales de teatro, así como al mantenimiento de las mencionadas salas de espectáculos, a veces suntuosas en relación con las estructuras urbanas. Las ceremonias celebratorias de la fecha nacional con la que el grupo se identificaba originariamente asumían para estas asociaciones el carácter de fiesta central. Como ya vimos, la conmemoración del 20 de Septiembre se mantuvo entre los italianos por lo menos hasta los años treinta, aunque los italianos no eran por supuesto los únicos en reunirse para conmemorar una fecha nacional. Otro tanto hacían los colonos de origen francés en Chabás, y como carecían de espacio adecuado, pedían a la Sociedad Italiana y al Teatro Verdi sus instalaciones; igualmente la Agrupación Artística Chabasense que allí funcionaba preparaba una función especial para el 14 de Julio.

Creemos haber mostrado cómo la creación de una nueva fisonomía cultural fue posible en la pampa por obra de los recién llegados. Esta sociabilidad de la "pampa gringa" tiene también como base la expansión del espacio de la intimidad familiar. Tal como la hemos definido, merece ser atendida como un proceso relevante de la conformación de un estilo cultural argentino. Se trató de una sociabilidad surgida en esos núcleos urbanos de escaso tamaño, y que ensayó todo el tiempo un talante optimista –tal vez demasiado optimista, visto a la distancia– para la construcción completa de una sociedad en un sitio donde las carencias eran más que evidentes. Como tal, esta sociabilidad se afincaba en valores y creencias que fueron importadas a una América, en última instancia, poco sensible y distante frente a los criollos que hasta allí se habían enseñoreado del lugar. Seguro de su superioridad cultural, el intento de construir una nueva Europa en la pampa fue incapaz de percibir hasta qué punto las tradiciones y las nuevas realidades locales comenzaron a penetrar su espacio, volviéndola, a su modo, una cultura "argentina". Pero durante un período de al menos tres décadas a partir de 1890, este optimismo civilizatorio no se desanimó ante las dificultades y fingió no encontrar límites. Incluso la existencia de una prensa propia pareció posible en el período de entreguerras, asociada a la mayor difusión de la lectura y la relativa disponibilidad de prensas e imprenteros. Más allá del carácter minúsculo de todas estas creaciones, insistimos en que ellas han sido expresión de una voluntad civilizatoria que los nuevos habitantes pampeanos desarrollaron en pos de la construcción de una especie de "vida-ideal" que se desenvolvía en una "ciudad-ideal".

Bien sabemos que sus resultados fueron magros en más de un senti-

Conclusión

A pesar de la escasez de recursos materiales, la organización de actividades tendientes a promover la cultura era una preocupación constante. Bibliotecas, asociaciones musicales y teatros fueron también el espacio elegido para las ceremonias celebratorias.
(P. Grela, La Pampa, Génesis de la Colonia y Pueblo Chabás, Rosario, Pago de los Arroyos, 1983)

TEATRO VERDI

Hoy 14 de Julio de 1917

GRAN FUNCION
EXTRAORDINARIA

PATROCINADA POR LA

"Agrupación Artística Chabasense"

La cual tiene el honor de dedicarla á la colectividad Francesa de esta localidad, en conmemoración de esta fecha histórica.

Imp. D. Manrique, Firmat

Entre las actividades culturales más importantes de Chabás, figuraba el teatro. Tanto las asociaciones nacionales como las de filiación europea, ponían especial interés en la creación de grupos vocacionales artísticos y en el mantenimiento de salas de espectáculos, siempre con el fin de estrechar los lazos entre argentinos e inmigrantes.
La Agrupación Artística Chabasense representando una función conmemorativa del 14 de Julio, en 1917. (P. Grela, La Pampa, génesis de la Colonia y Pueblo Chabás, Rosario, Pago de los Arroyos, 1983)

do. Poquísimos de estos emplazamientos llegaron a convertirse en ciudades de importancia. En todo caso, muy pocos de estos ensayos urbanos alcanzaron a sumar las cantidades de población requeridas para ser reconocidos oficialmente como "ciudad", y varios de ellos tienen hoy menos población que en los años veinte. Tal vez, y desde el punto de vista de la intención de sus fundadores, más magros han sido los resultados de tales creaciones culturales.

Por una parte, incide la pérdida de las identidades étnicas como resultado de la interrupción de los flujos de migrantes; y, en consecuencia, la continuidad de estas instituciones es una expresión más bien formal de tradiciones familiares antes que la puesta en evidencia de una diversidad étnico-cultural desaparecida. En cuanto a la peculiaridades de las instituciones educativas que les estaban asociadas, ellas fueron igualmente refundidas por los modelos nacionalistas de integración pedagógica, los planes de estudio uniformes y las conmemoraciones rituales del Estado argentino. Nada análogo a las conmemoraciones del 20 de Septiembre ha permanecido.

Tal vez peor, incluso, haya sido la suerte de esa otra serie de iniciativas periodísticas que hoy nos parecen increíbles por su calidad gráfica y contenido, testigos de un momento en que el papel era el único medio de comunicación. A la distancia, pareciera ser que, si muchas de estas localidades lograron cierta recuperación económica a principios de los años sesenta gracias al impacto de los cultivos "híbridos", el modo de esta recuperación fue tímido en comparación con las grandiosas aspiraciones de sus inicios y casi por completo carente de estas ambiciones de creación de un modo transplantado, pero igualmente original, de culturas urbanas a la "pampa gringa" desde el punto de vista de la vida pública y de la vida privada.

Notas

1. Cf. E. Gallo, *La pampa gringa*, Buenos Aires, Sudamericana, 1984.

2. R. Cortés Conde, *El progreso argentino*, Buenos Aires, Sudamericana, 1978.

3. Cf. L. A. Romero y L. Gutiérrez, *Sectores populares, cultura y política: Buenos Aires en la entreguerra*, Buenos Aires, Sudamericana, 1995.

4. A. Ascolani, *Nueva Roma. El frustrado pueblo de Juan Pescio*, Casilda, Platino, 1991.

5. M. de Marco, *Carlos Casado del Alisal y el Progreso Argentino*, Rosario, Instituto Argentino de Cultura Hispánica, 1993, p. 167.

6. Cf. A. Gorelik, *La grilla y el parque*, Buenos Aires, Universidad de Quilmes, 1997.

7. P. Grela, *La Pampa, génesis de la colonia y pueblo Chabás*, Rosario, Pago de los Arroyos, 1983.

8. A. Marrone, "Motivos fundacionales, sociales e institucionales de Alcorta", en *I Congreso de Historia de los pueblos de la provincia de Santa Fe*, Tomo III, Santa Fe, Imprenta Oficial, 1985.

9. M. Bonaudo, "Discusión en torno a la participación política de los colonos santafesinos. Esperanza y San Carlos (1856-1884)", en *Boletín del Centro de Estudios Migratorios Latinoamericanos*, Buenos Aires, Nº 9, 1988.

10. P. Grela, *Alcorta, génesis y evolución histórica*, Rosario, Amalevi, 1982, p. 65.

11. Cf. A. Megías, *La formación de una elite de notables-dirigentes. Rosario, 1860-1890*, Buenos Aires, Biblos, 1997; también C. Silberstein, "Parenti, negoziante e dirigenti: la prima dirigenza italiana di Rosario (1860-1890), en G. Rosoli, (comp.), *Identità degli italiani in Argentina*, Roma, Studium, 1993.

12. Megías, *op. cit.*, p. 177.

13. A. Galletti y A. Pérez, *La construcción de un espacio humano en Santa Teresa, Estación Totoras (1875-1914)*, Rosario, 1993.

14. Marrone, *op. cit.*

15. A. Ascolani, *Villa Casilda. Historia del optimismo urbanizador*, Casilda, Platino, 1992.

Los ingenios del Norte:
un mundo de contrastes[1]

Daniel Campi

Las transformaciones impulsadas por el proceso de modernización y expansión de la agroindustria del azúcar en el norte argentino, durante el último tercio del siglo XIX, fueron múltiples y profundas. El espacio se reorganizó en torno de "áreas centrales" (los epicentros productivos) y "áreas satélites" (las zonas que se articulaban con las primeras como proveedoras de mano de obra); se redefinieron las relaciones de poder a partir de la conformación de una burguesía del azúcar; las migraciones intrarregionales se hicieron intensas y se ordenaron al ritmo de la zafra azucarera, acentuando antiguos desequilibrios demográficos y generando otros nuevos.

Aunque la región continuó siendo –globalmente considerada– expulsora de población en beneficio del área pampeana, ese papel se vio moderado por la emergencia del auge azucarero, por lo menos en los años del "despegue" tucumano a finales del siglo XIX. La mejor alternativa de articulación del norte con el auge económico del litoral fue, sin duda, el reordenamiento de sus recursos para producir un bien de consumo masivo como el azúcar. De ese modo logró compartir en cierta medida los beneficios de la expansión agroexportadora. Pero esa "redistribución del progreso" fue muy limitada, si atendemos a ciertos indicadores demográficos y sociales, muy elocuentes sobre las reales condiciones de existencia de la población. Lo que se conformó con el auge azucarero fue, en realidad, un mundo de contrastes. La tecnología más moderna en el proceso industrial, el desarrollo de la investigación científica en función del emprendimiento productivo, la difusión de exquisitas manifestaciones de

Durante los meses de la zafra la actividad fabril no se interrumpía y la rutina de todos los habitantes de los pueblos azucareros se organizaba en función del ritmo de las maquinarias y de los turnos de trabajo. La vestimenta de los trabajadores conjuga prendas típicas del ámbito rural de fines del siglo XIX, fajas y pañuelos al cuello, con otras más modernas, como el cinturón y las gorras con visera. Sección del trapiche del ingenio Esperanza (provincia de Tucumán), circa 1920. (Vicente Padilla, Las provincias del Norte, Buenos Aires, 1922)

la vida burguesa en los chalets de los propietarios de ingenios, acompañaban aquellos rasgos típicos de la pobreza, el atraso y el subdesarrollo cuya más dramática manifestación fueron los ranchos de "maloja" de los "peladores" en los cañaverales tucumanos y los *huetos* de los indios matacos en los ingenios de la provincia de Jujuy.

Las alteraciones que en los hábitos de vida de los miles de migrantes ocasionaron los cambios de hábitat y la integración en el ciclo productivo azucarero, todavía no han sido estudiadas en profundidad. Las grandes dificultades para encontrar fuentes a través de las cuales recuperar la experiencia subjetiva de los sectores subalternos, hace que la empresa se presente, a veces, quimérica. Tratándose de una población con elevados niveles de analfabetismo, se carece de registros directos a través de los cuales aproximarse no sólo a sus sistemas de representación, sino a sus más elementales percepciones sobre los asuntos en los que hombres y mujeres se involucraban en el trabajo, en la vida doméstica, en las actividades recreativas, en sus prácticas religiosas. Cuando más, pueden encontrarse en las fuentes policiales y judiciales rastros de conductas y conflictos, siempre a través de la lente de individuos y de un Estado empeñados en "disciplinar" y "moralizar" a quienes inveteradamente se presentaba como refractarios al trabajo, al orden y a la "vida civilizada". Las descripciones de contemporáneos y las fuentes literarias, insustituibles para aproximarnos "desde afuera" al mundo subalterno, deben asimismo decodificarse por la considerable distancia cultural que separaba a sus autores de la realidad que pretendían retratar, brecha magnificada por una gran carga de prejuicios y, con frecuencia, por el uso de lenguas diferentes.

El ingenio como complejo socio-cultural

El ingenio fue el punto neurálgico de la nueva sociedad que se modeló en torno de la producción azucarera. A poco más de cinco años de la llegada del ferrocarril a San Miguel de Tucumán, los establecimientos de vieja tecnología –que en el mejor de los casos apenas habían reemplazado los trapiches de palo por los de hierro y la fuerza motriz animal por la hidráulica– desaparecieron de escena para dar paso a prodigios de acero impulsados por máquinas a vapor e iluminados con luz eléctrica. Renovados totalmente o importados "llave en mano", hasta la primera crisis de sobreproducción –acaecida en 1895-1896– treinta y cinco se montaron en Tucumán, siete en Santiago del Estero y cinco en Salta y Jujuy; en los años subsiguientes dejaron de producir los ingenios santiagueños y, hasta 1930, los cierres y nuevas fundaciones mantuvieron equilibrado el número de plantas en producción en las otras tres provincias norteñas.

No bien se inició el "despegue" azucarero, las empresas comenzaron a construir viviendas de material para el personal fijo sobre la tipología del tradicional rancho de barro y paja. Junto al propósito de favorecer la retención de la mano de obra, no era menos importante crear un ámbito propicio para el "disciplinamiento" y "moralización" de los trabajadores, ámbito en el cual todas las actividades se desarrollaban bajo la atenta mirada de capataces y rondines. Los pueblos azucareros nacieron dentro de la propiedad privada de los ingenios y en ellos se estableció un estricto control sobre el ingreso de las personas que duró, en algunos casos, hasta la década de 1940.

Barrio obrero del ingenio Santa Ana, en la provincia de Tucumán, circa 1910. (Centro Azucarero Nacional, La industria azucarera argentina, Buenos Aires, 1930)

El establecimiento de un ingenio moderno implicaba un radical cambio del paisaje en un amplio espacio, en el que los bosques y el monte eran reemplazados por la uniforme alfombra verde de los cañaverales, la traza de caminos se modificaba tajantemente, se abrían nuevas redes de canales de riego y se instalaba un "hambre de brazos" por muchos años insatisfecho. Como los caminos y las vías férreas, hombres y mujeres de los más variados orígenes y condiciones confluían en estos establecimientos fabriles, en torno de los cuales se levantaron nuevos e improvisados pueblos.

En un comienzo, estos pueblos eran abigarradas rancherías en torno de las plantas industriales, habitadas por las peonadas y sus familias. A mediados de la década de 1880, en el ingenio San Pablo, a pocos kilómetros al sur de San Miguel de Tucumán, coexistían unos 300 indígenas tobas con contingentes de trabajadores tucumanos y santiagueños quichuaparlantes, quienes debían entenderse con los técnicos franceses que los propietarios del recientemente modernizado ingenio habían contratado para su montaje y puesta en producción.

Las descripciones que de estas rancherías han hecho observadores de época como Rodríguez Marquina y Bialet-Massé, así como de las condiciones de existencia de quienes las habitaban, pintan un panorama desolador. Según un trabajo premiado en 1892 por la Sociedad Médica de Tucumán, el peón de esta provincia "[...] trabaja en exceso; no es bien pagado; come muy mal; vive en *ranchos* miserables, como el indio de las pampas o los negros del Centro de África, es decir, en casuchas construidas con totora, tierra cruda, paja o despunte de caña de azúcar; durante la mitad del año no le es permitido descansar ni aun el día festivo".[2]

Estas características del hábitat de gran parte de las peonadas ocupadas en ingenios y plantaciones se mantendrán casi invariables sólo en el caso de los trabajadores temporarios o "zafreros", aquellos migrantes que acudían a las labores de la caña durante los meses de la cosecha.[3] En efecto, a pocos años de iniciado el auge azucarero, en 1886, Sarmiento ponderaba la construcción de casas de material que los propietarios de un ingenio ubicado en Ranchillos levantaban para sus trabajadores permanentes. "Dos hileras de naranjos forman las aceras, de cuatro varas de ancho, y de uno y otro lado *setenta* casillas de cal y canto, con ventanas hacia el lado del *boulevard* –escribía el sanjuanino–. Una parte de estas casas tienen dos ventanas y ocupan más espacio, lo que supone que tienen habitaciones dobles. Aquellas casitas han sido construidas para que las habiten las familias de los peones azucareros, y las de dos ventanas los sobrestantes, maquinistas y mayordomos".[4] Sin duda, no eran previsiones ante una posible explosión social lo que promovía las construcciones de viviendas obreras por parte de las empresas, como creía Sarmiento,[5] sino una doble necesidad, la de retener y disciplinar una mano de obra cuyas conductas y hábitos no se adaptaban automáticamente a las nuevas exigencias de la organización fabril del trabajo, como lo advertía Julio P. Ávila: "Ubicados estos edificios [las viviendas obreras] en los puntos más convenientes a los intereses del patrón, se regularizaría notablemente el trabajo, se impedirían con facilidad los excesos a que se entregan los peones, casi siempre por falta de inmediata vigilancia policial, y podría sujetárselos, por la circunstancia de tenerlos reunidos, a la inspección más minuciosa".[6]

Los trabajadores que, en forma definitiva o sólo en los meses de zafra, se radicaban en los ingenios, en sus "colonias" o "lotes" tenían un origen muy heterogéneo, como se ha dicho: indígenas chaqueños cazadores recolectores (aunque también fue enviado a Tucumán algún contingente de indios pampas después de la Campaña del Desierto), trabajadores mestizos con diversos grados de experiencia en el trabajo asalariado, arrendatarios y minifundistas de Santiago del Estero, de Catamarca, del Valle Calchaquí y de la Quebrada de Humahuaca, coyas de la Puna argentina y de Bolivia, chiriguanos del Chaco boreal, etcétera. Los que terminaron como trabajadores "permanentes" ocuparon las viviendas que a ese fin construyeron los ingenios; los "transitorios" o "zafreros" se alojaban en los llamados "cuartos", "conventillos", "pabellones" o "galpones" –construcciones mucho más precarias–, o directamente instalaban sus "rancherías" o "tolderías", según el caso, en las inmediaciones de las fábricas o en las plantaciones a que eran destinados, con sus pocas pertenencias, sus animales domésticos, sus niños y viejos.

Tanto "permanentes" como "transitorios" llevaron al ingenio, junto con sus enseres, familias y animales, las creencias, rituales, hábitos y formas de sociabilidad que definían su universo cultural y social, las que colisionaron, resistieron o se adaptaron en grado diverso a los ritmos, a la nueva organización del tiempo y a la intensa disciplina laboral que exigía el funcionamiento del complejo agroindustrial cañero. He aquí la presencia de dos elementos estructurales que pautarán los más elementales detalles de la vida cotidiana de todos los actores de este nuevo y central escenario de la vida social de una vasta porción de la geografía argentina. Sobre ese marco se desplegarán las iniciativas de los propietarios, de las empresas y las de miles de anónimos protagonistas, dando por resultado un producto, el "pueblo azucarero" –para nada uniforme ni estático–, en el cual las condiciones para el desarrollo de prácticas que sobrepasaban o eludían las rígidas normas a las que se intentaba constreñir la vida de los trabajadores y sus familias se fueron redefiniendo permanentemente.

Para el caso tucumano fueron relevantes –en tanto significaron una importante ampliación de la libertad de movimiento de los asalariados– la derogación en 1896 de la Ley de Conchabos y la gran huelga de 1904, cuyas conquistas fueron la supresión legal de la "ración" como componente del salario y del "vale", la moneda privada emitida por las empresas. En Salta y Jujuy, el mayor poderío relativo de las empresas –más concentradas y muy distantes unas de otras con relación a las tucumanas– parecería haber limitado en mayor medida esos márgenes de maniobra. Igualmente, diversas formas de resistencia fueron desplegadas ante las mismas (elevado ausentismo, fugas, etcétera), pero no conocemos demasiado sobre ellas.

El juego de la taba, junto con las riñas de gallos, fue uno de los entretenimientos de los trabajadores más cuestionados por los sectores de la elite y por la Iglesia. Tolerado a medias por las fuerzas policiales, en él participaban exclusivamente hombres, se apostaban sumas de dinero y se acompañaba con la ingesta de bebidas alcohólicas.
Ingenio Luján (provincia de Tucumán), 1911. (Colección de la familia Voigt)

Las peonadas vistas "desde afuera"

En este cuadro, según los contemporáneos –propietarios, administradores y observadores más o menos imparciales– las condiciones de existencia de los trabajadores estaban definidas en gran medida por una carga cultural negativa que era preciso modificar en su propio beneficio. Ante todo, dos vicios capitales, con consecuencias desastrosas para su salud y el bienestar de sus familias, eran el alcoholismo y la propensión a los juegos de azar y diversiones *non sanctas*, que con frecuencia desembocaban en violentas y trágicas reyertas, desórdenes, enfrentamientos con la fuerza pública e, invariablemente, gran ausentismo laboral.

Asociado a ello, se remarcaban los elevadísimos niveles de analfabetismo; una religiosidad primitiva, inseparable de las creencias en supersticiones y agüeros; la confianza en la efectividad de las prácticas de los curanderos y el correlativo rechazo a la medicina científica; la mayor difusión del concubinato con relación a las uniones legales; la ausencia de elementales hábitos de higiene. Esto último es lo que habría creado condiciones muy propicias para el desarrollo y la propagación de enfermedades infecto-contagiosas y la presencia de elevadísimas tasas de mortalidad infantil en las zonas cañeras, como intentó probar Rodríguez Marquina con datos de 1897 y 1898.[7] "Todos iban descalzos –se dice en una descripción de algunas parcialidades matacas del ingenio jujeño La Esperanza de principios de siglo–. Portaban anillos de lagartija que eran amuletos contra las enfermedades y otros males, y no emblemas del estado nupcial. No tenían el hábito del baño, es decir, no lo practicaban nunca".[8] Hacia 1910, un inspector del Departamento Nacional del Trabajo, Federico Figueroa, afirmaba refiriéndose a los obreros tucumanos: "[...] los patronos mantienen una lucha constante en el sentido de inculcarles hábitos de aseo, así en lo relativo al cuerpo como a las viviendas, pero sus esfuerzos han resultado hasta ahora poco menos que impotentes para vencer la ingénita indolencia de aquellos", llegando a proponer la aplicación de un reglamento interno de los ingenios que hiciera obligatorio el baño diario y la "desinfección" semanal de las viviendas, tal como se hacía en el ingenio Concepción con una solución de "acaroina y bicloruro".[9]

Con relación a los índices de analfabetismo, los "registros cívicos" levantados con fines electorales y que consignan, entre otros datos, las ocupaciones de los empadronados, son una buena fuente para determinar la aptitud de leer y escribir de las peonadas. En 1889, el Registro Cívico provincial del primer distrito de Famaillá, típico departamento azucarero tucumano, consigna que sólo sabían leer y escribir seis de los 133 jornaleros inscriptos; en 1894, según un padrón del segundo distrito de Río Chico, leían y escribían seis de 50; y en 1896 lo hacía el 10,2 por

ciento de los 581 jornaleros detenidos ese año, por diversas causas, por el Departamento de Policía.[10]

La gran influencia de brujos, curanderos y curanderas en la vida de los trabajadores del azúcar no escandalizaba menos a nuestros testigos. En Tucumán no hay registros sobre resistencias a la labor de los médicos en los ingenios, salvo durante la epidemia de cólera de 1886-1887. Pero la fe en los curanderos –que atendían diversas dolencias, hacían y deshacían conjuros– fue muy fuerte en todo momento. Eran las curanderas quienes, generalmente, efectuaban abortos con cabos de perejil, agujas de tejer u otros elementos punzantes. Aun en las décadas de 1940 y 1950, recuerda un ex médico de ingenio, eran relativamente frecuentes los casos de mujeres, muchas de ellas casadas, que acudían a los facultativos con infecciones originadas por tales prácticas.[11] Al curanderismo se atribuía, también, un elevado porcentaje de las muertes de infantes (mayormente por dolencias del aparato digestivo), que llegaban desahuciados a los consultorios médicos.

Las tribus chaqueñas, que conformaban el contingente principal de la mano de obra de los ingenios jujeños Ledesma y La Esperanza, eran más reacias que las peonadas tucumanas a la "medicina cristiana". Refiriéndose globalmente a esas parcialidades, el doctor Paterson, el único médico contratado a principios de siglo por el segundo de esos estable-

Las parcialidades de indígenas chaqueños se instalaban en los ingenios de la provincia de Jujuy y habitaban chozas construidas con ramas y el despunte de la caña de azúcar, los huetes *de los matacos e* ibós *de los tobas. Las condiciones higiénicas de las mismas escandalizaban a los observadores blancos, aunque el inspector del trabajo Niklison afirmaba que, a diferencia de las viviendas de los coyas, eran "relativamente limpias".* Ingenio La Esperanza, circa 1920. (Colección del doctor Jobino Sierra e Iglesias)

Todos los testimonios de época elogian la solidez y la calidad de los materiales de las viviendas de los peones en los pueblos azucareros. De una o dos habitaciones, la galería era uno de sus elementos centrales. Junto con el patio de tierra apisonada, era el espacio en el que los grupos familiares desarrollaban gran parte de sus actividades domésticas, mientras los cuartos sólo cumplían la función de dormitorios.
Dos viviendas agrupadas en el ingenio La Esperanza, en la provincia de Jujuy. (Vicente Padilla, Las provincias del Norte, Buenos Aires, 1922)

cimientos –que en época de cosecha contaba con 2000 a 2500 empleados y obreros de fábrica y entre 3000 y 3500 indígenas en sus plantaciones–, afirmaba: "Creen tanto en nuestra medicina como yo en la de ellos".[12] El inspector Niklison cuestionaría, años después, la justeza de esta opinión. Pero, aunque renegaba de "[...] la interesada inexactitud de los juicios expresados por algunos industriales respecto a la resistencia opuesta sistemáticamente por los tobas al socorro de la ciencia médica [...]", no podía dejar de reconocer la supervivencia en éstos de ancestrales hábitos y costumbres en lo que hacía al tratamiento de las enfermedades: "[...] el toba, si se exceptúan las tareas que debe cumplir y cumple en jornadas regulares, hace la misma vida [en el ingenio] que en el desierto, según ya lo he consignado. Abandonado a las prácticas y preocupaciones de raza –muchas de las cuales su prudencia oculta– recurre, en casos de enfermedad, a sus propios 'médicos' y al poder sobrenatural de sus brujos o augures [...]".[13]

Estas opiniones ponen en evidencia la gran distancia cultural que separaba a los dos componentes sociales –por llamarlos de algún modo– que coexistieron en los pueblos azucareros: el conformado por propietarios, administradores y empleados jerárquicos, de hábitos urbanos y burgueses; y el de los trabajadores, todos provenientes del mundo rural, algunos recién incorporados al mercado de trabajo, e incluso –en el caso de los provenientes de zonas de economía de subsistencia y de los indígenas chaqueños–, al mercado de bienes. En el marco de este contraste de sensibilidades, el sector dominante implementó, con suerte diversa y con el auxilio estatal, una serie de medidas correctivas tendientes a "moralizar" y "civilizar" al sector subalterno que debían apuntalar el ordenamiento social y elevar la productividad del trabajo.[14]

Si en un punto podría sintetizarse este empeño, era el de la necesidad de disociar de manera tajante el ámbito del esparcimiento y la diversión, del laboral, estigmatizando al primero y enalteciendo al segundo. En el mundo rural del norte argentino esta separación era por lo menos difusa en gran parte del siglo XIX. El ámbito del trabajo, como espacio eminentemente público, se confundía con frecuencia con el doméstico, brindando a labradores, criadores, tejedoras, trabajadores no propietarios, etcétera, la posibilidad de disponer y organizar su tiempo con gran libertad –incluso para holgar o para la diversión–, sin alterar ninguna cadena productiva ni violentar la estricta lógica que las nuevas maquinarias y el trabajo asalariado impondrán a partir del auge azucarero con el ingenio moderno.

El "Reglamento de Peones" del ingenio Bella Vista, elaborado a fines del XIX pero que regía todavía hacia 1920, demuestra con elocuencia los serios obstáculos con los que se enfrentaba la elite azucarera para modificar ese legado del mundo rural e imponer una férrea disciplina laboral en los lugares de trabajo. Ciertamente, esas dificultades serían mayores a la hora de proyectar esa disciplina al ámbito de lo privado en los pueblos y colonias, para imponer a todos, a hombres y mujeres, jóvenes y viejos, el estricto control de los impulsos y de las conductas que era el ideal del trabajo fabril. "Queda completamente prohibido a los peones de la fábrica [se lee en el segundo punto del reglamento mencio-

Obreros solteros y familias de obreros transitorios eran instalados en los llamados "pabellones", "conventillos", "cuartos" o "galpones". Ocupados a veces hasta por diez familias, cada una disponía de una habitación y de un pedazo de galería, y todas debían compartir la letrina.
"Cuartos" del ingenio Cruz Alta, en Tucumán, circa 1910. (Olga Paterlini de Koch, La vivienda obrera de los ingenios azucareros de Tucumán, 1800-1916, 1980, inédito)

nado, titulado "Advertencias"], entrar al trabajo con cuchillo o cualquier otra arma. Queda también prohibido hacer bailes y jugadas de taba o naipe, dentro del radio del ingenio."[15]

Aun más que en lo relativo a las obligaciones laborales, en el ámbito de la religiosidad los hombres y mujeres de los pueblos azucareros no concebían sus prácticas disociadas de fiestas y bailes –los que podían durar varios días–, cuestión que también llegó a preocupar sobremanera a las jerarquías eclesiásticas. Con relación a las celebraciones patronales en el interior tucumano, el Primer Sínodo del Obispado de Tucumán, reunido en 1905, ordenaba en su artículo 309: "[...] Trabajen con celo los párrocos en desterrar la impía costumbre de celebrar estas fiestas con banquetes, bailes u otro tipo de espectáculos, juegos o simples reuniones que ofendan la honestidad o la templanza [...]".[16] Obviamente, la brecha entre los modos de valorar las obligaciones laborales y las diversiones de los sectores dominantes y los subalternos, así como la existente en las prácticas religiosas y otras manifestaciones de la sociabilidad, no logrará cerrarse. El legado del mundo rural en los pueblos azucareros pervivirá, con variantes y modificaciones, muchas décadas más allá de nuestro período de estudio.

Las viviendas obreras

Como se ha afirmado más arriba, los pueblos azucareros surgieron como simples rancheríos instalados en las inmediaciones de los ingenios. Sin embargo, en la década de 1880 las empresas comenzaron a construir viviendas de material para el personal estable: empleados superiores, técnicos, capataces y obreros. El ordenamiento del espacio, la localización de las viviendas, su diseño, el tipo y calidad de los materiales utilizados reflejaban estrictamente las jerarquías sociales. El centro, el lugar del poder por antonomasia, era la sala o el chalet de los propietarios, ubicado generalmente en el mismo predio de las fábricas, aunque en un espacio celosamente reservado. La distancia o cercanía con relación a éste del resto de las viviendas daba una pauta del status social que poseían. En consecuencia, las destinadas a los pocos empleados jerárquicos y técnicos se ubicaban pegadas o enfrente de las fábricas, luego las de los empleados administrativos, más alejadas las de los obreros permanentes y, luego de éstas, los pabellones o "conventillos" destinados a los trabajadores temporarios.

La tipología de las viviendas obreras era eminentemente rural. Las de los obreros permanentes eran, al principio, simples "ranchos sistematizados", emplazados en hileras, con paredes blanqueadas y techo de tejas en reemplazo de la paja, construyéndose luego casas de material con techos de teja o zinc y pisos de ladrillo cocido. Los diseños de estas viviendas tendrán muchas variantes, pero dos elementos serán constantes: la galería y la inexistencia de pasillos de circulación.[17] En la galería y en el patio de tierra apisonada provisto de una cubierta o "ramada" (y de un infaltable árbol de espeso follaje) se desarrollará gran parte de la vida familiar. Allí se cocinaba, se comía y se pasaban los momentos de ocio; se instalaban los hornos de barro, se lavaba la ropa, se amasaba el pan y se molía el maíz en grandes morteros de madera. En el cuarto único (o en los dos, en el caso de que la vivienda los tuviera) sólo se dormía y se guardaban los muebles y enseres más valiosos. Pese a estar provistos de pequeños locales con fogones para cocinar con leña o carbón, no serán utilizados para esta finalidad. El equipamiento sanitario se reducía a una letrina o "excusado".

La calidad y solidez de estas viviendas fueron reconocidas por Ávila, Bialet-Massé y Juan B. Justo, entre otros.[18] Pero su equipamiento era, más que modesto, muy pobre. En los catres y camas de madera y tiento, los colchones eran de paja o de "chala" (la hoja que cubre el maíz), y en cada uno de ellos dormían con frecuencia varias personas. Completaban el mobiliario unas pocas sillas de cuero y dos o tres petacas para conservar y trasladar las pertenencias. El hacinamiento era la natural consecuencia del reducido espacio cerrado de estos cuartos-dormitorios, circunstancia que también explicaría la facilidad con que se propagaban las

"Rancho con santiagueños" es la leyenda que acompaña esta fotografía, tomada en la década de 1910 en el ingenio Luján o en La Florida de la provincia de Tucumán. Con seguridad, corresponde al rancho de un trabajador de fábrica, pues el de los "peladores" era mucho más precario, en tanto debía cambiar varias veces su emplazamiento. Se destaca la presencia de un mortero de madera, pieza insustituible para la molienda del maíz, componente básico de la dieta de los sectores populares del norte. Llaman la atención el calzado con tacones de la mujer adulta y de la niña y las "ushutas" que calza el niño de la derecha.
(Colección de la familia Voigt)

enfermedades infecto-contagiosas, principal causa de los decesos en todo nuestro período.

En estas condiciones, la vida de las familias (numerosas, en general) transcurría la mayor parte del día en el exterior, en un espacio más semipúblico que privado. Allí, el aislamiento de la mirada de extraños, el disfrute de momentos de intimidad personal en un contexto fuertemente regimentado, no estaban contemplados. Por ello los espacios abiertos, el monte, la cercana montaña, los cañaverales, eran ámbitos naturales de encuentros furtivos; lugares hacia donde partían los hombres –solos o en pequeños grupos, a salvo de la vigilante mirada de patrones y capataces–, a cortas excursiones de caza o pesca; donde se realizaban abortos y se abandonaban a recién nacidos no deseados; en los cañaverales y florestas que rodeaban los caseríos se desarrollaban también algunos de los juegos de los niños, que frecuentaban, durante los meses del largo verano, los ríos y las acequias de los ingenios.

Si para los obreros permanentes los espacios destinados a la intimidad eran casi inexistentes en sus viviendas, los trabajadores temporarios carecían en absoluto de ellos. Aquellos que no instalaban sus ranchos, se alojaban en viviendas colectivas (los "pabellones", "cuartos" o "conventillos"), ocupadas por seis, ocho o diez familias. A cada una se le otorgaba una habitación y un pedazo de galería con precarias divisorias, pero todas debían compartir el lugar destinado a la cocina y la letrina. Naturalmente, el hacinamiento en estos bloques era notoriamente superior al de las viviendas unifamiliares. Estado que se potenciaba aun más en los miserables ranchos que los "peladores" levantaban en las fincas cañeras. La descripción que de uno de ellos hizo Clemenceau no podía ser más descarnada: "[...] En el descanso, vemos delante de nosotros cinco o seis chozas ruinosas donde prospera la abundante progenitura de algunos cortadores de caña. Es el aspecto desordenado de un campamento de ocasión, y, verdaderamente, no es otra cosa. Estas chozas, construidas de restos encontrados al azar, tienen por única regla de arquitectura dejar, para la circulación del aire, un intervalo de 30 a 40 centímetros entre el techo y la empalizada, que no me atrevo a llamar muro. Así es que, en rigor, se puede dormir en aquel cercado sin despertar la envidia de las criaturas de cuatro patas bajo el dosel estrellado. Por todas partes se ven chiquillos, puercos, asnos y demás viviendo en familia. Mujeres que llevan en brazos al último nacido aparecen en el umbral de las chozas, como admiradas ante el aspecto de extranjeros. En mi lenguaje, que ella juzga sin duda de bárbaro, pido a una de ellas que me permita visitar su casa. Se aparta ante mi gesto, y me paro al primer paso. Unas tablas sobre caballetes es todo el mobiliario, con harapos propios para servir de vestidos, de colchones o de cubierta de cama. Un hornillo al aire libre para hacer la cocina, mientras que cuatro palos clavados en tierra y cubiertos con cualquier cosa figuran, con troncos de árboles por asientos, todo el mobiliario del comedor. Repartidos por el suelo, utensilios para el uso común de todas las criaturas [...]".[19]

Propietarios y empresas levantaron a fines del siglo XIX y comienzos del XX viviendas tipo chalet muy cómodas y aun lujosas. Según Paterlini, tenían "[...] una característica común conceptualmente unificada en la 'villa palladiana', es decir, edificios de alto valor arquitectónico emplazados en áreas suburbanas o rurales que representan el prestigio del propietario y deben, en consecuencia, distinguirse unas de otras como afirmación de su individualismo".[20]

En torno a algunos de estos chalets, como el del ingenio Santa Ana, se han tejido numerosas leyendas, tanto por su magnificencia y por el origen de la fortuna de su propietario, como por las singulares circunstancias de su muerte, acaecida en alta mar. El magnífico parque que lo rodeaba, cuyo diseño Clodomiro Hileret encomendó al renombrado paisajista Carlos Thays, contaba con numerosas especies exóticas, un lago y una gruta artificiales, y estaba destinado al uso exclusivo de la familia y de sus invitados, privacidad que se encargaban de preservar cuidadores que ahuyentaban a los intrusos con balas de salva.

Los chalets poseían, además de parques privados, numerosas habitaciones, bibliotecas, salas de juegos, jardines de invierno y amplios ambientes en los que tenía lugar una activa y refinada vida social. Casi todos los ingenios poseían canchas de tenis y algunos hasta campos de polo, como La Esperanza de Jujuy y el Santa Ana, en Tucumán. Tomaban

Los chalets de los propietarios y del personal jerárquico

Chalet del ingenio San Pablo, Tucumán. Diseñado en la década de 1890, en él se reflejan rasgos manieristas, pero con un lenguaje clásico. Poseía una capilla privada y un parque (también privado) de aproximadamente 10 ha. Como el del ingenio Santa Ana, éste fue diseñado en la década de 1910 por el afamado paisajista francés Carlos Thays. Tenía un invernadero para la producción de flores en las cuatro estaciones del año y, junto a la flora local (lapachos, tarcos, cebiles, tipas y nogales), contaba con algunas especies exóticas, como gomeros de la India y palmeras reales, enviadas como obsequio por el presidente Julio Argentino Roca. (Vicente Padilla, Las provincias del Norte, Buenos Aires, 1922)

parte de estas actividades sociales el personal jerárquico, en buen porcentaje europeos contratados por su formación técnica, invitados de otros ingenios y miembros de la "gente decente".

Las jornadas de tenis podían, incluso, convertirse en desafíos entre ingenios, pero lo más usual eran los juegos informales de la gente joven. De ellos surgió el símbolo del tenis femenino tucumano en las primeras décadas del siglo XX, Tiny Hill Terán. Sin duda, en los ingenios el tenis era, rigurosamente hablando, el "deporte blanco", al cual solamente podían acceder con sus familias algunos elegidos fuera del reducido círculo de propietarios: administradores, empleados jerárquicos, los médicos de las empresas y los concesionarios de las proveedurías, por ejemplo.

Los partidos de polo y las carreras cuadreras eran eventos menos frecuentes pero más espectaculares, que se organizaban en oportunidad de celebraciones de especial importancia. Las organizadas por el Jujuy Polo Club Esperanza, en mayo de 1917, preveían carreras en varias categorías, pero ordenadas con una distinción básica: las reservadas a los propietarios de caballos "poleros" y las destinadas a los "empleados en general".[21] Actividades más íntimas eran las cabalgatas y las partidas de caza, éstas últimas organizadas a veces en homenaje de algunos de los visitantes ilustres que periódicamente recibían los ingenios.

Esta simplificada descripción no pretende abarcar el conjunto de las variadas manifestaciones que la vida de la elite tuvo en los ingenios, sino destacar algunos rasgos que distinguían un estilo de vida. Más allá de las grandes similitudes señaladas, las diferencias que las empresas y sus administraciones entablaron con la sociedad otorgaron más que un matiz distintivo a la elite tucumana, con múltiples y fuertes conexiones con los

En los chalets de los ingenios se desarrollaba una activa vida social. Casi todos poseían canchas de tenis y algunos hasta campos de polo. La práctica de estos deportes estaba reservada a los propietarios y/o administradores y a un reducido círculo de allegados que comprendía a los empleados jerárquicos y a los pocos profesionales contratados por las empresas.
Ingenio La Florida, Tucumán, circa 1920. (Colección de la familia Voigt)

estratos medios urbanos y rurales, con relación a las concentradas empresas jujeñas, cuyos propietarios y administradores se relacionaron más política que socialmente con la dirigencia tradicional de esa provincia.

Dentro de esos matices, las inclinaciones y gustos personales –que llegaban a veces a las excentricidades– no dejaron de aportar lo suyo. En el caso de la vivienda de los propietarios del ingenio El Manantial, el toque personal lo daban leones de la India en cautiverio y personal de servicio del mismo origen, que desarrollaba curiosas labores a los ojos de visitas y huéspedes. Por ejemplo, Percy Hill, su propietario, gustaba –ya bien avanzado el siglo XX y en plena era de la electricidad– ventilar el comedor y la sala del té con grandes pantallas que accionaban manualmente, con un sistema de cuerdas y roldanas, un par de *sikhs* ataviados con sus turbantes característicos.[22]

Un estupendo equipamiento caracterizaba a los ambientes interiores de los chalets. En la sala del ingenio Bella Vista se destaca la talla en madera que organiza el casetonado del cielo raso, decorado con una particular ornamentación, el de la boiserie que reviste el zócalo alto y el del hogar, de neto estilo plateresco. Las tallas en madera, incluyendo las del mobiliario, fueron realizadas personalmente por el arquitecto José Graña, quien tuvo a su cargo la reconstrucción del chalet en 1928.
(Colección del arquitecto Manuel Graña [h])

Vestido, alimentación,
salud y educación obreras

En Tucumán, hacia la década de 1850, "[...] el peón de campaña, en general, vestía de chiripá compuesto de tela de lana, rayados, de fábrica (lo mismo era el poncho) –sobre la camisa de hechura criolla también–. Casi todos descalzos, con el chiripá ajustado y bien enjuto a las piernas, sin ninguna elegancia por cierto y con aspecto de pobreza y poco aseo".[23] Es de suponer que, aproximadamente, ésta sería la vestimenta de los trabajadores que se ocuparon en los ingenios azucareros en la segunda mitad del siglo XIX. Según la misma referencia, los "obreros" de la ciudad ("carpinteros, herreros, sastres, albañiles, sombrereros, fabricantes de carretas, etcétera"), "criollos y numerosos", no usaban chiripá, pocas veces el poncho y se vestían en general con pantalón y saco. En cuanto a los sombreros, los usuales en la ciudad eran de ala más bien corta y en la campaña de ala ancha, los dos tipos confeccionados "en el país".

Hacia fines del siglo XIX, en el interior de la provincia el uso de sacos se hizo más frecuente y los chiripás eran reemplazados por los pantalones. Según Lotito, en esos años todavía habría sido muy frecuente el uso de "ushutas", las rústicas sandalias de cuero típicas de la región. Pero, más allá de las fragmentarias imágenes sobre los habitantes de los pueblos azucareros de la época que se conservan, es de suponer que había variantes en concordancia con las costumbres del lugar de origen de los trabajadores, aunque el uso del poncho y del sombrero parece haber sido una constante.

Lotito también da por hecho generalizado que las empresas tucumanas obligaban a los trabajadores a usar una vestimenta uniforme, confeccionada en lona muy basta. Sin embargo, las favorables consecuencias de la huelga de 1904 se habrían manifestado en casi todos los planos, incluso en la vestimenta: "[...] Los vestidos han mejorado enormemente, pues los trajes de lona han desaparecido para siempre, siendo sustituidos por otros más en armonía con la producción y la confección de vestidos de la época. El calzado mejoró igualmente. La alimentación y todo, en fin, tuvo un cambio favorable [...]".[24] Fotografías de las décadas de 1910 y 1920 dan la pauta de que esos cambios continuaron sin pausa; aunque siguió usándose el poncho, en los ingenios los trabajadores aparecen mayormente con sacos; algunas mujeres acortaron sus vestidos, llevándolos a media pierna, y comenzaron a calzar zapatos con pequeños tacones.

Las descripciones que se hicieron de los indios chaqueños de los ingenios de Jujuy resaltaron invariablemente la desnudez de sus cuerpos. El desapego al uso de ropas se explicaba como un rasgo más de su renuencia a asimilar las costumbres del mundo civilizado. Pero Niklison dio al respecto otra explicación: si los matacos andaban casi desnudos

lo hacían porque eran "[...] tan pobres en los ingenios como en el desierto, en una palabra, porque no pueden vestirse [...]".[25] No obstante, la diferencia con los chiriguanos o chaguancos, muchos más "acriollados", era en lo que respecta a la vestimenta notable. Este proceso de asimilación se daba también, aunque en menor medida, en los tobas, quienes al promediar la segunda década del siglo, "en gran proporción", se vestían "[...] poco más o menos como el último de los peones criollos de la región [...]".[26]

En las crónicas periodísticas que redactó Sarmiento en su visita a Tucumán de 1886, observó que "[...] la generalidad de la gente come pan y carne diariamente [...]".[27] En efecto, el pan (amasado y horneado en cada vivienda), la carne y el maíz constituían la base de la dieta alimenticia. En los ingenios se solía suministrar locro en grandes bateas, de las cuales los trabajadores se servían con cucharas de madera. Pero lo más usual –hasta la huelga de 1904– era "la ración", dos libras de carne, dos libras de maíz, unos gramos de sal y a veces algo de leña, que diariamente se entregaba a los trabajadores como parte del salario. Según los críticos del sistema, la calidad del alimento suministrado dejaba mucho que desear y producía no pocos conflictos entre patrones y peones, los que a veces se negaban a trabajar por esta causa. La importancia que la cuestión de la ración adquirió en los primeros años del siglo XX fue tal que su supresión –junto al "vale"– ha sido contabilizada como una de las grandes conquistas de la huelga de 1904. A partir de entonces, los trabajadores podían optar por percibir sus salarios enteramente en moneda nacional de curso legal, o continuar con el antiguo sistema.

Grupo de trabajadores reunidos en semicírculo en el canchón del ingenio San Felipe. Es imposible saber si estaban recibiendo instrucciones de un capataz o mayordomo, si eran arengados antes de un acto electoral o si se trataba de algún tipo de deliberación. Visten pantalones, se cubren con ponchos o sacos y todos usan sobreros de ala angosta. Como espectadoras, en un segundo plano, aparecen en la escena varias mujeres. (Fotografía de Angel Paganelli, ca. 1870, Museo Casa Histórica de la Independencia Nacional)

Se ha asociado el "vale" a las proveedurías forzosas, las que, con el expendio de productos de primera necesidad a precios superiores a los del mercado, habrían dejado elevados beneficios extras a las empresas. Al respecto, las situaciones eran muy diversas, como se desprende de la descripción de Bialet Massé. Refiriéndose a un ingenio que no menciona, afirmaba el médico y laboralista catalán: "[...] Resulta que la proveeduría se come ya la mitad del salario en una u otra forma, que se revisan las libretas cuando se le ocurre al mayordomo y les meten *gatos*, esto es, anticipos que no se le han hecho, dinero que el obrero no ha visto, aunque alguna vez lo ha pedido y no se lo hayan dado [...]".[28] Pero, a pesar de que en algún momento hace extensiva esta valoración negativa a todos los ingenios tucumanos, de su descripción se desprende que no todos tenían almacenes para sus trabajadores y que los precios de algunos de ellos eran similares –y a veces inferiores– a los de los comercios minoristas de la provincia. No está de más añadir que las proveedurías perduraron en algunos ingenios hasta la primera década peronista y que la ley del salario mínimo para los trabajadores de fábricas y talleres, votada por la legislatura provincial en 1923, establecía que el salario obrero debía ser abonado en "moneda nacional de curso legal", lo que indica que también los vales seguían presentes y jugando su papel en la realidad social tucumana.

En referencia a los hábitos alimenticios de los indios del Chaco en los ingenios jujeños, se ha llamado la atención sobre su frugalidad, sobre su aptitud para sobrevivir con exiguos recursos. Nuevamente la cita ineludible es de Niklison, quien afirmaba sobre los tobas: "El plato obligado de los tobas obreros es el locro, con bastante agua, poco maíz y menos carne. Las empresas no les dan más, y sus jornales, por otra parte, no les permiten adquirir otros artículos. En circunstancias en que el hambre empieza a apurarlos demasiado, después de algunas semanas de *dieta industrial*, hacen un alto y se van al monte, a los arroyos y a las lagunas, en busca de mejores y más abundantes alimentos. Y la corta *mariscada* les resulta siempre de provecho".[29]

La evolución de algunos indicadores demográficos es un buen punto de referencia para aproximarnos a la condición sanitaria de los trabajadores azucareros. Al respecto, sólo contamos con estudios sobre Tucumán, pero es muy probable que sus conclusiones puedan proyectarse al conjunto de las áreas rurales de la región. La persistencia de una alta proporción de defunciones en el primer año de vida con respecto al total de muertes y –por lo menos hasta 1920– de "torres de mortalidad" "exacerbadas" pondrían de relieve que se trataba de "[...] una sociedad que todavía se encontraba fuertemente expuesta a la acción de enfermedades que, por otro lado, ya habían sido controladas

–en el país o en el exterior– con medidas sociales o con la mejora de los niveles de ingreso [...]".[30]

En efecto, en el bienio 1897-1898 la mortalidad en el grupo de edad de cero a cinco años en toda la provincia constituía el 56,29 por ciento del total de defunciones. Las enfermedades infecciosas y parasitarias, epidémicas o no, eran las causas principales de los decesos. Las infecciones gastrointestinales, broncopulmonares y patologías como el sarampión (esta última con una participación del 6,35 por ciento en el total de las defunciones) predominaban entre niños y jóvenes. La mala alimentación, las bajas defensas, el incipiente desarrollo de la vacunación preventiva y una atención sanitaria más que deficiente pueden enumerarse como los factores que explican esta lacerante realidad. En este marco, la falta de higiene y la ausencia de elementales hábitos de asepsia explican la elevada mortalidad de los recién nacidos por el "mal de los siete días", el tétano, cuya participación en el total de muertes ascendía al 3,25 por ciento en los dos años citados.[31]

Rodríguez Marquina no dudaba en responsabilizar de las elevadas cifras de la mortalidad infantil en Cruz Alta a los industriales azucare-

Los indios chiriguanos eran la parcialidad chaqueña más apreciada por los ingenios azucareros de Jujuy. Eran los más acriollados y se los destinaba a trabajos de fábrica. Por el contrario, tobas y matacos se desempeñaban en el corte y recolección de la caña y en otras labores no calificadas. Pueden observarse en los labios inferiores, unos agujeros en donde colocaban un trozo de hueso o madera que llamaban "tembetá". Iban descalzos, pero usaban –junto al poncho– pantalones, sacos y sombreros.
Ingenio La Esperanza, entre 1876 y 1880. (Colección del doctor Jobino Sierra e Iglesias)

ros, quienes, a su criterio, "[...] salvo alguna muy honrosa excepción, no sostienen médico ni botica para los miles de brazos que fomentan su riqueza [...]".[32] Parece que ello era rigurosamente cierto en los años del "despegue" azucarero. En octubre de 1884, se informaba en la prensa que: "De uno de los ingenios situados en la banda del río Salí, vino ayer al hospital un peón atacado de viruela. *Como era natural, se le negó la entrada*, lo que motivó que el desgraciado enfermo permaneciera largas horas abandonado en la plaza Belgrano [...]".[33] Años después, el 17 de julio de 1891, el mismo medio informaba: "*La viruela en San Felipe.* Hace estragos la terrible peste de viruela en las familias de los peones del ingenio San Felipe. Ninguna precaución se toma por las autoridades respectivas para evitar el contagio. La vacunación no se practica, y el médico policial no se da por notificado [...]".

Pero en la primera década del siglo XX varios ingenios tucumanos prestaban ya asistencia médica a sus trabajadores. Lo hacían La Esperanza, La Providencia y Bella Vista, establecimientos que, además, acostumbraban a otorgar pensiones a aquellos que quedaban impedidos por accidentes de trabajo.[34] De todos modos, parece que en Tucumán la usanza era una o dos visitas semanales de los facultativos, lo que no habría brindado una buena cobertura en fábricas que durante la zafra ocupaban con frecuencia a más de 1000 operarios. Según recuerda una testigo de excepción, a fines de la década de 1910 y comienzos de la de 1920, "el doctor Poviña venía a 'La Florida' dos veces a la semana y atendía a los obreros".[35] Por otra parte, no está claro si tal asistencia contemplaba sólo a los trabajadores o abarcaba también a sus familias. En el caso del ingenio jujeño La Esperanza, ello debe haber sido muy difícil, pues la empresa "[...] daba [a los trabajadores enfermos] asistencia médico-farmacéutica-hospitalaria relativa. A fines del siglo pasado y comienzos del actual, el único galeno que actuaba en la factoría era el doctor Paterson, y en época de cosecha, había 2000 a 2500 empleados y obreros en la fábrica y 3000 a 3500 indígenas en la zafra".[36] Estas condiciones cambiarían lentamente. Hacia 1920 sostenían hospitales los ingenios Santa Ana, Bella Vista y San Pablo, en Tucumán, y La Esperanza y Ledesma, en Jujuy, y recién en la década de 1940 estarán instalados en todas las empresas azucareras.

Sobre la calidad de la atención recibida por los trabajadores, no hay mayores referencias. No hay dudas de que en algunos casos la acción de los médicos apuntaban, *prima facie*, a reducir el ausentismo; es decir, formaban parte del complejo de medidas instrumentadas para disciplinar a los trabajadores. Hay testimonios coincidentes sobre el uso de una medicina universal en los ingenios Lastenia y Santa Ana para "depurar" los organismos enfermos: la purga de sal. En el ingenio Santa Ana, además, se habría acos-

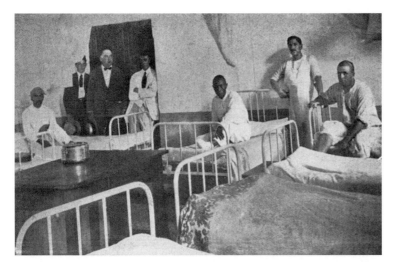

La fotografía corresponde a una sala de varones del hospital del ingenio Santa Ana y fue tomada, aproximadamente, en 1920. Algunos ingenios instalaron hospitales que brindaban atención gratuita a sus trabajadores y a sus familias. El primero en hacerlo fue el ingenio La Esperanza, de la provincia de Jujuy, en 1896. Para su dirección la empresa trajo de Inglaterra al doctor Guillermo Paterson, quien organizó, asimismo, un "laboratorio bacteriológico" con el propósito de realizar investigaciones sobre las patologías propias de los climas subtropicales.
(Vicente Padilla, Las provincias del Norte, Buenos Aires, 1922)

tumbrado "desinfectar" y "purificar" las vías respiratorias con gases de azufre. "[...] La purga de sal era para depurarlos y entonces nadie faltaba por enfermedad a menos de que sea realmente seria la enfermedad que tuvieran; si no, padecían la desinfección con el azufre o la purga de sal".[37]

Los ingenios tucumanos fueron más proclives a sostener escuelas. En 1886 Sarmiento elogiaba la iniciativa del industrial Juan María Méndez, quien mantenía en su establecimiento La Trinidad una "excelente escuela".[38] Pero, en 1899 el ejemplo no había cundido demasiado, ya que en sólo 6 de los 33 ingenios de la provincia funcionaban establecimientos de primeras letras para niños. "[...] Nada costaría a los propietarios –afirmaba *El Orden*– el ceder una casa para instalar la escuela y dar habitación a los maestros, así como subvencionarla para su sostenimiento [...]".[39] Con el nuevo siglo las escuelas fueron apareciendo en todos los poblados azucareros, apoyadas por las empresas en grado diverso. En algunos casos facilitaban el edificio, o pagaban los maestros, o proveían de leche a los niños; incluso se pusieron en funcionamiento centros para enseñar a leer y escribir a obreros adultos. La temprana edad de ingreso al mundo laboral atentaba, sin embargo, contra la posibilidad de extender la educación básica. Niños de hasta nueve años trabajaban en las fábricas en las tres primeras décadas del siglo XX y siguieron haciéndolo –con todo el grupo familiar– por muchos años más en las labores del corte, pelado, despunte y cargado de la caña.

La vida en los pueblos azucareros estaba estrictamente pautada por los tiempos del ingenio. Todo se organizaba en función de la zafra. En octubre o noviembre la actividad entraba en un estado de letargo, para

Los límites del disciplinamiento

despertar y ponerse lentamente en movimiento al terminar el verano. Llegaba entonces la hora de dejar a punto las máquinas y de tensar los músculos. Los obreros permanentes sabían que se aproximaba el momento en el que debían echar a andar el monstruo de acero, del que atendían los órganos más sensibles; los temporarios aprestaban sus bártulos para migrar a veces cientos de kilómetros a ingenios y cañaverales, donde de su esfuerzo dependía hacer en tres o cuatro meses "la diferencia" y poder adquirir, de regreso al pago, una vaca u otro bien igualmente preciado; los indígenas del Chaco iniciaban una larga y penosa marcha, que duraba a veces más de un mes, para arribar a un punto en el que abordarían los vagones de carga que los depositarían en el lugar asignado por las empresas; los carreros alistaban bestias y aperos; comerciantes y bolicheros preparaban la variada gama de mercaderías que intentarían colocar en el revitalizado y bullicioso mercado en que se convertía cada pueblo; los cañeros independientes aseguraban sus planteles de "peladores" y negociaban con las fábricas el precio y las condiciones de liquidación de la materia prima; industriales, grandes mayoristas, financistas y políticos especulaban sobre las perspectivas de los precios y discutían –todos los años– sobre las bondades e inconvenientes de las tarifas aduaneras vigentes y sobre la conveniencia o no de elevar o reducir la banda protectora al azúcar.

A fines de mayo o en la primera quincena de junio, primero pesadamente pero luego a un ritmo febril, brazos y machetes comenzaban a voltear tablón tras tablón en los plantíos; los trapiches a deglutir los atados de caña; las chimeneas a despedir columnas de humo grisáseo y el ingenio a impregnar su entorno con el dulce olor de la miel quemada. Centenares de hombres, largas tropas de carros, locomotoras y vagones ferroviarios entraban y salían diariamente de cada fábrica, cuyos caminos y avenidas de acceso se cubrían de un manto de polvo que sólo se iría con el fin de la zafra.

Durante la cosecha, los turnos y horarios de trabajo imponían la rutina a todos los habitantes del pueblo. Los hombres cumplían jornadas diurnas o nocturnas de 10 a 12 horas, aunque a fines de la década de 1910 algunos ingenios tucumanos decidieron adoptar la de 8 horas, modalidad que se generalizó a partir de una ley provincial votada luego de la huelga obrera de 1923. Los quehaceres de las mujeres tenían que adaptarse a los horarios de sus compañeros; debían tener las comidas listas para servir en los momentos determinados por el ritmo laboral del ingenio y hasta llevarlas a los lugares de trabajo cuando los turnos eran diurnos. Diariamente, un enjambre de mujeres y niños irrumpían a una hora determinada en las fábricas portando el almuerzo en pequeñas ollas, platos envueltos en trozos de género o en portaviandas enlozadas.

Tal rutina imponía un orden, una disciplina, al compás de los repiques de las campanas y, luego, del ulular de las sirenas, que anunciaban la rotación de los turnos.

Otros elementos actuaban en la misma dirección, reduciendo sobremanera las posibilidades de los trabajadores de actuar al margen o contrariando la voluntad o las normas establecidas por los industriales. En primer lugar, todo era propiedad del ingenio, incluyendo las viviendas. De ellas podían ser desalojadas las familias sin ningún preaviso y así sucedía efectivamente. Ante cualquier problema que los propietarios, el administrador o, simplemente, los capataces consideraran conveniente enfrentar aplicando un duro correctivo, el trabajador castigado era subido a un carro con su mujer, hijos y pertenencias, y era expulsado del radio del establecimiento. Por cierto que esas medidas formaban parte de una dinámica de relaciones paternalistas, en las que el patrón o los administradores de las empresas combinaban favores, gestos de desprendimiento y magnanimidad con reprimendas y sanciones, algunas inusitadamente duras, como los castigos corporales y la aplicación del cepo, que fueron legalmente aceptados hasta 1888.[40] Al respecto, Bialet Massé observaba –generalizando de un modo por lo menos discutible– que "[...] El obrero sirve a su patrón caudillo de sus servidores, que nacen y viven y muchos mueren en el terreno del patrón en que nacieron. Cualquiera que sea el modo de ser de éste, se crean afecciones recíprocas que nada puede borrar [...] aun en las mismas sociedades que se han formado donde han quedado como gerentes sus antiguos dueños, el personal fijo conserva con ellos las mismas relaciones de afección, que es recíproca y se manifiesta con

"Escuela de una de las colonias. Muchos de los alumnos son hijos de indios que una vez educados demuestran poseer una inteligencia poco común". Esta era la leyenda que acompañaba a la fotografía de una de las escuelas instaladas en las propiedades del ingenio Ledesma. Casi todos los ingenios dieron algún tipo de asistencia en este rubro, aportando los edificios y brindando otros tipos de ayudas para su funcionamiento. (Vicente Padilla, Las provincias del Norte, Buenos Aires, 1922)

detalles tan interesantes como el cuidado de dar la leche a los niños de los obreros".[41] Sin duda, esta valoración debe relativizarse a la luz de los innumerables actos de desobediencia e insubordinación de los trabajadores tucumanos. Las fugas de los lugares de trabajo, tan generalizadas mientras tuvieron vigencia las leyes de conchabo, como los movimientos huelguísticos que episódicamente convulsionaron el clima social tucumano posteriormente, prueban que esas "relaciones de afección recíproca" no eran tan sólidas ni estaban exentas de entrar en crisis.

Las empresas cuidaban con celo que la presencia de extraños no perturbara el normal desenvolvimiento de las actividades y el orden dentro de sus propiedades. Por lo general sus límites estaban cercados y los accesos vigilados. De noche era necesario identificarse ante los guardias para ingresar a los pueblos. Especial prohibición regía en algunos ingenios contra los comerciantes ambulantes, muchos de ellos "turcos" (es decir, árabes), quienes rompían el monopolio del comercio minorista que las empresas reservaban en beneficio de sus proveedurías.

Ese objetivo regimentador apuntaba, como se ha dicho, a todas las esferas de la vida cotidiana de los pueblos. En consecuencia, las empresas procuraron dotarlos de una adecuada infraestructura que contemplaba la realización de deportes, el culto y la recreación, practicados "civilizadamente". De ese modo se construyeron para los trabajadores y sus familias canchas de fútbol, de básquet, de bochas y natatorios; capillas y clubes sociales (donde se proyectaban películas, se representaban piezas teatrales y se realizaban diversos tipos de fiestas), los que se transformaron en importantes centros de la sociabilidad obrera.

No todos los esfuerzos de las empresas para orientar las actividades recreativas de los trabajadores por cauces "civilizados" fueron infructuosos. A principios de siglo comenzaron a dotar a los pueblos azucareros de natatorios y canchas de deportes. En todos los ingenios se organizaron equipos de fútbol, que competían en torneos internos y luego en las ligas provinciales, cuando éstas se organizaron.
Equipo del ingenio Aguilares, Tucumán, circa 1920.
(Vicente Padilla, Las provincias del Norte, Buenos Aires, 1922)

Durante la época de zafra, numerosas mujeres y niños se agrupaban a determinada hora de la mañana frente a los ingenios llevando el "almuerzo" para los trabajadores que habían tomado su turno en la madrugada. Al toque de una campana o de un silbato se abrían los portones e ingresaban portando pequeñas ollas, canastos, platos envueltos en géneros y hasta modernos portaviandas metálicos. Ingenio La Florida (Tucumán), 1924. (Colección de la familia Voigt)

Una mirada optimista sobre el éxito de tales propósitos fue formulada por un periodista de Buenos Aires que visitó el ingenio Ledesma a mediados de la década de 1920: "Esto no es un conglomerado de casas, como pudiera suponerse, yuxtapuestas y alineadas a lo largo de los caminos centrales. Éste es un centro edilicio, perfectamente corporizado y autónomo, en el desenvolvimiento de sus necesidades y recursos. La vida se desenvuelve bajo un control bifásico –oficial y privado– ya que la expansión demográfica de aquel poderoso núcleo de edificación particular ha reclamado, por su intensidad, todas las atenciones de la vida civil, legislada por la acción oficial en justicia, en policía y en instrucción. En urbanismo, empero –es decir, dentro de su estructura material y moral– aquella armazón de ciudad obrera, donde se disciplina armónicamente la vida de ocho mil almas, es un derivado absoluto del ingenio".[42]

Sin embargo, hay suficientes razones para dudar de que las empresas y el Estado hayan logrado imponer tal "armónica disciplina" a través de ese "control bifásico". Cuando más, el disciplinamiento conseguido fue relativo, toda vez que muchas de las manifestaciones de la sociabilidad obrera no dejaron de ser cuestionadas por el discurso de las elites y toleradas a medias. Las típicas fueron el juego de la taba y las riñas de gallo, en las que participaban sólo hombres y que eran reprimidas con frecuencia por la policía. En tales reuniones se apostaba dinero, se bebía en abundancia y no era infrecuente que culminaran en violentas reyertas. Los días de descanso y en particular los de pago eran siempre acompañados por este tipo de juegos y ruidosas libaciones:

"[...] venía la gente del pueblo, los peladores de caña [...] había una cantina y allí venían los sábados y domingos [...] a las nueve de la noche nosotras ya no existíamos, ya estábamos todas encerradas a esas horas, ¡porque se hacía cada escándalo, cada griterío! ¡Cada pelea! ¡Cada cuchillada! Se acuchillaban que daba miedo [...]".[43] La referencia corresponde a la década de 1940 o a la de 1950, pero refleja un tipo de conducta que la elite y los sectores letrados denunciaban desde mediados del XIX como capitales dentro de los "vicios" consusbtanciales con los sectores populares.

Las prácticas y creencias religiosas de los trabajadores distaban mucho también de ser las de la elite y los sectores medios. El obrero tucumano, según Rodríguez Marquina, "[...] Cree en Dios y en todos los Santos, en supersticiones y agüeros, pero no tiene ni la más mínima noción de los deberes del hombre para con Dios y sus semejantes [...]".[44] En efecto, aunque las empresas levantaron capillas junto a las fábricas y procuraron brindar servicios religiosos regulares para las nuevas poblaciones, la religiosidad en los ingenios se desenvolvió por carriles no previstos ni controlados por la jerarquía católica. Se trata ésta de una cuestión sobre la cual la historiografía no ha indagado, pero puede afirmarse que, en primer lugar, la devoción religiosa y sus rituales eran los de los lugares de origen de las gentes que constituyeron los poblados, desde los cerros y valles tucumanos a las llanuras santiagueñas. En segundo término, se centraba inexorablemente en torno a la veneración de una imagen de la Virgen María o de algún santo, cuya guarda estaba en manos de particulares, generalmente en las propias viviendas. La veneración de las imágenes, por otro lado, era acompañada con aires musicales interpretados con cajas, bombos, violines y a veces vientos, que alegraban las celebraciones, y concluían en fiestas con abundante comida y bebida. Los lugares de culto eran las casas que guardaban las imágenes, pero bien podrían ser oratorios más o menos distantes de los pueblos; algunos congregaban a los feligreses en días determinados (el del santo o el de una determinada advocación de la Virgen); otros eran organizados para cumplir promesas o pedir favores especiales.

De estas celebraciones, se destaca sin duda el "misachico", que consistía en una peregrinación con la imagen en andas, ataviada con cintas y flores, y al ritmo de una música característica. Una historia sobre Chaquivil, una localidad de la alta montaña tucumana, señala que "[...] durante la realización del misachico se desdibujan las barreras entre los miembros de la comunidad, aun los más enemistados [...] la imagen, que está 'cargada' de gracia después de la procesión, derrama su bendición sobre los creyentes. En la fe popular, la imagen es la presencia del santo o la Virgen María, por ello cuando hablan de la imagen, dicen 'él' o 'ella', como si se tratase de una persona".[45]

Sobre la vida familiar y la sexualidad en los pueblos azucareros el vacío historiográfico es aun mayor. Podemos guiarnos, al respecto, por algunas escasas referencias e inferir conductas a partir de vivencias de las décadas de 1940 y 1950. Según Rodríguez Marquina, en las familias obreras de fines del siglo XIX era "[...] muy raro ver individuos casados, pues lo general es el concubinato, y es frecuente encontrar uno cuya muger [sic] tiene varios hijos de distintas procedencias [...]".[46] Si las uniones informales eran moneda corriente, habría habido una gran tolerancia en materia sexual, con abundancia de embarazos de mujeres que apenas habían dejado la pubertad. El cuadro que sobre el ingenio Santa Lucía de fines de los cuarenta y los cincuenta de este siglo ofrecen dos testimonios a partir de perspectivas diferentes (una hija de obrero y una psicoanalista) son coincidentes al señalar una realidad caracterizada por el alcoholismo, la violencia familiar, los abusos y los castigos físicos a los niños. "[...] Éramos de las últimas generaciones de familia numerosa y de padres que nos pegaban, que usaban el castigo corporal como imposición de disciplina, como instrumento de educación –afirma Lucía Mercado–; casi todos hemos sufrido 'el látigo colgando de la galería', las varillas de nuestras madres, el cinto de nuestros padres; no tenía nada que ver con el amor o el desamor, era así, estaban convencidos, que seríamos mejores personas aprendiendo lo que se debía de esta manera: hasta el extremo de romper palos de escoba en algunas espaldas. El castigo corporal era impune y era bien visto y a esto se sumaba la costumbre desprovista de contacto físico afectivo: nuestros padres nos cuidaban, atendían las necesidades, teníamos mucha libertad, pero no nos abrazaban, no nos besaban [...]".[47]

El alcoholismo en los hombres habría sido el disparador de gran parte de las golpizas a que eran sometidas esposas y compañeras, del mismo modo que, al desinhibir las conductas, habría favorecido las relaciones incestuosas, las violaciones y otros tipos de abusos sexuales, los que siendo conocidos se cubrían en general con un manto de silencio. Según uno de los testimonios, la sexualidad era algo omnipresente, que "estaba a flor de piel, sin ningún tipo de sublimación". En ese contexto, aunque la virginidad no dejaba de ser una cualidad preciada, un "ideal" enaltecido tanto por la prédica de la iglesia como por los propósitos moralizadores de la élite azucarera, el perderla no impedía a las jóvenes conseguir pareja y formar un hogar, ni aún siendo madres solteras.[48]

Colofón

Toda sociedad es un mundo de contrastes. Pero en los ingenios azucareros del norte argentino éstos fueron notablemente acentuados en lo relativo a costumbres, formas de sociabilidad y condiciones de vida. En un radio reducido convivían propietarios, personal jerárquico y todas las escalas de los trabajadores; la riqueza exhibida con ostentación y la pobreza que se manifestaba, impúdicamente, a los ojos de los observadores; los sofisticados trajes europeos y los rústicos géneros que, a veces, apenas cubrían la desnudez.

Los contrastes también eran muy marcados entre el período de cosecha, que imprimía a toda la sociedad cañera una febril actividad, y los del período interzafra, que bien podríamos llamar de hibernación si no coincidiera con el tórrido y lluvioso verano. Todo cambiaba en uno y otro: las rutinas, los contactos con el mundo exterior, la disponibilidad de tiempo propio, las posibilidades de adquirir ciertos tipos de bienes, etcétera.

Entre los propios trabajadores las disparidades no eran menores. Sobre la base de la calificación laboral, de la pertenencia étnica o de la condición de "permanentes" y "transitorios", estaban divididos en una compleja escala de jerarquías de los que eran celosos defensores. En los ingenios jujeños no era lo mismo ser peón criollo o trabajador chiriguano que "soldado" mataco. Las tareas que se asignaba y las retribuciones que recibía cada grupo respondían estrictamente a su diferenciado status. En ese sentido, preservar las diferencias significaba para algunos conservar ventajas o privilegios frente a las categorías que gozaban de menor estima. Este tipo de diferencias eran menos radicales en Tucumán, aunque no dejaban de existir entre un maestro de azúcar o un electricista y los "peladores" santiagueños.

Algunas de estas características no fueron privativas del ingenio azucarero (como las diferencias que hacían las patronales entre las parcialidades chaqueñas), pero otras se generaron en la dinámica productiva y cultural de este verdadero microcosmos social. La condición sanitaria de los trabajadores, el comportamiento de los indicadores demográficos y ciertas pautas de conducta (como el trato dado a mujeres y niños) no pueden, a su vez, atribuirse al ingenio. En realidad, eran comunes a todas las áreas rurales del norte argentino. En ese sentido el ingenio no era un submundo, sino un lugar en el que, gracias a su importancia económica, a las concentraciones humanas que nucleaba y a la circunstancia de que en él confluían intensamente la cultura de la elite y la cultura popular, tales rasgos se hicieron más visibles.

Las luchas políticas que enfrentaron a conservadores con radicales y –en el caso tucumano– las que oponían a industriales con cañeros alimentaron un imaginario que cuajó en un modelo que mostraba a la agroindustria como la causante del atraso económico y a los pueblos azucareros como un concentrado de padecimientos sociales. En él los trabajadores eran víctimas inermes de una despiadada explotación que, para colmo, les privaba de toda libertad. Sin duda, muchos de los elementos con los que se elaboró tal modelo fueron tomados de la realidad, pero se los proyectó en el tiempo y en el espacio violentando una diversidad de situaciones que, de ser contempladas, ofrecerían un panorama más matizado y complejo. Lo que cuestiona más seriamente su validez es la evidencia de la creatividad inagotable de los hombres y mujeres de los pueblos azucareros que, en un marco muy condicionante, pudieron inventar formas de religiosidad, de recreación y de acción política y sindical.

Ello no invalida la existencia de situaciones de injusticia ni puede echar un manto de disculpas sobre las agudas desigualdades sociales que acompañaron y se hicieron inherentes a la actividad azucarera, expresadas en la mitología surgida en torno de la fábrica, de su entorno agreste y de sus misterios. Muchos de los mitos que predominaban en el imaginario colectivo de los trabajadores del azúcar eran propios del mundo rural, como los de "la mulánima", "la viuda" y "el duende". Pero uno era peculiar del ingenio y su pueblo, el de "el familiar". La existencia de un pacto de los patrones con el demonio, transmutado en un perro negro que, arrastrando cadenas, habitaba los sótanos de las fábricas y merodeaba al anochecer por los cañaverales sediento de sangre obrera, estaba en la base de esa creencia que se extendió a toda la región, incluso a los grandes centros urbanos, y que pretendía explicar de algún modo la extraordinaria concentración de la riqueza en pocas manos. Pese a los estudios que ha merecido desde diferentes perspectivas, todavía no se ha indagado suficientemente sobre su articulación lógica con un

Las posibilidades de vinculación de los pueblos azucareros con el mundo exterior no eran uniformes. Los ingenios de Salta y Jujuy, y el Santa Ana (de Tucumán) contaban con menos disponibilidad que las numerosas fábricas cercanas a San Miguel de Tucumán. Según Padilla, a fines de la década de 1910, los empleados y obreros de los ingenios Lastenia y San Juan (ubicados en el departamento de Cruz Alta) hacían uso del servicio regular de un "camión-automóvil" para trasladarse a la capital provincial. (Vicente Padilla, Las provincias del Norte, Buenos Aires, 1922)

sistema de representaciones y conductas; sobre su historicidad, sus orígenes, las formas y los contenidos cambiantes que fue adquiriendo a lo largo del tiempo. Como éstas, muchas otras cuestiones de la historia de los pueblos azucareros del norte argentino –y que aquí han sido sólo esbozadas– continúan en la agenda de tareas pendientes de los investigadores de nuestra sociedad y sus culturas

Notas

1. Este trabajo resume una investigación llevada a cabo en el marco del Proyecto de Investigación Plurianual (PIP) N° 4976 financiado por el Consejo Nacional de Investigaciones Científicas y Técnicas. Ana Josefina Centurión ha colaborado en todas la etapas de su elaboración.

2. Julio P. Ávila, "Medios prácticos para mejorar la situación de las clases obreras", en Manuel Pérez (ed.), *Tucumán Intelectual. Producciones de los miembros de la Sociedad Sarmiento*, Tucumán, 1904, p. 183.

3. La demanda de mano de obra en la agroindustria azucarera del norte argentino se concentraba entre mayo y fines de setiembre o comienzos de octubre, en los meses de la cosecha o "zafra", que coincide con la estación seca. La plantación y las tareas culturales se llevaban a cabo en la época de lluvias, de octubre a marzo-abril.

4. Domingo F. Sarmiento, *Obras de Sarmiento*, Tomo XLII, Buenos Aires, 1900, pp. 358-359.

5. *Ibíd.*, p. 360.

6. Julio P. Ávila, *op. cit.*, p. 190.

7. Paulino Rodríguez Marquina, *La mortalidad infantil en Tucumán*, Tucumán, 1899.

8. Jobino Pedro Sierra e Iglesias, *Un tiempo que se fue. Vida y obra de los hermanos Leach*, S. S. de Jujuy, Municipalidad de San Pedro de Jujuy-Universidad Nacional de Jujuy, 1998, p. 58.

9. "Los obreros de la industria azucarera en Tucumán. Informe de un comisionado", en *La Industria Azucarera*, N° 89, 1910, pp. 85-86. Los juicios que se realizaban sobre esta cuestión no son de ninguna manera uniformes ni coincidentes. En 1916, el inspector del Departamento Nacional del Trabajo, José Elías Niklison, afirmaba sobre el *ibó*, la choza de los matacos: "[...] El interior es miserable, pero relativamente limpio. Lo afirmo, en contra de la espantable leyenda de su desaseo, escrita y difundida por los que quizá jamás penetraron en un toldo", (José Elías Niklison, *Los tobas*, Buenos Aires, 1916, p. 114); una opinión similar de este autor sobre los *huetes* de los matacos en "Investigación sobre los indios matacos trabajadores", *Boletín del Departamento Nacional del Trabajo*, N° 35, Buenos Aires, 1917, p. 69.

10. Archivo Histórico de Tucumán, Sección Administrativa, vol. 185, f. 514 y ss.; vol. 208, f. 190 y ss. Los "labradores" eran el segmento mayoritario en este tipo de padrones y su nivel de instrucción mayor que el de los jornaleros.

11. Testimonio del doctor Horacio Espeja, médico del hospital del ingenio Santa Lucía entre 1949 y 1958.

12. Sierra e Iglesias, *op. cit.*, p. 63.

13. Niklison, *Los tobas*, *op. cit.*, p. 100.

14. Las valoraciones negativas sobre las aptitudes de los trabajadores para insertarse en la vida social con pautas acordes con los parámetros "civilizados" no eran privativas de la elite azucarera. Las compartían, con matices, los socialistas. Luis Lotito, dirigente socialista revolucionario, hacía referencia a sus "toscos cerebros" y a su "estado de ignorancia casi absoluta", (Luis Lotito, "El proletariado tucumano a comienzos de siglo", en Torcuato S. Di Tella (comp.), *Sindicatos como los de antes...*, Buenos Aires, Biblos-Fundación Simón Rodríguez, 1993, pp. 22, 28 y 34). Mario Bravo opinaba, a su vez, que "la ignorancia" y "la degradación en la que han sido

mantenidos" les impedía "accionar por sí mismos, directamente, sobre la clase que los explota y que los oprime", (*República Argentina. Congreso Nacional. Diario de Sesiones de la Cámara de Diputados*, Buenos Aires, 1915, p. 512).

15. "Reglamento para los peones del Ingenio Bella Vista", en *Ingenio Bella Vista. Libro Copiador* (20.7.1904-24.10.1905), pp. 226-229, Archivo de la familia García Fernández.

16. *Primer Sínodo Diocesano del Obispado de Tucumán*, Roma, 1907, p. 91 (agradezco a María Celia Bravo el haberme advertido sobre esta obra).

17. Olga Paterlini de Koch, *Pueblos azucareros de Tucumán*, Tucumán, Facultad de Arquitectura y Urbanismo de la Universidad Nacional de Tucumán (UNT), 1987, pp. 07 y 153.

18. Juan B. Justo, quien visitó varios ingenios jujeños y tucumanos en 1926, afirmó en una conferencia pronunciada en la Biblioteca Sarmiento de Tucumán: "En cuanto a la habitación [...] encuentro que estas casitas que rodean a los Ingenios, formando una especie de pueblo, son en muchos casos superiores a la habitación media del trabajador de Buenos Aires, que generalmente tiene una pieza de conventillo como único alojamiento para sí y su familia" (Centro Azucarero Argentino, *Asistencia social en la industria azucarera*, Buenos Aires, 1943, p. 115).

19. George Clemençeau, *Notas de viaje por América del Sur*, Buenos Aires, 1986, Hyspamérica, p. 160.

20. Paterlini de Koch, *op. cit.*, p. 115.

21. Sierra e Iglesias, *op. cit.*, p. 135 y ss.

22. Testimonio de la Srta. Blanca Alicia Artaza, quien visitó la vivienda del ingenio a fines de la década de 1930.

23. Luis F. Araoz, "Restrospecto sobre la entrada a Tucumán de la primera mensajería", en *La Gaceta*, Tucumán, 15-10-1922, citado en Carlos Páez de la Torre (h), "Tucumán", en *Historia Testimonial Argentina. Historia de ciudades*, Nº 16, Buenos Aires, CEAL, 1984.

24. Lotito, *op. cit.*, p. 32.

25. Niklison, "Investigación sobre los indios matacos trabajadores", *op. cit.*, p. 72.

26. Niklison, *Los tobas*, *op. cit.*, p. 116.

27. Sarmiento, *op. cit.*, p. 313.

28. Juan Bialet Massé, *Informe sobre el estado de las clases obreras*, Buenos Aires, Hyspamérica, 1985 (1ª edición, 1904), Tomo I, p. 226. Sobre el ingenio La Providencia, hacía afirmaciones contradictorias: "Los peones sacan de la provedería, si quieren, lo que necesitan, y si no compran en otra parte [...]" (*ibíd.*, p. 228); "Hay provedería forzosa, libreta y vale. Ninguno sabe leer ni escribir. Viven debiendo siempre, ¡como no! si fían las bebidas, y hay mes que no alcanzan a cubrir los gastos de la provedería" (p. 229).

29. Niklison, *Los tobas*, *op. cit.*, p. 118 (cursivas en el original). Se denominaba *mariscada* a la acción de pescar, cazar y recoger frutas silvestres en los montes.

30. Alfredo Bolsi y Julia Ortiz de D'Arterio, "Población y complejo azucarero en Tucumán durante el siglo XX", mimeo, 1998, p. 38.

31. Rodríguez Marquina, *op. cit.*, pp. 116-118.

32. Paulino Rodríguez Marquina, *Anuario Estadístico de la Provincia de Tucumán. 1897*, Buenos Aires, 1898, p. XXX.

33. *El Orden*, Tucumán, 20-10-1884 (las cursivas nos pertenecen).

34. Bialet Massé, *op. cit.*, pp. 224 y 228; Reglamento de Peones del ingenio Bella Vista, ya citado.

35. Testimonio de la Sra. Erna Voigt de Kindgard, hija del subadministrador de dicho ingenio en los años indicados.

36. Sierra e Iglesias, *op. cit.*, p. 63.

37. Testimonio del Dr. Félix Mothe, en Proyecto 189 del Consejo de Investigaciones de la UNT, *Santa Ana. Un modelo de cultura rural*, Tucumán, Facultad de Artes de la UNT, 1991, pp. 28-29. La referencia a la misma práctica en el ingenio Lastenia en Marteau, Fanny *et al.*, "Una entrevista de historia oral sobre las condiciones de trabajo y de vida en un ingenio azucarero", informe presentado en la asignatura "Seminario de Historia Regional", Facultad de Humanidades y Ciencias Sociales, Universidad Nacional de Jujuy, 1992, mimeo, p. 7.

38. Domingo F. Sarmiento, *op. cit.*, p. 361

39. *El Orden*, Tucumán, 4-5-1899.

40. El Reglamento de Policía de 1877 autorizaba a los patrones a corregir "moderadamente" las faltas de los trabajadores, "[...] sin que de ello le resulte herida, contusión u otra enfermedad [...]". La Ley de Conchabos de 1888 no reconocía tal atribución, pero concedía el derecho a detener en prisión por 24 horas a los peones que se resistieran o "comprometieran el orden" en los lugares de trabajo, Ana María Ostengo de Ahumada, *La legislación laboral en Tucumán. Recopilación ordenada de leyes, decretos y resoluciones sobre derecho del trabajo y seguridad social. 1839-1969*, Tucumán, UNT, 1969, Tomo I, pp. 50 y 64-65.

41. Bialet Massé, *op. cit.*, T. II, p. 771.

42. W. Jaime Molins, *Los grandes industrias argentinas. Por los emporios del azúcar. Una visita al ingenio Ledesma*, Buenos Aires, 1925, pp. 19-20.

43. Testimonio de la Sra. Aurelia Rodríguez de Alonso, en *Santa Ana. Un modelo de cultura rural, op. cit.*, p. 45.

44. Paulino Rodríguez Marquina, "Las clases obreras. La mano de obra, costumbres, vicios y virtudes de las clases obreras y medios de mejorar sus condiciones", en *Tucumán Literario*, Nº 11, 8-4-1898, p. 90.

45. Cynthia Folquer, "Se oye decir... Reconstruir la historia en Chaquivil", tesis de licenciatura, Universidad Católica Argentina, Rosario, 1999, pp. 179-184 (inédita).

46. Rodríguez Marquina, "Las clases obreras. La mano de obra...", *op. cit.*, p. 90.

47. Lucía Mercado, *El Gallo Negro. Vida, pasión y muerte de un ingenio azucarero. Santa Lucía-Tucumán*, Buenos Aires, edición de la autora, 1997, p. 123.

48. Testimonios de las señoras Lucía Mercado y Clara Garfinkel de Espeja.

Imágenes y lenguajes

Ricardo Pasolini
Luis Priamo
Fernando Rocchi

Los textos que componen Imágenes y lenguajes, *tanto como la* Crónica, *que imagina la reflexión de Uriburu en el ocaso y narra la sensación de un sector de la oligarquía que cree percibir su temprana agonía política, están habitados por una figura común: el hábito es el monje, la identidad es el gusto, y los modales, su implacable epifanía. La proliferación de imperativos estéticos organizará las jerarquías a través de la producción de subjetividades cuya naturalidad depende del olvido, o de las poses del olvido, y la fotografía permitirá construir, a menor costo, panteones frágiles, conmovedores y fatuos. En torno de la ópera y el circo, en la retórica gestual o en el discurso publicitario naciente, veremos organizarse los lenguajes aceptados, elegidos, de una sociedad que se piensa a través de una nueva categoría, surgida en Europa hacia fines del siglo XVII: el buen gusto. Este concepto, percibido hasta el siglo XVIII como metáfora del sentido, es el que, como dirá Voltaire en su* Diccionario filosófico, *permite al* gourmet *distinguir la mezcla de dos licores tanto como permite ver al* hombre de gusto *"en una mirada pronta la mezcla de dos estilos". El proceso de privatización está así marcado, organizado, diríamos, por el triunfo de los modales y el gusto, más allá de los diversos orígenes que las elites les otorguen –herencia hispánica, criollismo o fascinación europea–. Esto supone un cambio importante frente al fasto que lo precede, porque el buen gusto no exhibe, sólo muestra. Se limita a producir un efecto de certeza. Hace que todo fluya y que aquello que perturba su luminosa placidez no pueda ser sino una anomalía. Indudable, displicente, el buen gusto distingue casi mejor que la honra, cuyos inevitables excesos se abandonan a los guapos por ser personajes dramáticos, a los militares por ser hombres de armas, a los políticos por ser hombres de escena y, puesto que no ha de ceder a las satisfacciones vulgares, sólo se defiende a primera sangre, porque coraje para morir, ahora, ya tiene cualquiera. Las elites deberán, por lo tanto, entregarse exclusivamente a las formas jubilosas y melancólicas de la delectación, renegando de la tentación de una sensualidad vulgar que sólo podría reivindicarse como provocación. El gusto puro debe oponerse a la violencia humillante de lo "agra-*

dable": los furores del público del drama criollo. Debe poder dar la solemne desenvoltura que se requiere para sortear con éxito la caminata que lleva a los presidentes desde la Casa de Gobierno a la Catedral para el Te Deum. *A él apelan las prácticas publicitarias diferenciadas cuando en un mismo aviso anuncian sus amplias gamas de* prêt-à-porter *junto a la ropa hecha a medida para una clientela selecta. Es también la condición de esa "naturalidad" ante la cámara de la que carecen aquellos que sostienen la respiración, conscientes de armar una vida con unas pocas imágenes. El lenguaje de las experiencias estéticas, las figuras cuidadas del recuerdo, las bellísimas e insólitas mises en* scène *fotográficas, las estrategias de distinción en el consumo, las inquietudes fatigadas de un señorito de provincia, son aquí formas de la privacidad atravesadas por los modales y el gusto, que, como todas las "segundas naturalezas", se construyen con ese gesto* naïf *o coqueto que instituye la ficción "natural" sobre un cuerpo inmenso de prescripciones explícitas y silenciosas.*

Fernando Devoto
Marta Madero

La ópera y el circo en el Buenos Aires de fin de siglo. Consumos teatrales y lenguajes sociales

Ricardo O. Pasolini

A mediados de junio de 1909, Anatole France pronunció su última conferencia en Buenos Aires y presentó, desde una perspectiva exterior, una composición de la Argentina que coincidía con la que la elite local había alimentado desde largo tiempo. Lo que más asombraba a France se fundaba en el hecho de que en la periferia del mundo atlántico pudiera encontrar un interlocutor cultural equivalente a sus aspiraciones de prestigio en tanto intelectual y visitante ilustre.[1]

El interlocutor de France era esa región de la sociedad porteña que se autocalificaba como *high-life* y que, adiestrada en los saberes y rituales de una cultura que se miraba en Europa, pretendía encontrar en ella un espejo que le devolviera imágenes favorables. Más allá de la sospecha de una desmesurada propensión al elogio, seguramente inadvertida por los contemporáneos –pues la sola presencia del escritor francés habilitaba la familiaridad de una descripción que se encontraba muy cercana a las reglas protocolares–, la imagen de France no hacía más que reforzar un patrimonio ideológico común a la elite, una idea pasible de ser aprehendida en un magma de significaciones sobre la modernidad, la nacionalidad y la identidad social, donde Buenos Aires, *París de América*, parecía estar cada día "más orgulloso de marchar a la cabeza de la civilización".[2]

Ese interlocutor social culturalmente europeo, del que France desconfiaba pero al que no dejaba de admirar,[3] aparece como el resultado de una operación consciente de selección y orientación de la oferta cultural a partir de unas pautas de consumo en donde las experiencias tea-

El público de la ópera, desde el inicio, se presentó fuertemente estratificado. La más notable diferenciación era la que se establecía en el interior del teatro a través de la ocupación de los espacios destinados a los espectadores. La audiencia del Teatro Colón de Buenos Aires durante una función de gran abono en 1912. (Archivo General de la Nación)

trales jugaban un papel preponderante. Es evidente que cuando hacia 1909 Anatole France calificaba a los asistentes a las salas del teatro lírico porteño como de "oído delicado y hasta algo quisquilloso",[4] visualizaba con asombro crítico lo que parecía el momento cúlmine de un proceso cultural que había acompañado la transformación de la Gran Aldea en una sociedad extremadamente compleja, étnicamente plural y cosmopolita: el surgimiento y desarrollo de un público erudito de teatro lírico, decidido a consumir un bien cultural estrechamente vinculado a la oferta de las empresas dramáticas extranjeras.

¿Qué es lo que en verdad está en juego en este proceso donde ciertos sectores sociales se apropian para sí de un género dramático específico? Entre 1870 y 1910, la ópera, por un lado, y el circo, por el otro, se transformaron en los polos antagónicos que asumía la oferta teatral de Buenos Aires, pues a partir del desarrollo de prácticas de consumo específicas y de particulares comunidades de significados asociadas a los géneros, pudieron reconocerse las diferentes franjas de un público cada vez más amplio y socialmente polarizado. El consumo teatral incluía también la zarzuela, las comedias y los dramas en italiano o en francés, los sainetes de origen español, y hacia principios del siglo, los dramas de autores argentinos. Pero es en la ópera y en el circo donde estos consumos alcanzan la dimensión de identidades sociales antagónicas. ¿Por qué?

En tanto las prácticas y los consumos teatrales se revelan como indicadores de las dinámicas mediante las cuales los grupos sociales constituyen identidades y porciones de poder en el campo simbólico, es posible reconocer en la diversidad de las experiencias ligadas al género teatral –como lo ha señalado Nicola Gallino respecto del consumo de ciertos estilos musicales en el Piamonte del siglo XIX–[5] la manifestación de lenguajes culturales diferenciados. A través de las operaciones de selección que los diferentes grupos realizan sobre esos lenguajes, tanto en su dimensión propiamente estética como en el sistema productivo de los géneros y la práctica social, es posible identificar los mecanismos mediante los cuales se perfilan y trazan los límites de unas identidades sociales que se pretenden estables.

En la Argentina del período 1870-1910, animada de mutaciones sociales y novedades culturales, el problema de la constitución de estas identidades encuentra en los lenguajes de géneros teatrales, como la ópera y el circo, una región donde dirimir lugares sociales fuertemente polarizados, a partir de la traslación de específicas jerarquías de prestigio al *côté* lingüístico de la experiencia teatral.[6] Éste es un fenómeno que opera, por un lado, en el nivel estético desde ámbitos diversos, y por otro, en la ritualidad misma de la sociabilidad teatral, pues en la sala –en particular de la ópera– se desarrolla otra compleja "actuación" que tiene como público al resto de la audiencia. Esta *mise en scène* que establece una estratificación social en el interior del teatro y a la vez un modelo global de hábitos culturales, se convierte en la metáfora de un aprendizaje civilizatorio –el *savoir-faire* de la urbanidad, el rito de las buenas maneras de la "gente decente" –, donde solamente un segmento de la audiencia se arrogará el conocimiento del libreto legítimo. Así, en la teatralidad de la sala se dirimen un ideal de identidad y una relación social específica.[7]

La ópera o las reglas del género

Los intentos de construcción de un público erudito en materia teatral y musical datan al menos de los tiempos posteriores a la Revolución de Mayo. En 1817, algunos miembros de la elite letrada de Buenos Aires, animados por el director Juan Martín de Pueyrredón, consideraron oportuno crear la denominada Sociedad del Buen Gusto, aunque el público más vasto que excedía las fronteras de este grupo intelectualizado seguía prefiriendo la asistencia a los toros, las riñas de gallo o los acróbatas ambulantes.[8]

Para el Buenos Aires posrevolucionario, atestado de conflictos y vaivenes políticos que conducían a un estado permanente de guerra, la experiencia teatral se presentaba ciertamente modesta. En este marco, la creación de la Sociedad del Buen Gusto aparecía más como un ámbito de encuentro socialmente autocelebratorio, que de disciplinamiento de un gusto popular que, en materia de espectáculos teatrales, se presentaba siempre esquivo a las imaginaciones de una elite también ella modesta.

¿Qué sucedía con la ópera? Al menos desde los tiempos de Rivadavia, los porteños habían conocido algunas arias, dúos y tercetos de óperas famosas. En 1825, con el estreno de *Il Barbiere di Siviglia,* de Gioacchino Rossini, se representó por primera vez en Buenos Aires una ópera completa.[9] Pero fue un fugaz comienzo: tras algunas pocas representaciones en los años sucesivos, ninguna ópera se representó entre 1832 y 1848. Hacia el final del período rosista, las representaciones de ópera alcanzaron algún desarrollo, en particular en el Teatro de la Victoria a partir de la instalación de la compañía de Antonio Pestalardo en 1848, y más tarde la compañía lírica francesa de Próspero Fleuriet.[10] Así y todo, las representaciones asumían un carácter en el que el género aparecía de algún modo devaluado. Por ejemplo, era costumbre de la época que los actos de las obras se redujeran a sus formas más dinámicas, considerando solamente las arias, romanzas o sinfonías, mientras se dejaban de lado los recitativos u otros números considerados de poco brillo por la compañía. En el Buenos Aires de mediados del siglo XIX, los intentos de ilustración del público quedaban a cargo de las necesidades cambiantes de las compañías, pues muchas veces carecían de las voces para representar obras completas. Por el contrario, la oferta teatral se presentaba bastante diversificada: arias y romanzas, bailes y sainetes, resumían una noche de espectáculos que comenzaba invariablemente a las ocho.

En 1878, un teatro como el primer Colón –inaugurado el 25 de abril de 1857 con la representación de *La Traviata,* cantada por el tenor Tamberlick y la Lorini– anunciaba a precios de noche de ópera la presentación de una rara atracción más cercana al espectáculo circense: "el hombre-pez", quien, junto a los integrantes de su *troupe*, comía, bebía y jugaba a los naipes "en un estanque bajo el agua".[11] Ciertamente, hacia la década de 1820, en los teatros líricos de Italia, donde se representaban las obras que las clases acomodadas consideraban serias, es decir, aquellas de argumento histórico o mitológico, también en los entreactos tenían lugar bailes u otras diversiones y, luego de 1850, con la ampliación del público hacia otros grupos sociales, los nuevos teatros líricos italianos comenzaron a ofrecer desde óperas clásicas hasta espectáculos ecuestres y acrobáticos.[12] Algo similar sucedía con la ópera de empresas italianas que consumía tanto la nueva elite californiana como la más tradicional neoyorquina hacia 1852.[13] En algún sentido, en términos de consumo y erudición, el público de Buenos Aires no se diferenciaba tanto de otros públicos del mundo moderno, salvo el de las audiencias del Teatro alla Scala de Milán o el San Carlo de Nápoles, que podían acreditar una tradición lírica secular.

Crítica musical y ópera

La aparición en 1875 del semanario de crítica *La Gaceta Musical* representará un paso muy importante en el proceso de construcción de un público erudito en materia de música lírica. Por un lado, indicará el surgimiento de un tipo de prensa orientada exclusivamente hacia las temáticas musicales que recurrirá a la figura factual del *crítico*. Por otro, esa crítica será monopolizada por el análisis de las diversas facetas de la ópera como género. *La Gaceta Musical* salía todos los domingos de mayo a octubre, durante los seis meses que duraba la temporada lírica. En sus páginas se informaba sobre las representaciones que tenían lugar en los dos teatros más prestigiosos del Buenos Aires de la época: Teatro de Colón (1857) y Teatro de la Ópera (1872). Se trataba de una crítica incipiente, a mitad de camino entre la subalternidad a los comentarios de la prensa especializada europea y el veredicto del público para colocar sus indicaciones no exentas de tecnicismos.

Vista del Teatro Colón en Buenos Aires

Por ejemplo, el debut de *La forza del destino* de Verdi en mayo de 1875, a cargo de la compañía lírica Colón, estuvo precedido por la reproducción de una serie de crónicas de la prensa milanesa en la que se elogiaba las cualidades vocales del tenor Ferrari y de su acompañante de escena Magdalena Mariani. La crítica local de la obra se resumió en el elogio del tenor y también en la de exaltación de Magdalena Mariani, quien a juzgar por el crítico había presentado "una Leonor que no ha tenido rivales en Buenos Aires".[14] En este sentido, el aplauso y la admiración hacia las prima donnas se presentaba como resultado de un veredicto público al que el crítico rara vez se oponía. Así, en la opinión acerca de la actuación de la Mariani se agregaba: "Y en apoyo a nuestro juicio, tenemos el numeroso auditorio que, arrebatado, seducido y dulcemente impresionado por aquella artista privilegiada, la aclamó, saludó y victoreó con entusiasmo, llamándola repetidas veces a la escena y cubriéndola de justos y merecidos aplausos".[15]

Sin embargo, será un periódico de perfil político y cultural no especializado en ópera, como es el caso de *El Mosquito*, el que intente polemizar sobre el destino del arte lírico en Buenos Aires a través de una crítica de la ópera italiana de entonces, a la que se le reconocían buenas voces pero deficiencias en actuación y puesta en escena.[16] También aquí,

El antiguo Teatro de Colón fue inaugurado el 25 de abril de 1857 con la representación de La Traviata, a cargo del famoso tenor Enrico Tamberlick y Vera Lorini. Una crónica de Caras y Caretas de 1904 afirmaba con nostalgia que a su sala había "concurrido lo más granado de la sociedad argentina". En 1887 fue clausurado y convertido en la sede del Banco de la Nación.
(Archivo General de la Nación)

los argumentos del cronista son presentados como inquietudes de un público que pareciera más afín a la ópera francesa que a la italiana, pero no dejan de ocultar las preferencias de un cronista *dilettante* que remite su crítica teatral sólo a la comparación del argumento del guión lírico con la obra literaria en la que en tal caso se apoya.

Público, intelectuales, diletantes

En algún sentido, la crítica de *El Mosquito* antecede en un modo preliminar a las polémicas que se desarrollarán, desde mediados de la década de 1880 y hasta bien entrado el nuevo siglo, acerca del rol hegemónico que la ópera italiana había alcanzado en este lugar del Plata. No sólo se trataba de una cuestión referida al gusto del público porteño, sino que esta crítica también avanzaba sobre las diferentes instancias de la producción misma del género, desde las cualidades de la empresa hasta la arquitectura teatral. Como ha indicado Rosselli, sólo a partir de 1908 se estabilizó un tipo de compañía lírica que presentaba óperas completas, en el sentido de que a partir de esa fecha las obras contaron inexorablemente con coros, orquesta, cuerpo de ballet, escenografía y vestuario.[17]

En 1888, Cécar Ciacchi, empresario del Teatro Politeama Argentino, contrató por la fabulosa cifra de un millón de francos a la soprano más célebre y cara del momento: Adelina Patti. El público llegó a pagar su acceso a los palcos cinco veces más de lo que lo había hecho habitualmente.
(Archivo General de la Nación)

Cierto es que el público porteño no tenía otra posibilidad que la de asistir al teatro donde, la mayoría de las veces, las compañías eran italianas, o hacían repertorios de óperas italianas o representaban en italiano las obras que originalmente habían sido creadas en alemán o francés. Sólo en 1854, cuando se estrenaron en Buenos Aires cerca de treinta óperas, quince de ellas de autores italianos (Donizetti, Rossini, Mercadante y Verdi) y el resto de autores franceses (Auber, Halevy, Herold, etcétera), la lírica de tradición italiana tuvo que compartir su sitial preferencial en el gusto del público porteño. Por el contrario, la ópera alemana había hecho su presentación en 1864 cuando el Teatro de Colón presentó *Der Freischütz* de von Weber, y recién en 1883 se estrenó una obra de Wagner en Buenos Aires (*Lohengrin*), que se cantó en versión italiana.[18]

La difusión de la ópera italiana en Buenos Aires durante la segunda mitad del siglo XIX formó parte de una estrategia económica de los empresarios de esa nacionalidad (y hacia finales del siglo también de los editores de ópera) que, al menos desde inicios de la década de 1820, habían comenzado a ver con buenos ojos la ampliación del mercado de la lírica hacia la periferia atlántica.[19] La presencia de un circuito para el comercio teatral que se iniciaba en Italia, seguía por el interior de Brasil y culminaba en Buenos Aires, La Plata y Rosario, previa visita a Montevideo, aseguraba los dividendos de las compañías líricas y sus voces sobresalientes, merced también a un público que había desarrollado una fidelidad incuestionable. Por ejemplo, el 19 de noviembre de 1890, el Teatro Argentino de La Plata se inauguró con *Otello* cantada por el tenor uruguayo José Oxila. El 25 de mayo de 1892 el Teatro de la Zarzuela de Buenos Aires hizo su apertura con *Favorita*, y el 3 de junio de 1911, Pietro Mascagni estrenó su *Isabeau*, en el porteño Teatro Coliseo.[20]

De este modo, en el control de cada una de las instancias del proceso de producción del género lírico (es decir, la oferta de las compañías y el origen italiano de los empresarios que explotaban los teatros, en algunos casos artistas venidos a menos que decidieron adoptar un oficio cercano a su saber original), y en la presencia de un público diletante compuesto también por una importante audiencia nacional y culturalmente italiana, que en sus sectores más acomodados buscaba un lugar en la elite argentina a partir del consumo de un género que se presentaba social y étnicamente identitario, se fundaban las causas locales de la hegemonía de la ópera italiana en Buenos Aires. Y digo locales porque desde mediados y hasta el fin de siglo pasado, aun en importantes teatros líricos del mundo moderno articulados inicialmente a partir de la ópera inglesa o francesa, como los de California, Nueva Orleans[21] o Nueva York,[22] la ópera italiana cantada en italiano dominaba en el gusto del público.

En este contexto de dominio italiano, donde el público tiene poco margen para una elección alternativa dentro del género lírico, unos pocos intelectuales deciden "tomar la palabra" y establecer, casi de un modo beligerante, una línea de demarcación en la que se definen desde los alcances de la buena ópera y los usos sociales de los ámbitos teatrales, hasta el papel de los críticos. Los mentores de esta operación son dos publicistas de renombre en el mundo cultural argentino del momento: Ernesto Quesada y Carlos Olivera. A partir de sus escritos, es posible reconocer un proceso de diferenciación interna de ese público donde, al menos, tres categorías históricas aparecen claramente visibles de acuerdo con un grado de erudición lírica siempre construido por los iniciados: los "diletantes distinguidos", los "verdaderos aficionados" y los "críticos". Claro está que se trata de los asistentes al Teatro de Colón, y, en este sentido, las fuentes parecen hablar de un público socialmente homogéneo. Sin embargo, aun el Colón –visualizado por los contemporáneos como el teatro exclusivo de la elite, dada la identificación de su audiencia con el status más elevado del prestigio social– presentaba un mundo social con alguna diversificación en su interior. Desde la ficción literaria, Cambaceres ha sido muy claro al presentar en su novela *En la sangre* a un italiano de modesto origen social, Genaro, quien pretende desde la simulación conquistar a una niña de la buena sociedad y en-

El bigote arrogante y la mirada feroz del "virtuoso" en una caricatura de Arnó en 1904.
(Caras y Caretas, Año VII, N° 297, 11-6-1904)

cuentra en la tertulia del antiguo Colón el lugar de su iniciación social.[23] Es el modo de presentar una metáfora de los efectos no deseados de la inmigración masiva.

Según las categorías con que Quesada dividía al público del Colón, los "diletantes distinguidos" (tal vez Cambaceres entre ellos) incluían a aquellas personas sensibles al arte musical pero ignorantes de los secretos específicos de la "música que es arte y ciencia a la vez".[24] En la conjunción de sensibilidad e ignorancia musical, y en la ausencia de lo que él denominaba críticos verdaderos que pudieran encaminar la opinión musical y refinarla, se fundaba la pasión que la sociedad porteña demostraba hacia la ópera italiana. Así y todo, si la apelación de Quesada es a los intelectuales para que asuman de manera definitiva el papel de pedagogos líricos frente a los empresarios inescrupulosos y a un público que "ve lo que le traen",[25] también es lo suficientemente atenta para percibir que en el gusto del público local actuaban unas causas profundas que conducían a lo que él consideraba su perversión musical. La primera de ellas era las debilidades arquitectónicas que presentaba el Teatro de Colón. Su tamaño excesivo para el ideal de una sala teatral lo convertía en poco acústico; la ausencia de antepalcos y la estrechez de la platea creaban además una diferencia notable en la percepción de los sonidos según el lugar donde se ubicaran los concurrentes. Así, los cantores se veían obligados a forzar la voz hasta llegar al grito para que la mayoría de la concurrencia pudiera apreciar su pericia vocal. Debido a este límite estructural de la sala, prosigue Quesada, el público no aplaudió suficientemente a un tenor como Julián Gayarre que cantaba pero no gritaba; en cambio, no pudo dejar de sucumbir ante la potencia del "do de pecho" de Tamagno, quien hacia mediados de la década de 1880 era el ídolo indiscutido.[26]

La segunda causa incluía algunos elementos que ilustraban el carácter de la erudición del público porteño en materia musical. Por un lado, desde hacía muy poco tiempo los asistentes comenzaban a conocer con algún grado de sutileza los diferentes argumentos de las óperas que se representaban. Por otro, el aplauso de los diletantes porteños provocaba dos defectos en sus artistas favoritos: los gestos extremados y las notas exageradas. Por ejemplo, el público se entusiasmaba "cuando la Borghi-Mamô exagera tan extrañamente la Valentina del cuarto acto de *Hugonotes*, o la Margarita del segundo acto de *Mefistófeles*. No siéndoles posible oír con exactitud las notas rápidas y dulces, obligan a Tamagno a sostener extraordinariamente las notas sonoras de pecho; convirtiendo, por ejemplo, la famosa súplica de Raúl en un ejercicio de canto, lo que falsea de una manera desastrosa el pensamiento de Meyerbeer".[27] La contraparte de esta actitud, que según Quesada, alejaba la posibilidad de la buena ópera, se traducía en una verdadera mistificación de los tenores y las sopranos. Ante la debilidad de la crítica, el público creaba la ópera generando en sus artistas las condiciones necesarias para la perversión del género. Para Quesada, la ópera italiana de Rossini, Bellini y Donizetti, y las obras que se inscribían en su tradición –como *Robert le Diable* de Meyerbeer– resumían esa perversión. La profusión de arias y cavatinas, la predominancia del canto, el papel secundario de la orquesta, los "disparatados argumentos" invariablemente ligados al eterno tema del amor, se presentaban como un compuesto lírico de melodías superficiales muy eficaces para la exaltación vocal –aunque no actoral– de los virtuosos, pero elementales de acuerdo con la "multitud de detalles y circunstancias que necesariamente exigen la índole y la naturaleza del drama lírico".[28] La actitud del público llevaba al extremo la debilidad original de la ópera italiana. Es fácil identificar una matriz estética wagneriana en estas argumentaciones, y más allá de que los conceptos que utiliza puedan remitir a la obra teórica de Wagner, Quesada –al igual que Miguel Cané–[29] podía acreditar la experiencia de una erudición con real respecto a la obra wagneriana, pues sus largas estadías en Alemania hacia fines de la década de 1870 y principios de los años ochenta lo habían familiarizado con la misma.

Los "verdaderos aficionados" se diferenciaban de la categoría anterior más por la dimensión de su interés que por el gusto lírico. Era un público que trataba de apreciar debidamente la partitura, de profundizar en el pensamiento del compositor, de estudiar los argumentos y juzgar el drama a la vez que la música. Identificadas con un pequeño número, estas personas iban al teatro "real y efectivamente por escuchar, por admirar, por gozar, por palpitar con la emociones que les despierta el lenguaje alado de la orquesta y de los cantores".[30] Según el publicista Carlos Olivera, una vez comenzado el drama, estos espíritus sensibles lograban un estado tal de abstracción que pronto caían en la ilusión de que "todo lo que ven y oyen allí es real, con lo cual vienen a experimentar sacudimientos supremos que les ponen el alma vibrante y sonora a la mínima impresión".[31] Este segmento del público cumplía con una ritualidad diversa de la que dominaba en el ingreso al teatro: llegaba puntualmente –incluso con anticipación– y se retiraba con retardo, mientras el resto de los asistentes hacía su entrada al promediar el segundo acto y se retiraba en el último intermedio.[32]

Hacia 1904, los denominados "virtuosos" expresaban una categoría equivalente. En la mayoría de los casos, el "virtuoso" era de origen italiano. A veces ocupaba la tertulia de paraíso, otras se lo veía en algún palco, y siempre podía encontrársele en las tertulias de balcón. "El virtuoso –escribió Carlos Correa Luna– no permite que nadie estornude, tosa o converse, así sea por monosílabos; y si algún desgraciado deja caer el anteojo o mueve la silla, hará bien en no mirar la fisonomía airada del hombre o no escuchar los juramentos que en voz de bajo comunica a su vecino, otro nervioso de ojos fulgurantes "[33]

De este modo, los "verdaderos aficionados" y los "virtuosos" intentaban disputar un lugar en la geografía social del teatro a partir del desarrollo de una "rutina" dramática,[34] es decir, de la exteriorización de indicadores de una sensibilidad lírica, con la pretensión de influir sobre el resto de los participantes del mundo social teatral. Esta actuación, si bien no impugnaba el carácter de *causerie* de autocontemplación social que asumía la asistencia al teatro de Colón o de la Ópera, por el contrario, sí pretendía demostrar una conducta demarcatoria.

Wagnerianos y antiwagnerianos

Salvo algunas excepciones notables, entre ellas la de Paul Groussac,[35] la mayor parte de los intelectuales argentinos, desde mediados de 1880 hasta aproximadamente 1920, fueron apasionadamente wagnerianos. En algún sentido, la apelación a la estética wagneriana resultaba un potente tópico muy funcional para establecer jerarquías de prestigio diferenciales en la composición de la audiencia, y al mismo tiempo, ilustraba una serie de afectividades ideológicas donde los intelectuales intentaban dirimir su lugar en la sociedad, como detentores de los misterios del arte. Es fácil identificar en los escritos de crítica lírica, desde los de Ernesto Quesada hasta los *Cuadros y caracteres snobs* (1923) de un *gentleman* residual como Juan Agustín García, una línea de continuidad respecto de la ópera donde la impugnación de la lírica italiana se articulaba desde la estética wagneriana, pues era Wagner –afirmaban– quien había trazado un cuadro de la "ópera del porvenir". Este cuadro, que incluía el reconocimiento del diálogo compositivo que debía existir entre el poema dramático y la música, que aspiraba a la emancipación de la orquesta "dotándola de vida y arte propios", que elevaba al coro a la categoría de elemento representante de las multitudes más o menos tumultuosas, y que consideraba a la arquitectura teatral, a la pintura, la escultura y la mecánica, como componentes artísticos sustanciales de la ópera,[36] no podía estar al alcance sensible de otros que no fueran quienes integraban el pequeño grupo de los "iniciados".

Por ejemplo, para Juan Agustín García, el arte inteligente se presentaba como una prerrogativa de "las personas bien", pues se trataba de un capítulo de la cultura universal lleno de misterios que sólo podían ser develados "por unos pocos espíritus privilegiados". De este modo, la ópera de

NARCÓTICO LÍRICO, POR GIMÉNEZ

Wagner se devaluaba si la aplaudía "el paraíso, y sobre todo, la cazuela"[37] –ámbito exclusivamente femenino–. García concluía sus digresiones líricas con la exaltación del "privilegio y el asiento reservado", como el ideal supremo de la vida artística y de la vida social, y de este modo colocaba una línea demarcatoria en la apropiación de un género que desde 1880 en adelante contaba con un numeroso público de origen inmigratorio.

La idea de que en la obra de Wagner se juega un rito iniciático no parece haber sido una novedad rioplatense. Al principio del nuevo siglo, el escritor y crítico musical Georges Bernard Shaw admitía que él pertenecía a ese "escogido círculo de personas superiores" para quienes la obra de Wagner, y en especial su tetralogía *El anillo de los Nibelungos*[38], tenía "una indeclinable y alta significación filosófica y social". No obstante ello, para Shaw se trataba de la necesidad de ilustrar al gran público sobre la riqueza de una obra de estética e ideología revolucionarias, una visión poética y crítica del mundo capitalista europeo del siglo XIX, que podía ser leída como un ensayo de filosofía política.[39]

Por el contrario, el Wagner de García no sólo no se filia a ninguna ilusión de pedagogía política, sino que sirve para indicar su lugar en la

El público de los palcos durante la presentación de La Walkiria de Wagner, según un dibujo aparecido en Caras y Caretas. Sin embargo, tal revista no puede ser considerada como antiwagneriana, pues sus más importantes críticos líricos se filiaban en esa estética.
(Narcótico lírico. Caras y Caretas, Año II, Nº 33, 20-5-1899)

jerarquía social. En este sentido, la verdadera significación de la ópera italiana en el mundo cultural porteño era la de ilustrar las alternativas que asumía la vulgaridad, siempre asociada con el *otro* extranjero. Para él, la música de Verdi o Puccini expresaban las pasiones gruesas y molestas, vulgares, ordinarias y comunes; y el verismo de Leoncavallo, los prejuicios y convenciones de la moral mediocre de los "espíritus subalternos". Sólo por momentos, Puccini es rescatado para ligar su música a sensaciones de vigor físico y excitación sexual –como las que García coloca en su personaje Chiche, una dama de alta sociedad que decide experimentar un amor clandestino– pero se trata nada más que de la esfera de las experiencias del cuerpo, pues las del espíritu incluían un aprendizaje en que la dama (*alter ego* femenino del propio autor) alternaba entre dos temas muy caros a la identidad de la elite intelectual local: "la estética de Wagner y el anarquismo sensual de Nietzsche". [40]

La posición de García da cuenta de un proceso más general: la debilidad crítica en la que se encontraba el público identificado con el *bel canto*, ante un clima de opinión intelectual que parecía anunciar el triunfo final de la música de Wagner.[41] Ese público porteño, sin embargo, resistía a las voces de los iniciados y colocaba a Wagner (por ejemplo, en 1894) en el séptimo lugar en el gusto musical, después de una serie de autores italianos encabezados por Verdi, Donizetti y Rossini. En ese año, el 69% de las asistencias del público se habían dirigido hacia obras de autores italianos, los autores franceses habían alcanzado el 25% y los de cultura alemana –incluyendo a Wagner y Mozart– el 6%.[42]

En mayor o menor medida, la situación de hegemonía lírica italiana que describen esas cifras indicativas del gusto masivo del público de ópera, se mantuvo hasta bien entrado el siglo. Algo estaba cambiando, sin embargo, de manera significativa: ahora, no sólo varios teatros de nivel se disputaban lo más selecto de la oferta de las compañías líricas, sino que la ópera se había extendido hacia teatros de concurrencia popular. El público, que se había acrecentado en número, de todos modos continuaba dividido en dos polos bien diferenciados: los críticos en tensión y la "gran masa".[43]

Ante el estreno de *La Walkiria*, en el Teatro de la Ópera, en mayo de 1899, la polémica se extendió dentro mismo del sector de los críticos. Se trataba de una reacción ante lo que Groussac llamaba, "el celo ardiente del grupo iniciado".[44] Emergía así un sector antiwagneriano que decidió protestar por lo que consideraba un exotismo artístico de la inteligencia sajona, que intentaba mostrar cuán incultos y primitivos eran los pueblos de las tierras nuevas. Argumentaban que no se trataba, como lo pretendían los partidarios conscientes de Wagner, de un problema de educación del público local, que le impedía percibir las bellezas de esta clase de música, sino de la gradación con que el componente humano se presentaba en las óperas de Wagner. Es decir –y en este punto los antiwagnerianos coinciden con Groussac–, se trataba de atacar a la Tetralogía rescatando, en cambio, al primer Wagner que con *Tannhäuser*, *Lohengrin* y *Los maestros cantores* había descendido de las "altas cumbres nebulosas en que pasa el misterioso drama de los dioses [...], para caer en fin en el drama de nuestras pasiones tal como nosotros, con nuestra tradición, con nuestra sangre, con nuestro temperamento las entendemos, las amamos y nos fundimos en ellas en cuerpo y alma".[45] En realidad, se buscaba aprovechar la oportunidad para definir una idea de la nación que se filiaba en la herencia latina. El argumento central se concreta en esa filiación: en cuanto herederos de la cultura latina, los argentinos no pueden de ningún modo comprender como estética las vicisitudes de los dioses normandos. Un sustrato cultural ancestral, de larga duración, impone límites a la variabilidad de los gustos.[46] Finalmente, en la ausencia de un drama humano se entendía la "glacial indiferencia" con que el público de Buenos Aires había recibido las representaciones de *La Walkiria*.[47] Bernard Shaw hubiera impugnado esta explicación, pues en *El anillo de los Nibelungos* advertía un profundo humanismo detrás de esos personajes sobrenaturales: "el mundo espera al hombre para que lo redima del dominio torpe y brutal de los dioses".[48] Pero sólo hacia los años treinta la interpretación de Shaw pudo estar al alcance de los intelectuales argentinos, y su recepción alcanzaba una legitimidad fundaba sobre todo en la matriz más o menos socialista de su pensamiento.

Lo que parece ser del todo evidente es que, si bien el público consumía el arte lírico en un modo extensivo, es decir, varios autores y varios títulos diversos, el criterio de consagración y la ópera de repertorio[49] se habían transformado en la regla dominante de la oferta de las compañías líricas que llegaban al Plata. De este modo, no parece extraño que tanto la temporada del Teatro de la Ópera del año 1905 como la inauguración del Teatro de Colón (1908) se iniciaran con *Aída*, "el tipo de gran ópera italiana, espléndida, pomposa y opulenta",[50] más allá de que el público la conociera ya en demasía.

La hegemonía italiana era tal que hacia 1914 la *Revista de la Asociación Wagneriana* llega decididamente a presentar a la ópera que se daba en Buenos Aires, como una "falsificación del arte", "un género híbrido, frívolo y antiartístico", que nada puede hacer frente al "más puro y exquisito género musical, el espectáculo lírico por excelencia", enteramente consagrado a la música: el concierto.[51] Sin embargo, las polémicas se enmarcan ahora en el clima ideológico de la Gran Guerra. En 1918, Gastón Talamón –crítico musical de la revista *Nosotros* y miembro de la Asociación Wagneriana– impugnó la tendencia italiana que se advertía en el repertorio del Colón, pues consideraba que anulaba las obras de Wagner "porque es alemán". Para Talamón, la causa se encontraba en la tiranía de los editores milaneses pro aliados.[52] Al año siguiente, polemizó en igual tono con el director de *L'Italia del Popolo* sobre la obra de Puccini: "Desde que hago crónicas musicales he juzgado desfavorablemente a compositores o artistas franceses, alemanes, españoles, etc. Ello no me ha valido nunca ataques por parte de los intelectuales pertenecientes a esas colectividades. Casi cada vez que no he elogiado algo de Italia, he tenido que soportar ataques más o menos violentos. El hecho merece señalarse".[53] Talamón argumentó que debía diferenciarse entre crítica y patriotismo, pero no podía dejar de ocultar sus preferencias germanistas, y una idea de la ópera que reclamaba provocativamente la necesidad de ser cantada en español.

El crítico teatral Mariano G. Bosch, en cambio, estableció su filiación antiwagneriana a partir de su adhesión pro aliada. Para Bosch, Wagner había destruido la ópera y el lugar de privilegio que el cantante ocupaba en el drama lírico. Sus enemigos eran tanto las buenas voces "como París o lo italiano". Así y todo, esta maldad original atribuida por el crítico no resultaba sólo un efecto de su genio pervertido sino que ilustraba el carácter esencialmente destructor de la cultura alemana, demonizada como "productora de desorden y monstruosidades".[54] En un tono de desencanto beligerante –pues Bosch reconocía un pasado wagneriano–, Wagner era nada más que un *médium*.

Al inicio de la década de 1930, Alfredo A. Bianchi, director de *Nosotros* con Roberto F. Giusti, terció en una polémica encubierta en el interior de la revista, acerca del destino del melodrama lírico italiano y la ópera del revolucionario alemán. Bianchi decretó la muerte del wagnerismo apoderándose de las provocativas declaraciones de Igor Stravinski, quien había sostenido preferir *Rigoletto* de Verdi a la ópera de Wagner, reivindicando así "la superioridad específica en el sentido musical"[55] de las formas melodramáticas. En verdad, el argumento de Bianchi se apoyaba en las opiniones que el compositor italiano Alfredo Casella (1883-1947) había expresado en *L'Italia Letteraria*, y evidenciaba de qué manera Buenos Aires recepcionaba un debate en el cual las vanguardias estéticas italianas discutían su tradición musical al menos desde la primera década del siglo. En el eje de las polémicas se hallaba el carácter degradado o no del melodrama como forma musical, y con él, una disputa técnica e ideológica respecto de la obra de una figura musical cuyo peso simbólico excedía el campo artístico: Giuseppe Verdi.[56]

Pero en el caso de Bianchi, la recurrencia a un autor considerado en el momento como un vanguardista no indicaba una filiación estética sino la búsqueda de una autoridad musical que legitimara lo que considera-ba la defunción de la música de Wagner. "Cuando yo oía a Caruso en 1901, desde el paraíso del Teatro de la Ópera, cantar una, dos y hasta tres veces 'Una furtiva lacrima', 'Lucevan le stelle' o 'Apri la tua fines-tra', sintiéndome en el paraíso, ¿qué me importaba que no supiera mo-verse? Pues yo voy al teatro lírico a gozar con el oído [...]."[57] Esta posi-ción de Bianchi parece estar lejos de las reflexiones de una vanguardia que pretendía impugnar la dimensión institucional de la cultura, y hacer cada vez más difusa la frontera entre la vida y la experiencia del arte. En rigor, el ideal lírico de Bianchi se inscribía en la crítica global que un wagneriano como Carlos Octavio Bunge hacía del público porteño en 1914, pero que no era nueva: "hombres y mujeres seducidos por las bue-nas voces".[58]

La ópera o la sociabilidad teatral

Las variantes de erudición lírica no resumían la diversidad de crite-rios con que se dirimían las jerarquías de prestigio de las audiencias del teatro lírico porteño. Formar parte del público del antiguo Colón tenía una significación social mucho más elevada que ocupar las tertulias del Teatro Nacional, del Teatro de la Ópera o del Politeama Argentino, más allá de que estos últimos superaran al primero en comodidad y en acús-tica. Con el cierre del antiguo Colón en 1887, el Teatro de la Ópera ca-pitalizó para sí al público diletante, y con él, su prestigio asociado, has-ta que la inauguración del nuevo Teatro de Colón en 1908 estableció una nueva diferenciación sobre un género que en 1905 había superado inu-sualmente a la zarzuela en número de asistentes. En efecto, de las 2.638.334 asistencias registradas ese año, la ópera y la opereta alcanza-ban el 17% del consumo teatral global, y con 459.288 asistencias (29%), se ubicaba en el primer lugar entre los cuatro géneros teatrales de mayor consumo: ópera y opereta, zarzuela, comedias y dramas en es-pañol, y comedias y dramas de origen nacional.[59]

Es posible pensar, que ante la masificación del género, los diferen-tes públicos encontraran en la asistencia a tal o cual teatro la línea de-marcatoria de la identidad social, en un contexto en que la marea inmi-gratoria amenazaba, al menos en la imaginación de la elite, con socavar-la. Según Rosselli, desde el inicio de la ópera moderna en Buenos Aires –aproximadamente desde 1880 en adelante– se definieron dos audien-cias claramente diferenciadas: un público a la moda y, en su parte más influyente, no italiano, y otro popular y casi totalmente italiano.

El primero estaba compuesto por los miembros de la elite local, y reflejó lo que el autor denomina "la continua dominación de la vieja oligarquía propietaria de la tierra".[60] Una variante de esta tesis ya había sido expresada en 1905 por Mariano Bosch, al considerar que en el antiguo Teatro de Colón, "empezó su vida de ostentación la burguesía porteña".[61]

Si el público de moda se caracterizaba por su carácter oligárquico, sigue Rosselli, el público popular, en cambio, no sólo se diferenciaba de aquél por su origen social sino que también presentaba diversidades en su interior, que podían identificarse en la elección de los teatros a los que asistía. En efecto, según Rosselli, en el Politeama Argentino y en el Teatro Coliseo la audiencia se componía en su mayoría de un público de clases medias con pretensiones artísticas mayores. Por el contrario, en el Teatro Andrea Doria (más tarde rebautizado Marconi), ubicado en el barrio obrero de Balvanera, un público "plebeyo"[62] de origen italiano alternaba entre "las óperas que ya no se cantaban en el centro"[63] y las obras del teatro criollo.[64]

Así y todo, los teatros eran mundos sociales diversos en sí mismos. En sus salas se jugaba una representación donde a la puja por el ideal estético legítimo se le sumaba una serie de comportamientos indicativos, por un lado, del verdadero lugar de la ópera en la sensibilidad del público y, por otro, del grado de aprendizaje civilizatorio requerido para integrar la categoría social más elevada de la audiencia.

Palcos, tertulias y cazuela

Claro que el precio de la entrada podía ser un indicador de la geografía social del teatro. En 1875, un lugar en el palco del Colón costaba trece veces más que la entrada al paraíso, y en 1878, cerca de diecisiete en el Teatro de la Ópera.[65] "El que frecuenta a Colón –escribe Quesada en 1882– cree observar que la concurrencia es siempre la misma, sabiendo de antemano qué familias ocuparán los palcos, quiénes estarán en las tertulias, a quiénes se podrá mirar en la cazuela. Son las mismísimas gentes que se conocen personalmente o de vista, que saben recíprocamente quiénes son, cuáles sus familias y sus medios; que van, con todo, a mirarse con el interés con que se contemplan por primera vez los desconocidos."[66] De todos modos, la endogamia social que advertía Quesada parecía resumirse en los lugares ocupados por los miembros de la elite local: palcos, tertulias y cazuela. Sólo hasta allí llegaba una mirada cuya matriz de crítica se fundaba en la erudición requerida al público diletante.

Mucho más atentas al paisaje social del teatro, en cambio, aparecían las percepciones de Carlos Olivera, tal vez porque, en los primeros años de la década de 1880, la elite porteña apostó a una diferenciación extrema, donde el modelo a adoptar era el *bon ton* de las clases acomodadas europeas. No parece raro, entonces, encontrar en las memorias y los es-

Monumento a Donizetti en una postal de 1925, enviada desde Bérgamo por un diletante argentino.
(Archivo del autor)

critos de Eugenio Cambaceres, Miguel Cané o Lucio V. López constantes referencias a la sociabilidad que acontecía en el Teatro de Colón. Una literatura socialmente autobiográfica.

Así, Olivera se alegraba de que, poco a poco, las "cultísimas maneras europeas", una serie de refinamientos que constituían el verdadero privilegio del *high-life*, se instalaran en la buena gente que asistía a la ópera, pues "al teatro lírico se va a tomar una especie de baño de ideal".[67]

"Quien se ve amortajado entre un montón de harapos –escribe–, difícilmente se eleva hasta los grandes ideales; parece que su mismo pensamiento se matiza con la podredumbre que lo rodea. En cambio, quien viste de fiesta y mueve orgulloso y alegre sus miembros, parece como que se siente hermoseado y trata de poner armonía entre su cuerpo así embellecido, y las manifestaciones de su espíritu."[68] Se trata, ante todo, de la belleza como ideal civilizatorio, del buen gusto como mejoramiento humano y de las buenas maneras como tópico identitario de la elite.

En una suerte de "Manual del perfecto diletante", Olivera destinaba sus intentos pedagógicos a sectores bien delimitados de la audiencia: las mujeres, los jóvenes y el paraíso, este último, invariablemente asociado con el vulgo.

En general, durante todo el período de estudio, esos sectores del mundo social del teatro centralizaron las discusiones y los intentos disciplinarios. Hacia finales de la década de 1870, cuando algunas de las mujeres comenzaron a descender desde los palcos familiares y la cazuela hacia la platea, se les impugnó el uso de grandes sombreros, por considerarlos "una imprudencia y una falta de buen tono". Sin embargo, que ocuparan un espacio que hasta el momento había sido monopolizado por los hombres, fue señalado como un indicador feliz de que la ola de educación europea había llegado a Buenos Aires: el Colón comenzaba a emular con éxito a los teatros "elegantes" del mundo.[69] Sin embargo, el ámbito exclusivo de las mujeres siguió siendo la cazuela.

En algún sentido, la cazuela representaba una espacio altamente competitivo pero igualitario desde el cual las mujeres "decentes" hacían su presentación en la buena sociedad. Las cazueleras se encontraban en la necesidad de valerse por sí mismas, para disputar un puesto, para conquistarlo y mantenerlo. Lo que debía ser ante los ojos masculinos un inadvertido uso de los codos, pellizcos y hasta uno que otro alfiler en los casos de mucho ardimiento, eran elementos aplicados al objetivo de mantener con relativa integridad el derecho de ocupar un lugar en la cazuela, pues desde allí se construía y destruía el prestigio de las damas que aspiraban a encontrar un lugar en el mercado matrimonial.[70] "Fulanita lleva el mismo vestido del año pasado, al que no ha hecho más que cambiarle la delantera y mudar las bocamangas de terciopelo; feísimo el sombrero de aquélla; ésta viene siempre con la misma pulsera de oro [...]; Zutanita está pintada hasta las orejas",[71] eran algunas de las *causeries* femeninas que Olivera consideraba improcedentes mientras los tenores y las sopranos se exaltaban en la escena.[72]

Sin embargo, cierto es que los hombres se mantenían muy atentos a este comportamiento: "rebozando de rostros hermosísimos, graciosos, llenos de categoría y atractivos –más de quinientos ojos por donde se desprendían mil rayos de amor, alumbraban más de doscientos corazones–, la cazuela era una hoguera donde no se podía mirar sin quedarse deslumbrado",[73] escribió Eduardo Wilde en 1864.

La iniciación de las damas en el teatro lírico comenzaba en el vestíbulo de entrada, cuando los hombres formaban una angosta calle que les permitía poder disfrutar del desfile de las bellezas del día, mirándolas con un descaro que, según Quesada, era "curiosamente original". Más tarde, cuando ocupaban los palcos, tertulias y cazuela, se convertían en el foco de los anteojos masculinos, pero esta vez la mirada se sutilizaba, ya que a los hombres se les requería un comportamiento

más acorde con las reglas del género lírico. Finalmente, la salida creaba la ilusión de una mezcla social, pues todos se encontraban por un
momento en la galería del teatro, pero esa mezcla sólo llegaba a la democratización de las miradas, pues el acceso matrimonial estaba en general acordado de antemano en el interior de la elite. Hacia 1864, la galería del Colón luego de finalizada la ópera podía ser "un revolverse de
viejas, mozas, muchachas, padres, abuelos, tíos, novios y pillos que es-
tuve a punto de creer que estábamos en el infierno y en una sola calde-
ra todos los pecadores",[74] escribió Wilde. Pero lo que para él es asombro de la mezcla social, una mezcla articulada según grupo de edad y
parentesco, en Cambaceres, hacia mediados del 1880, es desprecio de
clase y xenofobia.

Tanto a las mujeres como a los hombres que asistían a la ópera se
les requería un comportamiento civilizado, y era el vestido el indicador más eficaz para establecer los grados de elegancia y lujo, y, con
ellos, los prestigios diferenciales. Los hombres de la buena sociedad
–jóvenes y mayores–, durante los años ochenta introdujeron la moda
europea de asistir al teatro de frac, una metáfora de solemnidad social
que se ligaba al género lírico y que ya no pudo abandonar. Así, en
1913, una promoción del Teatro de Colón rezaba lo siguiente: "[...]
consacré principalment a l'opéra lyrique italien; ouvert de mai à
août; très belle et luxeuse salle; la prémière de l'Amérique du Sud; la
toilette de soirée est obligatoire pour les femmes et l' habit ou le smoking pour les hommes".[75]

Sin embargo, sólo para los hombres parecía imprescindible una buena iniciación en los secretos del género. El lugar de prestigio imaginado para las mujeres, en cambio, se alcanzaba con sólo asistir bien vestida al teatro, porque con ello concretizaban la materialidad de lo bello.
Del estreno de Ernani en el Teatro de la Ópera en 1902, el crítico musical de Caras y Caretas rescató en igualdad de status lo irreprochable
de la representación y el aspecto deslumbrante de los palcos y plateas,
que ostentaban "bellísimas y elegantes damas de soberbio efecto de
conjunto".[76]

Hacia 1904, un aviso publicitario ofrecía a las mujeres que asistían
a la ópera la prenda que aseguraba la elegancia y el buen gusto femeninos: un manteau "salida de teatro", de terciopelo color arena, guarneci-
do de armiño y encaje en oro.[77] Así y todo, otro aviso recordaba que las
dos terceras partes de las joyas que llevaban al teatro las damas y hombres cultos de Buenos Aires eran las magníficas imitaciones "Montana",
unos falsos brillantes que podían adquirirse a un precio más accesible
que el del original.[78] Más allá de la operación publicitaria que pretendía
mostrar lo divulgada que estaba una conducta de simulación de status

social, el aviso parece hablar de un segmento nuevo del público que adoptaba como valor simbólico de uso los atuendos de las clases acomodadas para concurrir al teatro.

Como lo indican las cifras de asistencia al género lírico y a la opereta, la ampliación numérica y social del público teatral debe de haber actuado sobre algunos de los ritos sociales que se desarrollaban en el interior de las salas, agudizando algunos y modificando otros. Al menos, así parecen indicarlo dos elementos significativos relacionados con el género femenino. En efecto, en 1908 las mujeres comenzaron por primera vez a aplaudir una opera o una obra teatral. Hasta el momento las convenciones vedaban esta conducta, más allá de que a los críticos la impasibilidad de las mujeres los sublevara hasta el enojo, dado que no lograban entender cómo "la mitad de las gentiles espectadoras" podían permanecer indiferentes ante el entusiasmo contagioso del resto de la sala.[79]

El segundo elemento fue una iniciativa estatal. En 1906 una ordenanza de la Comisión Municipal de la Ciudad de Buenos Aires estableció un nuevo régimen de venta de localidades en los teatros. A partir del 1° de enero de 1907, los empresarios teatrales debían entregar en talonarios las boletas correspondientes a las entradas, localidades y abonos, las que serían selladas y numeradas por la Intendencia antes de que las empresas respectivas las pusieran en circulación. El artículo 2° prohibía la circulación de dichas boletas sin el sello municipal tanto como su venta fuera de la boletería del teatro.[80] Lo que significaba un intento estatal de hacer más eficiente la recaudación fiscal, tuvo sus efectos más visibles en las cazueleras, por un lado, porque la relación comercial se volvía ahora mediada por el mercado y no por un vínculo personalizado mediante el cual el empresario, con la entrega de las "entradas sueltas", aseguraba las localidades de las mujeres más influyentes. En segundo término, porque el nuevo tipo de localidad se parecía al ya conocido como "entrada general". Es decir, cualquiera que tuviera el dinero para pagarla podía acceder al espacio del teatro que quisiera. La consecuencia inmediata era la de hacer más móviles y diversificados los espacios sociales del teatro. Un indicador del éxito de la aplicación de la ordenanza está dado por la protesta que las cazueleras del Teatro de la Ópera efectuaron ante el intendente en abril de 1907. El distinguido grupo femenino se presentó ante la autoridad municipal y solicitó la derogación de la ordenanza. En la reunión, sostuvo que las mujeres que lo componían sólo pedían la libertad de llevar "juventud y claridad de primavera a las noches de la Ópera". Pero sus gestiones fueron infructuosas.[81]

En síntesis, hacia finales de la primera década del nuevo siglo, la vida social tradicional del teatro comenzaba a mostrar ciertos resquicios por donde se filtraba el nuevo lugar que la mujer y otros grupos sociales ocupaban en la sociedad porteña. De algún modo, la inauguración del Teatro de Colón en 1908 vendrá a restablecer por largo tiempo las viejas jerarquías que se habían visto amenazadas tanto en el Teatro de la Ópera, como en el también prestigioso Teatro Nacional.

Paul Morand ha dejado una bella descripción de la geografía social del nuevo Colón: "Es el teatro de todas las reuniones argentinas, canastilla de prometidas y de aspirantes, feria matrimonial de corazones vacantes, gran rodeo anual, cambio de miradas, trueques de juramentos, lazos lanzados sobre buenos partidos a los acordes de las arias de *Lucía;* ardientes promesas de millares de niños por venir, de futuros miembros del Jockey, estancieros poderosos o pequeños jugadores de polo, todo eso se prepara en el fondo de los palcos mientras Schipa lanza su do de pecho".[82]

¿Qué sucedía en ese ámbito exclusivamente masculino que era el paraíso del teatro? La inauguración del Teatro Politeama Argentino en 1879 fue una fiesta brillante. Entre el público asistente se encontraban el presidente de la República, Nicolás Avellaneda, y el gobernador de la provincia de Buenos Aires. La sala se inauguraba con la representación de *Los Hugonotes*, cantada por Francesco Tamagno, el tenor más importante del momento. En algún sentido, el Politeama aparecía como el más serio rival del Teatro de Colón y aunque sus audiencias presentaran algunas diferencias en su origen social, una oferta lírica de calidad y una cómoda sala capaz de albergar una concurrencia de más de 3500 espectadores lo convertían en el mayor teatro de Buenos Aires, relegando incluso al lujoso Teatro de la Ópera.

La música desde el paraíso

Como un espía teatral, un cronista de la época, habitué del Teatro de Colón, describía de este modo la composición de la audiencia en la jornada inaugural del Politeama: "Arriba de la masa negra de la platea salpicada de trajes femeninos como una bandeja negra en la cual se han diseminado algunas flores, se elevan las dos hileras de más de treinta palcos cada una, llenas en aquella noche de damas en traje de tertulia, ostentando ricos encajes, brillantes adornos y aderezos de brillantes, cintas y flores, luciendo hasta más debajo de la cintura en el momento en que toda la concurrencia está levantada. Arriba de los palcos, las tertulias de balcón, también ocupadas en su mayor parte por señoras, pero no ya en traje de tertulias sino vestidas como para paseo o visitas [...].

"Más arriba una pequeña hilera de gradas en donde hombres y señoras estaban en número casi igual, aquí las categorías estaban más confundidas, el traje limpio y sencillo de la esposa del pequeño tendero y del modesto industrial, se rosaba con el traje algo más costoso de la *bourgeoise* y la levita del vecino fraternizaba sin dificultad con el saco nuevo del maestro artesano.

"El paraíso, hilera heterogénea de hombres vestidos de varios modos, pero en donde dominan los colores sombríos [...]".[83]

Es interesante observar en esta descripción cómo el paisaje humano se va diversificando en una línea de descenso social a medida que se avanza en la estructura arquitectónica del teatro. El criterio del cronista se resume en esos datos exteriores señalados anteriormente: la vestimenta como indicador de la diferencia social, no determinada por el nivel de ingresos sino por la manifestación empírica de la internalización de un ideal estético específico. En el centro del buen gusto burgués, la platea y los palcos sintetizan el máximo de belleza posible: es el color, los ricos encajes, las mujeres como flores. Uniformidad estética y a la vez social. Por el contrario, en el paraíso domina un tipo de heterogeneidad que en el sentido estético podía ser asociada con la ausencia extrema del *bon ton*, pero que en definitiva resulta un solapado cuestionamiento social.

Hacia el ochenta, mucho más explícitos y beligerantes aparecen los conceptos de Carlos Olivera. Para él, el paraíso de Colón no es nada más que el lugar en donde el "populacho grosero", compuesto incluso por ladrones y rateros conocidos, se arroga para sí lo que es un privilegio de la clase más ilustrada: el derecho de silbar o aplaudir a los artistas.

"¿Cuándo ha sucedido nunca –escribe– que sean jueces en estos torneos, los que sólo entienden de industrias menudas y sucias, los que no han perdido aún, por el pulimiento de la educación, la acedia del carácter ni la fealdad primitiva de sus maneras?"[84]

La apelación de Olivera resultaba un llamado de atención sobre un comportamiento que, a su juicio, requería tanto de la intervención de la policía como del "poder moralizador" de la platea y de los palcos, estos últimos, únicos espacios donde residía "la nobleza de la educación".[85]

Veintisiete años más tarde, cuando la oferta lírica podía encontrarse –aun banalizada– en muchos teatros de Buenos Aires, cuando la presencia de una concurrencia en aumento podía considerarse el dato más relevante de la realidad teatral, el paraíso era identificado con las categorías "público-muchedumbre" y "monstruo-multitud",[86] según el nivel de grosería que se le atribuyera a su comportamiento. También aquí, la noción de educación era el criterio fundante de las diferencias en el prestigio de la audiencia, pero los conceptos alertaban sobre la masificación de un género que la elite local se había empeñado en considerar como una propiedad de la "buena sociedad".

Así, todo, el paraíso era ciertamente heterogéneo, y aunque en su mayor parte estaba compuesto por los miembros de las clases populares, también se podían encontrar allí a los aspirantes a intelectuales, a los bohemios, a los críticos incipientes, muchos de ellos hijos de inmigrantes más o menos prósperos, para quienes la ópera era ante todo una dimensión más de la identidad étnica.[87]

En 1899, un wagneriano como el dramaturgo Nicolás Granada podía alegrarse de que las innovaciones de Wagner llegaran al Plata, pues con la orquesta y el director en el foso, iba a desaparecer la obligada presentación del maestro en las tablas, y con ella, el aplauso desaforado de los adoradores de la platea y "el ladrido consuetudinario del paraíso".[88] Si para los miembros del sector wagneriano los artistas de la ópera eran considerados nada más que instrumentos necesarios del drama musical, para el público más vasto la actuación de los tenores, de los barítonos, de las prima donnas y de los directores y maestros de orquesta sintetizaba el máximo de belleza posible del género. En algún sentido, la sensibilidad lírica de la audiencia se componía de dos elementos básicos: la erudición y la emoción. Ambas tendían a expresar en el teatro sus lenguajes específicos, pero era en la ritualidad que se creaba entre el público amplio y sus artistas donde la dimensión sensible, emotiva del hecho artístico, finalmente se veía concretizada. Claro que esa comunión de experiencias podía conducir otras significaciones que se encontraban o en el límite o decididamente fuera del hecho estético –he mostrado ya el carácter de reunión social que asumía el teatro lírico–, pero no dejaban de expresar una forma de la sensibilidad que debía hacer manifiesto desde el agradecimiento hasta el disgusto.

Por ejemplo, en 1875, en el "beneficio"[89] de la prima donna Maddalena Mariani, el público de los palcos y paraíso la recibió con una "lluvia de pedacitos de papel".[90] La moda era novedosa en cuanto al uso de papel, pero no su modalidad, pues unos años antes un aficionado entusiasta había literalmente cubierto a una prima donna con una verdadera y aromática lluvia de rosas.

También en ese año, pero esta vez en el beneficio del barítono Moriani, el público alcanzó manifestaciones de entusiasmo y cariño que el cronista consideró "grandiosas". Mientras se desarrollaba el segundo acto de *La forza del destino*, algunos abonados de apellidos importantes le obsequiaron varios juegos de botones de puño, uno de

Una noche en la ópera: prima donnas, divos y maestros

El famoso tenor Enrico Caruso en Manon Lescaut de Puccini, durante la temporada de 1915 en el Teatro Colón. (Archivo General de la Nación)

botones de pechera, una cadena de reloj, un bastón de unicornio y un juego de avíos para fumar, todos ellos objetos de "mucho gusto y de precio".[91]

En 1904, durante la representación de *La poupée* de Audran, a cargo de Giselda Morosini, el entusiasmo del público fue creciendo de tal manera que, a poco de comenzar las canciones, el escenario se hallaba totalmente cubierto de canastillas y obsequios. Desde los palcos se le arrojaron ramos de flores; "palomas",[92] "y composiciones laudatorias en verso".[93]

En algún sentido, el momento lírico, aquel de la explosión sentimental que se expresaba en la sala y que obligaba a los artistas a bisar las arias y romanzas –o a saludar repetidamente al público, como las más de diez salidas que el tenor Caruso tuvo que efectuar durante la representación de *I Pagliacci* en el Colón en mayo de 1915–, ese especial momento era el resultado de la movilización de unos afectos que comenzaban con la llegada de la Compañía y terminaban en el camarín de los artistas.

Una crónica del 1900 resulta altamente ilustrativa al respecto: "La llegada a nuestro puerto de un vapor procedente de Europa, con 'cargamento lírico' destinado al Teatro de la Ópera, preocupa a no pequeño número de personas, entre las que figuran *dilettanti*, abonados, empleados de la empresa y amantes del *bel canto* y de la belleza más o menos plástica. Este público especial, llena el piróscafo en cuanto se establece comunicación con tierra y le convierte en una especie de torre de Babel donde dominan las exclamaciones en italiano, más o menos inteligible. La escena de siempre se reprodujo a la llegada de la compañía contratada para nuestro primer coliseo por la señora Pasi de Ferrari. Todos querían hablar con el primer tenor [...] Hay gente para la cual hablar con un cantante de ópera equivale a ver al Papa".[94]

Es verosímil pensar que los empresarios pugnaban por provocar estos efectos, y que el público de origen italiano parecía recomponer su identidad étnica cuando alguna compañía o maestro importante llegaba a Buenos Aires, tal el caso de los innumerables agasajos que esa colectividad le ofreció a Giacomo Puccini, cuando el autor de *La Bohème* visitó la Argentina en 1905.[95] No obstante, el comportamiento resultaba una suerte de indicador de la temperatura del público que más tarde se encontraría en el teatro.

Así y todo, una indisposición inesperada del tenor o de la soprano, o una modificación en los actos, o bien el reemplazo definitivo de la obra anunciada por otra más convencional o ya conocida por el público, podían generar desde la más glacial indiferencia ante la obra, hasta un estado de conflictividad manifiesta. El empresario, entonces, te-

La visita de Giacomo Puccini a Buenos Aires motivó una serie de manifestaciones donde al rito lírico se le adhirió la exaltación de los numerosos dilettanti *italianos que se veían así identificados ante la presencia del ilustre connacional. A propósito de su despedida, el diario* La Prensa *lo agasajó con un banquete de lujo, las instituciones italianas le obsequiaron una fina corona, y los diletantes formaron una gruesa columna que acompañó al maestro hasta la partida de su vapor.*
(Caras y Caretas, Año VIII, Nº 352, 1-7-1905)

nía la alternativa de recurrir a la *claque*. Este intento de inducción de calidad a partir de lo que se presentaba como el veredicto de la gran mayoría del público, rara vez alcanzaba su propósito. Su sola ubicación en la geografía social del teatro legitimaba la sospecha de la falsedad de tan ardoroso entusiasmo. En efecto, el paraíso era el lugar determinado para el establecimiento de la *claque*, por lo que sus murmullos de aprobación o sus tentativas de aplausos rara vez eran tomados en cuenta con seriedad.

Algunas veces, la gestión moralizadora de la platea y de los palcos –como quería Olivera– llevaba involuntariamente el conflicto hasta un campo de batalla en donde las armas eran los gritos, los silbidos y los aplausos desmedidos. Pero los límites que el comportamiento civilizado imponían a la platea y los palcos dejaban sólo la alternativa de un prolongado, modesto y poco efectivo "¡shh!".[96] Indefectiblemente, cuando la *claque* ganaba sobre las butacas de terciopelo rojo, los derrotados eran el empresario y la Compañía.

No obstante esta conflictividad, siempre los artistas ligados con la producción del género lírico contaron con un excedente de prestigio en las percepciones generales del público. El lugar que ocupaban en la escena y, sobre todo, la calidad de las voces determinaba su protagonismo en la representación global del teatro, pues a través de su inspiración y virtuosismo, la experiencia del arte lírico podía ser accesible.[97] Pero este prestigio también se alimentaba de otras sustancias: los *divos* y aun más las prima donnas eran percibidos como ideales de belleza erótica o bien en el límite de las convenciones sociales o, en todo caso, fundando otras.[98] En *Sin rumbo*, Cambaceres describe el itinerario amoroso de un joven terrateniente porteño (Andrés) que sucumbe ante el encanto fascinante de la "célebre Amorini". La prima donna aparece aquí como metáfora antitética de los valores dominantes de su mundo social, al indicar que era con las cantantes con quienes las pasiones de los jóvenes de la elite solían encontrar sin límites la realización de los deseos sexuales.[99] La prima donna expresaba lo prohibido en una mezcla de exquisitez y perversión, que Cambaceres consideraba felizmente fugaz. En *Juvenilla*, Miguel Cané expuso como propiedad de clase la facultad de visitar el camarín de la cantante.[100]

Durante la temporada lírica de 1902, cuando María Galvany cantó *Lucía de Lammermoor* en el Teatro Odeón, el cronista de *Caras y Caretas* exaltó lo que para él significaba una actitud excepcional: la Galvany no sólo no había claudicado ante unas reglas de competencia por el prestigio que obligaban a las prima donnas a transacciones deshonestas, sino que incluso podía ostentar ser la madre de dos "hermosos niños".[101]

El circo o el público popular

En este proceso en el que diferentes públicos encuentran en géneros dramáticos específicos el lugar desde donde dirimir identidades y prestigios sociales, la propuesta cultural del circo aparece como el máximo de teatro posible para un público que en su mayoría se compone de una

Los artistas del Teatro de la Ópera en una publicidad de 1899.
(Caras y Caretas, Año II, Nº 31, 6-5-1899)

geografía étnica diversa, pero socialmente homogénea. Entre 1880 y 1910, el circo es el lugar de un público vinculado básicamente a los sectores populares inmigrantes y nativos, y una prueba de ello lo representa el hecho de que quienes más se ocuparon de él hayan sido los operadores intelectuales de la elite porteña, que desde el inicio de este período participaron en una descalificación del circo como ámbito menor del arte dramático.

La percepción del circo como el teatro para la plebe es el resultado

de una operación ideológica que al mismo tiempo acompañó la exaltación del género lírico como metáfora de buen gusto y comportamiento
civilizado. Cuando a mediados de la década de 1880 Carlos Olivera decide impugnar a los asistentes del paraíso del Teatro de Colón, lo hace
destacando como impropias de la audiencia lírica ideal unas costumbres
"groseras" atribuidas al público de los circos de acróbatas.[102]

Sin embargo, ésta podía ser una mirada que al identificar un nosotros más o menos restringido al público que asistía a la platea y a los palcos de la ópera, tendía a homogeneizar la complejidad del otro social
que circunscribía gran parte de su experiencia teatral en la asistencia a
los espectáculos circenses. La propuesta dramática del circo, aunque en
circunstancias puntuales constituía una posibilidad de esparcimiento po-
liclasista, encontraba su público principal en los sectores populares.[103] Al
parecer, los letrados sólo se acercaron al circo cuando cierta preocupación social les hizo necesario conocer las modalidades festivas de las
clases bajas, o bien cuando las reglas del funcionamiento de la esfera
pública imponían la legitimidad de algún político en carrera. Así, en octubre de 1870, en las instalaciones del Circo Chiarini se desarrolló un
mitin popular en homenaje a Francia motivado por el conflicto franco-
prusiano en el que hablaron Guido y Spano, Varela, el general Mitre y
el poeta Martín Coronado. En 1889, un programa del Circo Rafetto indicaba que la función de gala se dedicaba a don Evaristo Araya, el jefe
político de Bell Ville. Si bien la relación entre circo y política adquiría
ahora nuevas modalidades, ésta era antigua. Desde 1835, Rosas había
inaugurado la práctica de reservar para el gobierno un palco en el circo,
convirtiendo su asistencia en uno de los principales actos oficiales.[104] Para la elite porteña del ochenta y sus herederos, el circo podía percibirse
como una dimensión exterior a la matriz cultural identitaria. Juan Agustín García recuerda la invitación que le hiciera Miguel Cané para asistir
a la representación de *Juan Moreira* como si se tratara de una incursión
antropológica: "Vi aquello. Era la primera rama, rústica, salvaje pero
llena de savia. No hay verso que substituya el grito ancestral en los conflictos pasionales. Es la estética del primitivo Juan Moreira. La acción
pura, acentuada con todas las exageraciones del mal gusto".[105] Y en diciembre de 1894, Eduardo Wilde recurría a la metáfora del circo para
explicar una crisis ministerial en donde la clase política se representaba
como un grupo de acróbatas en equilibrio inestable, que finalmente llegaban a un "arreglo definitivo".[106] Más que un indicador de un avance de
ciertos sectores de la elite letrada sobre ámbitos sociales identificados
con consumos populares, la metáfora circense puede reconocerse como
una manifestación residual del tipo de humor periodístico que había
inaugurado *El Mosquito* hacia la década de 1870, y que ahora volvía a

utilizarse de modo irónico para ilustrar el carácter negativo del comportamiento de la clase política.

Sólo en la temporada 1890-91 la clase alta porteña saludará con entusiasmo la representación de un espectáculo que, nacido en el circo como pantomima, alcanzará las tablas del Politeama como drama hablado: el *Juan Moreira* de los Podestá.

En el período 1870-1910, un circo típico podía contener una oferta muy variada de espectáculos. En 1882, por ejemplo, en el Circo Politeama Humberto Primo, el luchador y empresario genovés Pablo Raffetto ofrecía una serie de números que incluían los juegos acrobáticos; las pruebas de equilibrio en la cuerda floja, la lucha romana y hasta una corrida de toros.[107] En ningún circo faltaba la figura del hércules, personaje "de musculosos brazos y pecho salido"[108] que realizaba pruebas de fuerza y retaba al público a superarlo en una competencia esencialmente desigual. Otras figuras comunes eran el *clown* y el *tony*, especie de cómicos que, apoyados en una rutina más o menos convencional, traducían sus cualidades acrobáticas a un itinerario de exageraciones que provocaban la hilaridad del público. El *clown* podía convertirse, también, en un analista de la situación política a partir de la entonación de canciones que trataban temas de actualidad. José J. Podestá relata en sus memorias que Pepino el 88 –el personaje que había creado para el circo de Raffetto– había alcanzado una popularidad tal que los estribillos de sus canciones de temática criollista se repetían por doquier. En plena crisis política del noventa, cuando Podestá formaba parte de la compañía del Teatro San Martín, unos de sus monólogos introdujo una evaluación de la economía del momento que articulaba la omnipotencia del "poder mágico del Dios Oro", con un deseo de resurrección y progreso nacional. "Las canciones bien porteñas que cantaba y los recitados, eran muy del agrado del público, que noche a noche las pedía",[109] recuerda Podestá. Es posible pensar que, como autobiografía que establece una cierta causalidad entre su vida actoral y el origen del teatro argentino, el recurso del modo heroico en las *Memorias* de Podestá esté viciado de exageración. Pero aun así, el ejemplo da una idea de que en el circo se vehiculizaba una propuesta cultural que de algún modo integraba la realidad circundante, de tal suerte que el público pudiera establecer una comunicación con la representación a partir del reconocimiento de unas temáticas y unos códigos que remitían a una experiencia real o ideal compartida. En este período caracterizado por un aumento importante de la alfabetización y la ampliación del público lector más allá de las fronteras sociales de la elite, el circo funcionó como un complemento

Hércules y tonys, payasos y écuyères

de las incitaciones creadas por la prensa periódica. Por lo tanto, no parece extraño que el *Juan Moreira* folletín encontrara en la pantomima circense y a través del propio Podestá el camino inicial de su éxito como propuesta dramática.

Por el contrario, y esto puede ser tomado como un indicador de *status* diferenciales en la oferta circense, no todos los circos podían contar con la figura del payaso, más allá del uso de un atuendo que recordara tal figura. El payaso serio, lujoso, en poco se acercaba al *tony* o al *clown*, pues lo que lo caraterizaba no era su comicidad explícita sino su sorprendente seriedad. En el Buenos Aires del período, el payaso inglés Frank Brown ilustró esta figura hasta convertirse en un personaje mítico de la escena nacional. En sus memorias, el dramaturgo Federico Mertens afirmaba, desde la admiración, que un número de Frank Brown podía llevar al público de una risa inicial a la estupefacción: "En uno de sus números había asesinado de un pistoletazo a un pequeño mico desobediente que se negaba a realizar la travesía de un alambre tenso y, en llegando a la mitad, se largaba a la pista, gruñendo. Muerto el mico, su cadáver fue transportado con gran pompa, en una carroza con plumerillos blancos. Seis perros, con penachos de crespón negro tiraban de la carroza. [...] Al colocar a la víctima en la negra caja, Frank Brown pronunció una sentida oración fúnebre, destacando las honorables condiciones del difunto. Los perros lloraban con el pañuelo en los ojos y el payaso discurseaba con tono quejumbroso. [...] lo hacía con el bonete en la mano, respetuosamente".[110]

Invariablemente, la función terminaba con "paquetitos de caramelos, tabletas de chocolate, tubos de pastillas y cajas de dulces", que el payaso se encargaba de distribuir desde el centro de la platea hacia las otras regiones del teatro en donde se encontrara un público mayoritariamente infantil.

Entre el *clown* político y el payaso serio, la figura de la *écuyère* introducía un elemento distintivo en la oferta circense. En algún sentido, desde las figuraciones del público, la *écuyère* era al circo lo que la *prima donna* a la ópera: un solaz de imaginación erótica. "Cuando ya estaban los animales en marcha, aparecía la *écuyère*. Un ¡ah! prolongado en admiración popular decía bien a las claras cómo gustaban aquellas mujeres esculturales, con una robustez ya fuera de uso; metidas en los ceñidos trajes de punto, con sus lentejuelas, sus collares de piedras falsas, sus largos cabellos cayendo sobre las espaldas musculosas. ¡Ah, la *écuyère*!"[111] El recuerdo de González Arrili no dista en nada de las percepciones que el cronista de *La Nación* había expresado en 1899 ante la apertura de la temporada circense en el Teatro San Martín. La compañía de Frank Brown ofrecía un *pot-pourri* gimnástico a cargo de siete

El payaso inglés admirado por la bohemia porteña de fin de siglo solía mantener relaciones muy cercanas con la clase política del momento. En 1902, organizó una serie de funciones en el Teatro San Martín a beneficio del Patronato de la Infancia en las que el primer invitado fue el presidente Julio A. Roca.

Frank Brown (1858-1943) y su atuendo clásico. (Archivo General de la Nación)

jovencitas extranjeras, además de un número excéntrico en el que se ejecutaba, con campanas y acordeón, una serie de piezas musicales que incluía el cuarteto de *Rigoletto;* el *intermezzo* de *Cavalleria Rusticana,* la cavatina de *La Traviata* y el *Ave María* de Gounod. Sin embargo, el cronista destaca que la atracción principal de la representación circense fue la *écuyère* Miss Filtis, sobre todo "por su bella figura".[112]

Si la oferta cultural del circo puede ser tomada como un indicador de la composición del público real, a partir del compuesto de números posibles y de las incitaciones que estos generaron según las fuentes citadas, se podrían establecer dos configuraciones específicas de ese público. Por un lado, una mayoritariamente popular y de masculinidad reinante, y por otro, una mayoritariamente infantil, que invariablemente requería de la presencia de los padres. Desde algunos escritos literarios de Miguel Cané hasta los recuerdos infantiles de Mertens y Enrique García Velloso, asombra la ausencia en el circo de las mujeres en general, y en calidad de madres, en particular. Ambos testimonios –que indican una lejanía temporal y social importante, pues el relato de Cané remite a los primeros años de la década de 1870, cuando se presentó en Buenos Aires la Compañía Guillaume, y los de Mertens y García Velloso se ubican hacia mediados de los noventa–, dan cuenta de que la asistencia a algunos tipos de espectáculos circenses era una actividad que básicamente involucraba al padre y a su hijo.[113] Así y todo, los circos más establecidos, los que habían reemplazado la carpa por la sala teatral, podían contener el equivalente a una cazuela; no obstante ello, el lugar social de las mujeres no parece haber sido equivalente al de las cazueleras de la ópera.

Público y dramas criollos

Otra de las ofertas que presentaban los espectáculos circenses era la representación de pantomimas y dramas. Según Castagnino, la mezcla de espectáculo teatral y atracciones data de la época de Rosas, y en esa tradición se inscribirá, desde mediados de la década de 1880, la saga de dramas criollos como *Juan Moreira*, *Juan Cuello* y *Pastor Luna*. No me detendré aquí en la historia de este género de la cual se puede acreditar abundante bibliografía, desde los trabajos iniciales de Mariano G. Bosch[114] hasta el ya citado libro de Castagnino sobre el circo criollo. Me interesa, sin embargo, rescatar esta dimensión dramática desde la experiencia del público, de modo tal de intentar encontrar ciertos indicadores de la forma en que el drama criollo –en particular, *Juan Moreira*– se convirtió en un género identificatorio tanto para los sectores populares de origen nativo como para los de procedencia inmigratoria.

La biografía del drama *Juan Moreira* comenzó en noviembre de 1879 cuando el escritor Eduardo Gutiérrez publicó la obra bajo la forma de folletín en las páginas del diario *La Patria Argentina*. En 1884, el propio Gutiérrez escribió una pantomima para ser representada en el Circo Hermanos Carlo y, de este modo, el *Juan Moreira* conoció una primera versión dramática que se representó en el picadero. Pero en el total de números de la compañía, el mimodrama significó sólo una propuesta marginal, del mismo modo que lo habían sido las pantomimas *Las bandidos de Sierra Morena* o *Los brigantes de Calabria*, obras que formaban parte del repertorio natural de algunos circos. De hecho, fue representado durante trece funciones consecutivas, y luego salió de cartel cuando la empresa circense debió levantar su carpa. En 1886, el actor que tenía a su cargo el papel protagónico, José J. Podestá, escribió la versión hablada de la obra, y ésta se representó por primera vez en

CARAS Y CARETAS

AÑO VIII   BUENOS AIRES, 9 DE SEPTIEMBRE DE 1905   N.º 362

EL PERSEGUIDO DE LA ADUANA

El itinerario dramático de Juan Moreira se convierte en un tópico de referencias culturales que excede el fenómeno teatral. En cuanto tema criollista, su divulgación alcanza un abanico muy diverso de manifestaciones. En su faz humorística, sin duda hay un "cocolichismo" interior al drama Moreira, pero también con el Moreira como drama, un uso del símbolo heroico hasta su dimensión grotesca.
(Caras y Caretas, Año V, Nº 177, 22-2-1902)

Chivilcoy el 10 de abril de ese año.[115] Más allá de algunas solitarias voces que, en el momento del estreno de la pantomima en Buenos Aires, pretendieron encontrar en ella –aunque en una versión degradada de la cultura alta– el germen de un teatro de temática nacional[116] –pues la obra parecía incorporar a un público que hasta el momento se había manifestado ajeno a la diversificada y casi exclusiva oferta teatral de origen extranjero–, recién a partir de 1890 el drama criollo se convierte en un objeto cultural que suscita, en un nivel, una serie de reflexiones por parte de la elite letrada que llevará en un amplio abanico temporal, desde Ernesto Quesada y Calixto Oyuela hasta José Ingenieros, a una impugnación del género al que no sólo no se le reconocerán cualidades artísticas, sino que se lo considerará especialmente peligroso. El itinerario delictivo del personaje dramático Moreira, entonces, es presentado como la causa inicial de que "en las clases menos cultas" aparezcan émulos equivalentes.[117]

Por el contrario, en otro nivel, el drama generará una curiosidad tal en un público inicialmente ajeno al circo, que llevará a un cronista de la época a mostrar esta "originalidad" en el consumo teatral del Buenos Aires *high-life* como una búsqueda de sensaciones fuertes ante la monotonía que parecía encadenar el bienestar de las clases altas: "*Juan Moreira*, *plat du jour* del Buenos Aires del *Otello* de Tamagno".[118] También en un público como el platense, la recepción del *Moreira* de Podestá expresa un itinerario que va de la ignorancia a la ambivalencia, en una temporalidad similar a la de Buenos Aires.[119]

Como ha señalado Adolfo Prieto en su estudio sobre el discurso criollista, la relación contradictoria de la cultura letrada con el conjunto de signos y experiencias que se articulaban a partir del *Juan Moreira* –fascinación y perplejidad, exaltación y condena– era el resultado de una dinámica social donde diferentes niveles de cultura encontraban zonas de intercambio simbólico. Para la cultura letrada, sigue Prieto, la dimensión elemental del drama podía reproducir sin el riesgo de las analogías, "un mundo más arrinconado que suprimido de la memoria de grupo".[120] Podríamos agregar: un mundo necesario incluso para construir una identidad social que, a partir de 1880, operó una instancia de diferenciación respecto de esas formas culturales. Como recuerda el propio Podestá, cuando las clases altas necesitaron del circo en el Colón para el beneficio de las viudas y huérfanos de los batallones Mitre y Sosa (18 de julio de 1880), *Pepino el 88* fue obligado a rebautizarse con el extranjero y más "postín" apodo de payaso *Witeley*.[121]

Ahora bien, ¿cómo identificar al público del *Moreira* ajeno a la momentánea y sospechosa fascinación de la elite? El *Anuario Estadístico de la Municipalidad de Buenos Aires,* aun con sus modificaciones en el modo en que las categorías integraban los géneros teatrales, brinda una imagen global de la evolución del gusto teatral del público porteño, en donde es posible identificar qué lugar ocupaba la propuesta del circo.

Uno de los elementos que más asombran en el análisis de los datos estadísticos es la aparente desproporción entre las disputas que a nivel ideológico se establecieron respecto del circo y el drama criollo, y la repercusión relativa que esta propuesta tenía en el público, al menos en 1894, año en que el *Anuario* incorpora la categoría descriptiva de "dramas criollos" para dar cuenta de las obras representadas, el número de espectadores y el monto recaudado. Del análisis del *Anuario*, dos espectáculos comunes al circo, como los dramas criollos y la acrobacia, representaban el 7% del total de asistencias teatrales. Con 22.354 asistencias, los 27 dramas criollos representados alcanzaron el 1% del total, mientras que los espectáculos acrobáticos representaron el 6% restante (106.423 asistencias). Es posible pensar que estas cifras se presenten subestimadas, pues no todos los circos –en especial aquellos más modestos y de mayor frecuencia en la itinerancia– se encontraban al alcance de la fiscalidad estatal en un momento en que ésta se estaba constituyendo. Al mismo tiempo, los empresarios de los teatros y circos ya establecidos encontrarían el intersticio burocrático para no declarar la totalidad de lo recaudado. De este modo, el circo itinerante que viajaba por los pueblos interiores y la periferia urbana habría satisfecho las necesidades teatrales de un público que no aparece en las estadísticas. Es posible, también, que la categoría "acróbatas" integrara en la oferta de números la representación marginal de dramas criollos. Así y todo, si la asistencia a los espectáculos circenses se encuentra subvaluada, lejos estaba de convertirse en el éxito de público que en 1894 representaba la zarzuela, con el 41% del total de asistencias (731.332).[122] Cuando, también en 1894, Calixto Oyuela cuestionaba la noción de que el haber agradado a las clases bajas convertía al drama *Juan Moreira* en un arte representativo del espíritu nacional, colocaba a la zarzuela como el contraejemplo cultural de un género ciertamente masivo.[123] Es verdad que Oyuela está participando de un debate en donde, a través del teatro, se discute la identidad nacional, y que, para la defensa de su tesis de la Argentina como variante de la cultura hispana, el auge de la zarzuela no hacía más que cumplir con el soporte testimonial de un argumento que intentaba descalificar tanto al criollismo como a la innegable presencia de la inmigración italiana. Sin embargo, Oyuela percibe la realidad estadística del consumo teatral, y desnuda la operación ideológica que hay detrás de un fenómeno que, al menos en su expresión teatral, parece magnificado.

Hacia 1903, en cambio, la relación entre el consumo de dramas criollos y los espectáculos de acrobacia se invierte radicalmente, y esto se debe a una expansión del género hacia las salas teatrales. El consumo de dramas criollos representa el 15% del total de las asistencias registradas (260.034) y el de acrobacias sólo el 1% (24.131). Pero la categoría "drama criollo" expresa ahora un residuo taxonómico que esconde una oferta teatral variada, y un tipo de drama que, si bien desarrolla una temática criollista, formará parte de un momento nuevo en la historia del teatro argentino, un momento en el que comienzan a desarrollarse las compañías nacionales y se esboza cierta profesionalización en las figuras del actor y del autor.[124] El drama criollo como tal se refugia en el Circo Anselmi y en circos menores, mientras que las nuevas propuestas encuentran sus ámbitos privilegiados en el Teatro Nacional, el Apolo o el Libertad, y avanzan sobre nuevos públicos.

¿Qué decir del público del drama criollo que se constituye en el circo desde la pantomima al diálogo escénico? Las *Memorias* de Podestá resultan altamente significativas de algunos de los comportamientos que se desarrollaban en las representaciones de los dramas criollos en el circo. A pesar de su tono autocelebratorio, éstas ilustran acerca de los itinerarios de un actor que mediaba entre diferentes campos de cultura, de un observador perspicaz del fenómeno cultural del que era partícipe.

Un elemento importante que destacan las crónicas de la época es el realismo de las escenas del *Juan Moreira*. Los caballos entraban "rayando" en la pista, y los cantos y danzas nativas se sucedían en un itinerario dramático en donde la acción del héroe dominaba la escena. En su versión pantomímica, sólo interrumpía el mutismo de los actores "el Gato con relaciones y el Estilo que cantaba Moreira en la fiesta campestre".[125] El tránsito de la pantomima al diálogo no modificó el peso del realismo en la obra. En 1890, el cronista de *Sud América* lo saludaba con admiración: "allí mismo se enciende el fuego y se coloca un asador con su cordero, por allí, por delante de los espectadores, husmeando la carne que se asa, pasean los perros que van a los ranchos y a las pulperías criollas y que son lo que agua para los patos, indispensable".[126]

La identificación del público era plena en la tensión dramática, y muchas veces los asistentes intervinieron en la escena o interrumpieron el desarrollo del drama para constatar la verdad de la representación. Podestá relata una escena del *Moreira* en la que había arreglado que un asistente con un rol secundario en la obra, en el momento en que lo "matara", debía quedarse inmóvil en el suelo hasta que él se lo ordenara. Terminada la representación y luego de varias salidas de los artistas el público se intrigó ante la quietud de este personaje y "saltó al picadero para ver si efectivamente había sucedido alguna desgracia".

En 1892, durante una representación de *Santos Vega*, en un momento en que los milicianos y gauchos desenvainan sus armas para un entrevero final, un vigilante que se hallaba en el circo subió al escenario y se interpuso entre los bandos diciendo: "¡Que no haiga nada...! ¡Que no haiga nada...!".[127] Muchas veces, la entrada de la partida policial que iba por Moreira generaba un amotinamiento del público en defensa del héroe.[128]

Lo interesante de la propuesta cultural del drama criollo es que se presenta como un género laxo, receptivo a las incitaciones del público popular y, en algunos casos, con una participación activa de ese público en el desarrollo del drama. Así, el género permitía la improvisación, los actores solían dialogar con los espectadores, y el final muchas veces era incierto, más allá de que el género expresaba una fórmula en la que el público conocía de antemano el destino del héroe.[129]

De este modo, los cambios interiores en el drama *Juan Moreira* –alargando escenas, modificando otras, integrando nuevos personajes o valorando los secundarios (la inversión de significados que se opera entre el pulpero italiano Sardetti y Cocoliche es un indicador importante de nuevas percepciones de la inmigración)– eran el resultado del modo en que un público popular étnicamente diverso se apropiaba de un género teatral y encontraba su lugar en las formas culturales establecidas aunque en un espacio no hegemónico.

Entre 1870 y 1910, el consumo del arte lírico en Buenos Aires alcanzó un desarrollo tal que la capital argentina y su *hinterland* se encontraron fácilmente en el itinerario mundial de las representaciones de las más reconocidas figuras del género. Más aún, hacia el final del período, artistas menores podían llegar a "hacer su América" ante un público que había convertido a la ópera y a la opereta en géneros teatrales de consumo masivo. Entre 1894 y 1905, el número total de asistencias registradas a los espectáculos teatrales, se había incrementado casi una vez y media, y la concurrencia a la ópera y la opereta, cerca de dos.[130]

Conclusión

Así y todo, desde el inicio el público de la ópera se presentó fuertemente estratificado. El criterio de erudición fue uno de los tópicos con que los sectores más intelectualizados de la audiencia se arrogaron el conocimiento de la sensibilidad legítima. Las polémicas entre wagnerianos y antiwagnerianos, que disputaban el *quantum* de "lo que hay que saber" para el disfrute consciente de los misterios musicales, representaban las aspiraciones de unos intelectuales que, todavía *gentlemen*, buscaban un lugar social identificatorio.

La asistencia a tal o cual teatro podía llegar a establecer un origen de clase diferencial en las audiencias, pero cuando la oferta lírica era de calidad reconocida, al menos en los palcos y plateas se podía ver una cierta homogeneidad social, como entre el público del Teatro de Colón y el del Politeama. Sólo en los teatros periféricos se encontraba una audiencia en su mayoría de origen popular, pero ésta podía exaltarse con *Cavalleria Rusticana* de Mascagni, tanto como cualquier diletante del centro. Sin embargo, en este caso la oferta lírica se presentaba fragmentada y más cercana al *bel canto* que a la ópera.

En rigor, la más notable diferenciación o al menos la de mayor impacto era la que se establecía en el interior del teatro a través de la ocupación de los espacios destinados a los espectadores. La platea y los palcos aparecían así como los lugares desde donde se articulaba la experiencia teatral del sector más prestigioso y selecto de la estratificación interior, mientras que el paraíso albergaba en general a un público socialmente más modesto. Un lugar asignado exclusivamente a las mujeres, como la cazuela, ritualizaba los límites de lo posible en la parte femenina del teatro: la cazuela era ante todo un medio de control social que la propia elite disponía en la carrera femenina del matrimonio. En algún sentido, la estratificación social del teatro tendía a expresar la más vasta que existía puertas afuera. Pero era en la sala donde podía alcanzar una manifestación extrema, pues en el proceso de la diferenciación, los distintos sectores de la audiencia encendían sus conductas consideradas identitarias.

Aunque el fenómeno no era nuevo, durante los primeros años de la década de 1880 la burguesía local apostó fuertemente a la agudización de la distancia social, y las modalidades del consumo del teatro lírico ocuparon un lugar preferencial en la exteriorización de esa distancia. Las nociones de *bon ton*, de *savoir-faire,* de *high-life*, se tornaron los parámetros legítimos de un comportamiento teatral educado que pretendía recrear, desde las butacas de terciopelo rojo, el modelo de las clases acomodadas europeas.

El resultado de este proceso fue la identificación entre género lírico y público de elite, pues –como afirmara un abonado hacia el fin de siglo– la ópera se definía como la combinación perfecta entre la música y la "buena sociedad".[131] Un cronista de época describió con ironía ese momento en que el consumo teatral se difunde socialmente y la elite encuentra en la ópera, la instancia ritual de su diferenciación: "[las gentes] invaden en oleadas los vestíbulos de los teatros, se apiñan en las boleterías, se estrujan, se codean, rodeando constantemente a los revendedores de localidades que hacen su agosto a la voz de ¡palco vendo! ¡tertulia vendo! [...] los vigilantes, con el ojo alerta tocan llamada con estridente pitada [...] sólo permiten la circulación de los carruajes que se dirigen a la ópera –los vehículos de la gente de pro–, de los favorecidos por la Diosa vendada o de los que aparentan volar en *la haute*, y se detienen a la puerta de nuestro gran coliseo donde Tamagno hace las delicias de ese público privilegiado; y descienden allí, haciendo pininos, bañadas por las claridades de la luz artificial que platea los rostros de espléndidas muchachas ataviadas con delicadas *toilettes*, caballeros enfracados y con el último golpe de *coiffure* aplicado por Gadan, Moussion o Antiqueira, mamás serias y graves emperifolladas lujosamente, envueltas en mantos riquísimos con pieles de armiño, ostentando brillante pedrería que envidiaría Belkiss; y en un contubernio llamativo, se detienen también a la puerta, desenfadados y erguidos, un concordato de 10 por ciento en elegante *landau* arrastrado por una yunta de rusos nerviosos, una moratoria prorrogable, con toda la familia, y una suspensión de pagos repartigada en el fondo azul de un coupé que rueda a impulsos de un par de troncos soberbio".[132] En conclusión, el consumo de ópera se volvió un lenguaje de clase que aún acredita los símbolos de su prestigio.

Así y todo, aunque la ópera resultara un mundo social diversificado y plural en sí mismo, éste se encontraba muy lejos de la experiencia social que se desarrollaba en el circo. En algún sentido, el circo significó una instancia de integración, pues a partir de él ciertas franjas sociales inicialmente ajenas a las experiencias teatrales se incorporaron a ellas. La diversidad de números que contenía el espectáculo circense proveyó a un amplio sector popular de la estructura social de un conjunto de símbolos que operaron en el mercado cultural como una construcción identitaria. La conjunción entre verosimilitud dramática y la introducción de la realidad coyuntural, a partir de la figura del *clown*, otorgaron al espectáculo un marco referencial de la experiencia cultural del público. El drama criollo potenció esta operación, a punto tal que muchas veces la identificación del público con el desarrollo del drama llegó a que éste no percibiera la dimensión ficcional del mismo. En esta forma de teatro popular, el público se integraba en la representación desarrollada en el escenario, mientras que en la ópera la representación del público se experimentaba en la sala. Si la elite podía mirar este fenómeno, en el mejor de los casos, como una versión degradada de cultura, gran parte de los asistentes, en cambio, podía ver satisfechas unas aspiraciones literarias de otro modo ajenas. Olivera se asombraba del modo en que el público salía del circo "encantado del caballo volador de Juan Moreira, de su legendario y enorme facón 'bueno pa' un entrevero', del número prodigioso de 'micifuses' que mata durante su vida, y de las 'milongas' del 'mulato Gabino', las que aprende de memoria y canta en sus momentos de alegría, como sus contemporáneos del Colón tararean el 'Ripetti ancor' de *Hugonotes*, o el 'Libiam che tutto spiri', del *Profeta* ".[133] Pero la identidad que se constituía a través del drama criollo no era la expresión, como lo ha querido cierta literatura teatral,[134] de una cultura gaucha residual que operaba una instancia de resistencia ante la modernización, sino una operación ideológica con múltiples actores, que incluía tanto a los sectores populares nativos como aquellos que veían en Cocoliche –el partener satírico de Moreira–, el emblema de una integración paradójica pero efectiva de los inmigrantes.

Notas

1. *La Nación*, 30-6-1909, p. 7.

2. *Caras y Caretas*, Año IX, N° 395, Buenos Aires, 28-4-1906.

3. Según su antiguo secretario personal y más tarde biógrafo, las opiniones de Anatole France sobre Argentina aparecen ciertamente contradictorias, pues van desde una descripción favorable del desarrollo social argentino y de su elite, hasta un desprecio inocultado hacia ese sector social, por su exhibida avidez por el consumo cultural de origen europeo. Cf. Jean-Jacques Brousson, *Itinéraire de París à Buenos-Ayres*, París, Les Editeurs G. Cres et Cie, 1927, *passim*.

4. *Ibíd.*

5. Nicola Gallino, "Tutte le feste al tempio. Rituali urbani e stili musicali di antico regime", *Quaderni storici*, 95:2, Bolonia, Il Mulino, agosto, 1997, pp. 463-464.

6. *Ibíd.*

7. He tomado el concepto de *actuación* para dar cuenta de la relación situacional en la que los individuos desarrollan ciertos roles o rutinas con el propósito de influir sobre una audiencia determinada. La repetición de una misma rutina ante la misma audiencia o ante audiencias equivalentes puede desarrollar una relación social. Erving Goffman, *La presentación de la persona en la vida cotidiana*, Buenos Aires, Amorrortu, 1981, pp. 27-28 y ss.

8. Raúl H. Castagnino, *Sociología del teatro argentino*, Buenos Aires, Nova, s.d., p. 20.

9. Norma Lucía Lisio, *Divina Tani y el inicio de la ópera en Buenos Aires, 1824-1830*, Buenos Aires, Ed. de autor, 1996, *passim*.

10. Vicente Gesualdo, *Historia de la música en la Argentina*, Buenos Aires, Beta, Tomo II, 1961, p. 9 y ss.

11. *El Mosquito*, 31-3-1878.

12. John Rosselli, *L' impresario d' ópera. Arte e affari nel teatro musicale italiano dell' Ottocento*, 1ª ed. en italiano, Torino, EDT/Musica, 1985, p. 2-5 y 170. (1ª ed. en inglés: *The Ópera industry in Italy from Cimarossa to Verdi*, Cambridge University Press, 1984.)

13. John Dizikes, *Ópera in America. A Cultural History*, Nueva York, Yale University Press, 1993, p. 109 y ss.

14. *Ibíd.*, 15-5-1875.

15. *Ibíd.*, 25-5-1875.

16. *El Mosquito*, 27-6-1875.

17. John Rosselli, "The Ópera Business and the Italian Immigrant Community in Latin American, 1820-1930: The example of Buenos Aires", en *Past and Present*, Oxford, N° 127, 1990, p. 173

18. Fragmentos de obras de músicos alemanes se conocían en Buenos Aires al menos desde mediados de la década de 1850, a través de los conciertos organizados por las sociedades musicales de la colectividad alemana. El coro de *Tannhäuser*

fue dado a conocer en la Sociedad Filarmónica de Buenos Aires en 1858, pero la representación completa de la ópera data de 1894. Hacia el fin del siglo el público porteño conoció *Los maestros cantores* (1898) y *La Walkiria* (1899), Gesualdo, *op. cit.*, pp. 73, 78, 162 y ss.

19. Rosselli, "The Ópera...", *op. cit.*, p. 164 y ss.

20. Al respecto, cf. Horacio Sanguinetti, "Los tenores que aclamó Buenos Aires", en *Todo es Historia*, N° 94, marzo, 1975, p. 47 y del mismo autor, "Cantantes españoles en Buenos Aires ", en *Todo es Historia*, N° 64, agosto, 1972, p. 85.

21. Dizikes, *op. cit.*, pp. 32 y 91.

22. Karen E. Ahlquist, *Democracy at the opera: Music, Theater, and Culture in New York City, 1815-1860*, Illinois, University of Illinois, 1997, *passim*.

23. Eugenio Cambaceres, "En la sangre" (1887), en *Obras completas*, Santa Fe, Castellví, 1956, pp. 231 y ss.

24. Ernesto Quesada, "La ópera italiana en Buenos Aires" (1882), en *Reseñas y críticas*, Buenos Aires, Lajoune, 1893, p. 352.

25. Quesada, *op. cit.*, pp. 372.

26. *Ibíd.*, pp. 357-358.

27. *Ibíd.*, p. 359.

28. *Ibíd.*, p. 370.

29. La vida diplomática de Cané en Alemania y en Austria-Hungría, entre 1883 y 1884, le había posibilitado asistir a las representaciones de las óperas de Wagner tanto en Bayreuth como en la Ópera Imperial de Viena. Cf. Miguel Cané, "Wagneriana" (1883), en *Charlas literarias*, Buenos Aires, La Cultura argentina, 1917, pp. 110-111.

30. Carlos Olivera, "En el teatro", en *En la brecha, 1880-1886*, Buenos Aires, Lajoune, 1887, pp. 275-276.

31. *Ibíd.*

32. Quesada, *op. cit.*, p. 355.

33. Carlos Correa Luna, "Chismografía lírica", en *Caras y Caretas*, Año VII, N° 297, 11-6-1904.

34. Goffman, *op. cit*, p. 27.

35. Groussac no desconocía la novedad estética de Wagner, pero consideraba que había creado un modelo de ópera al que el propio Wagner no siempre le había sido fiel –*Lohengrin* era un ejemplo de autotraición– y que imposibilitaba su reproducción. Es decir, el carácter de espíritu excepcional de Wagner volvía infecunda su propuesta, Paul Groussac, "Lohengrin. Primer artículo", en *La Nación*, 29-9-1886.

36. Juan Agustín García, "Cuadros y caracteres snobs. Escenas contemporáneas de la vida argentina", 1923, en *Obras completas*, Tomo II, Buenos Aires, Antonio Zamora, 1955, p. 362.

37. *Ibíd.*, pp. 1074-1075.

38. La tetralogía *El anillo de los Nibelungos* integra la siguientes obras: *El oro del Rhin, La Walkiria, Sigfrido* y *El crepúsculo de los dioses.*

39. Georges Bernard Shaw, *El perfecto wagneriano*, Buenos Aires, Americana, 1947, pp. 151-152 y 160.

40. García, "Chiche y su tiempo", (1922), *op. cit.*, pp. 911, 921, 929 y 934. La operación de García es la de conformar un panteón de figuras célebres indicativas de la excelencia cultural, el máximo posible de sensibilidad intelectual. En este sentido, Nietzsche aparece como el equivalente filosófico de Wagner. Sin embargo, García no llega a advertir que el último Nietzsche había transitado desde la admiración de la ópera wagneriana hasta la impugnación de la matriz filosófica de la obra que él consideraba muy cercana al cristianismo. Cf. Federico Nietzsche, *Humano, demasiado humano* (1874-78), Vol. II, Buenos Aires, Aguilar, 1948.

41. También en los Estados Unidos, hacia fines de siglo, la ópera de Wagner se convierte en la música de culto. Para John Dizikes esta admiración formaba parte de cierta tendencia a la exaltación de otros aspectos de la cultura alemana: la ciencia, la filosofía, y el poder económico y militar de esa nación, John Dizikes, *op. cit.*, pp. 243-246. Otros autores han visto que la recepción de la música de Wagner en Estados Unidos se articuló a partir de una admiración plena respecto de sus nociones sobre orquestación, y menos de la concepción de la ópera como drama musical, más allá de las exitosas temporadas wagnerianas de 1884-85 y 1890-91 en el Metropolitan Ópera House. Así y todo, los wagnerianos americanos no dejaban de admirar la cultura alemana, y los escritos antisemitas de Wagner operaban en un debate más amplio en el que la inmigración de italianos y judíos era percibida como un peligro de barbarización de la herencia anglosajona. Cf. Joseph Horowitz, *Wagner nights: an American History*, University of California Press, 1994, pp. 89, 125 y 329-330.

42. Estas cifras han sido elaboradas a partir del *Anuario Estadístico de la ciudad de Buenos Aires*, Año IV, 1894, Dirección General de Estadística Municipal, Buenos Aires, Compañía Sud-Americana de Billetes de Banco, 1895, pp. 380 y ss.

43. *La Nación*, 15-5-1899.

44. *Ibíd.*

45. *Ibíd.*

46. Es interesante observar que la crítica lírica haya recepcionado y se convierta en un indicador más de un debate ideológico muy propio de la época que tenía su objeto central en el problema de la identidad nacional.

47. *La Nación*, 24-5-1899.

48. Shaw, *op. cit.*, p. 192.

49. La ópera de repertorio se había afirmado rápidamente en Italia desde 1870. Este proceso ilustraba el papel secundario que los empresarios comenzaban a jugar en la industria de la ópera, superados ahora por los editores de Torino y sobre todo, de Milán. Cf. Rosselli, *L'impresario...*, *op. cit.*, p. 168.

50. *Caras y Caretas*, Año VIII, N° 348, Buenos Aires, 3-6-1905.

51. Ernesto de la Guardia, "Juicios críticos. La ópera y el concierto", en *Revista de la Asociación Wagneriana*, N° 2, Buenos Aires, febrero, 1914, pp. 21-23.

52. Gastón Talamón, "El bochornoso asunto del Colón", en *Nosotros*, año XII, Tomo XXVIII, Buenos Aires, 1918, pp. 416-417.

53. Gastón Talamón, "Crónica musical", en *Nosotros*, año XIII, Tomo XXXIII, Buenos Aires, 1919, pp. 138 y ss.

54. Mariano G. Bosch, *Libro contra Wagner escrito por un wagneriano. Los errores de Wagner*, Buenos Aires, Talleres Gráficos Argentinos de L. J. Rosso y Cía., 1919, pp. 15, 16 y 320.

55. Alfredo A. Bianchi, "El melodrama lírico italiano", en *Nosotros* (segunda época), año XXIV, Nº 257, Buenos Aires, octubre, 1930, pp. 289-292.

56. Sobre el debate en torno a los dos Verdi en esos años, cf. Massimo Mila, *L'arte di Verdi*, Torino, Giulio Einaudi editore, 1980, pp. 338 y ss.

57. Bianchi, *op. cit.*

58. Carlos Octavio Bunge, "La afición a la música en Buenos Aires", en *Revista de la Asociación Wagneriana, op. cit.*, pp. 17-19.

59. *Anuario Estadístico de la ciudad de Buenos Aires*, Año XVI, 1905, Dirección General de Estadística Municipal, Buenos Aires, 1906, p. 266.

60. Rosselli, "The Ópera ...", *op. cit.*, p.168-175.

61. Mariano G. Bosch, *Historia de la ópera en Buenos Aires*, Buenos Aires, Imprenta El Comercio, 1905, pp. 245-246. Más tarde, obras importantes de la historiografía argentina convirtieron esta noción en una convención ampliamente difundida, que identificaba el género lírico con los teatros más importantes y con el público respetable, en el contexto de la modernización de las ciudades latinoamericanas. Cf. José Luis Romero, *El desarrollo de las ideas en la sociedad argentina del siglo XX*, Buenos Aires, Solar, 1983, p. 19.

62. La tesis que subyace en el artículo de Rosselli propone que el verdadero público de ópera del período es el italiano, y no sólo porque la oferta de ópera en Buenos Aires se desarrolló a partir del crecimiento de la comunidad italiana local, sino porque la identidad étnica se dirimió a partir del consumo lírico. En un libro posterior, Rosselli postuló en forma explícita la tesis de los italianos como "nación musical" y de la ópera como cultura nacional-popular, producto del disciplinamiento de las elites ilustradas *risorgimentales*. Cf. John Rosselli, *Music and Musicians in Nineteenth-Century Italy*, Oregon, 1ª ed. Amadeus Press, 1991, p. 106 y ss.

63. "La demolición del Teatro Doria", *Caras y Caretas*, Año VI, Nº 224, 17-1-1903. La identificación entre consumo lírico e identidad étnica italiana es tal en estos teatros, que la zarzuela está casi ausente en la oferta musical, César A. Dillon y Juan A. Sala, *El teatro musical en Buenos Aires*, Buenos Aires, Ediciones de Arte Gaglianone, 1997, p. IX.

64. Tito Livio Foppa, *Diccionario teatral del Río de la Plata*, Buenos Aires, Argentores-Ed. del Carro de Tespis, 1961, pp. 843-844.

65. *El Mosquito*, 11-4-1875 y 31-3-1878.

66. Quesada, *op. cit.*, pp. 354-355.

67. Carlos Olivera, "En Colón. (Un bout de causerie)", en *En la brecha, op. cit.*, pp. 255 y 258.

68. *Ibíd.*

69. *Ibíd.,* p. 255-256.

70. "Las proscriptas de la cazuela", en *La Vida Moderna*, Año I, N° 1, Buenos Aires, 18-4-1907.

71. Olivera, *op. cit.,* p. 236.

72. Para Taine, las mujeres iban a la ópera porque el teatro "es un paraje adonde la gente viene porque es ociosa, porque desde el palco se puede pasar revista al gran mundo [...] En cuanto a las grandezas de la música, a todo lo que sentimos en una ópera [ ] no conocha nada, todo está fuera de su edad y de su experiencia [...] Pondría mi mano en el fuego a que para ella la música más agradable es la de los *rendez-vouz bourgeois*". No es extraño que la *Revista Moderna* de Buenos Aires publicara estos conceptos de Taine sobre la Ópera de París, pues se presentaban muy familiares a las experiencias de los diletantes porteños. Hipólito Taine, "En la Ópera", en *Revista Moderna*, Vol. 1, Buenos Aires, mayo-julio, 1897, pp. 212-214.

73. *La Nación Argentina*, 7-5-1864.

74. *Ibíd.*

75. Albert B. Martínez, *Baedeker de la République Argentine*, Barcelona, Sopena, 1913, p. 119.

76. *Caras y Caretas*, Año V, N° 191, 31-5-1902.

77. *Caras y Caretas,* Año VII, N° 296, 4 -6-1904.

78. *Caras y Caretas,* Año VII, N° 294, 21-5-1904.

79. Roberto F. Giusti, *Visto y vivido*, Buenos Aires, Losada, 1965, p. 66.

80. Ordenanza "Venta de localidades en los teatros", 28 de septiembre de 1906, en *Ordenanzas y Resoluciones sancionadas por la Comisión Municipal de la ciudad de Buenos Aires*, período de sesiones de 1906, Año XV, Buenos Aires, Imprenta Europea, 1907, pp. 136-138.

81. "Las proscriptas de la cazuela", *op. cit.*

82. Paul Morand, *Aire indio*, Buenos Aires, El Ombú, 1933, p. 25. (Traducido del francés por Gregorio García Manchón.)

83. *El Mosquito*, 20-7-1879.

84. Olivera, "En Colón...", *op. cit.,* 260.

85. *Ibíd.,* p. 261.

86. *La Vida Moderna*, Año 1, N° 2, 23-5-1907.

87. Los casos de Roberto F. Giusti y Alfredo Bianchi resultan muy ilustrativos al respecto. De todos modos, el paraíso del Teatro de la Ópera no alcanza la dimensión que Kurt Pahlem, quien fuera director en el Teatro Colón en 1957, le atribuye al paraíso de la Ópera de Viena, considerado como "el rincón de los entendidos", el lugar del verdadero público erudito. Cf. Kurt Pahlem, *La ópera*, Buenos Aires, Emecé Editores, 1958, p. 10.

88. Nicolás Granada, "Música subterránea", en *Caras y Caretas*, Año II, N° 23, 11-3-1899.

89. El "beneficio" consistía en una función especial en la que se representaba una obra o fragmentos de obras, con el propósito de recaudar fondos. Estos podían ser destinados a instituciones encargadas de la caridad, a artistas líricos venidos a menos o a los empresarios, que de este modo veían equilibradas unas ganancias no aseguradas del todo por la temporada. De todos modos, el beneficio era una práctica generalizada en el mundo teatral, desde el circo hasta la ópera.

90. *El Mosquito*, 25-7-1875.

91. *La Gaceta Musical*, 12-9-1875.

92. Se denominaba "palomas" a los cuellos desmontables de las camisas usadas por los hombres.

93. *Caras y Caretas,* Año VII, N° 314, 8-10-1904.

94. *Caras y Caretas,* Año III, N° 84, 12-5-1900.

95. *Caras y Caretas,* Año VIII, N° 352, 1-7-1905.

96. "En la Ópera. El desorden de anoche", en *La Nación*, 2-8-1899.

97. Sólo en el largo plazo, la invención del fonógrafo traerá nuevas formas en los rituales del consumo lírico y, en consecuencia, en la educación de la sensibilidad musical.

98. La indumentaria del vestido de los tenores, barítonos y bajos parece haber sido uno de los espejos en donde se miraba la moda masculina local. Cf. *Caras y Caretas, op. cit.*

99. Cambaceres, "Sin rumbo", en *op. cit.*, pp. 174 y ss.

100. Miguel Cané, *Juvenilia*, Buenos Aires, Editorial Jackson, 1948, pp. 189-191.

101. *Caras y Caretas,* Año V, N° 197, 12-7-1902.

102. Olivera, "En Colón...", *op. cit.*, p. 261.

103. Raúl Castagnino, *El circo criollo. Datos y documentos para su historia, 1757-1924*, Buenos Aires, Plus Ultra, 2ª ed., 1969, p. 14.

104. *Ibíd.*, pp. 35, 45 y 59.

105. García, "Sobre el Teatro nacional...", *op. cit.,* pp. 772-773.

106. *El Día*, 4-2-1894.

107. Castagnino, *op. cit.*, p. 55.

108. Bernardo González Arrili, *Buenos Aires 1900*, Buenos Aires, CEAL, 1967, p. 83.

109. José J. Podestá, *Medio siglo de farándula. Memorias*, Taller de la Imprenta Argentina de Córdoba, Río de la Plata, 1930, pp. 37-38 y 54-56.

110. Federico Mertens, *Confidencias de un hombre de teatro (50 años de vida escénica)*, Buenos Aires, Nos, 1948, pp. 15-16.

111. González Arrili, *op. cit.*, p. 87.

112. *La Nación*, 11-6-1899.

113. Miguel Cané, "Bebé en el circo", en Eduardo Wilde, "Cosas mías y ajenas", *Obras completas*, Vol. X, Buenos Aires, 1939, pp. 221-227; Mertens, *op. cit.*, y Enrique García Velloso, *Memorias de un hombre de teatro*, Buenos Aires, Eudeba, 3ª ed., 1966, p. 111.

114. Mariano G. Bosch, *Historia de los orígenes del Teatro Nacional Argentino y la época de Pablo Podestá*, Buenos Aires, Talleres Gráficos Argentinos L. J. Rosso, 1929.

115. José J. Podestá, *op. cit.*, p. 31.

116. "Ya tenemos un autor que conecta al *ignobile vulgus,* y cuyas obras son saludadas con los vítores y aclamaciones entusiastas. Todos conocen el hecho: la pantomima Juan Moreira ha atraído tanta concurrencia al Circo del Politeama, que la policía tiene que interrumpir cuando se representa, para impedir que se venda mayor número de entradas del que puede expenderse sin peligro para la concurrencia", Carlos Olivera, "Juan Moreira", en *op. cit.*, p. 317.

117. Cf. Ernesto Quesada, "El criollismo en la literatura argentina" (1902), en AAVV, *En torno al criollismo*, Buenos Aires, CEAL, 1983, pp. 136 y ss.; Calixto Oyuela, "La raza en el arte" (1894), en *Estudios literarios*, Buenos Aires, Academia Argentina de Letras, Tomo II, 1943, pp. 213-214; y José Ingenieros, "La vanidad criminal", en *La psicopatología en el arte*, Buenos Aires, Talleres Gráficos Argentinos L. J. Rosso, 1920, pp. 106 y ss.

118. "Originalidades sociales. Juan Moreira", *Sud América,* Buenos Aires, 11-11-1890.

119. María Susana Colombo, "Los primeros años del *Juan Moreira* en La Plata", en *Revista de Estudios de Teatro*, Tomo V, Nº 13, Instituto Nacional de Estudios de Teatro, Sec. de Cultura de la Nación, 1986, pp. 30-37.

120. Adolfo Prieto, *El discurso criollista en la formación de la Argentina moderna*, Buenos Aires, Sudamericana, 1988, pp. 157 y ss.

121. Podestá, *op. cit.*, p. 32.

122. *Anuario..., op. cit.*, año 1894.

123. Oyuela, *op. cit.*

124. Silvia Pellarolo, "La profesionalización del teatro nacional argentino. Un precursor: Nemesio Trejo", en *Latin American Theatre Review*, 31/1, Center of Latin American, Studies University of Kansas, 1997, pp. 59-70.

125. Podestá, *op. cit.*, p. 42.

126. *Op. cit.*

127. *Ibíd.*, p. 79.

128. García Velloso, *op. cit.*, p. 111.

129. Osvaldo Pellettieri, "Calandria, de Martiniano Leguizamón, primer texto nativista", en *Cien años de teatro argentino,* Buenos Aires, Galerna-Instituto Internacional de Teoría y Crítica del Teatro Latinoamericano, 1990, p. 18.

130. *Anuario..., op. cit.,* años 1894 y 1905.

131. *La Nación*, 23-4-1895.

132. Martín Guerra, "Buenos Aires nocturno. Mi barrio", *Caras y Caretas*, Año II, Nº 23, 11-3-99.

133. Olivera, "Juan Moreira", *op. cit.*, p. 318.

134. Abril Trigo, 'El teatro gauchesco primitivo y los límites de la gauchesca", en *Latin American Theatre Review*, 26/1, Center of Latin American Studies, University of Kansas, 1992, p. 65.

Fotografía y vida privada (1870-1930)

Luis Priamo*

Para Sandra Natella y Carlos Coira

La relación entre vida privada y fotografía se articula, históricamente, a través de tres tipos de imágenes. En primer lugar, los *retratos de estudio* decimonónicos, personales o de grupo que, sin ser documentos de la intimidad de los individuos retratados en sentido estricto, estaban destinados al uso privado –principalmente familiar– y constituían testimonios de sus vínculos y afectos más profundos. No se trataba de la vida privada en la fotografía, sino de la fotografía en la vida privada. Esta relación existe desde el inicio mismo de la fotografía en la Argentina, cuando en 1843 el daguerrotipista norteamericano John Elliot abrió su estudio en Buenos Aires. En segundo lugar, las fotografías tomadas *fuera del estudio del fotógrafo*, que documentaban aspectos diversos de la cotidianidad de las personas y las familias. Hasta el advenimiento de la práctica amateur, que las multiplicó rápidamente, estas imágenes eran tomadas sólo por profesionales, y el número que se conserva es relativamente escaso. Por su parte, la práctica amateur comenzó a generalizarse a partir de los años noventa, primero a través de personas de clase alta y gente de clase media con profesiones liberales, y luego, cuando se simplificaron y abarataron las cámaras y técnicas fotográficas, a principios de siglo, de sectores crecientemente populares. Las fotografías de amateurs más antiguas que conocemos se encuentran en el archivo de la Sociedad Fotográfica Argentina de Aficionados –el primer fo-

Introducción

*Agradezco a todas las personas e instituciones que colaboraron conmigo facilitándome las imágenes fotográficas que se publican en este trabajo y la información sobre las mismas. Gran parte de los materiales aquí publicados fueron recogidos durante una investigación realizada en la provincia de Santa Fe, con el apoyo de la Social Research Council, *en 1989.*

toclub del país, fundado en Buenos Aires en 1889–, actualmente depositado en el Archivo General de la Nación. Por último, las *fotos de costumbres*,
realizadas por los antiguos documentalistas primero y los fotógrafos de
prensa más tarde. Los documentalistas eran profesionales que solían alter-
nar la práctica del retrato de estudio con la fotografía de exteriores. El pio-
nero fue Benito Panunzl, cuyas primeras imágenes editadas datan de 1865,
quien acostumbraba a pegar sus fotos sobre cartón para venderlas sueltas,
en carpetas o en álbumes. Hacia fines de siglo, el género costumbrista fue
utilizado por los primeros editores de revistas de actualidad y de postales
Los fotógrafos que lo practicaron (Samuel Boote, Samuel Rimathé, H. G.
Olds y el grupo de la Sociedad Fotográfica Argentina de Aficionados fueron los más notorios) representan el antecedente directo de los reporteros
gráficos modernos, que iniciaron su actividad con la revista *Caras y Caretas* en 1898. Más tarde los medios gráficos ilustrados introdujeron variantes que se cristalizaron en los años cincuenta y sesenta –es decir, fuera del
marco temporal de este trabajo– con la aparición de la prensa amarilla y la
actividad de los *paparazzi*, que hicieron de la intimidad de personas famosas su presa preferida.

Otra cuestión a señalar se refiere a la diferencia entre las fotografías
como documentos de la intimidad de las personas, por un lado, y como
objetos simbólicos dentro de la economía de sus relaciones privadas,
por el otro. Generalmente ambos aspectos coincidían, pero no siempre.
Todas las fotos que integraban los primeros álbumes –que siempre pertenecían a gente de buena posición económica– eran retratos de estudio
clásicos que, como dijimos, poco informaban sobre dicha privacidad.
Asimismo, las fotos que documentaron la vida doméstica de las clases
pobres de la sociedad, que rara vez se hacían retratar en un estudio profesional –y si lo hacían, disimulaban su condición social bajo el atavío
pequeño burgués más convincente que tuvieran–, fueron tomadas por
profesionales documentalistas o reporteros gráficos, no como recordatorios personales, sino para ser vendidas como escenas de costumbres
o publicadas en revistas de la época, ilustrando artículos referidos a
problemas sociales.[1] Esto significa que al hablar de la relación entre vida privada y fotografía durante el período 1870-1930 nos referimos, en
primer lugar, a la vida privada de los ricos y muy ricos. Las clases
medias recién se incorporarán a principios de nuestro siglo, con el impulso del desarrollo económico y la expansión de la sociedad –inmigración mediante–, gracias a la facilidad que ofrecieron las cámaras y técnicas modernas para hacer fotografía amateur a bajo costo. Las clases
pobres –y más aún los grupos marginados, como los indígenas– "entre-
garon" su intimidad a la fotografía, de buen o mal grado, sin relacionar-
se con ella.

La fotografía fue uno de los primeros ritos sociales de la modernidad. *Recordatorio y ritual*
Lo que hoy llamamos globalización tuvo un antecedente temprano en la
práctica fotográfica, que se difundió por el mundo inmediatamente después de conocido el invento del daguerrotipo, en 1839. Los primeros fotógrafos que trabajaron en los países periféricos de los centros industriales donde nació y se desarrolló la industria fotográfica –Francia, Inglaterra, Alemania, Estados Unidos–, fueron europeos y norteamericanos.
Ellos exportaron la técnica y los modos de fotografiar y comercializar las
imágenes, y de ellos aprendieron el oficio sus asistentes y futuros fotógrafos nativos. De ahí que la fotografía haya sido uno de los primeros y
más exitosos e irresistibles modelos universales de mundanidad burguesa, y de ahí también la notoria similitud que existe en toda la retratística
fotográfica del siglo pasado. Lo que marcaba las diferencias eran las costumbres, el vestuario y las características físicas de los individuos retratados de cada lugar, pero tanto las herramientas utilizadas (cámaras, placas, papeles, modelos de galería de pose o de presentación de las imágenes, cartones de soporte y álbumes) como la forma de utilizarlas (pose de
los retratados, iluminación, géneros), fueron universales.

El retrato, individual o de grupos, fue el género que impulsó y sostuvo el extraordinario desarrollo de la actividad fotográfica de entonces.
Los primeros álbumes personales o familiares, como dijimos, no tenían
más que retratos, y empezaron a conformarse a principios de la década
de 1860, cuando se generalizó la aplicación del nuevo sistema fotográfico que utilizaba negativos de vidrio emulsionados al colodión húmedo e
impresionados sobre papeles a la albúmina. Hasta ese momento las únicas técnicas disponibles –daguerrotipo, ambrotipo y ferrotipo– permitían
obtener una sola imagen, impresa sobre soportes de metal o vidrio, y de
precio relativamente alto. El nuevo procedimiento posibilitó multiplicar
a gusto las imágenes obtenidas, abarató extraordinariamente el precio de
los retratos y masificó su hábito. El formato más pequeño y popular en el
que se comercializaron las fotos se llamó *carte-de-visite* (los fotógrafos
las vendían de a media y una docena, o más) y fue literalmente eso: un
envío que el retratado hacía a sus parientes y amigos para que lo guarda-
ran en álbumes. Estos últimos tenían páginas de cartón grueso con ventanas caladas de tamaños uniformes donde se insertaban las fotos, que se
entregaban pegadas sobre cartones [Fotos 1 y 2]. Las medidas del calado
correspondían a los dos formatos comerciales más pequeños: *carte-de-
visite* (9 cm x 6 cm) y *cabinet* (14 cm x 10 cm).

Antes de los años setenta, aproximadamente, las ocasiones para tomarse un retrato en el estudio del fotógrafo no parecen haber estado especialmente apuntadas por acontecimientos relevantes en la historia de
individuos y familias. El retrato era, sobre todo, un recordatorio simple,

[Fotos 1 y 2] Hojas de un álbum perteneciente a la familia Bauer, de San Carlos Sud, Santa Fe, circa 1890-95. A la izquierda, foto en formato cabinet. A la derecha, cuatro, fotos en formato carte-de-visite.
(Colección del autor)

por así decir, de las personas o los grupos, más que una solemnización protocolar de momentos importantes en el curso de sus vidas.[2] Las fotos de primera comunión, por ejemplo, comienzan a menudear después del ochenta, al igual que los retratos de casamiento o de aniversarios de bodas. Cuando la visita al estudio fotográfico se hizo habitual y se extendió a las clases intermedias, la fotografía sirvió plenamente a la función de eternizar los grandes acontecimientos de la vida individual y familiar, función que, al decir de Bourdieu, *preexiste* a la aparición de la fotografía y fue, por esa razón, uno de los mayores estímulos para su desarrollo.[3]

El recordatorio fue siempre la función esencial de cualquier fotografía que terminó en un álbum o caja de familia. Recordatorio de seres y de cosas detenidos en un momento del tiempo, de su tiempo y del tiempo de quien lo guarda. Por su naturaleza icónica, es decir, su facultad de transcribir *literalmente* los fenómenos de la realidad, la relación que la fotografía desarrolla con el tiempo es de una intensidad única y particular. Lo que siempre decimos y salta a la vista es que la imagen fotográfica detiene el transcurrir de lo real, pero menos frecuente es observar esto desde el punto de vista de la imagen y decir que ella queda detenida respecto de ese transcurrir. Esta condición crea en torno de toda fotografía una especie de vacío, de suspenso en el cual le deja lo real al irse de ella y seguir su viaje, su fluir. Es un vacío disponible y convocante que ocupamos con la proyección de nuestras emociones, recuerdos, asociaciones y mitos, y de ese modo le damos a la imagen congelada el relato que ella no tiene, le vamos narrando alrededor, por así decir. Dicho relato, según los sucesos que precedieron a la foto, cambia con el tiempo, y su mayor o menor densidad nada tiene que ver con cualquier valor objetivo que podamos encontrar en la imagen: estético, sociológico o el que fuere. Un relato que incluso modifica a la misma imagen: "Cuando una persona muere / cambian también sus retratos. / Sus ojos miran de otra forma, y sus labios / sonríen con otra sonrisa", dice un poema de Ana Ajmátova. Es justamente la conciencia que tenemos de la intensidad mental y anímica proyectada sobre las imágenes fotográficas de índole privada lo que nos sugiere esa sensación de desamparo en los retratos antiguos que encontramos en archivos y museos. El relato emocional y secreto que los acompañaba y animaba desapareció con la muerte de las personas que los guardaban –por eso, justamente, están allí– y ahora nosotros los miramos reducidos, de algún modo, a la condición de documentos visuales. Por todo esto, las fotos familiares se transforman fácilmente en fetiches, es decir, en los objetos más aguerridamente personales y privados que se guardan (al respecto son muy conocidos los usos mágicos o supersticiosos que se hace de los retratos cuando el animismo del que son objeto, tanto amoroso como agresivo, es intenso). Mucha gente destruye sus fotos de familia para evitar que lleguen a otras personas: "Yo no podía permitir que mi padre pasara de mano en mano", me dijo hace años una anciana, justificándose por haber roto un retrato de su padre.

La mirada ajena

El carácter específico de cualquier documento fotográfico contiene lo público –o lo social– de un modo casi ontológico. En toda experiencia de retrato fotográfico la lente de la cámara representa la mirada de los otros, el ojo social introyectado en nuestra sensibilidad y reflejos. La prueba más evidente de esto es el súbito extrañamiento que nos produce la inminencia de un disparo fotográfico, esa inmersión instantánea en una esfera de autopercepción ambigua, errática, disociada y casi siempre angustiosa que el enfoque de la cámara nos ocasiona. Detrás de los reflejos de nuestra respuesta están la memoria y las convenciones sociales que distinguen y caracterizan el retrato fotográfico como *imagen de sí para los otros*, es decir, imagen privada o íntima volcada hacia el afuera y, por lo tanto, expuesta a lo social.[4]

Dicha exposición no necesitó el desarrollo histórico de los medios de comunicación masivos para manifestarse, sino que estuvo presente desde el primer retrato al daguerrotipo, cuyas características eran idénticas a las de los retratos de caballete: lo que hacía el fotógrafo-pintor con la cámara era aligerar y literalizar, por así decir, la transcripción de lo real (el individuo) a su reflejo bidimensional, que antes se fijaba en la tela y ahora en la chapa metálica o el negativo. Las personas posaban en ambos casos con el mismo espíritu de exposición social, y se disponían a la representación como si estuvieran en un escenario frente a un público virtual. Dicho público era la visita –familiares y amigos– que llegaba hasta la sala de la casa invitada por los dueños, es decir, sus iguales, los árbitros de su jerarquía social y mundana. La imagen fotográfica colgada en la pared procuraba, a su vez, reflejar esa jerarquía o, más bien, exaltarla.

La naturaleza pública o social del retrato fotográfico se hace más notoria en aquellos casos donde, retoque mediante, se alteraban los datos físicos del individuo retratado con el propósito de embellecerlo. En los grandes negativos de vidrio que guarda la colección de la Casa Witcomb en el Archivo General de la Nación –tomados a fines del siglo pasado y principios del actual– se advierte, por ejemplo, que el retoque para estrechar la cintura de las robustas matronas de la alta burguesía porteña era de rigor. En algunos casos la merma era espectacular, y donde había existido un poderoso perfil de tonel aparecía una grácil curva de guitarra. Tamaño retoque convertía lo que pasaba por fiel reflejo de la realidad en una especie de imagen virtual. Sin embargo, la confrontación entre la robusta señora que se movía por la sala y el retrato fotográfico colgado en la pared, que la desfiguraba hasta la caricatura, no producía carcajadas ni escándalos. Es evidente que la ficción formaba parte de convenciones arraigadas y respetables que permitían a las mujeres, dentro de su casa, disfrutar de la idealización pública de su belleza a través del realismo fotográfico sin inhibiciones ni pudor.

De hecho, ese espíritu de pose social estaba tanto en los retratos tomados con el deliberado propósito de transformarse en cuadros para ser colgados de la pared, como en aquellos que el retratado reservaba para su álbum privado. Por eso la fotografía no tuvo una zona reservada para otra imagen que no fuera la que el individuo entregaba a "su público" –un círculo que rápidamente podía extenderse, ya que si el retrato agradaba al fotografiado, éste no ponía ningún reparo en que el fotógrafo lo exhibiera en la vidriera del negocio como publicidad de su trabajo–. Los daguerrotipos medianos y pequeños, por ejemplo, se acondicionaban en estuches cerrados que permitían y alentaban su disfrute personal en la intimidad. En este sentido, la diferencia con las primeras imágenes en negativo-positivo, es decir, las *carte-de-visite*, fue enorme, ya que éstas permitieron y alentaron la práctica de tomarse retratos para regalar a familiares y amigos, como ya dijimos. En el fondo, sin embargo, la actitud del retratado hacia la cámara era la misma, y las *carte-de-visite* no establecieron ninguna diferencia. Vale decir que los usos de las imágenes de retrato podían diferir –servir a la intimidad o a la sociabilidad–, pero la naturaleza de su relación con lo privado y lo público, como imágenes, era similar. Esta característica se extendía a las fotografías de difuntos, que muchas veces también integraban los álbumes de familia, se colgaban de la pared o se exhibían en el panteón familiar.

En resumen, como vehículo de exposición social de la imagen personal o familiar, la fotografía fue un medio muy condicionado para reflejar significativamente la intimidad de la vida cotidiana, sustraída por definición a la mirada exterior. En el canon de valores de la cultura dominante, la publicidad deliberada de la privacidad era indecente –y aún lo es–. Es evidente, por lo tanto, que cualquier fotografía "de puertas adentro" que se le hubiera ocurrido mandar hacer a una persona tenía el mismo o mayor carácter de imagen pública que los retratos de estudio. Ésa es la razón por la cual lo que con frecuencia encontramos en las fotografías del período analizado que registran la cotidianidad de entrecasa de los individuos es una sujeción rigurosa a las convenciones sociales vigentes. Y esto es así tanto en las fotos tomadas por profesionales, como en las de amateurs –aunque en este caso las imágenes suelen tener mayor espontaneidad y frescura, además de proporcionar información directa sobre el contorno íntimo de las personas–. Son fotos que nos hablan, sobre todo, de la imagen que los individuos tenían de sí mismos y de su familia en función de la mirada ajena, de una imagen elaborada precisamente para someterse a ese examen. Fotos "blancas", en una palabra[5] [Fotos 3, 4, 5 y 6].

Por todo esto es muy difícil encontrar documentos fotográficos que descubran o revelen aspectos sórdidos o "feos" de la vida privada de las personas. Si debiéramos guiarnos por los documentos fotográficos disponibles, la prostitución, por ejemplo, no existió en nuestro país, ni siquiera cuando estuvo legalmente habilitada –y puedo asegurar que este tipo de fotos fueron y son de las más buscadas por investigadores y editores–. De cualquier manera estaríamos en un error si clausuramos el examen de las imágenes fotográficas de la vida privada de las personas, sobre la base de

[Fotos 3 y 4] Casa Witcomb. Familias de la burguesía porteña fotografiadas en sus domicilios A la izquierda, durante un picnic y, a la derecha, jugando al crocket, circa 1880-90.
(Archivo General de la Nación)

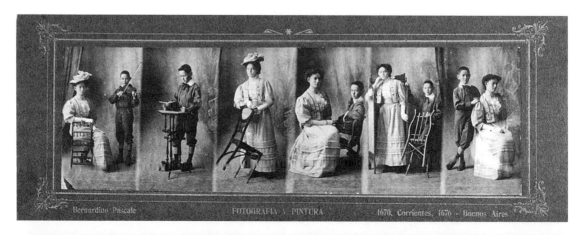

[Fotos 5 y 6] Bernardino Pascuale. Fotos seriadas tomadas en estudio que reproducían escenas íntimas entre familiares o amigos, circa 1900. (Museo de la Ciudad)

las restricciones, reservas y continencia temática que las caracteriza en general. La naturaleza del documento fotográfico no es únicamente informativa, sino también sensible. Esto significa que el carácter de la conformación iconográfica de cada imagen particular determina en buena medida la experiencia de su recepción: apropiación simple de información o, además, una conmoción emocional que propone asociaciones, proyecciones y figuraciones, que cargan y espesan la significación de la foto, aunque no se aparte de lo temáticamente convencional.

Amateurs

La fotografía de aficionados que conocemos comenzó a practicarse en nuestro país en los años ochenta del siglo XIX. El grupo de amateurs más notorio y de obra más importante y duradera fue el que fundó en 1889 la Sociedad Fotográfica Argentina de Aficionados, en la ciudad de Buenos Aires. Sus impulsores fueron Leonardo Pereyra y Francisco

"Paco" Ayerza, que ocuparon respectivamente la presidencia efectiva y la honoraria en la primera comisión directiva de la institución. En general, la actividad amateur del período que consideramos fue practicada por burgueses adinerados y profesionales de clase media alta. Recién en los primeros años del siglo XX comenzó a expandirse el gusto de hacer fotografías entre las clases medias, a través de las cámaras portátiles de manejo sencillo y del servicio de revelado y copia proporcionado por profesionales.

Los amateurs de la Sociedad Fotográfica Argentina de Aficionados realizaban concursos internos que premiaban trabajos realizados en dos formatos: placas de 18 x 24 cm y fotografía estereoscópica (placas más pequeñas con imágenes dobles cuyas copias se observaban a través de un visor para obtener la sensación de tridimensionalidad). Con la cámara de placas grandes se hacían los trabajos de composición fotográfica más cuidada, mientras que la estereoscópica era utilizada para fotografiar con espíritu de reportaje y soltura de instantánea, aunque la mayor parte de las veces también se hacía posar a las personas retratadas. De hecho, no era necesaria la convocatoria a los concursos para que los socios hicieran fotografías, sobre todo las estereoscópicas, que eran las que utilizaban en sus excursiones turísticas y para las tomas de entrecasa con escenas domésticas. En el archivo de la Sociedad que se encuentra en la colección del Archivo General de la Nación están las fotografías que los socios entregaban a la institución –negativos y copias pegadas en álbumes–, que probablemente habían formado parte de los concursos mencionados, ya que las pocas fotos de interiores que hay allí tienen un registro de pose y encuadre muy cuidado [Fotos 7, 8 y 9]. Es evidente que en las colecciones particulares de los socios habría una cantidad importante de fotos de familia que ellos reservaban para la visión y el disfrute de sus parientes y amigos. Desgraciadamente, muy poco de este material es accesible a la indagación histórica, ya que ha desaparecido o permanece en manos de los descendientes de sus autores y, en consecuen-

[Fotos 7, 8 y 9] Sociedad Fotográfica Argentina de Aficionados (en la edición de sus fotos, la Sociedad omitía el nombre de los autores). De izquierda a derecha: dos damas de paseo, un interior residencial; en el Hipódromo de Palermo, ca. 1890-95.
(Archivo General de la Nación)

[Foto 10] Augusto Rognón. Hermanas
Duffey: Angelina, Violeta, Alicia y Julia
Luisa, Las Tunas, Santa Fe, ca.1905.
(Colección familia Engler, Esperanza,
Santa Fe)

cia, casi siempre fuera del alcance del investigador –situación que podemos extender a la mayor parte de los archivos de fotógrafos amateurs de
cualquier período y en cualquier lugar del país.

Aunque los aficionados, como dijimos, no se apartaban sustancial-
mente de los procedimientos y estereotipos del estudio profesional –algunas veces colgaban telones improvisados en las paredes de sus casas
para hacer retratos–, sus fotos se distinguían por la autenticidad que surgía de los decorados reales y, en las mejores piezas, por la originalidad
de las poses y puesta en cuadro. Algunos de los temas que abordaban tenían el aire ceremonial que siempre animó y convocó al registro fotográfico: el rito del té, por ejemplo. De hecho, como lo muestra el retrato de
grupo de Augusto Rognón [Foto 10], también los profesionales recrea-
ban este tipo de escena en sus estudios. En esta fotografía las mujeres
departen con "naturalidad", y es evidente que el fotógrafo ha tratado de
"congelar" un momento "imprevisto" de la reunión con la espontaneidad de una instantánea. El interés, e incluso el encanto de la imagen,
surgen de la candidez del propósito. En el retrato que tomó un amateur
de la Sociedad Fotográfica Argentina de Aficionados sobre el mismo tema [Foto 11] hay un tratamiento más sugestivo. La iluminación es au-
daz y excéntrica, ya que el fotógrafo se ha servido de una sola fuente de
luz, lo que marca las sombras con gran intensidad. Tanto la luz como el
plano corto y la estufa que se observa detrás de la dama, envuelven la
imagen en un fuerte clima de intimidad y, aunque es evidente que la escena ha sido preparada con cuidado, la fotografía respira más inmedia-
tez y autenticidad que el grupo de Rognón.

Las razones por las cuales los amateurs imaginativos podían fotogra-

[Foto 11] Sociedad Fotográfica
Argentina de Aficionados. Persona no
identificada, ca.1890/95.
(Archivo General de la Nación)

fiar con libertad y soltura a familiares, amigos y a sí mismos, son varias
y objetivas. En primer lugar, no tenían que esperar ocasiones o aniversarios solemnes, por eso en sus archivos podemos encontrar retratos muy
interesantes tomados en momentos intrascendentes de la vida cotidiana y
sin atavíos especiales (en este sentido, los buenos amateurs resultaban algo así como reporteros gráficos de la vida doméstica, y con el paso del
tiempo sus fotos resultan documentos interesantes y valiosos). [Fotos 12,
13 y 14] Por otro lado, la fotografía formaba parte de los entretenimientos con familiares y amigos, de modo que el juego con disfraces o esce-
nificaciones más o menos insólitas, no era infrecuente [Fotos 15 y 16].
Finalmente, la falta de compromisos frente a extraños a la propia familia
les permitía licencias de pose y puesta en cuadro que en ocasiones daban
como resultado imágenes singulares [Fotos 17, 18 y 19]. Una de las
muestras más extraordinarias de esto último es la foto que José Beleno
les sacó a las hermanas Valenti –su esposa era una de ellas– en el jardín
de la casa familiar de Santa Fe hacia 1915. [Foto 20]

Esta foto altera una regla básica del retrato de grupo, que es la de darle

[Fotos 12, 13 y 14] Esther Rovere
Goupillot. Personas no identificadas, en
Esperanza o Santa Fe, ca. 1930/35.
(Colección Esther Rovere Goupillot)

[Foto 15] Honorio Franco. "Honorio Franco
recibe con atención indicaciones explícitas
[sic] de su amigo Rivoire (padre) sobre
mejores libros instructores. Helvecia, en la
'Farmacia Rivoire', Sept.. 1908."(Colección
Rubén Franco)
[Foto 16] Honorio Franco. "Santiago
Revello y D. Ormaechea observan llegar al
Sr. Sterki. Saladero, Nov. de 1901".
(Colección Rubén Franco)

[Foto 17] Ana María González del Cerro. "Las de Uranga y nosotros en la playa", Mar del Plata, 1913. (Colección Familia González del Cerro)

un sentido interno convencional al propio conjunto. Si las personas no están reunidas mirando a la cámara –solución más común de toda fotografía de grupo– se supone que, al menos, deben representar alguna acción que transmita la idea de vínculo (hablando entre sí o mirándose, entregándose algún objeto, etcétera), que es esencial para este tipo de fotos. Disponiendo a las cuatro hermanas en forma escalonada hacia el fondo del cuadro y haciéndolas posar mirando hacia uno u otro lado de la cámara, profundamente ensimismadas y como si no se conocieran, Beleno ha creado una especie de cuadro vivo de museo de cera, un extraño e inquietante juego de estatuas femeninas enlutadas, regordetas y pálidas, enclavadas en medio de un extraño jardín con fondo de vegetación semitropical. La fuerza expresiva y significativa de la imagen nos exime de conocer las tradiciones conservadoras y católicas de Santa Fe, para ver en ella una verdadera epifanía del ideal femenino mariano y pacato acuñado por la cultura semicolonial y reaccionaria del período. Lo interesante y curioso es que esta imagen de intensidad verdaderamente poética no fue creada, según todos los indicios que señalan otras fotos de Beleno y los testimonios recogidos sobre su persona, por una intuición estético-moral, sino más bien por un interés en apartarse de las formas de pose y composición fotográfica habituales, es decir, un juego intrascendente y cordial con gente de su familia.

La monjita pecadora   En el archivo de la Sociedad Fotográfica Argentina de Aficionados se encuentran algunas de las contadas fotografías argentinas del siglo pasado con tema erótico conocidas que son, a la vez, documentos de la

[Foto 18] Carlos Boschetti. Persona no identificada, Rosario, ca. 1910. (Colección Familia Boschetti)
[Foto 19] Autor no identificado. Probablemente se trata de una joven de la familia Nolazco Ortiz, de Mendoza, ca. 1925. (Museo de Historia Natural de San Rafael, Mendoza. Tanto la imagen como la información nos fue proporcionada por el investigador y fotógrafo Carlos Brega)

vida privada de algún tenorio chistoso de la Sociedad. La mujer que ha servido de modelo era, seguramente, una prostituta, y las fotos no fueron realizadas con propósitos artísticos, sino satíricos. Se trata de una serie de tres imágenes; en una vemos a una monjita joven parada en medio de una habitación vacía, perfectamente vestida con su abultado ropaje negro; en las dos restantes la monjita se ha convertido en una odalisca semidesnuda con un canapé para –entre otras cosas– reclinar provocadoramente sus redondeadas y opulentas intimidades [Fotos 21, 22 y 23]. Aunque la Sociedad tenía una galería de pose y laboratorios perfectamente instalados en su propio local, es evidente que estas fotos fueron tomadas fuera de allí –el formato estereoscópico utilizado es una prueba adicional–, seguramente en un domicilio particular. Para hacerlas, el autor de la serie (previsiblemente el "payaso" que se autorretrató en las dos fotos iniciales de la página del álbum que mostramos) debió procurarse los vestuarios de "santa" y "pecadora" que viste su modelo, lo cual nos habla de una sesión de pose preparada con deliberación y cuidado. Es curioso e interesante que las fotos hayan pasado a los álbumes de la Sociedad [Fotos 24 y 25]. Estos álbumes eran también los que la Sociedad ponía a disposición de los socios y de los eventuales clientes que solicitaban copias de las fotografías. Es evidente que el chiste anticlerical y los desnudos no escandalizaban a nadie –tampoco a las mujeres amateurs asociadas a la institución, que no eran pocas–, y que la dirección de la Sociedad no se preocupó por la "ofensa moral" que, eventualmente, podrían haber manifestado los clientes que consultaban los álbumes. Es claro entonces que fueron los funcionarios del Archivo Gráfico de la Nación, cuando compraron la colección, quienes arrancaron del álbum la copia de la monjita y rasparon uno de los desnudos. La prueba de que esto es así está en las palabras "Sin fotografía" y del número "D.10557", escritos en el espacio donde debía estar la foto de la monja: tanto la letra como la tinta son las mismas que señalan, debajo de todas las fotos, el código y número de negativo correspondiente a cada una según el ín-

[Foto 20] José Beleno. Hermanas de la familia Valenti, Santa Fe, ca. 1915. (Colección Pedro Cáneva)

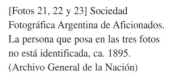

[Fotos 21, 22 y 23] Sociedad Fotográfica Argentina de Aficionados. La persona que posa en las tres fotos no está identificada, ca. 1895. (Archivo General de la Nación)

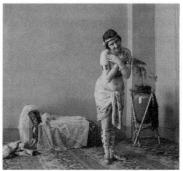

dice del Archivo General de la Nación. Observando que la única imagen sana es la de la odalisca acostada, es decir, la del desnudo más pleno, debemos suponer que se salvó del raspado por alguna razón fortuita –pensamos que el desvanecimiento de la foto le ocultó al censor la desnudez de los senos–, puesto que era otra candidata segura a desaparecer.

[Fotos 24 y 25] Sociedad Fotográfica Argentina de Aficionados. Hoja completa del álbum número 33 de la colección de la Sociedad y un detalle de la misma, donde se observan los deterioros provocados sobre las copias originales de las imágenes anteriores. (Archivo General de la Nación)

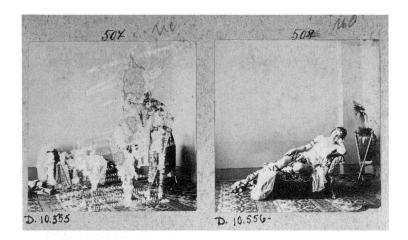

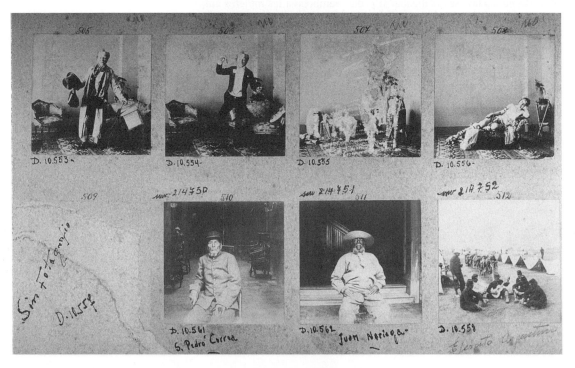

Familias

La reunión de fotos simultánea de grupos familiares de clases sociales diversas, tomadas en la ciudad y el campo, en varias regiones del país, implica desplegar un abanico de sugestiones sociales interesantes.

Casa Witcomb. Grupo de familia no identificado, Buenos Aires, circa 1890. (Museo de la Ciudad)

José Beleno. Familia Valenti, Santa Fe, circa 1915. (Colección Pedro Cáneva)

Reinares y Sarrat, Santa Fe. Juan Cachiarelli y familia en su chacra, San Carlos Centro, Santa Fe, circa 1910. (Colección Familia Telmo Donnet, San Carlos Centro)

Autor no identificado.
Familia campesina no identificada de Las Toscas, Santa Fe, circa 1900. (Museo Regional Ferroviario de Santa Fe)

Juan Pi. Familia Schliepper junto al canal Fajardo, San Rafael, Mendoza, circa 1920. (Museo de Historia Natural de San Rafael)

H. G. Olds. Indios tobas, Santa Fe, 1901. (Colección Mateo Giordano)

Señoritas y señoras

Vicente Pusso. Dos amazonas no identificadas, probablemente en los alrededores de Rosario, circa 1900. (Colección Familia Pusso)

José de Iriondo. Familiares del fotógrafo en la estancia San Simón, cerca de Santa Fe, circa 1895. (Museo de la Ciudad)

Ana María González del Cerro. "Ana y yo en Mar del Plata, 1913". (Colección Familia González del Cerro)

Autor no identificado. Esther Rovere Goupillot, fotógrafa amateur, en una balsa que hacía el recorrido de Santa Fe a Paraná, circa 1930/35. (Colección Esther Rovere Goupillot)

H. G. Olds. Mujer toba y su hijo, norte de Santa Fe, 1901. (Colección Mateo Giordano)

José La Vía. Mujeres criollas en un lugar no identificado de la provincia de San Luis, circa 1920. (Archivo Provincial de San Luis)

Música

Los suizos e italianos que poblaron la llanura santafecina trajeron consigo sus tradiciones musicales.
En muchas familias había siempre algún integrante que tocaba un instrumento por música o de oído, como
se decía. Paillet, que también era músico, nos ha dejado autorretratos y fotos de su novia, Delia Gudiño,
con ese tema. Sus interiores evocan las veladas musicales de la pequeña burguesía de provincia,
de las que no conocemos documentos fotográficos.

Fotógrafo no identificado. Joven no identificado, probablemente en Rafaela, circa 1920. (Museo de la Fotografía de Rafaela)

Autor no identificado. Persona no identificada, circa 1870. (Archivo de Fernando Paillet en el Museo de la Colonización de Esperanza)

Enrique Jonás. Banda de música de Papá Huens y sus hijos, San Carlos Sud, Santa Fe, circa 1912. (Museo Histórico de la Colonia San Carlos)

Fotógrafo no identificado. Celestino Ordóñez y Américo Bramardi, Santa Clara de Saguier, Santa Fe, circa 1928. Colección Delia Boiero, Rafaela)

Fernando Paillet. Delia Gudiño, Esperanza, circa 1910. (Colección Rogelio Imhof)

Fernando Paillet. Cuarteto de cámara formado por Fernando Paillet (primero de la izquierda) y algunos amigos de Esperanza. Fotografía tomada en al casa del fotógrafo, circa 1915. (Colección Rogelio Imhof)

Perros

Una de las relaciones privadas más fotografiadas –antes y ahora– fue la que mantuvieron las personas con sus animales domésticos. Las seis fotos que ilustran este cuadro documentan diversas variantes de dicha relación, regulada por la edad o la clase social de las personas y la función que cumplían los animales para sus dueños: como guardianes, como compinches, como socios y asistentes, o simplemente como parte de la familia.

Juan Pi. Patrón de finca, San Rafael, Mendoza, circa 1915. (Museo de Ciencias Naturales de San Rafael)

Emilio Galassi. En la casa de Cresencia Griesser de Jacob, de Aurelia, Santa Fe, circa 1910. Con buenos perros no hace falta escopeta, parecen ufanarse los muchachos. (Colección Pedro Burcher, San Jerónimo Norte, Santa Fe)

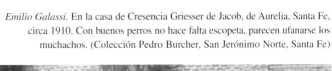

Fernando Paillet. Niña de la familia Imhof, Esperanza, Santa Fe, circa 1905. (Colección Rogelio Imhof)

José La vía. Una pareja en una localidad no identificada de la provincia de San Luis, circa 1940. (Archivo Provincial de San Luis)

Isidoro Mulín y hermano. Octavio Vufano, María Juana, Santa Fe, 1907. (Colección Luis Guardamagna, María Juana)

Fernando Paillet. Grupo de familia del señor Parrae, estanciero, Esperanza, Santa Fe, circa 1910. (Colección Rogelio Imhof)

Autorretratos

Casi todos los fotógrafos antiguos, profesionales o amateurs, se hacían algún autorretrato. El archivo de Paillet guarda más de cuarenta. Con algunos de ellos armó un pequeño álbum donde se propuso componer una imagen fotográfica de sí mismo; es decir que trató a su propia persona como tema, lo cual representa el fundamento más legítimo del género. Es interesante y revelador que la doble imagen que nos entrega es la misma que tenían de él sus concuidadanos de Esperanza: la del artista y el mundano, los dos estereotipos que el espejo de su comunidad le devolvía. La restante es una de las últimas fotos que se hizo y tal vez la mejor, una melancólica y sincera autorreflexión hacia el final de su vida. Es uno de los autorretratos más extraordinarios de la fotografía antigua argentina que conocemos.

Ana María González del Cerro.
Autorretrato con cabellera suelta,
Rosario, 1914.
(Colección Familia González del Cerro)

César Berraz. "Los dos César", imagen
trucada, Santa Fe, circa 1900.
(Colección César Berraz May)

Fernando Paillet. El artista y el
mundano, circa 1905.
(Colección Rogelio Imhof)

Fernando Paillet. Autorretrato en
su estudio, circa 1915.
(Colección Rogelio Imhof)

Fotografías de difuntos

Las formas de preparar a las personas muertas para tomarles la fotografía póstuma eran variadas: cuando se trataba de bebés, se los solía presentar con los ojos abiertos, para darles apariencia de vida; o en los brazos de su madre, como dormidos. También se los acostaba en sus camas –en este caso tanto a los niños como a los adultos– y se los tapaba con sábanas y cobertores, como si se los hubiera sorprendido durmiendo.

Freitas y Castillo. Madre con su hijo no identificados, Buenos Aires, circa 1885. (Archivo General de la Nación)

Casa Witcomb. Señora de Barros y Arana (referencia de registro), Buenos Aires, 1944. (Archivo General de la Nación)

Christiano Junior. Bebé no identificado, Buenos Aires, circa 1870. (Archivo General de la Nación)

Andrés Bianciotti. Niño Néstor Gentilini, Rafaela, Santa Fe, circa 1934. Obsérvese la marca oval que dejó el cartón interior del marco donde se encontraba la foto, evidentemente expuesta. (Colección Familia Gentilini, Rafaela)

Fotógrafo no identificado. El difunto señor Welcher y su familia en el patio de su chacra, San Jerónimo Norte, Santa Fe, circa 1905. (Colección Pedro Burcher, San Jerónimo Norte)

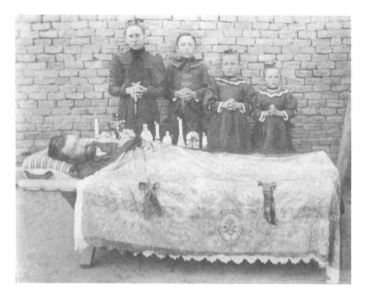

Felipe Polzinetti. Hoja de álbum de la familia de Claudio Siburú y Elisa Maurer, con la foto de uno de sus hijos muerto, Esperanza, circa 1895. (Museo de la Colonización de Esperanza)

Antes de la muerte

Toda foto antigua tomada en un lecho de enfermo, aunque no tenga referencias precisas, indica casi con seguridad que el yacente estaba en riesgo de muerte o tenía, directamente, los días contados, pues la única razón conocida por la cual se fotografiaba a un enfermo era para guardar su última imagen con vida. Dicha situación revela su dramatismo cuando tenemos conciencia de que el enfermo también lo sabía.

Emilio Galassi. Personas no identificadas, Rafaela, Santa Fe, circa 1920. (Museo de la Fotografía de Rafaela)

Andrés Bianciotti. Personas no identificadas. Cuatrillizos de una familia muy pobre de Rafaela que murieron pocos días después de nacer, circa 1925. (Colección Familia Tettamanti Reischig)

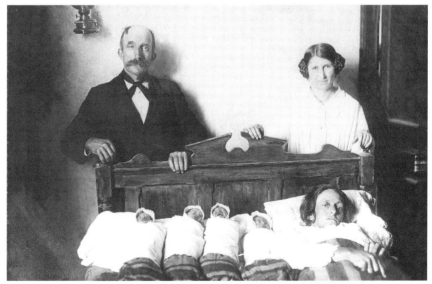

Fotógrafo no identificado. Teodolinda Grenat Trucco y sus mellizas,
San Justo, Santa Fe, circa 1928 (Colección Elvira Trucco, San Justo)

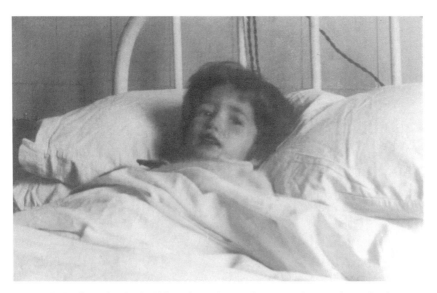

Fotógrafo no identificado. Al dorso de esta foto que forma parte, junto con la anterior, de
un pequeño álbum, se lee: "Carmencita Trucco Grenat. Fotografía obtenida el 21 de julio
de 1929 –día anterior a su deceso– ocupando su lecho de doliente en el Hospital Italiano
de Santa Fe". Según nos informó la señora Elvira Trucco, la foto fue tomada después de
la muerte de la primera melliza y cuando estaban seguros que Carmencita también se
moría. (Colección Elvira Trucco, San Justo)

Culto fotográfico de muertos y antepasados

Fotógrafo no identificado. Familia Näepfli, de Reconquista, Santa Fe, reunida el 9 de febrero de 1910 por el fallecimiento de Filomena, la madre. La foto de la izquierda es el retrato original. El rostro raspado pertenece a Juana, una de las hermanas Naepfli, que sonrió en el momento de la toma. El resto de los hermanos entendió que este gesto de Juana ofendió, de algún modo, la memoria de la madre, y aunque la primera reacción –como se ve– fue violenta, luego decidieron corregir el problema. Para esto hicieron pegar sobre el rostro sonriente otra foto de Juana, esta vez seria. Luego hicieron fotografiar la imagen así modificada y pudieron obtener el retrato definitivo y correcto del grupo familiar, como se ve en la foto de la derecha. La información nos fue proporcionada por el historiador y coleccionista Carlos Romitti, de Reconquista, a quien pertenecen ambas fotos.

Fotógrafo no identificado. V. Morero con tres de sus abuelos ya difuntos: Juan
Morero y los esposos Stoppa, Esmeralda, circa 1922.
(Colección Familia Morero, Zenón Pereyra, Santa Fe)

J. R. Gisbert. Familia no identificada, Buenos Aires, circa 1920. En este caso la muerte del padre
ha sido reciente, y seguramente se produjo antes de que el grupo se hiciera la foto de familia
"oficial", razón por la cual, y para corregir de algún modo esa imposibilidad, suplantaron la
persona del padre por un gran retrato suyo, al que la esposa y los hijos rodean cariñosamente.
(Colección Abel Alexander)

Manuel Garcilazo. "En mi 70 aniversario, Isidoro Berraz, 19 de abril de 1919", dice la nota
manuscrita debajo de la foto, que fue tomada en Santa Fe. A la derecha, arriba, hay un retrato
pegado de uno de los hijos de Berraz ya muerto –llamado Isidoro, como él– a quien el padre
no quiso dejar fuera del importante recordatorio familiar. En este caso, evidentemente, se le
pegó el mismo retrato del difunto a cada una de las copias de la foto que se hicieron.
(Colección Alexander)

[Foto 26] Benito Panunzi. Rancho y gauchos, ca. 1865. (Colección Carlos Sánchez Idiart)

La fotografía de costumbres y la intimidad de los pobres

Entre las primeras imágenes de vistas y costumbres editadas en nuestro país hacia 1865 por el italiano Benito Panunzi, hay fotos de familias de gauchos en el patio de sus ranchos [Foto 26]. Estas imágenes pueden considerarse documentos de la vida privada de los campesinos pobres, ya que buena parte de la actividad familiar transcurría en los patios. También en los álbumes del archivo Witcomb, junto a las fotos de costumbres de las familias ricas de Buenos Aires (realizadas por encargo de los propios retratados, obviamente), hay escenas de la vida cotidiana de gente criolla tomadas en el patio de sus ranchos, y una imagen del interior de una vivienda de inmigrante, con las paredes cubiertas de cuadros e ilustraciones de revistas y un exótico cielo raso construido con hojas de periódicos [Foto 27]. El mismo tipo de fotos, tomadas en distintos puntos del país, se encuentra en la colección de la Sociedad Argentina de Aficionados. En este caso, los documentos forman parte de una categoría genérica muy utilizada en la época cuando se hacía referencia al trabajo de la Sociedad: la de *fotografías nacionales*, en la que entraban desde paisajes hasta fotos de talleres, trilladoras o yerras, es decir, imágenes que testimoniaban costumbres y formas de vida propias del país [Foto 28]. Las fotos se caracterizan por una especie de objetividad impersonal, en la que no se advierte ningún interés por destacar aspectos particulares de la pobreza ni, menos aún, denunciarla.

Esta actitud es común a todos los fotógrafos que documentaron la pobreza y la miseria con espíritu costumbrista, tanto en las ciudades como en las zonas rurales. De hecho, casi siempre se observa que las personas fotografiadas se han vestido con sus ropas más decentes, como era de rigor cuando la gente visitaba al fotógrafo profesional para

[Foto 27] Casa Witcomb. Interior de una vivienda de inmigrantes, ca. 1890. (Archivo General de la Nación)
[Foto 28] Sociedad Fotográfica Argentina de Aficionados. Persona no identificada; probablemente tomada en la provincia de Córdoba, ca. 1894. (Archivo General de la Nación)

hacerse un retrato. Esto es muy llamativo en la foto que Juan Pi le tomó a la familia de puesteros de El Nihuil [Foto 29]. Justamente la discordia entre la impactante precariedad del rancho de paja en medio de un paisaje lunar y la humilde pero pulcra compostura de la familia arracimada con su perro frente a la cámara, es una de las fuentes de la afectuosa emoción que nos provoca la imagen. Algunos fotógrafos sugerían acciones determinadas sin otro propósito que el de darles más animación a las fotos. Es evidente, por ejemplo, que H. G. Olds le pidió al paisano de San Fernando que se dispusiera a servir el mate para hacer la toma [Foto 30]. Para los fotógrafos que hicieron estos registros, la motivación fue siempre comercial. Todos ellos fotografiaron a los campesinos, indígenas o trabajadores urbanos pobres para vender después las imágenes pegadas sobre cartones o agrupadas con otras en un álbum, y también para negociarlas con editores de revistas, libros o postales. De hecho, constituyen documentos de la época infrecuentes y extraordinarios sobre los habitantes más humildes de nuestro país –personas, viviendas y condiciones de vida– más allá de la actitud interesada y distante que motivara el trabajo [Fotos 31, 32 y 33].

Es interesante observar que no hay, entre las fotos y postales de costumbres del período, retratos de gente rica similares a éstas de pobres y muy pobres. La imagen fotográfica de la riqueza eran los palacios tomados desde lejos, donde a veces se advertían, muy diminutos, sus moradores, o los parques y avenidas donde la gente elegante descansaba y paseaba. De hecho, los fotógrafos sólo podían entrar en las mansiones de los ricos a tomarles fotos cercanas si éstos los llamaban [Foto 34], y a ningún fotógrafo o editor se le hubiera ocurrido publicar esas imágenes sin autorización de sus clientes. Con los pobres, obviamente, no había ningún tipo de compromiso posterior.

[Foto 29] Juan Pi. Personas no identificadas. Se trata de una familia de puesteros en un rancho de veranada en El Nihuil, Mendoza, ca. 1915. (Museo de Historia Natural de San Rafael, Mendoza)

[Foto 30] H. G. Olds. "Tomando el mate", San Fernando, ca. 1900. (Colección Mateo Giordano)

[Foto 31] H. G. Olds. "Rancho", Tigre, ca. 1901. (Colección Mateo Giordano)
[Foto 32] H. G. Olds. "Un conventillo", Buenos Aires, ca. 1900. (Colección Mateo Giordano)
[Foto 33] Gastón Bourquín. Personas no identificadas, Misiones, ca. 1920. (Museo de la Ciudad)

Medios gráficos: una visión de clase

La primera fotografía publicada por *Caras y Caretas* que registra un interior de familia se encuentra en el número 14, del 7 de enero de 1899. Fue en ocasión de una fiesta organizada en la mansión del banquero Ernesto Tornquist, durante su cumpleaños, al que el periodista llama, significativamente, "cuadro íntimo", aunque es multitudinario y no estrictamente familiar. La nota sobre el baile de los Tornquist es muy interesante, tanto por las salvedades respetuosas y agradecidas que el periodista utiliza para referirse al documento fotográfico registrado –con un moderno flash de magnesio, evidentemente–, como por los adjetivos laudatorios ofrecidos a los dueños de casa y la fiesta misma: "Las fiestas sociales del año, ésas de inolvidables recuerdos que se realizan en la intimi-

[Foto 34] Autor no identificado.
Familia del doctor Emilio Leiva, Santa
Fe, ca. 1915. (Colección Emilio Leiva)

dad de los salones de nuestra alta sociedad, han quedado dignamente clausuradas con la brillante tertulia celebrada el sábado 21 de diciembre en el elegante chalet que posee el señor Ernesto Tornquist en Belgrano. Numerosa concurrencia, en la que figuraban distinguidas familias de nuestra elite, acudió allí esa noche para festejar el cumpleaños del amable huésped; fue una reunión íntima y por tanto llena de animación e interés. Gracias a la amabilidad de los dueños de casa, podemos presentar hoy a nuestros lectores la fotografía instantánea de uno de los salones del elegante chalet, tomada de noche con los recursos que los modernos adelantos del arte fotográfico facilitan. El resultado de esta tentativa, nueva en Buenos Aires, cuya alta trascendencia sería inútil ponderar, no nos ha satisfecho por completo; lo consideramos un simple ensayo y en ese concepto sólo representa una promesa del esfuerzo que *Caras y Caretas* puede realizar cuando, además de los valiosos medios de que dispone para ese fin, pueda contar con el concurso eficaz del público, una vez que éste haya logrado sacrificar, en aras del progreso, sus sentimientos refractarios a las 'indiscreciones' nunca inconvenientes de la fotografía, aplicada, como en este caso, a la reproducción de cuadros íntimos".

Con cuánta deferencia y diplomacia corteja el periodista a los millonarios para que abandonen los celos de intimidad y abran sus "cuadros íntimos" (presentados como si pertenecieran a un género fotográfico virtuoso y ejemplar en sí mismo) al ojo casto del reportaje fotográfico. En esa humilde apelación, que echa mano hasta del sacrosanto progreso para ganar legitimidad, se huele el viejo e insaciable apetito de la prensa (y de los lectores, obviamente) por la intimidad de la riqueza y el poder, anticipando las persecuciones salvajes y metódicas de ricos y famosos que medio siglo después, y hasta hoy, practicarían los *paparazzi*. Sin embargo, mientras la intimidad de los muy ricos era presentada en la prensa con un aura de pureza inmanente, la de los pobres era, en el mejor de los casos, un "problema social". Si no era esto no era nada. La vida cotidiana de la clase trabajadora en sí misma no era un tema interesante para desarrollar en la prensa gráfica –opinión que seguramente compartían las personas humildes–, mientras que sí lo era la de los ricos.

En *Caras y Caretas,* las primeras fotos que registran un interior de conventillo figuran en el número 57, del 4 de noviembre de 1899 [Foto 35], y fueron tomadas, según el periodista, "durante la desinfección de un local donde había enfermos de difteria y sarampión". Prácticamente la totalidad del artículo está dedicado a criticar la actitud de los habitantes de conventillos, que siempre reciben a las cuadrillas de la Asistencia Pública "con gritos de protesta, con recriminaciones de todo género y no pocas veces con insultos y agresiones a que tiene que poner coto la policía, y ha sucedido que los mismos agentes del orden público han sido blanco de los desmanes de las gentes que consideran la desinfección como un azote y la presencia de los inspectores de higiene como una calamidad". La solución que propone para resolver esto no se encuentra en el diálogo: "Si

Cargando el irrigador Geneste-Herscher para la desinfección de un conventillo

Irrigación de las paredes de un conventillo

de las gentes que consideran la desinfección como un azote y la presencia de los inspectores de higiene como una calamidad.

Y es necesario conocer una casa de inquilinato, sobre todo si está situada en calles apartadas, para apreciar cuánta necesidad tienen estos amontonamientos de gentes, por lo general sucias y descuidadas, de ser higienizados periódi-

la que se hace en los lazaretos, pero conviene que la población en general se dé cuenta de que la que practica la Asistencia Pública es muy distinta y completamente inofensiva. Sus máquinas le permiten hacer la operación sin detrimento de las ropas ú objetos desinfectados.

I. MONZON.

Los niños atacados de difteria y escarlatina que motivaron la desinfección del conventillo

Las familias habitantes en el mismo conventillo

[Foto 35] Fragmento de una página de la revista Caras y Caretas, Nº 57, Año II, 4 de noviembre de 1899. (Museo de la Ciudad)

[Foto 36] H. G. Olds. "Habitación particular en la quema de basura", Buenos Aires, 1901. (Colección Mateo Giordano)

algún cargo debe hacerse a la Municipalidad, es que no sea suficientemente severa y no ejerza más autoridad en los arreglos y métodos de vida de tanto ser humano que, en su lucha con la miseria, se convierte en una especie de microbio dañino para la salud pública". Otras fotos de interiores de viviendas pobres se encuentran en notas de crónica roja; único lugar, además, donde aparecen impresos nombres propios de personas humildes.

En rigor, esta discriminación reflejaba las consecuencias objetivas de la miseria, es decir, la carencia de intimidad para los seres que padecen su desamparo, hacinamiento y promiscuidad. Habría sido absurdo o despiadado llamar "cuadro íntimo" a un patio de conventillo atestado por sus habitantes –foto costumbrista típica de la época–, aunque éste no fuera menos íntimo que un salón burgués, habida cuenta de la intensa actividad familiar que se desarrollaba diariamente en esos espacios comunes. Pero además respondía a valores profundos de la cultura burguesa, por la rotunda preeminencia que en ella tiene la riqueza como medida de estima y logro personal. En este sentido la vida privada como valor, e incluso como derecho, tiene relación directa y proporcional con la propiedad privada: mayor es ésta, más reconocida y respetada es la primera, y viceversa. De modo que la inexistencia implícita del mero concepto de vida privada aplicado a los pobres, cuando la fotografía de costumbres y la prensa gráfica se ocupaban de ellos en sus viviendas, reflejaba rigurosamente estas relaciones. Una fotografía de H. G. Olds tomada en Buenos Aires en 1901, llamada "Habitación particular en la quema de basura" [Foto 36], registra un rancho construido con latas de combustible –que en esos años se importaba– rellenas con tierra, y ubicado en medio de la quema. Así estaban hechos los ranchos del barrio que se había formado alrededor del basural, llamado por eso "El barrio de las latas". Estamos seguros de que Olds tituló su foto sin malicia, que no pretendió hacer un chiste burlón; y sin embargo, así nos suena ahora a nosotros: un chiste de mal gusto o una ocurrencia disparatada, ya que una habitación particular *no puede ser* una tapera de lata.

Este retrato de Fernando Paillet[6] fue tomado alrededor de 1905 [Foto 37]. El borde izquierdo del negativo utilizado tiene un corte irregular. Es casi seguro que se trata de un fragmento de placa de 13 x 18 cm que se rompió y que

Análisis de una foto

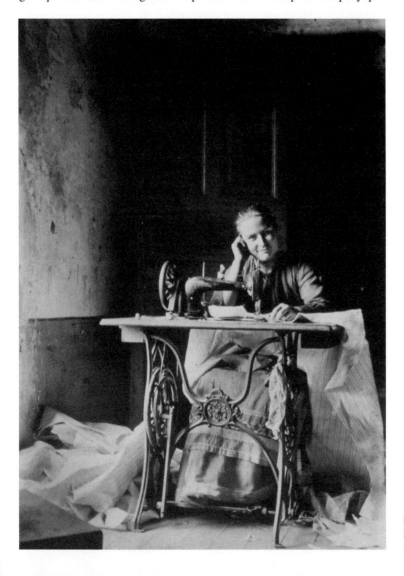

[Foto 37] Fernando Paillet. Persona no identificada, Esperanza, Santa Fe, ca. 1905. (Colección Rogelio Imhof)

Paillet quiso aprovechar. Este dato indicaría que la joven era amiga o parienta del fotógrafo y que la toma no fue hecha por encargo comercial.

Es una foto llena de luz donde campea el espíritu de los maestros flamencos, seguramente conocidos por Paillet. La perspicacia del fotógrafo no sólo consistió en sacar a la chica a la galería y ubicarla en el borde de la intensa claridad del día sobre el fondo oscuro del interior, sino en usar hábilmente el gran corte de tela con el que estaba trabajando. Sus pliegues desplegados sobre la máquina de coser y la falda de la joven hasta el suelo "visten" luminosamente el piso desnudo y el contorno general de la muchacha, que sin la tela habría quedado empobrecido.

Si la mujer hubiera posado manteniendo ambas manos en posición de trabajo sobre la máquina, su leve sonrisa no habría logrado el ingenuo encanto que alcanza en el retrato, apoyando su cabeza en la mano. Es un toque leve pero cambia por completo el resultado. Basta imaginarnos la pose en apariencia más natural y realista que hemos sugerido y compararla con ésta.

La posición de la mano derecha fue, evidentemente, marcada por Paillet. Cuando uno descansa la sien en el puño del modo que lo hace la muchacha, difícilmente mantenga los dedos tan rígidos y separados de la palma. Esa mano semiabierta denuncia la marcación del fotógrafo. Una marcación delicada, ya que es necesario observar con atención para percibirla, y el descubrimiento no menoscaba el encanto del conjunto. Ésta es una prueba de la sutil habilidad que tenía Paillet en sus mejores momentos para marcar la pose con rigor, haciendo sentir al modelo cómodo con en su cuerpo al mismo tiempo, como si la pose lo estuviera esperando y él "cayera" dentro de ella.

El efecto es de una foto casual, de instantánea moderna aunque un poco anacrónica por el cuidado de la pose. Un efecto paradójico. Paillet, como todos los antiguos fotógrafos de estudio, no empleaba criterios de reportaje en sus fotos de exteriores. Siempre armaba con cuidado la pose y puesta en cuadro, y trabajaba con trípode. Su habilidad consistía en quitarles rigidez a las personas retratadas y elaborar la luz con extraordinaria sensibilidad. Así, un momento trivial del acontecer cotidiano ha sido plasmado en la placa con gracia viva, duradera e inolvidable.

Creo, sin embargo, que el encanto de esta foto tiene un costado de lírica dudosa para nuestra sensibilidad porque ocupa zonas de nuestros valores ambiguas y contradictorias. Esta muchacha hermosa y plácida sentada a la máquina de coser, cuya presencia tangible de volúmenes y brillos de hierro –volutas labradas, brazos arqueados y ruedas macizas– tiene tanta contundencia visual como el personaje de la joven, es una suerte de idealización convencional de la mujer, de la madre instalada en el centro de su universo doméstico –ollas, pañales, lampazo, pileta de lavar– con la serena alegría de una naranja en su gajo.

Nuestras conciencias no admiten esa imagen sin reservas porque ella encubre fracasos terribles, condenas seculares, destinos estrujados. Hay un reverso de tumba en el altar doméstico que la cultura burguesa reservó a la imagen sublimada de la Madre, y asimismo un reverso de grillete en la máquina de coser, ese objeto que la foto de Paillet exalta. Existe un costado perverso en la justificación del universo femenino entregado al cuidado amoroso de una cultura hostil a su propia plenitud espiritual y física. Nuestras conciencias, educadas en el concepto general de los hechos morales como resultado de las relaciones entre los hombres concretos en un tiempo concreto, rechazan esa imagen del "sacrificio como papel natural"; presentado, además, bajo la forma de lo beatífico, e incluso de lo angélico.

No obstante, se trata de una cultura, y hay algo verdadero en la afirmación de su naturaleza referencial casi biológica, sobre todo para quienes fuimos conformados por ella. Poder referencial que se reconoce, sobre todo y aunque parezca paradójico, cuando esa cultura entra en crisis y sus fundamentos son cuestionados por nuestra conciencia crítica.

La máquina de coser –ésta, la de pie– es un objeto entrañable para nosotros. Está fijada al mundo materno como la mesa de boliche lo está al mundo paterno: objetos naturales y simbólicos del ámbito propio de cada uno de ellos. Un ámbito de sosiego, de tranquila aceptación de la vida tal como es y del lugar que en ella les correspondía tal cual eran. Para nuestras madres, la máquina de coser era el centro de la sociabilidad doméstica, del mismo modo que la mesa de boliche era el centro de la sociabilidad mundana para nuestros padres. Creo que ellas esperaban esos momentos del día con la misma impaciencia que los hombres el momento del boliche, o los muchachos la hora del partido de fútbol. A la tarde, después de la siesta, nuestras madres solían reunirse alrededor de la máquina de coser de alguna de ellas, entreteniéndose de un modo tan placentero como lo hacían las mujeres de trabajo –es decir, trabajando– mientras pasaban despiadada revista al estado moral de la comunidad puntada a puntada y mate a mate; siguiendo, entretanto, las peripecias de alguna muchacha de campo recién llegada a la ciudad y empleada en una casa de ricos con un hijo joven, que los radioteatros relataban para ellas.

En la emoción casi primitiva que nos produce esta foto de Paillet, creo reconocer esa zona irreductible de los sentimientos, cuyo origen está enclavado en las estribaciones de nuestra formación espiritual. Es la nostalgia experimentada en secreto, acosada por cierto pudor intelectual, como un tango de letra sensiblera cantado en voz baja. Quizás también suceda que el mundo evocado por la foto de Paillet –aunque reverberante, ciertamente lejano y perdido– se mezcle al sentimiento de muerte de nuestro propio mundo –la muerte física de nuestros padres, de nuestros mayores–, tan ligado a los signos que la foto preserva con intensa vitalidad y encanto.

Notas

1. Es posible que un fotógrafo como Arquímes Imazio –piamontés que trabajó en el barrio de La Boca desde 1875 hasta los primeros años de este siglo– haya fotografiado a los vecinos del barrio en sus viviendas por encargo profesional o por puro interés personal, al modo que lo hizo Fernando Paillet en la colonia de Esperanza. La mentablemente nunca lo sabremos, porque su archivo desapareció en un incendio en 1912. El único archivo existente que conocemos de un fotógrafo profesional, que alcanzó a trabajar dentro del período que trata este ensayo, es el de José La Vía, de San Luis, que tiene muy retratos de gente del pueblo muy interesantes. Sin embargo, la mayor parte de su trabajo se concentra entre los años cuarenta y cincuenta, lo cual es bastante lógico, teniendo en cuenta que el nivel de vida de las clases populares se incrementó en ese período.

2. Esto se alteraba cuando esos momentos tenían que ver con la muerte. La guerra del Paraguay, por ejemplo, propició numerosos retratos de soldados, tomados casi siempre antes de su partida al frente o durante una licencia. Asimismo, retratar a los familiares muertos, niños y mayores, fue una modalidad bastante común del recordatorio fotográfico en los países centrales y también en los nuestros, desde el inicio de la fotografía hasta los años cuarenta, aproximadamente. A veces incluso se llamaba al fotógrafo para que le tomara una foto al moribundo, para así conservar su imagen aún con vida. La rápida extinción de esta costumbre fue una de las consecuencias de lo que se ha dado en llamar el *tabú de la muerte* en la cultura. Lo que en el siglo pasado era normal y respetable, hasta el punto de que algunos fotógrafos incluían en la publicidad de su negocio el servicio de fotografiar difuntos en el estudio o a domicilio, se convirtió rápidamente en algo absurdo y obsceno. Esta interdicción de la fotografía de difuntos arrastró también el rápido olvido social de la costumbre misma, de modo que hoy nos parece un hábito casi irreal, aunque tengamos conciencia de que haya sido aceptable y decoroso para nuestros abuelos. La investigación de campo nos ha permitido recuperar un número apreciable de imágenes de difuntos, y comprobar que muchas de ellas fueron destruidas por los descendientes de quienes las habían encargado. Dichas personas sufrían una sorpresa decepcionante cuando encontraban este tipo de imágenes entre las fotos que habían heredado. Además de resultarles intolerable la mera visión de los muertos en ataúdes y camas o, si eran niños, muchas veces en los brazos de sus madres, sentían "vergüenza ajena" por los ancestros que habían encargado esas fotos y las tiraban. Hemos desarrollado el tema en "Nota sobre la fotografía de difuntos", revista *Fotomundo*, Nº 269 y 270, septiembre y octubre, 1990.

3. "[...] la práctica fotográfica existe –y subsiste– la mayor parte del tiempo, por su *función familiar* o, mejor dicho, por la función que le atribuye el grupo familiar, por ejemplo: solemnizar y eternizar los grandes momentos de la vida de la familia, reforzar, en suma, la integración del grupo familiar reafirmando el sentimiento que tiene de sí mismo y de su unidad", en Pierre Bourdieu, "Culto a la unidad y diferencias cultivadas", en *La fotografía, un arte intermedio,* Pierre Bourdieu y otros, México, Editorial Nueva Imagen, 1979, p. 38. La rica y frondosa descripción que hace el autor de la dialéctica entre fotografía y familia se refiere a Francia en los años cincuenta. No obstante, muchas de sus observaciones son aplicables a nuestro país y a la época que tratamos en este trabajo.

4. En este sentido, es decir, desde el punto de vista subjetivo, el espejo no es un simil de la cámara fotográfica: nuestra imagen en el espejo nunca nos sorprende, en cambio nunca sabemos exactamente qué imagen nos entregará la foto que nos están tomando, aunque compongamos la expresión que, según experiencias anteriores, más nos favorece. Más aún: nuestros retratos fotográficos siempre nos causan alguna sorpresa. En resumen, los extremos de familiaridad y extrañamiento tienen, para nuestra percepción del rostro propio en una fotografía, un carácter y una intensidad diferente de la de cualquier otra persona o cosa fotografiada exterior a nosotros.

5. "Hay pocas actividades tan estereotipadas y menos abandonadas a la anarquía de las intenciones individuales como la fotografía", Bourdieu, *op. cit.,* pp. 37-38. Y más adelante: "La fotografía de las grandes ceremonias es posible porque –y solamente porque– ella fija las conductas socialmente aprobadas y ordenadas, es decir, ya solemnizadas. Nada puede ser fotografiado fuera de lo que debe serlo. La ceremonia puede ser fotografiada porque escapa a la rutina cotidiana y debe serlo porque realiza la imagen que el grupo pretende dar de sí mismo como tal" , pág. 44.

6. La obra de este fotógrafo santafecino, que nació en Esperanza en 1880 y murió en esa misma ciudad en 1960, es conocida y valorada, sobre todo, por las extraordinarias y originales imágenes que tomó en los interiores de talleres, boliches y negocios de su ciudad natal en los años veinte. Son menos conocidos sus autorretratos y fotos de familiares, amantes y amigos tomadas en la intimidad desde los primeros años del siglo. Trabajó como fotógrafo profesional desde 1900 hasta 1940, siempre en Esperanza. Además de fotógrafo fue músico y pintor. El comentario de su foto sobre la joven sentada a la máquina de coser fue publicado originalmente en la revista *Fotomundo*, Nº 230, de junio de 1987.

Los automóviles CHEVROLET

Inventando la soberanía del consumidor: publicidad, privacidad y revolución del mercado en Argentina, 1860-1940

Fernando Rocchi

Una publicidad que nos repite la leyenda mágica "vos elegís" resulta un hecho cotidiano. Este aviso, en verdad, no parece ser más que uno de los tantos signos de un mundo en el que la comercialización ha llegado a ocupar uno de los lugares privilegiados de encuentro entre lo público y lo privado. El mensaje a través del cual una firma productora entra en el hogar para invitarnos a adquirir un artículo apela, en este caso, a la naturaleza soberana del consumidor, la característica más virtuosa que el comprador posee frente a un mercado que amenaza con sobrepasarlo con la inmensidad de sus ofertas. De acuerdo con esta condición soberana, la elección de compra se realiza en el ámbito de una intimidad que, después de recibir información a través de los medios, se convierte en la esfera última de decisión, incluso más allá del lugar al que el movimiento humano la haya transportado; sea en el hogar, en un negocio o en medio de la calle, esta intimidad cobra la fuerza de un alma y se convierte en la arena de desenlace final de la compleja trama de deseos y restricciones de los consumidores.

Esta idea implica una relación específica entre el productor y el consumidor que, lejos de ser intrínseca al desarrollo de cualquier mercado, es el resultado del proceso histórico que produjo el nacimiento de una sociedad de consumo. En este momento de la economía moderna (que se remonta, en los países pioneros, a no más de uno o dos siglos) la oferta y la distribución experimentaron transformaciones profundas, tanto en los números como en su naturaleza. Como parte de estos cambios aparece el empeño de los productores por establecer una relación direc-

El productor busca al consumidor

La publicidad intentó establecer una relación directa y amigable con el consumidor mostrándole la posibilidad de mejorar su vida mediante la adquisición de ciertos bienes. La mujer se convirtió en un objetivo crucial de esta estrategia, para poder atraer a una clientela masculina gracias a su poder de influencia en la familia y de seducción entre los potenciales compradores.
(Plus Ultra, Nº 57, Año VI, enero, 1921)

ta con sus clientes, distinta del contacto mediado por la influencia de los comerciantes que había prevalecido hasta entonces. Integrando un mundo internacionalizado, la Argentina experimentó con sus propias características este cambio en las relaciones entre el mercado y la esfera privada de los consumidores. La historia de este proceso, desde sus orígenes hasta su eventual triunfo, es el tema de este artículo.

La producción de bienes de consumo masivo enfrentó una demanda insuficiente tan pronto como la Argentina comenzó a industrializarse. El fantasma de la capacidad ociosa generó ansiedad entre los fabricantes que, inquietos ante la posibilidad de mantener stocks invendibles, ensayaron toda clase de métodos para aumentar la venta de sus productos. Cambios en la naturaleza de la oferta (como la adopción de tecnologías que volvieran menos costosos los artículos manufacturados) permitían algunas ventajas a través de la reducción de precios. Sin embargo, una intensiva estrategia en esa línea implicaba inversiones que pocos empresarios podían o querían realizar, sobre todo porque nada aseguraba que la producción terminara siendo absorbida.

Con estos límites, la idea de influir sobre los compradores con elementos que fueran más allá del precio se convirtió en un objetivo primordial del lado de la oferta; era el consumidor, entonces, quien tenía que cambiar sus hábitos, si el productor le garantizaba una satisfacción más eficiente de sus deseos (así como descubría otros nuevos que todavía permanecían silenciados). El mundo de la comercialización se convirtió, de esta manera, en un campo de ensayos exitosos que llevó a una radical transformación en las relaciones entre el ámbito de la producción y la intimidad de los consumidores.

El desarrollo del capitalismo había implicado un alejamiento progresivo entre productores y consumidores, distancia sobre la cual se había erigido un agente comercializador que se afanaba en aumentarla para acrecentar así su poder de influencia sobre el cliente. No sorprende, por lo tanto, que el altar de las nuevas relaciones del mercado haya cobrado como víctima más evidente al comerciante que, sin desaparecer, pasó de ser un experto a convertirse en un mero intermediario. En las nuevas reglas del juego que las empresas productoras intentaban establecer, el objetivo era que el consumidor tomara (o creyera tomar) las decisiones de compra en la más estricta esfera de lo íntimo y de lo privado. La idea era pasar de un escenario en el que el cliente llegaba a una tienda y apelaba al conocimiento del mercado que tenía el comerciante –quien le aconsejaba qué comprar– a otro en donde el primero entraba en un negocio con la especificación de lo que quería adquirir en la punta de la lengua. En el diálogo comercial, el cliente, entonces, pasaría de decirle al tendero: "Don José ¿qué de bueno tiene de tal cosa?", a exigirle: "Déme la marca tal".

Como resultado se transfirió el espacio de las discusiones sobre la adquisición de bienes de la tienda a la esfera íntima. De esta manera, más que compradores regateando por precios y calidades con el tendero, el acto sagrado de la compra se pobló de discusiones (no menos conflictivas) en el seno de la familia. Esta atmósfera de debate hogareño, en el cual el mercado se transformó (como nunca antes) en parte de la vida cotidiana, fue posible por el desarrollo de una estrategia de comercialización que cambió por completo las reglas del mercado en la Argentina y en el mundo: la publicidad. Con ella se establecía un puente (tan directo como abstracto) entre la fábrica y el hogar, pues el consumidor pasó de asociar una necesidad con un producto genérico a hacerlo con una marca.[1] Aunque iniciado a fines del siglo XIX, el itinerario publicitario comenzó a desplegarse con claridad en los primeros años de la nueva centuria, se intensificó durante la década del veinte y llegó a mostrar el éxito del camino iniciado en la del treinta. La publicidad acercó al productor y al comprador de una manera que revolucionó el mercado y la vida privada, y sobre ella se construyó la creencia popular de la soberanía del consumidor como uno de los principios fundamentales de la economía moderna. Gracias a los avisos publicitarios (o, según algunos, como víctima de ellos), el cliente llegó a imaginar una mercancía como deseo a cumplir a partir de los signos que lanzaban los diarios, las revistas, los paneles luminosos, los medios de transporte, el cine y la radio. La decisión de compra, entonces, se transformó en la realización de una promesa surgida (o inducida) en la intimidad del consumidor, convertido (real o engañosamente) en experto frente al comerciante y en soberano frente al mercado.

La promoción de bienes y servicios tiene una larga historia en la Argentina; los pregoneros se remontan a la época virreinal y los avisos clasificados de compra y venta abundan en los periódicos de la primera mitad del siglo XIX. La publicidad moderna –entendida como una estrategia del productor para disminuir el poder de persuasión del comerciante– tiene, sin embargo, una historia más reciente; aún con sus antecedentes, recién comienza a desplegarse hace alrededor de cien años. Los pregoneros, en verdad, eran meros intermediarios, mientras que los anuncios de los diarios apuntaban a llamar la atención del pequeño grupo de lectores que iba en busca de algo particular para comprar o vender. Aunque la menor oferta de entretenimientos de una ciudad pequeña (como la Buenos Aires de antaño) podía convertir esas aburridas páginas en algo atractivo, a medida que se acercó el fin de siglo el número de avisos aumentó, el tiempo disponible se redujo y las alternativas de lectura (como el folletín)

El camino hacia la modernidad comercial

se incrementaron por, lo que la atención puesta en esas páginas se volvió más inusual y restringida. De esta manera, y en buena medida para revertir esta tendencia, el siglo XX contempló la aparición de una publicidad que apeló a la sorpresa para captar a un grupo de lectores inadvertido.[2]

Algunos de los elementos más formales de este cambio, como el aura festiva, encontraban antecedentes algo remotos. En 1835 aparecieron los primeros avisos ilustrados en la revista *El Museo Americano* de César Bacle, que ya esbozaban el escenario de celebración visual que iba a caracterizar las creaciones publicitarias de nuestro siglo,[3] A pesar de estos avances, la falta de avisos comerciales elaborados llevaba a la antigua América española a contrastar vivamente con los Estados Unidos, como lo notaba Domingo Faustino Sarmiento. Al escribirle a Valentín Alsina en 1847, Sarmiento se deleitaba en describir cómo los comercios y fábricas de una aldea norteamericana contaban "todos con el anuncio en letras de oro, perfectamente ejecutadas por algún fabricante de letras [...] Los anuncios en los Estados Unidos son por toda la Unión una obra de arte, y la muestra más inequívoca del adelanto del país. Me he divertido en España y en toda la América del Sur, examinando aquellos letreros donde los hay, hechos con caracteres raquíticos y jorobados y ostentando en errores de ortografía la ignorancia supina del artesano o aficionado que los formó".[4]

Los métodos norteamericanos iban a llegar a la Argentina de la mano de un inmigrante oriundo de Maine: Melville Sewell Bagley. En 1864, Bagley lanzó la primera campaña publicitaria del país, impactando en una urbe con deseos cosmopolitas –como Buenos Aires– y prenunciando cambios sustanciales en la relación entre productores y compradores. La ciudad apareció de pronto empapelada con carteles que, con la frase "Se viene la Hesperidina", promovieron el interés de un público que intentó descifrar el contenido del misterioso mensaje. El diario *La Tribuna*, llevado a intervenir en un juego colectivo del que la población participaba con gusto, decía: "La curiosidad pública ha recaído en unos carteles que aparecieron de la noche a la mañana por toda la ciudad: 'La Hesperidina'. ¿Cuál es el secreto? [...] Casi podemos garantizar a nuestros lectores que se trata de un combustible que, según se dice, es tan bueno como el keroseno y más económico".[5] Justamente, era éste el clima que quería crear Bagley, poseedor de una fórmula para elaborar un licor sobre la base de cáscaras de naranjas amargas, el producto promovido como la enigmática "Hesperidina", que alcanzó un singular éxito después de develado el misterio.[6]

La campaña de Bagley, sin embargo, resultó una excepción para una época en la que la mayor parte de los productores intentaba captar a su clientela de una manera más informal. Las empresas, por entonces, con-

fiaban más en la transmisión de recomendaciones para aumentar sus ventas. El fenómeno, de todos modos, no dejó de llamar la atención de Bartolomé Mitre, un espíritu siempre movido a interpretar los fenómenos que la modernidad traía a nuestras playas. En una feliz definición de la publicidad comercial, Mitre decía en 1870 que: "El aviso no es otra cosa que la publicidad aplicada a la oferta y la demanda. Por medio de él se ofrece a millares de personas lo que en meses enteros no podría verbalmente ofrecer, y se encuentra en un minuto lo que costaría días de prolija investigación encontrar. Ofrecer por medio del aviso es poner de manifiesto a la vista de miles de ojos el almacén que sólo ven los que pasan por su frente y que sólo saben lo que contiene los pocos que entran en él".[7]

La década de 1880, con su rápido crecimiento económico y poblacional, fue el marco de mayores transformaciones en el proceso avizorado por Mitre y que implicaba lanzarse a la calle a buscar clientes en vez de esperar pasivamente los pedidos dentro de las cuatro paredes de una fábrica o de una tienda. Así aparecieron, en la calle Florida, los primeros "hombres anunciadores" que se paseaban con letreros en sus espaldas mientras se abrían los primeros esbozos de las grandes tiendas (las versiones locales de los *magazines* franceses y de los *depart-*

La campaña lanzada por M. S. Bagley en 1864, para promocionar su licor "Hesperidina", concitó la atención del público porteño hasta límites desconocidos. Esta especie de locura colectiva es mostrada con ironía por una revista de la época.
(Bagley S. A., Cien años produciendo calidad, Buenos Aires, 1964)

ment stores británicos y estadounidenses). En 1889, en el pico del *boom* económico, Juan Ravenscroft fundó la primera agencia de publicidad del país que publicitaba artículos ingleses en coches y estaciones ferroviarias.[8]

La bonanza económica pronto mostró ser más limitada de lo originalmente augurado; la crisis del noventa y la recesión posterior interrumpieron la cadena ascendente de novedades comercializadoras. La debacle, sin embargo, sólo retardó tendencias que, con la recuperación económica, despertaron de su letargo. Ya en 1901, la situación había cambiado lo suficiente como para que el diario *El País* dijera: "Hace aproximadamente un mes que la respetable casa de los Sres. F. P. Bollini y Cía. ocupó una página de nuestro diario exclusivamente con avisos de remate a efectuarse en septiembre [...] Las abultadas sumas invertidas tan frecuentemente en avisos de esta índole dan una idea del estado floreciente de sus negocios, acreditando al mismo tiempo la utilidad práctica que proporciona este género de propaganda".[9]

A partir de una explosión en el número de anuncios, todo un mundo se abrió para la publicidad moderna. Los primeros años del siglo XX asistieron al auge de las grandes campañas y, en las décadas del veinte y del treinta, al florecimiento de las agencias. Esta transformación era parte de una mutación mayor que se estaba operando, por entonces, en la Argentina: el surgimiento de una sociedad de consumo.

Este acontecimiento cambió la relación entre las personas y las cosas. Con la sociedad de consumo, el mercado ocupó su primacía como esfera de encuentro de deseos y actividades variadas, tanto de aquellas consideradas racionales como de las que parecían movidas por las pasiones. En verdad, ambas pudieron convivir con facilidad en este espacio que racionalizaba (vía la eficiencia) las prácticas comerciales, pero conservaba al mismo tiempo la festividad de los viejos mercados a través de una parafernalia visual que iba de las publicidades a las vidrieras. Con ello, el mercado moderno innovaba a la vez que mantenía algunas características del antiguo clima de feria donde las transacciones eran objeto de una celebración y se convirtió en una versión "racional" del carnaval que, paralelamente, agonizaba. Así, frente a la cuasi marginalidad del pregonero y al aburrimiento de un aviso clasificado, la nueva publicidad iba a ofrecerse como uno de los baluartes de la modernidad, que combinaba el atractivo de lo bello con la fuerza transformadora de lo nuevo.[10]

La sociedad de consumo se tradujo en un aumento en el número de consumidores y en una creciente imitación a partir de una moda masiva que produjo una sensación de democratización en el mercado, que parecía mostrarse en la confusión visual de sus participantes.

La creciente masificación del espacio, en verdad, ofrecía un rompimiento de las distancias que algunos podían considerar excesivo; la sociedad de consumo había llevado a la producción y comercialización en gran escala de una clase de ropa que emulaba los modelos más finos, generando un efecto de invisibilidad social que impactaba a quienes llegaban a Buenos Aires por primera vez. Esa invisibilidad, sin embargo, apareció junto a estrategias diferenciadoras. Surgieron distintas maneras de usar la ropa, así como días de moda para asistir a los espacios públicos (que eran establecidos como jornadas no laborales para que los trabajadores no pudieran participar). Mientras tanto, en la esfera privada se introducían nuevos elementos que redefinirían el juego de la distancia; los sirvientes comenzaron a ser llamados con una campanilla en vez de por sus nombres y la tarjeta reemplazó en los velorios a otros tipos de saludos que implicaban el contacto físico con los deudos, quedando así los velorios como espacios reservados a los familiares y amigos íntimos.

Gracias a este reposicionamiento de las distancias, la esfera del consumo se presentaba como lo que quería ser: un lugar que acercaba al productor y al consumidor, pero que a la vez se proponía como un espacio propio e independiente –de manera falsa, quizá– que permitía que el mercado pasara a ser el lugar festivo donde se mezclaba el deseo con la imposibilidad de cumplirlo y se armonizaban potenciales conflictos. De ahí que la entrada libre –sin obligación de compra– en las grandes tiendas fuera crucial para atraer a las masas al mundo del mercado. Aunque algún empleado pudiera sentirse furioso por la enorme cantidad de gente que iba a pasear y a ver, pero no a comprar, la estrategia permitía que la sociedad de consumo pudiera imponerse. Esta atmósfera de complejidades cimentó las bases de una modernidad que hizo que la contradicción ofrecida por la publicidad entre lo viejo y lo nuevo no resultara imposible sino, por el contrario, aceptable y deseable.

A principios del siglo XX, una buena parte de los avisos ofrecían curas milagrosas e imposibles, de las que la publicidad comercial trató de diferenciarse.
(Plus Ultra, Nº 43, Año IV, noviembre, 1919)

El triunfo de la publicidad tenía que calar en el mercado si la relación entre la fábrica y la esfera privada iba a establecerse sobre nuevas reglas. Para que los productores pudieran darles a los consumidores el papel de expertos y soberanos, los primeros tenían que brindar a los segundos todos los elementos de información que antes estaban en manos del comerciante. Sin embargo, el proceso por el cual la publicidad se transformó en un instrumento de información confiable no fue sencillo, debido a las características que ofrecía el mundo de la propaganda en la Argentina de principios del siglo XX. La publicidad "seria" estuvo, en

Los primeros años del siglo XX y la irrupción de la publicidad moderna

efecto, inmersa en una maraña de avisos que ofrecían prácticas milagrosas e imposibles (como curas contra la calvicie, la obesidad y el insomnio) y servicios esotéricos (que abundaban en los diarios de Buenos Aires y aun más en los de las provincias).[11]

No sin horror la *Revista Municipal* (cercana al positivismo) señalaba la necesidad de combatir el favor del que gozaban las adivinas, necesidad que crecía en una sociedad donde convivía la adhesión al racionalismo con las prácticas consideradas irracionales. La revista invitaba a extirpar la existencia de estas prácticas por ser una "verdadera plaga de perniciosos efectos al orden social [por el] trono en que la credulidad pública las ha colocado, cuando son sus clientes favoritos personas que por su capacidad intelectual podrían libertarse del prejuicio. Incuestionablemente es la adivinación un factor que puede perturbar el orden social y ser como los fanatismos religiosos, germen de graves trastornos públicos".[12]

En medio de esta atmósfera, el establecimiento de una relación de confianza entre productor y consumidor obligaba a la publicidad de artículos "serios" a convertirse "simplemente" en un medio para vender productos a gente que vivía a cierta distancia y a diferenciarse de adivinas y curas milagrosas. El instrumento que se utilizó en esta batalla fue la marca, que se convirtió en un signo distintivo de calidad y resultados garantizados. La obsesión por imponerla de parte de los productores encontró eco en el entusiasmo de los compradores; de tal manera, la asociación entre la misma y el producto genérico –si bien un fenómeno universal– alcanzó en la Argentina niveles que sorprendían a los observadores extranjeros.

El triunfo de la marca, paradójicamente, se logró usando métodos que hacían un uso comparativamente intenso de la apelación a la irracionalidad. Mientras en los Estados Unidos se imponía a partir de una *educational advertising* que instruía a los consumidores (por ejemplo, enseñándoles a utilizar un artículo), en la Argentina alcanzaba el éxito de la mano de una publicidad que utilizaba el efecto rápido, casi luminoso y sin ninguna explicación. Así, abundaban los comandos ("compre tal producto"), avisos donde aparecía el nombre del producto vagamente asociado a cierta práctica o grupo ("el artículo que usa la gente elegante") o una información mezquina que, justamente por eso, resultaba más atractiva para el consumidor argentino de principios de siglo ("El producto tal es el mejor").[13]

Si bien era parte de un mundo globalizado, una publicidad exitosa debía adaptarse al consumidor local más que copiar métodos extranjeros. La aplicación mecánica de esas experiencias podía terminar en un desastre si no lograba (como raramente ocurría) quebrar deseos y tradi-

Las Escuelas Internacionales fracasaron al apuntar al argentino medio como modelo de consumo. Sin embargo, el uso de la figura de Edison en una nueva campaña hizo que lograran el favor del público.
(United States Department of Commerce, Nº 190, Washington, 1920)

ciones arraigados. Cuando las Escuelas Internacionales –empresa estadounidense que vendía cursos por correspondencia enseñando cómo triunfar en la vida– decidieron conquistar el mercado argentino en la década de 1910, su primera campaña consistió en apelar al argentino medio, una identificación que alcanzaba en su país de origen excelentes resultados. De esta manera publicó una serie de avisos en los cuales aparecían personajes anónimos que se habrían visto beneficiados gracias a los cursos de la escuela. El fracaso de la campaña fue estrepitoso. Aconsejada por quienes conocían al consumidor local, la compañía lanzó dos nuevas publicidades, una invocando a Domingo Faustino Sarmiento y al valor de la educación, y otra con la foto de Tomás Alva Edison y su pretendido apoyo a esta escuela. El éxito fue rotundo.[14]

Los consumidores argentinos, como mostraba el resultado de la segunda campaña, se sentían atraídos por los héroes y no por los hombres comunes. Por lo tanto, no resulta sorprendente que la figura de Bartolomé Mitre (seguramente el hombre más idolatrado de su época) haya sido motivo de uso publicitario. La publicidad, sin embargo, no dejaba de apelar a la masa, pero más que a un sujeto real, como ocurría en otros lugares del mundo, se trataba del gaucho idealizado, que ocupaba (y sobre el cual se inventaba) la idea del emblema de la nacionalidad argentina. El elemento campero, para una Buenos Aires que había hecho de la Exposición Rural uno de los puntos celebratorios de mayor atracción, invadió alegremente los medios que simbolizaban la modernidad urbana, como los tranvías y el subterráneo.[15]

Hasta bien entrado el siglo, la publicidad escrita, desplegada en diarios y revistas, monopolizó los esfuerzos. Coincidiendo con el auge publicitario (y en parte como su resultado) se produjo un cambio en las fuentes de financiamiento de la prensa periódica, que pasó de solventarse con suscripciones a depender de estos mismos avisos. Este cambio resultaba especialmente importante en los diarios de gran tirada y en las nuevas revistas semanales que dedicaron espacios considerables a avisos de calidad creativa y tamaño que superaban varias veces los del tradicional clasificado. Más aún, la revista que logró imponerse como el medio más atractivo para la publicidad –*Caras y Caretas*– no sólo cobraba abultadas cifras a quienes deseaban promocionar sus artículos o sus servicios en sus páginas, sino que comenzó a hacerlo de manera diferenciada de acuerdo con la ubicación. Considerando las tiradas de las publicaciones más compradas y teniendo en cuenta que generalmente eran leídas por varias personas en el grupo familiar o en el círculo de amigos, un solo aviso publicitario podía llegar a impactar los sentidos, y las decisiones de compra, de muchos miles de personas (véase Cuadro N° 1, en pág. 319).

Ante la necesidad de ampliar un mercado que rápidamente mostraba su saturación, las empresas incitaron al consumidor a comprar de una manera que generaba no pocos conflictos. Así ocurrió con los premios, el instrumento más utilizado por entonces para promover las ventas, especialmente en el caso de los cigarrillos; los fabricantes comenzaron a realizar "campañas de reclame" para incentivar a sus potenciales clientes a efectuar mayores compras colocando números o letras en cada paquete, que se convertían en figuritas para formar una frase –como "Los cigarrillos París son los mejores"– o una serie que iba del 1 al 100. A cambio de la colección completa, la empresa les daba dinero en efectivo o algún regalo. El entusiasmo por estas prácticas fue tal, que un público mayormente adulto entró en un intercambio permanente de cupones (con la misma fruición que los niños de hoy) y hasta se generó un mercado negro que vendía aquellos cuya aparición era más rara. La pasión dio paso al descontrol, como reflexionaba más tarde una fuente publicitaria: "Al principio se anunciaban combinaciones de proyecciones moderadas y, ante la impunidad y ante el fervor que prestaba el público consumidor más irreflexivo y sugestionable a estas combinaciones, los ofrecimientos de beneficios alcanzaban cifras impresionantes por su importancia y magnitud".

El conflicto pronto alcanzó a los fabricantes mismos (promoviendo quejas entre los que no usaban estos métodos) y los enfrentó con el Estado (apoyado en una ley que, sancionada en 1902, le daba el monopolio sobre loterías, carreras de caballo y toda clase de juegos de suerte). Más aún, esta práctica fue prohibida, aunque la energía para aplicar la disposición fue lo suficientemente escasa como para que esos juegos continuaran por muchos años.[16]

Con los sorteos, que a partir de los cigarrillos se expandieron a otros bienes, la publicidad lograba generalizar el fenómeno de juego colectivo propuesto por Bagley. De esta manera, fue cobrando forma una relación de mutuo conocimiento y simpatía entre el mundo de la producción y el de los consumidores. ¿Qué vendedor podía ya influir sobre un cliente decidido a comprar una marca de cigarrillos porque quería participar en una lotería? Por el contrario, muchos comerciantes se volvieron engranajes de la nueva maquinaria que les restaba poder (finalmente, era el productor quien ponía las reglas de este juego) y que iba a profundizarse de la mano de métodos más novedosos e innovadores.

Surgida a partir de la palabra escrita en diarios, revistas y anuncios callejeros, la publicidad avanzó profundizando los elementos visuales en su carrera por captar clientes. De esta manera, en la década de 1910 aparecieron en Buenos Aires las cortinas eléctricas iluminadas con grandes avisos en lugares espaciosos y concurridos, que se convirtieron en una de las maravillas urbanas y prenunciaron el desarrollo de una forma publicitaria que iba a ocupar en la década siguiente un papel cada vez mayor: el letrero luminoso. Estos desarrollos, que vivieron una especie de compás de espera con la recesión impuesta por la crisis de 1913 y la Primera Guerra Mundial, fueron sólo una cadena en la profundización del elemento más estrictamente visual en la esfera publicitaria, que alcanzó un lugar de preeminencia con el cine.

La década del veinte: el triunfo de la luz

A fines de la década del veinte, alrededor de treinta millones de personas concurrían anualmente a alguna de las 972 salas donde se proyectaban películas (la mitad de manera regular y la otra mitad ocasionalmente); la Argentina, en esos años, se había convertido en el segundo cliente de material fílmico de los Estados Unidos.[17] No resulta sorprendente, entonces, que las empresas aprovecharan el furor cinematográfico para publicitar sus productos. La Compañía General de Fósforos exhibía una película de propaganda –llamada "La Caja Mágica"– en los cines del interior del país (especialmente donde la competencia era más fuerte) para explicar las bondades de sus productos.[18] La publicidad, en efecto, era ampliamente beneficiosa para la venta de los productos de esta compañía, cuyo directorio opinaba, después de leer un informe sobre la última campaña:

"1° Que es evidente que el sistema de propaganda implantado por la Compañía ha dado resultados materiales apreciables. 2° Que ha permitido reconquistar y reafirmar para la Compañía el mercado de la República. 3° Que ha cambiado la lucha de precios por lucha de propaganda, que resulta más ventajosa para la Compañía. 4° Que ha detenido la baja constante y perjudicial de los precios. 5° Que ha reducido las ventas de la competencia encarecidas por la propaganda obligada y que ha abaratado el costo de las de la Compañía por su mayor producción".[19]

La comercialización de la publicidad, por su parte, se acentuó con el surgimiento de agencias especializadas, que recién por entonces alcanzaron a generar una esfera publicitaria. En 1920, un experto norteamericano consideraba que la Argentina ofrecía tanto potencial en la actividad como escaso aprovechamiento del mismo: "Buenos Aires es la única ciudad en toda Sudamérica con organizaciones cuyos servicios pueden merecer el nombre de agencias de publicidad [...] Son conocidos localmente como 'corredores' y van desde simples vendedores que no cuentan con oficinas hasta organizaciones que emplean 22 personas. La mayoría son, estrictamente hablando, 'corredores', ya que no brindan otro servicio que vender espacio a precios de descuento".

Las agencias, en efecto, no ofrecían mucho más que el descuento de mayorista para los espacios en diarios y revistas. Además, estas firmas se encontraban todavía demasiado ligadas a las publicaciones periódicas como para generar un espacio propio. El jefe de una de las más grandes agencias, por ejemplo, era el hombre de confianza de un diario de Buenos Aires (que era el que realmente lo remuneraba de acuerdo con la cantidad de avisos que colocaba). Sin embargo, entre las seis agencias que lideraban el mercado ya existía una que no sólo era la más grande sino la más agresiva, bien organizada y dotada de recursos modernos (como un sofisticado departamento de arte).[20]

En la década de 1920 (sobre todo en sus últimos años) cambió buena parte del conservadurismo de las agencias; su número creció a la par que las prácticas modernas e imaginativas. Algunas de ellas, por ejemplo, se especializaron en desarrollar la publicidad a través del correo y de los *mailing lists,* un elemento de gran importancia para estas firmas que, concentradas en Buenos Aires, deseaban ejercer su influencia en todo el país. Por otro lado, se instaló la primera empresa norteamericana del ramo, que trajo las últimas novedades de la técnica.[21]

El impacto de la publicidad se difundía hacia la esfera privada, que se veía invadida por las empresas que deseaban establecer una relación directa e íntima con el consumidor. Así, cuando en 1924 la ya mencionada Compañía General de Fósforos se enfrentó con el problema de una demanda que no evolucionaba al ritmo de su capacidad productiva, decidió apelar al cambio en el comportamiento de los consumidores a través de la distribución de premios (que consistían en bonificaciones sobre las compras) entre los clientes. El argumento esgrimido era que, "dada la competencia y el límite de precios a que se ha llegado, resulta limitado el margen para otras reducciones [...] es necesario encontrar una forma por la cual el consumidor pueda resultar beneficiado provocando así, en el consumidor mismo, el interés por aumentar el consumo de los fósforos de la Compañía, en contra de la natural resistencia o apatía del vendedor, que mirando sólo su propio interés, prefiere el producto más barato, sin preocuparse de las marcas".[22]

El productor pretendía, con esto, establecer un puente de oro con el comprador a quien otorgaba ahora el título de consumidor soberano y a quien brindaba –a través de la publicidad– la información que le permitía ejercer ese papel frente al comerciante, cuya función se quería convertir en mecánica. De manera paralela, los avisos comenzaron a incluir largos textos siguiendo los patrones de la *educational advertising,* que tan poco éxito había tenido hasta entonces en la Argentina, así como se promocionaron artículos más caros y más refinados para un público obsesionado por la calidad.[23]

Como parte de esta estrategia, se intensificó el uso de los espacios públicos para el despliegue publicitario junto la presencia de gente en los antiguos parques y en los nuevos sitios de esparcimiento. Algunos de estos lugares continuaban mostrándose como los emblemas de la invisibilidad; otros se poblaban de un público socialmente más diferenciado. Pero la furia englobadora del mercado hizo que cualquier sitio donde se congregara gente fuera visto por las firmas productoras como un espacio de consumo potencial. De esta manera, no sólo el viejo paseo de Palermo, sino también el Balneario Municipal y las canchas de fútbol, comenzaron a llenarse de paseantes y de publicidades.[24]

El intento por ingresar en la intimidad de la familia se veía, más que en los espacios ampliados, en los actores que la publicidad elegía para dirigir su mensaje. Por un lado, los productos de consumo masivo (como los alimenticios) apelaron al ama de casa. En este mensaje se impuso (en avisos que incluían desde las barras de chocolate hasta los alimentos para bebés) la imagen de una mujer "moderna" que preparaba la comida con mayor facilidad que una cocinera laboriosa. Mostrando al ama de casa feliz, la propaganda también dejaba en claro que su mensaje liberador esgrimía a una madre que iba a contar con más tiempo para dedicar a su familia gracias a los productos salidos de las fábricas argentinas, que hacían que las tareas hogareñas fueran menos duras. Por otro lado, los fabricantes de productos especializados eligieron a la mujer como objetivo más allá de que ella fuera la consumidora final de los mismos. Así, era común que apareciera en las revistas femeninas tanto una propaganda de jabón de tocador como una de automóviles. Si bien una dama conduciendo un auto en la publicidad de una publicación dirigida a una clientela masculina mostraba cuán fácil era hacerlo, la propaganda en una revista leída por mujeres apelaba al poder de persuasión que

Los consumidores infantiles se convirtieron en los objetivos de varias campañas publicitarias, como lo muestran estas publicidades.
Arriba, publicidad de una marca de cigarrillos. (El Hogar, N° 814, año XXI, 22-5-1925)
Abajo, publicidad de dulce de leche. (Plus Ultra, N° 45, año V, enero 1920)

el ama de casa podía ejercer sobre el jefe de familia en la compra de este novedoso medio de transporte.[25]

Los avisos que plasmaban la figura de una nueva mujer se daban junto con la transformación interna que la familia experimentaba frente a los cambios en el mercado, como la creciente intervención del ama de casa en las compras cotidianas en desmedro del antiguo poder masculino sobre estas tareas. Asimismo, y como parte del mismo proceso, aparecieron nuevos actores que se convirtieron en objetos de seducción de la publicidad. Fue por entonces cuando los niños pasaron a estar en la mira de una propaganda de dulces, galletitas y golosinas que inundaba de avisos los paseos donde ellos se convertían en el centro de la atención familiar, como el Jardín Zoológico. Por otra parte, las firmas comenzaron a dirigir su atención a las mucamas en la promoción de los artículos de consumo masivo y diario en cuya compra parecían intervenir.[26] Además de dirigirse a quien tenía los medios para comprar, la publicidad, entonces, apeló a los actores que influían con peso creciente (a veces hasta el hartazgo) en una familia que discutía de una manera más horizontal sus decisiones de compra.

El mundo de la propaganda, con sus agencias cada vez más especializadas, la sofisticación visual y la atención dirigida hacia viejos y nuevos actores en el proceso de transacciones comerciales, avanzó sin pausa durante la década de 1920. El objetivo de las empresas de acercarse a sus clientes parecía llegar a buen puerto cuando la crisis de 1930 puso en peligro varias de las estrategias hasta entonces exitosas.

La década del treinta: el encanto de la voz

La recesión que siguió a la crisis de 1930 se sintió con fuerza en la demanda de artículos de consumo masivo. Con familias que reducían sus compras, las empresas sintieron una mayor demanda de sus artículos más baratos mientras disminuía la de aquellos de mayor calidad. Este quiebre de la tendencia hacia el consumo de productos más caros que había caracterizado la década de 1920 llevó a una caída general en los márgenes de ganancia. Aun dentro de este panorama recesivo, la publicidad (cuyo costo rozaba el 10 % de las ventas en productos comunes) no podía dejarse de lado. Por el contrario, se volvió necesario insistir en su eficacia (aunque se moderara el entusiasmo por su sofisticación). Así, la firma alimenticia Bagley decidía lanzar, en medio de la más severa caída de ventas de su historia, "una oferta de premios o regalos, hecho que lógicamente recargará el renglón propaganda que tanto se ha tratado de reducir pero que se considera indispensable y conveniente para siquiera no perder más terreno".[27]

La publicidad masiva y barata que necesitaban las empresas fue posible gracias a una innovación tecnológica que, surgida en los veinte, impactaría en el mundo de la propaganda: la radio. En la década del treinta, en efecto, quince minutos de avisos durante un día en una estación importante costaban 150 pesos, un precio similar a una página en *La Prensa* o *La Nación*. Más aún, la radio ofrecía la venta de espacios diarios por todo un mes a tarifa reducida. Gracias a su costo relativamente bajo, y a la creciente popularidad que alcanzó, este medio se transformó en uno de los favoritos de las firmas productoras (se calcula que los montos dedicados a la publicidad radial alcanzaban un 6% de todos los avisos nacionales y un 20% de los realizados en Buenos Aires, porcentajes similares a los de los Estados Unidos en ese mismo momento).[28] De ahí que la mencionada empresa Bagley afrontara la caída de su demanda con la necesidad "de hacer una campaña especial de propaganda para las galletitas que se venden en paquetitos. Nuestra agencia aconseja que, dadas las características de los consumidores, lo más eficaz sería hacer el mayor esfuerzo por medio de avisos radiotelefónicos. Propone pasar frases dirigidas a las madres y una audición para chicos a transmitirse en horas que éstos puedan escucharla".[29]

La radio no sólo ofrecía un medio económico y masivo sino que también brindaba un tipo de publicidad que la volvía especialmente funcional para un mercado que, como resultado de la recesión, mostraba un quiebre en la evolución hacia las prácticas comerciales orientadas a poner al productor en contacto con el consumidor. En efecto, la obsesión por el precio más que por la calidad llevó a un retorno a la venta de productos baratos a granel y sin marca visible (que se comercializaban como "suelto"), lo que volvía a depositar en el comerciante parte de su viejo poder de conocedor del mercado.

La publicidad radial, recordatoria e impactante, ayudó a que esta tendencia no se profundizara y a mantener el reinado de la marca; hacia mediados de la década, los avisos comerciales ocupaban el 15% del tiempo radial, mientras que la mitad de las horas estaban dedicadas a programas auspiciados por firmas comerciales. De las treinta estaciones existentes, unas seis entraban en los hogares con flashes comerciales continuos y perforaban los sentidos de sus oyentes con avisos rápidos que tenían como fin lograr la identificación de un producto con una marca (con tal éxito que varias lograban que se las incorporara al vocabulario cotidiano reemplazando el nombre genérico de un artículo). A pesar del éxito de la radio, el grueso de la publicidad todavía se hacía en los diarios y revistas de Buenos Aires, que alcanzaban a toda la geografía del país. Las mejoras en la distribución permitían, en efecto, que las publicaciones de la Capital llegaran a un 70% de la población argentina en menos de doce horas después de su aparición. Los diarios eran el medio más usado para

productos no demasiado especializados, es decir, aquellos dirigidos al gran público más que a clientes segmentados por el género, los ingresos o los gustos. En la década del treinta los diarios ya habían adoptado como norma una política que *Caras y Caretas* inició desde su fundación a la vuelta del siglo: la jerarquización del espacio a vender para la publicidad, por lo que cada vez se hacía más necesario racionalizar el gasto en una actividad que se consideraba tan necesaria como peligrosa para los presupuestos empresarios.[30]

En medio de la obsesión por ahorrar, de parte de los consumidores, y de mostrar precios bajos, de parte de los productores, las revistas femeninas se vieron en la tentación –asumida con una deliciosa responsabilidad moral– de orientar al ama de casa que debía hacer malabarismos tanto para equilibrar su presupuesto hogareño como para entender una publicidad enigmática. En vez de las costosas y largas explicaciones de los avisos de la década del veinte, unas pocas palabras explicando cuán barato era un producto inundaron el espacio publicitario y confundieron a los consumidores ¿Qué podía hacer el ama de casa frente a cuatro avisos publicados en el mismo número de la revista *Para Ti* que promocionaban lámparas eléctricas con la misma consigna de "Economizan 20 1/2% de corriente"? La publicación encontraba respuesta a este interrogante con un articulado titulado "¿Son baratas las lámparas baratas?", donde alertaba al ama de casa sobre falsas ofertas.[31]

En los treinta, la publicidad elevó aun más a la mujer como objetivo estratégico (ya delineado en décadas anteriores) frente a la masividad que adquiría el fenómeno de la radio. Pocos medios ofrecieron mayor apoyo a este cambio que, como recordaba Leandro Gutiérrez, había transferido la fuente de información más novedosa de un género al otro. Así como antes de la popularización de las ondas sonoras el hombre llegaba a su casa y le transmitía a su mujer las novedades que había leído en el diario durante el viaje en tranvía, la radio le permitió al ama de casa acceder a las últimas noticias del día y lanzárselas al marido que volvía del trabajo. Como receptora de una mayor información, la mujer se convirtió en la aliada que las firmas necesitaban para profundizar la cercanía con sus clientes. De esta manera, la propaganda enfatizó el papel femenino de defensora de la soberanía del consumidor y de experta en el proceso de comercialización (finalmente sería el ama de casa, y no el comerciante, quien mejor velaría por el bienestar de su familia).

Si bien la crisis de 1930 pareció, en principio, poner en peligro la hasta entonces exitosa estrategia de acercamiento entre productores y consumidores, la nueva relación establecida y los nuevos instrumentos utilizados terminaron por reforzarla. Al establecer un puente de oro con el mundo femenino, las firmas lograron, en buena medida, imponer la intimidad y la cercanía que se habían empeñado por intensificar desde principios de siglo. Los cambios en la inserción de la mujer en el mundo del trabajo durante la década del cuarenta no harían, entonces, más que aceitar un mecanismo que ya estaba funcionando con eficacia.

Un aviso, como el del polvo jabonoso "Ombú", se dirigía en 1950 a un público de oficinistas con la leyenda "Ombú a lavar... y yo a trabajar! [*sic*]". Sin embargo, la secretaria que escribía a máquina con una amplia sonrisa gracias a la liberación de las tareas de lavado no se diferenciaba, en cuanto a imagen publicitaria, de la madre (igualmente feliz) que en la década de 1910 podía dedicar más tiempo a sus hijos porque preparaba comidas con una facilidad inusual.[32]

Gracias a la información, el consumidor comprará (o creerá comprar) el producto que mejor nivel de vida le provea.
(El Hogar, Año XLVI, Nº 2127, 17-8-1950)

Desde principios del siglo XX, las firmas productoras se empeñaron en aplicar una estrategia que estableciera una relación directa con sus clientes. El objetivo era eliminar el papel de experto que ejercía el comerciante para convertirlo en un mero intermediario funcional entre los deseos de los productores y los de los individuos y familias. El medio utilizado fue la publicidad, que terminó por unir –de una manera casi mágica, en parte concreta y en parte abstracta– a la fábrica con el consumidor, a quien se le otorgó el papel de soberano frente al mercado, un concepto de la teoría económica que ahora parecía aterrizar en el mundo de la vida cotidiana.

El productor encuentra al consumidor

La bandera de batalla del mundo de la producción fue la marca, una asociación "racional" entre producto y confiabilidad que la publicidad enfatizaba apelando a lo más "irracional" de los compradores, a los que se invitaba a participar en un juego colectivo. Pero como resultado, la fábrica y el hogar terminarían estando unidas por el vínculo mágico de la publicidad. El despliegue de esta estrategia no careció de conflictos y retrocesos. Apenas iniciada, como ocurrió con los sorteos de las industrias del cigarrillo, generó una guerra entre los propios fabricantes y llevó a algunos de ellos a solicitar la intervención del Estado para impedir que el proceso continuara por esas vías. Aunque el propio gobierno tomó cartas en el asunto, las empresas lograron (en parte por la indiferencia con que la administración tomó esta tarea) que el enfrentamiento sólo pusiera unas pocas piedras en el camino hacia la profundización de una marcha que parecía imposible de detener.

Después del compás de espera que la crisis de 1913 y la Primera Guerra Mundial impusieron, las firmas productoras continuaron con más bríos la política de acercamiento al cliente a partir del uso de la publicidad. El surgimiento de las primeras agencias con prácticas novedosas y de una esfera propiamente publicitaria permitió que se profundizara la tendencia iniciada dos décadas atrás. Los avisos con largas explicaciones parecían brindar la información que el comprador necesitaba para ejercer su condición de soberano y optar por una marca específica. La creatividad artística, el uso del color y la irrupción del cine les dieron a los avisos el aura festiva que provocaba que los ojos del consumidor potencial pudieran desviarse de sus tareas y lecturas habituales a la promoción de un artículo. El elemento visual parecía, entonces, conectar de manera casi perfecta la racionalidad de la información para auspiciar el espíritu festivo del carnaval moderno que el nuevo mercado intentaba ofrecer a un público, del cual el ama de casa sobresalía cada vez más, y al que se incorporaban nuevos actores, como los niños y las mucamas.

La crisis de 1930, mucho más que la de 1913, hizo que el trayecto se volviera sinuoso. Los consumidores buscaron los artículos más baratos y encontraron en los comerciantes que vendían a granel un aliado inestimable. Las firmas productoras, sin embargo, descubrieron en la radio –con su alcance masivo y bajo costo– el instrumento que les permitió salir del tembladeral y retomar la senda iniciada a principios de siglo. Junto con las ondas sonoras llegó el afianzamiento de la relación entre la fábrica y la mujer (transformada ahora en poseedora de información preciosa), vínculo que sellaría el acercamiento que los productores querían establecer con los consumidores.

A partir de entonces el camino parecía asegurado, aunque algunos (o muchos) comerciantes siguieran ejerciendo su poder de consejeros sobre dubitativos clientes y algunos de éstos continuaran comprando a granel, prefiriendo los precios bajos a las marcas anunciadas por la publicidad. La naturaleza de la relación entre los fabricantes y los clientes, en verdad, había cambiado; un mercado permeado por las relaciones entre compradores y vendedores (entre los que se incluían los comerciantes) daba lugar a otro donde la transacción fundamental era realizada entre consumidores y productores. Alienados por la cultura de consumo o acumulando bienes y servicios como un signo inequívoco de avance y bienestar, las familias y los individuos habían internalizado el modelo liderado por la publicidad y convivían con un mundo de la producción ya convertido en parte integrante de su intimidad.

Cuadro N° 1

Circulación y costo de los avisos en diarios
y revistas argentinos con una tirada mayor a los 30.000 ejemplares - 1913

Nombre	Tirada	Frecuencia	Costo del aviso (en $ m/n)	
			Página	Cm
La Prensa	140.000	Diario		3,50
La Argentina	130.000/140.000	Diario		3
Caras y Caretas	112.000	Semanal	270/160	
Fray Mocho	100.000	Semanal	200	
Mundo Argentino	100.000	Semanal		9
La Razón	80.000	Diario		2
La Nación	70.000	Diario		3
El Diario Español	55.000/60.000	Diario		1,60
El Sol	50.000	Mensual	180	
Última Hora	40.000	Diario		1
El Diario	35.000/40.000	Diario	Variable	
El Hogar	32.000/35.000	Quincenal	50	
PBT	30.000/35.000	Semanal	250	
La Patria degli Italiani	30.000/35.000	Diario	1	

NOTA: Todas las publicaciones son de Buenos Aires.
FUENTE: Elaboración propia en base a United States Department of Commerce, Miscellaneous Series N° 10, *Foreign Publications for Advertising American Goods* (Washington: Government Printing Office, 1913) pp. 48-52.

Notas

1. Para un estudio de la publicidad argentina ver Alberto Borrini, *El siglo de la publicidad 1898-1988*, Buenos Aires, Atlántida, 1998.

2. Rolando Lagomarsino, *Un medio para la consolidación de nuestra prosperidad comercial e industrial*, Buenos Aires, 1944, pp. 19-20.

3. Manuel Bilbao, *Buenos Aires*, Buenos Aires, 1902, p. 431.

4. Domingo Faustino Sarmiento, *Viajes*, citado por Tulio Halperin Donghi, *Proyecto y construcción de una nación (1846-1880)*, Buenos Aires, Ariel, 1995, p. 236.

5. *La Tribuna*, 21-10-1864, citado en Paul Lewis, *La crisis del capitalismo argentino*, Buenos Aires, FCE, 1990, p. 87.

6. Bagley S. A., *Cien años produciendo calidad*, Buenos Aires, 1964; Tulio Halperin Donghi, *José Hernández y sus mundos*, Buenos Aires, Sudamericana, 1985, p. 198.

7. *La Nación*, 4-1-1870, citado por Alberto Borrini, "La publicidad sedujo desde el papel y por el éter entró en el living", en *100 años de vida cotidiana. El diario íntimo de un país*, Buenos Aires, 1998, p. 454.

8. Juan José de Souza Reilly, "El arte de la propaganda a través de su historia", en *Síntesis publicitaria 1938*, Buenos Aires, 1938, p. 193; Borrini, 100 años..., *op. cit.*, p. 450.

9. *El País*, 6-10-1901, p. 6.

10. Fernando Rocchi, "Consumir es un placer: La industria y la expansión de la demanda en Buenos Aires a la vuelta del siglo pasado", en *Desarrollo Económico*, vol. 37, N° 148, enero-marzo, 1998. Para la relación entre la esfera pública y privada en este período, véase Francis Korn, "Vida cotidiana, pública y privada. 1870-1914", en *Historia Argentina*, Academia Nacional de la Historia (en prensa). Para la democratización del consumo de tiempo libre, véase Elisa Pastoriza y Juan Carlos Torre, "Mar del Plata, un sueño de los argentinos", en esta misma colección.

11. Véase por ejemplo, la página de avisos de *El Independiente*, La Rioja, 1913-1918.

12. *Revista Municipal*, 7-9-1908.

13. United States Department of Commerce, informe de Robert F. Woodward sobre "Advertising Methods in Argentina", *Trade Information Bulletin* N° 828, Washington, 1935.

14. United States Department of Commerce, informe de J. W. Sanger sobre "Advertising Methods in Argentina, Uruguay, and Brazil", N° 190, Washington, 1920, pp. 17-8.

15. Para la influencia del elemento campero en la cultura ciudadana, véase Adolfo Prieto, *El discurso criollista en la Argentina moderna*, Buenos Aires, Sudamericana, 1988; para el efecto simbólico de las exhibiciones de la Sociedad Rural, véase Roy Hora, "The Landowners of the Argentine Pampas: Associational Life, Politics and Identity, 1860-1930", Ph.D, disert., University of Oxford, Trinity, 1998.

16. Asociación Argentina de Fabricantes de Jabón, *La propaganda comercial a base de premios o regalos adjudicados al azar. Recopilación de todo lo actuado en el orden nacional en esta materia*, Buenos Aires, 1941, p. 1.

17. Pablo Gerchunoff y Lucas Llach, *El ciclo de la ilusión y el desencanto*, Buenos Aires, Ariel, 1998, p. 120; United States Department of Commerce, "Motion pictures in Argentina and Brazil", *Trade Information Bulletin,* N° 630, 1929.

18. Archivo de la Compañía General de Fósforos (en adelante, CGF), *Libro de Actas del Directorio*, 21-4-26 y 2-5-27.

19. CGF, *Libro de Actas...*, 7-10-25.

20. J. W. Sanger, *op. cit.*, p. 40.

21. Alberto Borrini, *100 años..., op. cit.;* Ricardo Salvatore, "El consumidor argentino y la publicidad norteamericana: J. Walter Thompson entre 1929 y 1936", mimeo, 1999; Robert Woodward, *op. cit.*, pp. 23-24.

22. CGF, *Libro de Actas...*, 8-10-24.

23. Fernando Rocchi, "De las masitas de té a la galletita peronista", *La Maga*, 3-1-1996.

24. Archivo Bagley S. A., (en adelante, Bagley), *Libro de Actas del Directorio*, 5-6-17, 26-4-18, 28-1-20 y 27-4-27.

25. *Almanaque La Razón* 1917, Buenos Aires, p. 176; Robert Woodward, *op. cit.*, p. 11.

26. Bagley, *Libro de Actas...*, 30-6-16, 27-3-24 y 28-6-26.

27. Bagley, *Libro de Actas...*, 7-7-32.

28. Robert Woodward, *op. cit.*, pp. 7-12; Carlos Ulanovsky, *Días de radio*, Buenos Aires, Planeta, 1997; Robert Claxton, "From Parsifal to Perón", mimeo, 1998.

29. Bagley, *Libro de Actas...*, 13-4-31.

30. Robert Woodward, *op. cit.*, pp. 4, 8-11, 12-14 y 21-22.

31. *Almanaque Para Ti*, 1934. El artículo es de p. 327, las propagandas de pp. 324-328.

32. *El Hogar,* 18-8-1950, p. 89.

Crónica

Fernando Devoto

El ocaso del General*

Fernando Devoto

para Ch.

Es difícil imaginar qué pensaba el general esa mañana en su despacho de la casa de gobierno. Una brisa fresca corría, finalmente, ese jueves seminublado de diciembre, tras los calores fuertes de las jornadas precedentes. Los juegos políticos ya habían concluido hacía tiempo, ese día también el lento escrutinio estaba terminado; sólo debía decidir cuándo convocar a las asambleas de electores para proclamar la victoria del otro general, el general ingeniero, su sucesor. Nada desde luego podía ya satisfacerlo, pero aún así, ante los resultados dados, ¿prefería verdaderamente la victoria de ese sinuoso militar sobre la de Lisandro de la Torre, el hombre que tanto había admirado y cortejado, desde los tiempos en que fuera su seguidor, hacía ya unos quince años?

¡Cuanta paciencia le tuvo el general a Lisandro! Desde que era presidente éste solía visitarlo frecuentemente, daba consejos, y pedía beneficios, y había que soportar que en público dijera lo contrario que en privado y que lo atacase a él y a su gobierno sin tregua. Lo deslumbraban los juegos verbales del tribuno rosarino, pero también ese mal genio que lo llevaba, a diferencia de otros políticos, a tantos exabruptos que luego le costarían caro. Quizás esa admiración, más allá de todo, esos "cuarenta años sin una nube" era previsible e inevitable. El general siempre había creído que el talento de expresar ideas no le pertenecía (si hasta era

La mayor parte de las fotos que acompañan el artículo no son ilustraciones del mismo sino contrastes. Remiten a una época anterior, si bien de apenas poco más de un año, en la que el general vivía su efímero momento de gloria que se contrapone al melancólico final de sus días de diciembre de 1931. Las fotos han seguido inevitablemente el derrotero de su popularidad y por ello disponemos de muchas de la época en la que él era el fugaz centro de la política argentina. La que el lector tiene ante sí es, de la marcha sobre la Plaza de Mayo, el 6 de septiembre de 1930. Sin gloria, aunque con pompa y arrogancia el general marcha hacia la Casa Rosada. El gesto complacido acompaña a los hombres en el momento de su triunfo.
(Gentileza de B. Lozier Almazán. Caras y Caretas, Año XXXIII, Nº 1669, 27-9-1930)

---

* *Aunque conjetural en su forma, la narración reposa largamente sobre los documentos existentes en el fondo José F. Uriburu depositado en el Archivo General de la Nación. Complementariamente se han utilizado el Archivo Roque Sáenz Peña, el Archivo Roca, y el Archivo Alvear, en vías de edición por el Instituto Di Tella. La correspondencia Cané-Pellegrini ha sido publicada fragmentariamente por J. Wewton en su* Historia del Jockey Club. *Muchos detalles de interés se encuentran en la obra de P. de Lausarreta,* Cuatro dandys porteños.

capaz de admirar el de un Videla Dorna) y tenía razón. Sus figuras estéticas recaían, a menudo, en las rústicas metáforas cuarteleras. Una en especial le gustaba repetir, al igual que a otro general célebre posteriormente: la de la mula del mariscal de Sajonia, que lo había acompañado en nueve campañas militares pero que, luego de la última, continuaba siendo mula y nada había aprendido de estrategia militar.

Sí, cómo no quedar seducido por esa relumbrona inteligencia y ese aire de revolucionario antiguo (a la manera del 48 o de la Revolución del Parque) que de la Torre cultivaba con esmero. Casi todo podía permitírsele a Lisandro, aunque no dejase de ser parte de esos liberales argentinos, más o menos afrancesados, con los que él, que había conocido y admirado a la Alemania guillermina, no coincidía. Sí, a él también le gustaba París, y todo lo que París tenía, pero la verdadera cultura, el verdadero ejemplo de Estado fueron, para el general, siempre alemanes, no franceses. Desde luego, cuando el general llegó por primera vez a Alemania no tuvo más remedio que hablar con los oficiales prusianos en francés, ya que no conocía el alemán. Más tarde se esforzó en aprenderlo, como homenaje a esa pronta seducción que sobre él ejercieron el orden, la disciplina, la perfección germana. Pero también la cultura. Hacía muchos años ya, había escrito, para una conferencia, que nada podía compararse con Goethe y Schiller en la poesía, con Kant en la filosofía, con Wagner en la música o con Lessing en la literatura. Y lo que era más importante aún, nada era más sublime que lo que él había con seguridad leído, la estrategia de la guerra del mariscal von der Goltz que lo había honrado con su amistad, su teoría del estado mayor, de la nación en armas.

¿Volvía quizás a menudo a recordar las estadías en Alemania y los amigos que allí había cultivado mientras se hacía enviar en ese momento, para leer cuando pudiera, la biografía de Bismarck de Emil Ludwig? Alemania seguía presente en la cotidianeidad de sus días, incluso en esa correspondencia que ahora como Presidente recibía (o enviaba) de Alemania. Cuánta satisfacción habrá encontrado al contestar con el membrete presidencial al ahora anciano mariscal von der Goltz que lo felicitaba por su revolución; pero también al Mariscal Hindenburg, a quien había enviado una misiva personal cuando asumió como Presidente, incluso al coronel Zimmermann, el entonces jefe del primer regimiento de artillería de la guardia imperial. Nunca había demorado en contestar personalmente esas cartas; debía de ser uno de los pocos placeres que del cargo conservaba. Tal vez, al meditar sobre ello, ¿imaginaba que la vieja Alemania que él había conocido volvería tras la fachada de Weimar y que el Mariscal lograría allí lo que él no había podido aquí, en la Argentina: restaurar los antiguos valores?

Ciertamente no podría dudarse de que había preferido agasajar al baron von der Goltz, cuando éste vino de visita para el Centenario como jefe de la delegación militar oficial alemana, que formar parte de la legión de aduladores de Anatole France en su oracular visita a Buenos Aires. Él estaba encargado de atenderlo al entonces general y lo había llevado, como hacían con todos los visitantes ilustres, al Jockey en la calle Florida. Ahí le habían organizado un recordado almuerzo y en el Círculo Militar un baile de gala. En cambio el escritor francés no podía interesarle. ¡Ese Anatole France escéptico, irónico pero pusilánime, que se dejaba dominar por esa actriz madura, Mademoiselle Brindeau a quien había conocido en el barco! El general no formaba parte de esos jóvenes porteños que lo homenajearon con un banquete, en el que habló su primo Carlos.

No, nada podía ya satisfacerlo. El general ingeniero, el vencedor, no era ni había sido nunca su amigo, era uno de esos advenedizos que no hubiera llegado lejos si alguno no le hubiese abierto las puertas del Círculo de Armas, donde ese irresponsable de Alvear lo había protegido. Marcelo, su antiguo compañero en el Colegio Nacional de Buenos Aires, el amigo que había asistido a su boda, ahora él había tenido que

El general con sus ministros, varios de ellos sus amigos personales y contertulios en el Jockey y en el Círculo de Armas. El cuadro de conjunto muestra el tono conservador y gerontocrático de su gobierno. (Gentileza de B. Lozier Almazán. Caras y Caretas, Año XXXIII, Nº 1669, 27-9-1930)

proscribirlo y exiliarlo. Pero no le había temblado el pulso. Marcelo y Lisandro, cuántas decepciones al final.

No, nunca lo estimó a Justo, pero al menos era como él un militar y un revolucionario y al final qué quedaba sino ese ejército, que era su propio grupo, su otra familia. Mientras el general ingeniero se dedicaba a los políticos, él había cultivado a los militares. Los había hecho conceder generosos préstamos personales, había estado siempre pronto y disponible para interesarse por lo que le pedían para sus amigos y parientes. ¿El general Anaya quería designar a su hijo escribano del Banco Hipotecario Nacional? Ahí estaba él escribiéndole al presidente del Banco, una vez más, como lo hiciera ya antes por un pedido del contralmirante Renard, que también había hecho gestiones a favor de un hijo. Y no eran los únicos, también había ayudado a tantos otros generales y coroneles que reiteradamente le solicitaban una recomendación, una ubicación, aquí o allá. Sí, siempre había defendido a su ejército. Cuando había sido diputado, en 1913, se enfrentó con todos aquellos que lo agraviaban. ¿No había desafiado a duelo al diputado Mario Bravo, por sus expresiones contrarias a las Fuerzas Armadas? Pero éste no había querido batirse. Esos socialistas, salvo Palacios... ¿No había pronunciado ese discurso en defensa del honor militar, que tantos elogios le valiera, incluso de Nicanor López, que le escribió diciéndole que ahí se le "había abierto el camino hacia los altos destinos"? Los políticos..., si ni siquiera iban a las reuniones en la Cámara. Él había pedido que se sancionase a los ausentes haciéndolos comparecer por la fuerza pública. Todo en vano, nadie había querido escucharlo.

Sí, hoy como ayer, sólo quedaba ese ejército y dentro de él los fidelísimos. Ante todo su mano derecha, su secretario, el teniente coronel Molina. Al verlo entrar en su despacho esa mañana, como todos los días, quizá pensó que no debía olvidar encargar a la Fábrica Nacional esas medallas de oro con las que quería recordarles su afecto antes de partir. Haría poner la inscripción "A mi mejor colaborador" para Molina y "Sirvió con lealtad" para Mendioroz, Silva, Mason y McLean, en cambio no llevarían inscripción las de Alzogaray y Besse. Sí, al despedirse quería reconocer su gratitud sólo a los militares que habían estado con él. Sus secretarios, fieles subordinados en el día a día cotidiano, sus edecanes que lo acompañaban a todas partes y con quienes le gustaba platicar de sus años mozos.

Al trasmitirle el recordatorio a su secretario, ¿repasaría fugazmente todos sus años como militar? ¿Volverían sus pensamientos a los comienzos? No había sido un cadete ni brillante ni disciplinado. Sus superiores de entonces decían que su conducta era regular y su contracción al estudio poca. Ahí estaban, en cambio, entre sus compañeros de promoción,

aquellos otros, esos hijos de inmigrantes que sí necesitaban destacarse, sobresalir, figurar. No eran como él bisnietos del general Arenales, pero eran los primeros de la promoción: Buschiazzo, Saccone, Torino. Él, en cambio, había terminado vigesimoquinto en el orden de méritos. Pero no le importaba, ¿qué había sido de todos ellos? No llegaron lejos ni en la política, ni siquiera en el ejército: apenas mayores y capitanes. Es que no todos podían empezar como él con un destino en la Capital, como subalterno de su tío el general Napoléon Uriburu, ni ser directores de la Escuela Superior de Guerra, ni viajar comisionados varias veces a Europa, ni llegar a los máximos destinos en el Ejército y luego en el país. La ciudad puerto, la llave de todas las amistades, de todos los senderos, siempre había estado en su itinerario militar y se fue acostumbrando a ella. No, por mucho que esos gringos trabajasen, ellos, el patriciado, conservaban amigos y relaciones; ellos estaban en los lugares donde había que estar, en los momentos en los que había que estar. Por lo demás, no siempre era necesario confrontarse con los recién llegados. También había entre ellos algunos hombres de valor. Ahí estaba el general Ricchieri que siempre lo apoyó. Ahora, cuando él había llegado a la cúspide, no lo olvidaba: Molina acababa de enviarle un telegrama en su nombre felicitando al anciano general por su cumpleaños. Él no era un ingrato como tantos otros.

En cambio a él, cuántos lo habían olvidado, hasta esos jóvenes nacionalistas que lo visitaban en su domicilio antes del golpe. Todas las tardes caían por la calle Tucumán, en el barrio de San Nicolás, donde el general vivía, al igual que la gran mayoría de los socios del Jockey de entonces, antes de mudarse paulatinamente al Socorro. Él los escuchaba con paciencia en los meses anteriores a la revolución, mientras trataban de explicarle cómo hacer la revolución que él haría y no ellos. Esos jóvenes de lecturas francesas que nunca habían trabajado ni gobernado ni dirigido nada le explicaban a él, que estoicamente atendía, porque había que sumar todos los esfuerzos que se pudiera. Él, que sabía lo que eran las revoluciones, que sabía jugarse, como en la revolución contra Juárez Celman que le había costado un exilio en Uruguay. Ahora estos jóvenes hasta osaban criticarlo abiertamente. Incluso se atrevían a hacer la apología del general ingeniero. El país no tenía arreglo, tal vez pensaba. Ochenta años después hacían como Lorenzo Torres y tantos otros ingratos porteños que se colgaron (como se había dicho entonces) de los faldones de Urquiza tras la caída del tirano. A algunos de esos jóvenes al menos les había hecho pagar el precio. Al altanero de Ernesto Palacio, que creía que podía entrar en la casa de gobierno como en la suya, lo tuvo haciendo largas amansadoras para luego negarse a recibirlo.

Tal vez ya nada de eso importase, mientras los dolores de su enfermedad avanzaban. En este diciembre no habría ya, como en el diciembre del año anterior, recorridas febriles por las guarniciones militares que incluían esos almuerzos que servían para, a los postres, pronunciar arengas a favor de la revolución y contra los políticos. No había tampoco inauguraciones, ni aquellas visitas deportivas que le gustaba hacer los domingos, a las regatas a motor del Yacht Club, ni inauguraciones, como la de la cancha colorada del campo de golf del Jockey en San Isidro. Ni siquiera podía ya ilusionarse con las futuras escapadas en tren a Mar del Plata, los fines de semana, durante enero y febrero, para caminar con los amigos por la vieja rambla. Quedaba desde luego la política, ahora más pesada que nunca. No ya aquellos actos, que pese a todo le gustaban, como acompañar a Aurelia en el almuerzo de Navidad, en el que junto a otras damas porteñas servían a los pobres que reunían en la Obra Cardenal Ferrari. El 25 de diciembre del año anterior él había asistido sentado en el balcón del piso superior, junto a Franceschi y De Andrea, a esa demostración de caridad y concordia. Ahora en cambio, él tenía que preparar el menú para los otros, para los que poco habían hecho y mucho obtendrían. Al menos le quedaba la posibilidad de elegir la fecha del traspaso del gobierno. Sí, lo haría el 20 de febrero, en coincidencia con la batalla de Salta. El general Belgrano y él habían salvado en su momento a la república. Ambos no aspiraban a otra cosa más que al bronce. No, el poder no le interesaba sino la historia; así le había dicho a los jóvenes oficiales conspiradores en las vísperas del golpe y así se ilusionaba que había sido; al menos así le gustaba presentarse ante los otros.

Sí, en ese cálido diciembre, probablemente sólo encontrase alivio pensando en ese viaje de dos meses que esperaba poder realizar con la familia. Era la oportunidad de dejar ese país que juzgaría ingrato. Comenzaría el 28 de febrero, si la salud se lo permitía. En tren a Santiago y luego por barco de Valparaíso a La Habana; de ahí a New York, vía Key West, Miami, Palm Beach, Washington, Chicago, Detroit. Finalmente de nuevo en barco a Cherburgo para instalarse en París. ¿Cerca de la rue Richelieu, en el Royal Palace, como lo hiciese aquella vez en 1913, cuando Marcelo le organizó aquella comida con amigos en el Ritz? Ahora ahí estaba de embajador su amigo y condiscípulo en el colegio, Tomás Le Bretón. Se quedaría quién sabe cuánto tiempo. *Parigi, oh cara!* A fin de cuentas era un típico argentino. Berlín tal vez sólo sería un intermedio para operarse de esa enfermedad en el estómago que tanto lo aquejaba.

Todo se haría, desde luego, en primera clase: barco, ferrocarril y hoteles. Debería quizá terminar de decidir, con su hijo Alberto y con su esposa Aurelia, el itinerario y cuántos sirvientes los acompañarían. Seguramente no era poco dinero ochocientos cincuenta dólares y trescientos ochenta pesos de costo, por cada uno de los sirvientes, en habitaciones sin baño privado, camas altas en los trenes norteamericanos y pensión completa. Pero todo señor que se precie debe llevarlos.

¿Habrá leído el general el diario esa mañana? Seguramente le dolía ser pasado y haber desaparecido completamente de las páginas de *La Nación* y de *La Prensa*. *La Nación*, que en los primeros meses le dedicaba todos los días una columna en la primera página, la descripción de su agenda y sus actividades diarias en la página del editorial y luego,

Monseñor De Andrea visita a Uriburu en la casa de gobierno. Pero al general le gustaba tambien asisitir a las obras del obispo como la de la Casa de la Empleada o compartir con él comidas de Navidad para los pobres en la Obra Cardenal Ferrari.
(Caras y Caretas, Año XXXIII, Nº 1669, 27-9-1930)

además, las notas sociales... ahora parecía ignorar que él existiera, que siguiera gobernando, concediendo audiencias, firmando resoluciones. Menos lo mortificaba no aparecer en las páginas del llamado "diario del hampa" –*Crítica*– al que despreciaba pero como todos temía. A pesar de que lo había clausurado, con él no se habían metido como con Leopoldo Lugones, contra quien aquel amanuense de Guibourg desempolvaría más tarde la frenología y el prejuicio racial para atacarlo, usando motes como "mulatillo", o asimilándolo al "petiso orejudo". Sí, sabía que también a él le aplicaban el término de "mulato" y de representante de la "barbarie coya", pero nunca se habían atrevido a decirlo en público, ni siquiera ahora, al final de su carrera política. ¿Pensaba en esos momentos amargos, crepusculares que quizás había debido ir más lejos incluso, apoyando –con energía y sin arrepentimientos– la despiadada campaña del Polo, cuando era jefe de policía, contra la mujer de Botana y sus amigos, interrogatorio incluido?

Los diarios hablaban ese día, por una vez, sin embargo, de las actividades del Presidente. Desde luego era una banalidad: a media mañana debía recibir las cartas credenciales de los embajadores de Santo Domingo y de Portugal. Habrá llegado como siempre a las nueve de la mañana a la Rosada y habrá recibido, como era habitual, a Molina antes que nada. Quizá repasaba los textos que tenía que recitar. No sabemos con qué ánimo leería esos discursos que le había hecho preparar Bioy, su ministro y amigo. Finalmente ya sólo quedaban sus fieles subalternos, sus amigos y desde luego sus parientes. Bioy..., sus recuerdos habrán ido por un instante a esa amable visita que había hecho con Aurelia, algunos ministros y su primo Carlos al establecimiento La Martona en Vicente Casares, a pasar un día de campo hacía poco menos de un año. El viaje en tren, la charla amena, el futuro, el recorrido por el lugar, el asado con los amigos y a la tarde el retorno.

Esos discursos, ¿no sonarían aún más vacíos, más inútiles, más artificiosos, en esa media mañana de diciembre? ¿Qué podía decir de Santo Domingo él, que como buen argentino, pensaba que nada teníamos que ver con ese país, mientras tendría que escuchar cómo el embajador le hablaría de ese gran patriota que era su presidente, Rafael Trujillo, que desinteresado del poder se retiraría a su casa (como Cincinato) al terminar su primer mandato? ¿Con qué tono pronunciaría el elogio del gran vínculo con América, "en la epopeya inmortal del gran navegante que tuvo como centro de irradiación la hermosa tierra dominicana que ha hecho de vuestra patria la primogénita de las repúblicas hermanas"? ¿A quién habría dado a escribir Bioy esas expresiones rimbombantes sobre la antigua Lusitania: "casto, noble e hidalgo, propio de la vieja nación descubridora, que después de entregar a la civilización, con la ma-

El general en La Falda, Córdoba en la visita a uno de los hoteles de prestigio frecuentados por la elite. El viaje a Córdoba había sido organizado y promovido por su primo Carlos Ibarguren, a quien había designado como interventor en la provincia mediterránea.
(Gentileza de Luis Priamo. Colección Familia Francisco Mosquera, Reconquista, Santa Fe)

dre España, gran parte del mundo antes ignorado, acogió con ademán amistoso a la nación incipiente"? No, seguramente el general no debía de haber imaginado que iba a llegar al centro de un destino tan largamente tejido para encontrarse pronunciando esas palabras.

¿A dónde se desplazarían sus ideas, sus ensoñaciones, mientras se dirigía al Salón Blanco a recibir las cartas credenciales? ¿Meditaría tal vez sobre las primeras veces que visitó esa Casa Rosada, de la que había sido asiduo concurrente desde los años de fin de siglo? Recordaría quizá los tiempos en los que fue edecán de su tío, José Evaristo, primero cuando aquél era vicepresidente, luego cuando asumió la presidencia. Y luego aquellos en que la frecuentaba como jefe del regimiento de escolta. Un favor le había hecho ahí el ministro de Guerra, Luis María Campos, que lo había conocido durante la revolución del noventa. Eran los años en los que el doctor Figueroa Alcorta había sustituido al fallecido doctor Quintana, suma de la elegancia porteña. Figueroa, un provinciano como él, al que le gustaba reunirse con sus amigotes en mangas de camisa a contar chascarrillos. Aquello era la comidilla de la buena sociedad de esos tiempos. Increíble, el presidente en mangas de camisa. Aunque lo respetara mucho al presidente, el general no podía entusiasmarse con esos hábitos. Él, en cambio, había visto y había aprendido, renunciando a sus hábitos de las tardes salteñas. Es cierto que llegó a Buenos Aires desde pequeño, a los trece años, a vivir en lo de su pariente, Tomasa Padilla, para estudiar como alumno libre en el Colegio Nacional. La capital lo había deslumbrado y le gustó adaptarse a ella. Los Madero habían hecho probablemente mucho en ese sentido.

Seguramente aprendió a creer que le resultaban más congeniales los modales tanto del antecesor como del sucesor de Figueroa. Le debían de gustar esas veladas que organizaba el porteño Roque Sáenz Peña, en la casa de gobierno, en los comienzos de su presidencia, antes de que la enfermedad lo postrase. Veladas que el doctor Sáenz Peña había aprendido a valorar siendo diplomático en Europa y que buscaban dar brillo a un gobierno y a una clase política que no lo tenían. Eran los llamados tés presidenciales que reunían a ministros y parlamentarios para conversar, buscando inútilmente representar lo que la Argentina no era: una civilización europea. Era un esfuerzo vano: todos trataban de huir lo más temprano posible. ¿Y aquellos célebres banquetes y bailes de gala? Cuánto habrían disfrutado con Aurelia el baile de gala que organizó Sáenz Peña en honor del presidente de Brasil, Campos Salles. Al general ese debía parecerle un gobierno integrado por personas que merecían ejercerlo. ¡Un gobierno de diplomáticos! Ahí estaban Indalecio Gómez, como él admirador de Alemania y emparentado con su familia, que solía invitarlo a su quinta los fines de semana, Ernesto Bosch, Carlos Meyer Pellegrini y su primo Carlos Ibarguren. Admiraba y consultaba permanentemente a su primo. Le atraía su retórica, su conocimiento del pasado, su aptitud para los dicursos de circunstancias. Ese Carlos que acostumbraba usar una expresión que no podía no gustarle: el patriciado, ellos mismos. Ese patriciado al que él había intentado devolver su lugar después del apogeo de la turba. A todos ellos los había llamado para integrar su gobierno, pensando (tal vez) en revivir aquellas horas de una Argentina que, como muchos otros, juzgaba más gloriosa.

Eso eran ellos, el auténtico patriciado, que la nobleza y la ingenuidad de Sáenz Peña habían arruinado, sometiéndolos a la bajeza de tener que mercadear por un voto. Él lo había hecho, con éxito y sin éxito, y nunca lo había olvidado. Primero fue ese año de 1912 en que, siendo diputado por Salta, tuvo que ocuparse de todo tipo de favores que le pedía Patrón Costas: conseguir partidas en el presupuesto, interesarse por contratos de concesiones o por una designación aquí o allá. Él hizo todo lo que pudo, incluso ayudando a otros amigos, como el tucumano Zavalía Guzmán, en lo que necesitasen o le pidiesen. Hasta se avino a hacer sociales con algunos de esos personajes que ahora pululaban en Buenos Aires, que tenían mucho dinero y poco pedigree. Como ese Negri, que nadie sabía bien cómo había llegado al Círculo de Armas, y al que era necesario halagar en sus necesidades de figuración social, para lograr que apoyara la candidatura de Zavalía a gobernador de su provincia. Y después de todo lo que él había hecho para apoyar las causas de la provincia y de sus amigos políticos, Patrón Costas no lo incluyó en la nueva lista de diputados, con la excusa de que ya llevaba a otro

Uriburu –su primo Francisco–. Eso lo había obligado a competir en la Capital con las maquinarias de los radicales y los socialistas. Nunca tuvo oportunidad.

No, seguramente no había olvidado la necesidad de traficar con ese ignoto griego Nicolás Gravías, que le prometía "doscientos electores todos griegos naturalizados". Todo inútil, no había modo de competir con las nuevas reglas. Hizo un último intento, sin embargo, sumándose a la creación del nuevo partido de Lisandro (si hasta lo convenció a su primo Carlos de que se incorporara) pero tuvo que desistir porque al nuevo ministro de Guerra se le había ocurrido prohibir que los militares participasen en movimientos políticos.

No, todo no podía sino terminar mal: el patriciado desplazado, por esos insolentes a los que se les sumaban inconcebiblemente muchos hombres de su mismo grupo. Él, que tenía destino en Buenos Aires en esos días, ¿habrá presenciado a la turba arrastrando el carruaje del presidente el 12 de octubre de 1916? Si no lo había presenciado, lo había leído y se lo habían contado un sinnúmero de veces. No se hablaba de otra cosa en el Jockey y en los diarios. Parece que fue la única vez que a ese dandy, muestra de discreción y compostura, que era Benigno Ocampo, se lo vio sudado, con la venas de la sien a punto de estallar, pleno de agitación, con el traje increíblemente desarreglado. "Parecía el carnaval de los negros. ¡Hemos calzado el escarpín de baile tanto tiempo y ahora dejamos que se nos metan en el salón con la bota de potro!" decía, poseído de inestética emoción. Pero no importaba ya, el general había venido para acabar con todo aquello: con el mal gobierno, con los

La espléndida foto en su simbología patriarcal presenta el homenaje de "la mujer argentina" al héroe de la revolución. La fascinación del poder coloca el carisma en el lugar, no en el personaje.
(Caras y Caretas, Año XXXIII, Nº 1669, 27-9-1930)

malos políticos, dominados, como decía *La Fronda*, por los "atavismos de Catanzaro, Esmirna, Pontevedra o Palestina". Con los malos políticos y con los malos modales.

Es que, incluso en la vestimenta, había que hacer olvidar a toda esa canalla soez yrigoyenista que se había adueñado del gobierno mal trajeada. Tal vez no se había hecho tantos trajes, como decía Tombeur, el amigo de Marcelo, por lo que entonces se llamaba "gatismo", porque le gustase, siendo ya presidente, perseguir a las muchachas jóvenes por la calle. Cierto, trajes y camisas parecía haber adquirido tantos como corbatas compraría luego otro ex presidente provisional. Aunque a él las corbatas tampoco le disgutaban, en especial Oxford o parisinas. Veinte había comprado sólo en el pasado mes de septiembre. Es que hábitos argentinos y funciones políticas semejantes podían unir, imprevistamente, los comportamientos del patricio salteño y del oscuro vivillo del suburbio que llegaría mucho después a presidente.

No, tal vez no era sólo la coquetería de un hombre mayor, que todavía quería varearse. Aunque esa coquetería existiese y el cargo la alimentase. ¿No le había escrito su prima Teresa, quien lo había visto en la fotografía de una revista: "te sienta bien la presidencia, te ha rejuvenecido, pareces un muchacho"? Pero tal vez no era sólo eso, se trataba también de dar dignidad a su cargo, en el modo en que él la imaginaba. Es decir la dignidad de las formas, de las apariencias, para representar ese papel, esa ceremonia del poder, que había visto tantas veces, desde sus años jóvenes. Sí, seguramente le gustaba, siendo presidente, pasear a pie por la calle, sobre todo a la tardecita y a veces seguir a alguna muchacha joven (que en una ocasión resultó ser una pariente lejana); pero en realidad no era sólo eso y además ése no era un hábito nuevo en él. Siempre le había gustado piropear a las muchachas y antes de ser presidente lo hacía a menudo, con tres o cuatro amigos en la calle Florida, en la puerta del Jockey.

Ciertamente le había impresionado lo bien que caía ese traje que tenía Istueta, el día que lo visitó en la casa de gobierno, y era verdad que le había preguntado por su sastre para encargarse varios fracs, smokings, jackets, trajes de fantasía. Pero el general no era un aprendiz en ese punto. O, al menos, no era más aprendiz que tantos otros. Desde hacía años era cliente de The Brighton y de Spinetto y, para las camisas, de Burlington y de la camisería La Maipú. Su esposa Aurelia, en cambio, prefería ir a menudo a Harrod's donde era capaz de comprarle, de una vez, una decena de corbatas y tres docenas de medias.

Encargar de un saque decenas de camisas podía parecer mucho. Pero ¿qué podían entender muchos de los habladores de los requisitos sociales de su cargo? Además, él se empeñaba en seguir conservando los hábitos de esa elite porteña que, tenazmente, insistía en representar lo que tampoco era: una antigua aristocracia. Ya habían quedado atrás los tiempos austeros de Bartolomé Mitre y de Bernardo de Irigoyen que, ya anciano, había resuelto el problema de una etiqueta cada vez más complicada, usando siempre y para todo la levita, lo suficientemente holgada para ser llevada algunas veces como levita y otras como sobretodo. Además, no era tampoco el caso de usar el mismo tipo de ropa todo el día, la americana, como hacían los yankees. Más allá de esos ternos rectos era necesario el jacket (con chaleco y pantalón de fantasía), para las entrevistas importantes de la mañana, y el frac –que le gustaba combinar con chalecos de piqué blanco– para las actividades nocturnas y –desde luego– para el *Te Deum* en la Catedral. Se necesitaban por supuesto, el smoking para las situaciones excepcionales y las chaquetas cruzadas con botones de dos hileras para las actividades al aire libre, que a veces combinaba con esos pantalones que por entonces llamaban *palm beach*. Además había que conciliar la cuestión de los colores claros para las reuniones diurnas y oscuros para las nocturnas, y desde luego ese azul tan tradicional de los porteños en sacos y sobretodos. Alejarse de colores chillones y de bizarrías, todos en su grupo sabían que esa era la consigna.

Sí, era verdad que un día, a fines del año anterior, había gastado de una vez, mil trescientos pesos, en la sastrería de Campolongo. Mil trescientos pesos no cinco mil pesos como decían sus enemigos. ¿Tanto dinero en ropa habrá servido para algo? ¿Habrá pasado el general la terrible prueba de llevar con elegancia el frac; esa prueba de fuego que era la caminata que llevaba desde la casa de gobierno hasta la Catedral, en ocasión de un *Te Deum* oficial? Ahí se veía, a los ojos de los entendidos en dandysmo, en el modo de portar la chaqueta corta de faldones estrechos, si mostraban en la gallardía y en la soltura, "la sobria arrogancia del verdadero señor". Ahí se sabía si los gobernantes estaban o no acostumbrados a llevarlo; ahí se distinguían los que podían hacerlo con naturalidad de los otros, de los que sólo desde su arribo furtivo a las altas dignidades oficiales estaban intentado comenzar a familiarizarse con él. El punto de partida del general no era malo. Tenía algunas ventajas comparativas, como el recuerdo que habían dejado algunos de sus antecesores: Don Hipólito fajado y aprisionado en la incomodidad de un prenda no confeccionada en la mejor sastrería de Buenos Aires o Victorino de la Plaza que, como dijera algún testigo implacable, caminaba pesadamente y vacilante "como las chinas de antaño" tratando de hacer sostener, a pies demasiado pequeños, el abultado vientre y las demasiado anchas espaldas.

¿Habrá logrado el general restaurar la antigua elegancia patricia, la de un Quintana, por ejemplo? Ese hombre alto, de buen porte y andar, mundano y señorial, vestido con ropa que procedía directamente de París –y no de los sastres italianos de Buenos Aires– y cuya fama, en ese terreno, sobrepasaba largamente aquella adquirida en el campo de la política. El general había visto esa elegancia pública de don Manuel, pero también la privada, incluso en la intimidad de su *robe de chambre* y de sus zapatillas de tafilete encarnado, aquel día que había penetrado en el medio de la noche a la habitación del presidente para anunciarle, como jefe del regimiento escolta, que había estallado la revolución radical de 1905. El general, desde luego, no iba tan lejos con la ropa. Tampoco se hacía mandar los calcetines desde Londres, como otros. Además, todo hubiera sido igualmente inútil. Tampoco aquí podía el general restaurar los antiguos valores. No era lo suficientemente alto para pasar la prueba de la caminata, un poco retacón, con ese andar marcial pero no señorial, demasiado engominado con su "Brancato", demasiado crispado, demasiado tenso, para formar parte de la raza de los Quintana o los Pellegrini.

Ahora, a fines de ese año treinta y uno, probablemente ya había perdido mucho del interés por las actividades oficiales y sociales y por las muchachas jóvenes y desde luego (su salud se lo impedía) por esas cabalgatas vestido de militar, en Palermo, que tanto le gustaba hacer con sus subalternos. Debía resignarse a pasear en su automóvil Oakland, de tarde en tarde, en especial por la Avenida de Mayo y por la Costanera, sobre todo cuando llegaban los primeros calores y el paseo se poblaba de espectadores que buscaban la brisa fresca que procedía del río. Sin embargo la ropa seguía gustándole. Todavía, en el crepúsculo de ese año treinta y uno, seguía comprando muchos pares de zapatos de cabretilla y botines de becerro y de potro en el negocio de La Porta en la calle Viamonte y junto con ellos, más camisas, más sacos, más corbatas.

La ceremonia con los diplomáticos, comenzada esa mañana a las diez y media, habrá ya terminado y el general se habrá dirigido a almorzar. Desde luego aquellos radicales, no Marcelo o Gallo sino los que habían llegado en el último tiempo, no sabían tampoco ni comer ni beber. ¡Pensar que hasta ese Elpidio González, que ahora sobrevivía en la miseria en una pensión de la calle Cramer, había llegado a vicepresidente! El general tenía en cambio, como sus amigos, predilecciones francesas. No es que llegara al punto de interesarse en la preparación de unos langostinos con rábano picante y crema de leche, ni en el pollo macerado en tres noches de cognac, con salsa de hongos, que eran especialidad del secretario de la Presidencia del Senado, pero ciertamente ellos habían dejado atrás los heroicos tiempos de principios de siglo, cuando se podía llegar a combinar "dos de a caballo" primero, con chinchulines luego y con una *omelette* para terminar.

En pleno apogeo de su efímero poder y de su salud a Uriburu le gustaba aprovechar los fines de semana para apadrinar todo tipo de actividades. En este caso, fines de 1930, se lo ve en ocasión de una competencia de yachts –que organizaba el Yacht Club Argentino– en la que se disputaba una copa donada por la presidencia.
(Archivo General de la Nación)

Ya habían quedado atrás también los tiempos en que para ellos, para el patriciado, para los *turfmen*, podía encargarle Pellegrini a Cané que consiguiese en Francia vino en bordelesas para proveer regularmente al Club. Más lejos estaban incluso los tiempos heroicos en los que sólo se tomaba vino carlón en uno o dos vasos que pasaban de mano en mano como el mate. Ahora todo era diferente. Tal vez ese mediodía en la casa de gobierno, o esa noche en su casa de la calle Tucumán al 1800, o en el Club, bebería algún Burdeos, tal vez ese *Château Le Boscq*, cuyas boletas pagaba puntualmente a la concesionaria del restaurant del Jockey. Seguramente era ya difícil que encontrase una buena ocasión para tomar esos *Château Lafite* 1918, que el preferiría al *Château Mouton Rothschild* 1921 o al *Léoville Poyferre* 1921 –aunque sólo fuera porque era mucho más caro–. Vinos todos que la Maison Garros le enviaba directamente desde Burdeos. ¿Habría oído hablar de la clasificación de los Medoc de 1855, más allá de lo que dijeran las etiquetas? Seguramente como buen argentino prefería ir a lo seguro y seguir el prestigio de la clasificación de los viñedos de Burdeos hecha en 1855, aunque ya entonces tuviera poco que ver con la calidad de los vinos. Por eso esa predilección por los *Grand Cru Classé*. Todos esos vinos, salvo el *Château Le Bosc* que era un *Cru bourgeois,* eran *Premier Cru* o *Second Cru*. No, seguramente no. No debía conocer más que la mayoría de sus contertulios. Lo más probable es que la difusión de hábitos, los comentarios, las preferencias, se trasmitieran cotidianamente desde esos centros de irradiación que eran los constructores del buen gusto en la elite porteña. *Château Lafite* y *Château Léoville*, de no menos ni mucho más de diez años de antigüedad, eran las preferencias recurrentes de ese pontificador de buenos hábitos que era Benigno Ocampo.

¿Qué habrá hecho esa tarde el general? Las audiencias, que tenía la costumbre de atender luego de almorzar, así como a los ministros, no ocupaban ya todas las horas. ¿Habrá aprovechado para contestar la voluminosa correspondencia que le seguía llegando? Desde luego no eran ya las felicitaciones de los primeros tiempos que amigos, parientes, o ciudadanos que no conocía, le enviaban. No contenían ya el agradecimiento por haber librado a la patria de "la canalla ensoberbecida", del "mandón insoportable", del "gobierno oprobioso", "de la ruina y la vergüenza", "del tirano dictador", "del régimen degradado y criminal". No eran ya los tiempos en los que lo llamaban "Libertador", "Salvador de la patria", "Heroico patriota". Ahora las cartas seguían llegando, pese al inminente fin, pero eran sobre todo de amigos y parientes. Los elogios eran más tibios, más condicionales, más consolatorios ante la ingratitud y, sobre todo, eran más breves. Quizá ya se había acostumbrado a que, tras la primera página, a veces sólo tras el primer párrafo, venía el pedido, el favor que él debía hacerles.

¿Tendría esa tarde ante sus ojos, la enésima carta de su sobrino Raúl, enviada pocos días antes, en la que le pedía ayuda para su hermano Horacio que "vivía una vida indigna de su apellido"? Ahora hasta se le había ocurrido agregar, como efecto dramático, una misiva de éste que decía: "estoy trabajando en un taller mecánico a cuatro pesos con cincuenta por hora, pero en cuanto pueda comprar un pantalón, porque el que tengo está roto en el asiento, me voy a verlo a nuestro tío". Algo haría por ese otro sobrino, pero no podía darle un puesto en el Banco Hipotecario o en el Nación, si no sabía hacer nada. Le escribiría a Rocco para que le diese un puesto en los Ferrocarriles del Estado. ¿Habrá recapitulado en ese momento todos los pedidos de Raúl por el que, a decir verdad, parecía sentir una extremada debilidad? Ya le había conseguido un trabajo, varios trabajos, a él, a su esposa, al hermano de su esposa, ahora a su propio hermano. Cierto es que era un joven agradable, de una rama que había perdido al padre bastante joven. Escribía además bastante bien y le había mandado esa carta que parecía sincera, apenas había asumido el mando, agradeciéndole por haber devuelto la dignidad al pueblo argentino "humillado y escarnecido por la entronización del más pésimo elemento del hampa".

¿Tendría ante sus ojos aquella otra carta de su sobrino, de hacía unos pocos meses, donde le pedía un cambio en el trabajo de su mujer? Primero le había insistido en que le consiguiera un empleo, en la oficina de Correos en Bahía Blanca y ahora decía que el trabajo era insoportable, "por razones de delicadeza y sociales". ¿Sería posible que fuera cierto que, al atender las ventanillas, se veía "humillada en todo sentido recibiendo insultos inconcebibles del público", que a las empleadas las llamasen "las atorrantas del correo"? ¿Sería posible incluso que otros empleados, puestos por el gobierno anterior, le dijeran groserías y amenazas? A qué punto estaba llegando la Argentina. Y él le había escrito inmediatamente al ministro de Justicia e Instrucción Pública, pidiéndole que se le otorgasen a la señora unas cátedras de música, en la Escuela Normal. Pero su sobrino insistía, una y otra vez, reiterando el pedido, temiendo que el cambio de ministro llevase todo a una vía muerta. Si hasta había tenido que contestarle que guardase la compostura, que no debía reiterar sus cartas, que él ya había hecho la solicitud, que no se impacientase, que todo llevaba su tiempo.

Cierto es que eran, finalmente, también ellos Uriburu y así como algunos lo habían ayudado a él en sus tiempos jóvenes, él se sentía en la obligación de ayudarlos ahora que podía. Al principio había tratado de resistir y decir a veces que sí, a veces que no. Como le decía a un amigo: "en una familia grande como la mía hay muchos parientes, buenos y malos" y se ilusionaba que él sólo apoyaba a los buenos. Pero ahora qué importaba ya, sólo quedaban ellos; la familia y el ejército. A algunos, como al ministro de Hacienda o al interventor de Río Negro, los había nombrado porque ya necesitaba sólo hombres de su confianza y quién de mayor confianza que los buenos parientes. No era el caso de todos esos que necesitaban un trabajo, un pequeño, insignificante trabajo. ¿Si no los ayudaba él, ahora, quién lo haría luego? Como le decía con honestidad su sobrino Alfredo, que llevaba veintiún años en el mismo puesto en los ferrocarriles: si él no lo ayudaba se quedaría ahí mismo otros nueve años hasta jubilarse. Alfredo era, además, honesto. Admitía no tener ningún mérito a su favor, salvo los veintiún años de asistencia al lugar de trabajo. Y después de todo, qué podían cambiar esos pequeños favores familiares, como conseguirle un puesto de auxiliar principal en la Superintendencia del Tucumán. Qué podían cambiar de la imagen de austeridad que había querido dar de su gobierno, como contraste con el desenfreno del viejo Yrigoyen. Además, apenas había asumido el cargo y cuando trataba de ser menos disponible a las recomendaciones, ya decían que él había colocado a todos los Uriburu y los Madero en la administración pública.

Atrás habían quedado los tiempos de vino carlón. Ahora el hábito de las clases altas eran los vinos franceses, en especial de Burdeos. En la ilustración, la publicidad de uno de los vinos tomados por Uriburu y catalogados en 1855 como de primera categoría: el Château Lafite.

Sí, su sobrino Raúl era muy insistente; pero era igualmente cierto que, al igual que su familia, la había pasado mal luego del problema que tuvo en el Banco, del que lo habían cesado en los tiempos en que él había llegado a la Presidencia. Pero ahora decía que se estaba enmendando, que los problemas habían sido resultado de la edad y de los ambientes en que se movía. Con dificultad había encontrado un trabajo, por ochenta pesos por mes, en una compañía de luz en Necochea. ¡Ochenta pesos por mes! Cómo podía vivir con esa suma, y lo que ganase con las clases particulares su mujer, teniendo dos hijos. Si apenas un sobretodo azul cruzado en lo de Spinelli, en la calle Esmeralda, le había salido a él trescientos y hasta una botella de *Château Lafite*, costaba setenta.

Sí, había ayudado mucho a aquellos sobrinos, a Raúl le había finalmente conseguido otro puesto en el Banco Nación de Bahía Blanca. A los dos hermanos y al cuñado de Raúl los pudo colocar en los Ferrocarriles del Estado. Menos mal que ahí había nombrado al fiel teniente coronel Rocco siempre dispuesto a aceptar sus pedidos como órdenes. Incluso a la madre de todos ellos, Enriqueta, que le había pedido que le consiguiese un traslado a la Capital para el esposo de su hija, que era un joven teniente que quería cambiar de destino, y él le había escrito al ministro de Guerra para ver si podía hacerse. Pero no era sólo a ellos a los que había auxiliado. También su prima Teresa llenaba con sus cartas los cartapacios donde se clasificaba la correspondencia con pedidos para sus hijos, para su yerno.

¿Es que tendría que pasar todo su tiempo contestando a los parientes o a los amigos que le pedían cosas? Su prima Clara quería que la designasen directora de la Escuela Profesional de Salta. La verdad es que su situación parecía muy mala porque muy poco después le pedía algunas décimas de beneficencia de la lotería. He ahí de nuevo él, el presidente, escribiéndole al otro presidente, al de la Lotería Nacional, para que le concediese las décimas a su prima Clara, y también al primo Pedro. Al menos ellos pedían para sí mismos o para su familia. Pero otros, como sus primas Manuela y María, le escribían para pedirle por la familia, pero también por sus amigos, sus conocidos. María quería que designasen a su hijo Mario primero en el Correo, luego en el Banco Nación o que le diesen el ascenso al marido de una amiga. Tal vez habría estado presumiendo ante ellos sobre su influencia y ahora tenía que salir del paso. María en cambio, tuvo el tupé de pedirle dos cargos de profesora de dactilografía a la vez: uno para la hija y el otro para una amiga que era quien había dado la noticia de las vacantes a cambio de que la designasen en una de ellas. Docentes, docentes había muchos en la familia y él había logrado ubicar a casi todos: Amelia en la Escuela Normal de Tucumán, a Sara en la Escuela Profesional Nº 2 de la Capital, a María Luisa en el Colegio Nacional de Córdoba.

Parientes... La familia del general parecía no tener límites. A algunos nunca los había visto. Como ese hijo de su prima Matilde que quería algún puesto en el orden nacional, como el que le había conseguido a su hermano Felipe, o ese sobrino Ernesto, del que por lo menos había oído hablar bien; al final sin embargo quería contentarlos a todos. Aun a su primo Jorge, ese al que había tenido que recriminar tantas veces porque le llegaban versiones de que no cesaba de jactarse de ser hombre de influencias, de que podía conseguir de él, del presidente, esto o aquello. Él le había tenido que escribir para exigirle que pusiera coto a esos excesos verbales, pero su primo no cejaba. Pese a todo el general se había esforzado y había logrado conseguirle un buen lugar en la administración nacional, en Paraná. Pero ahí estaba la nota del doctor Amadeo, el administrador de Impuestos Internos, que le decía que había tenido que reemplazar a su primo, en el puesto que le había dado a su pedido, porque no era competente para el cargo. ¿Cómo habrá recibido el general esa carta? No, nada parecía importarle ya. Más allá de todo el general le había escrito, nuevamente, a Amadeo para pedirle que lo mantuviese en la repartición, aunque fuese en un cargo de menor responsabilidad. Sin embargo, nada parecía bastarle a Jorge. Ahora, al final de su mandato, quería que lo nombrase subprefecto del puerto de Corrientes,

La "Diana" de Falguière representó durante mucho tiempo el emblema dentro de otro emblema, el Jockey Club. Si algo representaba en el imaginario argentino el poder y las ambiciones sociales de la elite porteña era esa estatua colocada en el rellano del primer descanso de la escalera que ornaba el edificio de la calle Florida. Destruida parcialmente en el incendio de la sede durante el peronismo, continuó concitando nostalgias y hostilidad, en suma conflictos, en la dividida Argentina posterior a 1955.

porque en Impuestos Internos tenía mucho trabajo labrando actas y aplicando multas. No, Jorge no tenía límites, ¡si hasta había pedido un puesto ministerial en la Intervención en Santa Fe, diciendo que aunque era una pesada carga lo aceptaría, porque quería colaborar con la obra de bien público iniciada! Además, al igual que Manuela, al igual que María, pedía para sí, para sus amigos cercanos, como ese Alfredo al que él también le había conseguido un nombramiento, e incluso para personas que conocía sólo superficialmente, como el jefe de la repartición que no quería ser trasladado. Hasta había mandado a algún amigo, con el que tenía negocios, para que se los presentara en la Casa Rosada. Y él había accedido a casi todo. A los pedidos de los buenos y de los malos, a los que lo necesitaban y a los que no lo necesitaban. Todos estaban ahí para reclamar algo más, antes de que el general se retirara. No, desde luego, su primo Enrique, al que había hecho ministro de Hacienda de su gobierno, ni su querido sobrino David, al que había hecho jefe de policía. En cambio, su primo Sergio, embajador en México, reclamaba a última hora que quería trasladarse, porque le disgustaba la altura y porque los ingresos ya no eran suficientes dada la baja que había tenido la cotización de la moneda argentina. Eso sí que era difícil, tendría seguramente que interesarlo a Justo del asunto.

A veces, al leer las cartas de sus parientes, ¿se le habrá ocurrido reflexionar sobre la amarga suerte de su familia? ¿Pensaría que las familias patricias no tenían ya un lugar en la Argentina? En cualquier caso, ellos conservaban las relaciones y lo que no consiguieran en la calle, él se lo conseguiría desde el empleo público. Los ferrocarriles, los bancos, las escuelas.

La tarde conjetural habrá transcurrido quizá de ese modo. ¿A dónde dirigiría luego sus pasos? Quizás al Club, donde le gustaba pasar algunas veladas conversando, fumando esos puros, en especial "La exportadora" y "Perlas del Océano", que la casa Roberts le mandaba desde La Habana. ¿Habrá llegado ese atardecer, una vez más, al vestíbulo recubierto de esa madera tinta, entre fresa y habano, que producía un curioso efecto visual combinado con el verde y el amarillo predominantes en la escalera? Si fue, habrá esperado no encontrarse con ese otro pariente, Pedro, que ocupaba en el Club un oscuro lugar de empleado desde hacía siete años. En los últimos tiempos, siempre aprovechaba para recordarle que le pidiera a Eduardo Bullrich, el presidente del Jockey, su amigo, un puesto mejor, como encargado de apuestas en San Isidro.

El Jockey. El Jockey estaba tan ligado con los buenos recuerdos, al igual que el Círculo de Armas, que ahora los maledicientes llamaban club de los genuflexos. ¿Habrá estado el general en el célebre baile con el que se inauguró la nueva sede del Club, el 30 de septiembre de 1897?

¿Habrá sido una de las mil seiscientas personas que cenaron *a volonté* y bailaron hasta las seis de la mañana, sorprendentemente sin incidentes ni en el comedor ni en el guardarropa? Las crónicas no lo recuerdan. Era demasiado joven por entonces para figurar en ellas. ¿Se sentiría impresionado por la magnífica escalera de mármol, que algunos osaban comparar con la del Palais Garnier en París? Esa escalera, con su pasamanos y su balaustrada de tonalidades verdes, con esa Diana de Falguière que, colocada sobre un pedestal de ónix, rodeada de helechos e iluminada por una luz cenital, adornaba el primer descanso con "la gracia perfecta de una estatua blanca y serena como una aparición de ensueño". Esa Diana que tantas lágrimas desataría luego. ¿ Pensaría Pellegrini en personas como el joven que sería general, cuando imaginaba el efecto que la escalera y su Diana tendrían sobre esos palurdos que había que civilizar, que había que "cepillar"? "Con el cuello del sobretodo levantado, el sombrero puesto y los pantalones doblados, los hombres solos empujaban una puerta cancel y entraban de la calle *sans façon*, daban unos pasos y se quedaban clavados, se sacaban el sombrero lentamente y miraban en torno con ojos de asombro. Desde ese momento el indio más guarango quedaba vencido y dominado y todo su anhelo era que no lo fueran a descubrir." Si Ramos Mejía había imaginado "cepillar" a los

Las elites porteñas buscaban desde comienzos de siglo refinar sus hábitos culinarios y de etiqueta. Un componente importante de la política eran los ámbitos de sociabilidad compartidos: fiestas, banquetes, agasajos en ocasión de visitas ilustres o de cumpleaños.
(Archivo General de la Nación)

gringos, esos italianos que brillaban por su ausencia en el Jockey, Pellegrini y Cané habían imaginado "cepillar" a ese patriciado. Guarangos por guarangos....

Pero habían aprendido, o se ilusionaban con que habían aprendido. ¿Recordaba el general los comentarios irónicos sobre Teddy Roosevelt, cuando lo agasajaron con un almuerzo en el Jockey, a fines de 1913? El contraste entre aquellas finas líneas de los decorados, el fondo oscuro de la gran sala, las delicadas arañas, los muebles ingleses pero de contornos afrancesados, su cuero marroquín colorado, el nogal americano *ciré* de las guardas y contramarcos, con la falta completa de sutileza, de finura, de elegancia del americano. Ahí estaban los cuadros, los tapices y ese antiquísimo biombo coromandel de Oriente, que había hecho comprar su primo cuando integraba la comisión directiva. ¿Le impresionaban al general los dos Goya adquiridos hacía pocos años en la sucesión de Miguel Cané, o el Sorolla, o los Fader, Sivori y Quinquela colocados en el salón de los Artistas Argentinos? ¿O por el contrario le impresionarían las armaduras y los floretes colgantes desde la empuñadura? Seguramente le interesaría más la conferencia de Millan de Astray, el de "viva la muerte", que la de Pirandello acerca de su teatro, si es que asistía a alguna.

Ahí, en los salones reservados del Jockey, se había reunido febrilmente, para preparar la conspiración, hacía apenas poco más de un año. Ahí había visto a Lisandro preparar, nerviosamente y en medio de improperios, los tramos finales de su campaña presidencial, en 1916. En uno de aquellos reservados había tenido la primera entrevista con Lugones. Sobre todo en las semanas previas al 6 de septiembre el Club parecía un comité político. Se multiplicaban los encuentros: estaban su primo Carlos, Matías Sánchez Sorondo y tantos otros. Incluso esos políticos a los que detestaba, como Rodolfo Moreno, que tenían que ir a la biblioteca del Jockey, a negociar con su futuro ministro del Interior. La noche sucesiva al golpe había ido allí para preparar su gabinete, para hablar con algunos socios, para incorporarlos al gobierno. No todos habían aceptado: algunos, que primero parecían dispuestos ahora no querían. Ah, esa aristocracia que se niega a cumplir sus deberes de clase dirigente. De qué podrían quejarse luego.

El Jockey. Ahí había querido agasajar a los colaboradores de la revolución, con un banquete para el que le pidió a don Leopoldo que dirigiera las palabras alusivas. Ahora ya no había tanta agitación. Estaban siempre los amigos, generosos y reconocidos. Esos amigos, algunos desde la juventud, que se empeñaban en recolectar fondos para donarle una casa, en testimonio de gratitud, por su obra de gobierno y entre ellos sus contertulios del Jockey y del Círculo ocupaban el primer lugar. Siempre la deferencia de los amigos, pero él ya era un pasado. Sus pensamientos se dirigirían quizás nuevamente a ese viaje, a Berlín, a París, a esa Europa donde esperaba pasar unos meses con la familia, lejos de esa patria ingrata, cerca de los suyos. El edecán de turno lo acompañó hasta su casa. La jornada había pasado, con la lentitud que llevan los momentos a la espera del final. ¿Qué podría sentir el general mientras el día, el gobierno y la vida se le escurren entre conversaciones ya rutinarias, discursos de circunstancias y favores a los parientes? ¿Habría tenido todo algún sentido? Dijese lo que dijese, difícilmente podía ilusionarse.

Bibliografía general

AAVV, "La habitación", en *Boletín del Departamento Nacional del Trabajo*, Buenos Aires, noviembre, 1912.

AAVV, "La cuestión de la vivienda", en *Boletín del Museo Social Argentino*, Buenos Aires, junio, 1912.

AAVV, *Anuario de la Agrupación de Historiadores Federados del Sur de Santa Fe y Córdoba*, N° 1, Firmat, 1995.

Ahlquist, K. E., *Democracy at the opera: Music, Theater, and Culture in New York City, 1815-1860*, Illinois, University of Illinois, 1997.

Aliata, F., "La ciudad regular. Arquitectura, programas e instituciones en el Buenos Aires post revolucionario (1821-1835)", Tesis doctoral, Facultad de Filosofía y Letras, Universidad de Buenos Aires, 1999.

Amadeo, T., *La función social de la universidad, de la madre, del maestro, del empleado público, del agrónomo*, Buenos Aires, Museo Social Argentino, 1929.

Appleton (Atkinson, F., García Puron, J., Sellen, F., y Molina E.), *Economía e higiene doméstica*, Nueva York, 1888.

Arcelli, M., *Ciencias Domésticas. Apuntes de higiene de la habitación*, Buenos Aires, 1938.

Argerich, A., *¿Inocentes o culpables?*, Buenos Aires, Hyspamérica, 1985.

Armstrong, N., *Deseo y ficción doméstica*, Madrid, 1991.

Armus, D. (comp.), *Sectores populares y vida urbana*, Buenos Aires, CLACSO 1984.

Armus, D. (comp.), *Mundo urbano y cultura popular. Estudios de historia social argentina*, Buenos Aires, Sudamericana, 1990.

Ascolani, A., *Nueva Roma. El frustrado pueblo de Juan Pescio*, Casilda, Ediciones Platino, 1991.

Ascolani, A., *Villa Casilda. Historia del optimismo urbanizador (1870-1907)*, Casilda, Ediciones Platino, 1992.

Ascolani, A., (comp.), *Cien años de historia santafesina*, Rosario, Ediciones Platino, 1993.

Bagley, S, A,, *Cien años produciendo calidad*, Buenos Aires, 1964,

Baily, S. y Ramella, F., *One Family, Two Worlds. An Italian Family's Correspondence across the Atlantic, 1901-1922*, New Brunswick, Rutgers University Press, 1988.

Barbagli, M., *Sotto lo stesso tetto*, Bologna, Il Molino, 1988.

Barrán, José Pedro, "El disciplinamiento (1860-1920)," en *Historia de la sensibilidad en el Uruguay*, Tomo II, Montevideo, Ediciones de la Banda Oriental, 1990.

Barrancos, Dora, "Contracepcionalidad y aborto en la década de 1920: problema privado y cuestión pública", en *Estudios Sociales*, Nº 1, 1991.

Bassi, Á., *Gobierno e higiene del hogar*, Buenos Aires, 1920.

Benjamin, W., "Luis Felipe o el interior", en "Acerca de algunos motivos en Baudelaire", en *Angelus Novus*, 1976.

Bialet Massé, Juan, *Informe sobre el estado de las clases obreras*, Buenos Aires, Hyspamérica, 1985.

Bianchi, A., "El melodrama lírico italiano", en *Nosotros* (segunda época), Año XXIV, Nº 257, Buenos Aires, octubre 1930.

Bilbao, M., *Buenos Aires*, Buenos Aires, 1902.

Bonaudo, M., "Discusión en torno a la participación política de los colonos santafesinos. Esperanza y San Carlos (1856-1884)", en *Boletín del Centro de Estudios Migratorios Latinoamericanos*, Buenos Aires, Nº 9, 1988.

Borges, J. L., *Obras completas,* Buenos Aires, Emecé, 1989.

Borrini, A., *El siglo de la publicidad 1898-1988*, Buenos Aires, Atlántida, 1998.

Borrini, A., "La publicidad sedujo desde el papel y por el éter entró en el living", en *100 años de vida cotidiana. El diario íntimo de un país*, Buenos Aires, Atlántida, 1998.

Bosch, M. G., *Historia de la ópera en Buenos Aires*, Buenos Aires, Imprenta El Comercio, 1905.

Bosch, M. G., *Historia de los orígenes del Teatro Nacional Argentino y la época de Pablo Podestá*, Buenos Aires, Talleres Gráficos Argentinos L. J. Rosso, 1929.

Bourde, G., *Urbanisation et inmigration en Amerique Latine: Buenos Aires*, París, Aubier, 1974.

Brousson, J. J., *Itinéraire de París à Buenos-Ayres*, París, Les Editeurs G. Cres et Cie, 1927.

Cacopardo, C. y Moreno, J., *La familia italiana meridional en la emigración a la Argentina*, Nápoles, Edizione Scientifiche Italiane, 1994.

Cafferata, J., "El saneamiento de la vivienda obrera en Córdoba", en *Conferencia nacional de profilaxis contra la tuberculosis*, Córdoba, 1917.

Calzadilla, S., *Las beldades de mi tiempo*, Buenos Aires, Obligado, 1975.

Cambaceres, E., "En la sangre" (1887), en *Obras completas*, Santa Fe, Castellví, 1956.

Cané, M., "Wagneriana" (1883), en *Charlas literarias*, Buenos Aires, La Cultura Argentina, 1917.

Cané, M., "Bebé en el circo", en Eduardo Wilde, "Cosas mías y ajenas", *Obras completas*, vol. X, Buenos Aires, 1939.

Cané, M., *Juvenilla*, Buenos Aires, Jackson, 1948.

Cárdenas, I. L., *Ramona y el Robot*, Buenos Aires, Búsqueda de Ayllu, 1986.

Castagnino, R. H., *Sociología del teatro argentino*, Buenos Aires, Nova, s.d.

Castagnino, R. H., *El circo criollo. Datos y documentos para su historia, 1757-1924*, Buenos Aires, Plus Ultra, 2ª edición, 1969.

Censo económico y social de la República Argentina, Buenos Aires, 1895.

Cibils, F. R., "La descentralización urbana de la ciudad de Buenos Aires", en *Boletín del Departamento Nacional del Trabajo*, Nº 16, Buenos Aires, 1911.

Clemenceau, George, *Notas de viaje por América del Sur*, Buenos Aires, Hyspamérica, 1986.

Colombo, M. S., "Los primeros años del Juan Moreira en La Plata", en *Revista de Estudios de Teatro*, Tomo V, Nº 13, Instituto Nacional de Estudios de Teatro, Sec. de Cultura de la Nación.

Correa Luna, C., "Chismografía lírica", en *Caras y Caretas*, Año VII, Nº 297, 11-6-1904.

Cortés Conde, R., *El progreso argentino*, Buenos Aires, Sudamericana, 1978.

De Marco, M., *Carlos Casado del Alisal y el Progreso Argentino*, Rosario, Inst. Argentino de Cultura Hispánica, 1993.

de la Guardia, E., "Juicios críticos. La ópera y el concierto", en *Revista de la Asociación Wagneriana*, Nº 2, Buenos Aires, febrero, 1914.

de Laferrère, G., "Las de Barranco" y "Locos de verano", en *Teatro completo*, Santa Fe, Castellví, 1952.

Devoto, F., "Las migraciones españolas a la Argentina desde la perspectiva de los partes consulares. Un ejercicio de tipología regional (1910)", en *Estudios Migratorios Latinoamericanos*, Nº 34, 1996.

Delille, G., *Famiglia e proprietà sul regno di Napoli*, Torino, Einaudi, 1988.

Devoto, F. y Rosoli, G., *L'Italia nella Societa Argentina*, Roma, Centro Studi Emigrazione, 1988.

Di Tella, Torcuato S. (comp.), *Sindicatos como los de antes...*, Buenos Aires, Biblos-Fundación Simón Rodríguez, 1993.

Dinucci, G., "Il modello della colonia libera nell'ideologia espansionistica italiana. Dagli anni '80 alla fine del secolo", *Storia Contemporanea*, X, 3, junio, 1979.

Dizikes, J., *Opera in America. A Cultural History*, Nueva York, Yale University Press, 1993.

Domínguez, M. A., "La vivienda colonial porteña", en *Anales del Instituto de Arte Americano e Investigaciones Estéticas*, N° 10, 1957.

Donghi, T. H., *José Hernández y sus mundos*, Buenos Aires, Sudamericana, 1985.

Donghi, T. H., *Proyecto y construcción de una nación (1846-1880)*, Buenos Aires, Ariel, 1995.

Douglass, W., "The South Italian Family: a Critique", en *Journal of Family History*, 5, N° 4, 1980.

Foppa, T. L., *Diccionario teatral del Río de la Plata*, Buenos Aires, Argentores-Ed. del Carro de Tespis.

Fray Mocho, "En Familia", en *Cuadros de la ciudad*, Barcelona, Unión Editora Hispano-Americana, 1906.

Gache, S., *Les logements ouvriers à Buenos Aires*, París, 1900.

Galarce, A., *Bosquejo de Buenos Aires. Capital de la Nación Argentina*, Buenos Aires, Tomo II, 1886-1887.

Galletti, A. y Pérez, A*., La construcción de un espacio humano en Santa Teresa, Estación Totoras (1875-1914)*, Rosario, 1993.

Galletti, A. y Pérez, A*., Historia de un pueblo santafesino en los años de entreguerras. Totoras (1914-1943)*, Rosario, Fundación U.N.R., 1995.

Gallino, N., "Tutte le feste al tempio. Rituali urbani e stili musicali di antico regime", *Quaderni storici*, 95:2, Bolonia, Il Mulino, agosto, 1997.

Gallo, E., *La pampa gringa*, Buenos Aires, Sudamericana, 1984.

Gálvez, Víctor, *Memorias de un viejo. Escenas y costumbres de la República Argentina,* Buenos Aires, 1990.

Gandolfo, R., "Del Alto Mólise al centro de Buenos Aires: las mujeres agnonesas y la primera emigración transatlántica, (1870-1900)", en *Estudios Migratorios Latinoamericanos*, Año 7, N° 20, 1992.

García Velloso, E., *Memorias de un hombre de teatro*, Buenos Aires, Eudeba, 3ª edición, 1966.

García, J. A., *Obras Completas*, Buenos Aires, Editorial Antonio Zamora, 1ª edición, 1955.

Gayol, S., "La sexualité des femmes à Buenos Aires: honneur et enjeu masculins (1860-1900)", en *Histoire et Sociétés de l'Amérique Latine*, N° 5, marzo, 1997.

Gayol, S., *Sociabilidad en Buenos Aires. Hombres, honor y cafés, 1860-1910*, Buenos Aires, A-Z (en prensa).

Gerchunoff, P. y Llach, L., *El ciclo de la ilusión y el desencanto*, Buenos Aires, Ariel, 1998.

Germani, G., *Política y sociedad en una época de transición*, Buenos Aires, Paidós, 1962.

Gesualdo, V., *Historia de la música en la Argentina*, Buenos Aires, Beta, Tomo II, 1961.

Giunta, R. y Novick, A., *Acerca del urbanismo borbónico y la casona colonial*, Buenos Aires, 1992, mimeo.

Goffman, E., *La presentación de la persona en la vida cotidiana*, Buenos Aires, Amorrortu, 1ª edición en español, 1981.

Gómez, E., "La defensa del honor", en *Revista de Criminología, Psiquiatría y Medicina Legal*, Tomo I., Buenos Aires, 1914.

González Arrili, B., *Buenos Aires 1900*, Buenos Aires, CEAL, 1967.

Gorelik, A., *La grilla y el parque. Espacio público y cultura urbana en Buenos Aires, 1887-1936*, Universidad de Quilmes, Buenos Aires, 1997.

Grela, P., *Alcorta, génesis y evolución histórica*, Rosario, Amalevi, 1982.

Grela, P., *La Pampa, Génesis de la Colonia y Pueblo Chabás,* Rosario, Pago de los Arroyos, 1983.

Groussac, P., "Lohengrin. Primer artículo", en *La Nación*, 29-9-1886.

Gutiérrez, L., "Condiciones de la vida material de los sectores populares en Buenos Aires 1880-1914", en *Revista de Indias,* Madrid, junio, 1981.

Gutiérrez, L., "Los trabajadores y sus luchas", en Romero, J. L., y Romero, L. A., *Buenos Aires. Historia de cuatro siglos*, Tomo II, Buenos Aires, abril, 1983.

Gutiérrez, L., "Condiciones de la vida material de los sectores populares en Buenos Aires, 1880-1914", en *Siglo XIX. Revista de Historia*, Año III, N° 6, julio-diciembre, 1988.

Gutiérrez L. y Romero, L. A., *Sectores populares. Cultura y política. Buenos Aires en la entreguerra*, Buenos Aires, 1995.

Harney, R., "The Commerce of Migration", en *Canadian Ethnic Studies*, 1977.

Hora, R., "The Landowners of the Argentine Pampas: Associational Life, Politics and Identity, 1860-1930", Ph. D, disert., University of Oxford, Trinity, 1998.

Horowitz, J., *Wagner Nights: An American History*, University of California Press, 1994.

Hunter, C. y Solsona, J. (comps.), *La Avenida de Mayo. Un proyecto inconcluso*, Buenos Aires, CP 67, 1990.

Huret, Jules, *La Argentina. Del Plata a la cordillera de los Andes*, París, Fasquelle, s/f.

Iglesia, R., "La vivienda opulenta en Buenos Aires 1880-1900. Hechos y Testimonios", en *SUMMA*, abril, Sudamericana, 1985.

Ingenieros, J., "La vanidad criminal", en *La psicopatología en el arte*, Buenos Aires, Talleres Gráficos Argentinos L. J. Rosso, 1920.

Kertzer, D., *Family Life in Central Italy, 1880-1910*, New Brunswick, Rutgers University Press, 1984.

Korn, F., "Vida cotidiana, pública y privada. 1870-1914", en *Historia Argentina* Academia Nacional de la Historia, (en prensa).

Lagomarsino, R., *Un medio para la consolidación de nuestra prosperidad comercial e industrial*, Buenos Aires, 1944.

Laje, E. J., *La Propiedad Horizontal en la Legislación Argentina*, Buenos Aires, 1957.

Lattes, Z. R. de y Wainerman, C., "Empleo femenino y desarrollo económico: algunas evidencias", en *Desarrollo Económico*, N° 66, 1977.

Lecuona, D., *La vivienda de criollos e inmigrantes en el siglo XIX*, Tucumán, 1984.

Leune, A. y Demailly, E., *Cours d'Enseignement menager. Science et morale*, París, 1885 (circa).

Lewis, P., *La crisis del capitalismo argentino*, Buenos Aires, FCE, 1990.

Liernur, J. F., "El nido en la tempestad. La formación de la casa moderna en la Argentina a través de manuales y artículos de economía doméstica (1870-1910)", en *Entrepasados*, N° 13, 1997.

Liernur, J. y F., *Diccionario histórico del hábitat, la ciudad y la arquitectura en la Argentina*, Buenos Aires, 1999 (en prensa).

Liernur, J. y Silvestri, G., *El umbral de la Metrópolis*, Buenos Aires, Sudamericana, 1994.

Lisio, N. L., *Divina Tani y el inicio de la ópera en Buenos Aires, 1824-1830*, Buenos Aires, edición del autor, 1996.

López, L. V., *Recuerdos de viaje*, Buenos Aires, La Cultura Argentina, 1955.

Lupano, M. M., "El barrio de la cervecería Quilmes", en *Fichas del Instituto de Arte Americano e Investigaciones Estéticas "Mario J. Buschiazzo"*, Buenos Aires, 1988.

Lyford Carrie, A. (trad. Bertelli, R.), "Veinte lecciones de economía doméstica", en *Extensión Popular*, boletín N° 23, Universidad de Tucumán, mayo, 1914.

Mansilla, L. V., *Memorias de infancia y adolescencia*, Buenos Aires, 1956.

Marrone, A., "Motivos fundacionales, sociales e institucionales de Alcorta", en *I Congreso de Historia de los pueblos de la provincia de Santa Fe*, Tomo III, Santa Fe, Imprenta Oficial, 1985.

Martel, Julián, *La Bolsa*, Buenos Aires, Biblioteca de La Nación, 1909.

Martínez, A. B., *Baedeker de la République Argentine*, Barcelona, Sopena, 1913.

Massafra, A., *Campagne e territorio nel mezzogiorno fra '700 e '800*, Bari, 1984.

Megías, A., *La formación de una elite de notables-dirigentes. Rosario, 1860-1890*, Buenos Aires, Biblos, 1997.

Meoli, B., *L'idioma italiano e la nazionalitá argentina*, Buenos Aires, Tipografía de la Penintenciaría Nacional, 1901.

Mercado, Lucía, *El Gallo Negro. Vida, pasión y muerte de un ingenio azucarero. Santa Lucía-Tucumán*, Buenos Aires, edición de la autora, 1997.

Mertens, F., *Confidencias de un hombre de teatro (50 años de vida escénica)*, Buenos Aires, Nos, 1948.

Míguez, E. *et al.*, "Hasta que la Argentina nos una: reconsiderando las pautas matrimoniales de los inmigrantes, el crisol de razas y el pluralismo cultural", en *Hispanic American Historical Review*, Año 71, N° 4, 1991.

Míguez, E. "Migraciones y repoblación del sudeste bonaerense a fines del siglo XIX", en *Anuario IEHS*, N° 6, 1991.

Míguez, E. "Il comportamiento matrimoniale degli italiani in Argentina. Un bilancio", en G. Rosoli (ed.), *Identitá degli italiani in Argentina. Reti sociali / famiglia / laboro*, Roma, Edizione Studium, 1993.

Míguez, E. y Velázquez, G., "Un siglo y cuarto de fecundidad en la provincia de Buenos Aires. El caso de Tandil. 1862-1985", en *Seminario Fertility transition in Latin America*, Buenos Aires, IUSSP, abril, 1990.

Mila, M., *L'arte di Verdi*, Torino, Giulio Einaudi Editore, 1980.

Molins, W. Jaime, *Los grandes industrias argentinas. Por los emporios del azúcar. Una visita al ingenio Ledesma*, Buenos Aires, 1925.

Morand, P., *Aire indio*, Buenos Aires, El Ombú, 1933.

Nari, M. M. A., "Las prácticas anticonceptivas, la disminución de la natalidad y el debate médico, 1890-1940", en M. Lobato (ed.), *Política, médicos y enfermedades*, Buenos Aires, Biblos-Universidad de Mar del Plata, 1996.

Nelli, H. S., "The Italian Padrone System in the United States", en *Labor History*, primavera, 1964.

Nietzsche, F., *Humano, demasiado humano (1874-78)*, Vol. II, Buenos Aires, Aguilar, 1948.

Olivera, C., en *En la brecha*, 1880-1886, Buenos Aires, Lajoune Editor, 1887.

Oporto, M. y Pagano, N., "La conducta endogámica de los grupos inmigrantes: pautas matrimoniales de los italianos en el barrio de La Boca en 1895", en *Estudios Migratorios Latinoamericanos*, Año 2, N° 4, 1986.

Otero, H., "Familia, trabajo y migraciones. Imágenes censales de las estructuras sociodemográficas de la población femenina en la Argentina, 1895-1914", en Eni de Mesquita Samara, *As idéias e os números do Genero. Argentina, Brasil e Chile no século XIX*, São Paulo, Hucitec, 1997.

Otero, H. y Velázquez, G., *Poblaciones argentinas. Estudios de demografía diferencial*, Tandil, CIG-IEHS, 1977.

Oyuela, C., "La raza en el arte" (1894), en *Estudios literarios*, Tomo II, Buenos Aires, Academia Argentina de Letras, 1943.

Páez de la Torre, Carlos (h), "Tucumán", en *Historia Testimonial Argentina. Historia de Ciudades*, N° 16, Buenos Aires, CEAL, 1984.

Páez, J., *El Conventillo*, Buenos Aires, 1976.

Pahlem, K., *La ópera,* Buenos Aires, Emecé Editores, 1958.

Panettieri, J., *Los trabajadores*, Buenos Aires, CEAL, 1982.

Pantelides, E. A., "Notas sobre la posible influencia de la inmigración europea sobre la fecundidad en la Argentina", en *Estudios Migratorios Latinoamericanos*, Año 1, N° 3, 1986.

Paterlini de Koch, Olga, *Pueblos azucareros del Tucumán*, Tucumán, Facultad de Arquitectura y Urbanismo de la UNT, 1987.

Pellarolo, S., "La profesionalización del teatro nacional argentino. Un precursor: Nemesio Trejo", en *Latin American Theatre Review*, 31-1, Center of Latin American, Studies University of Kansas.

Pérez, A., *Centenario de Salto Grande,* Rosario, 1991.

Pitt-Rivers, J., *Antropología del honor o política de los sexos*, Barcelona, Crítica-Grijalbo, 1979.

Podestá, J. J., *Medio siglo de farándula. Memorias*, Taller de la Imprenta Argentina de Córdoba, Río de la Plata, 1930.

Prieto, A., *El discurso criollista en la formación de la Argentina moderna*, Buenos Aires, Sudamericana, 1988.

Quesada, E., "La ópera italiana en Buenos Aires" (1882), en *Reseñas y críticas*, Buenos Aires, Lajoune Editor, 1893.

Quesada, E., "El criollismo en la literatura argentina" (1902), en AAVV, *En torno al criollismo*, Buenos Aires, CEAL, 1983.

Rawson, G., "Estudio sobre las casas de inquilinato en Buenos Aires", en *Escritos y discursos del doctor Guillermo Rawson*, Buenos Aires, 1981.

Ramos Mejía, J. M., *Las multitudes argentinas,* Buenos Aires, Rosso, 1934.

Recalde, H., *Matrimonio civil y divorcio*, Buenos Aires, 1986.

Ríos, J. C. y Talak, A. M., "La Sociedad de Psicología de Buenos Aires en 1908", en *Anuario de investigaciones,* vol. VI, Buenos Aires, Facultad de Psicología, Universidad de Buenos Aires, 1998.

Ríos, J. C., "José Ingenieros, psicología y mala vida", en *Anuario de investigaciones*, vol. V, Buenos Aires, Facultad de Psicología, Universidad de Buenos Aires, 1997.

Rocchi, F., "Consumir es un placer: la industria y la expansión de la demanda en Buenos Aires a la vuelta del siglo pasado", en *Desarrollo Económico*, Vol. 37, N° 148, 1998.

Rocchi, F., "De las masitas de té a la galletita peronista", *La Maga*, 3-1-1996.

Rodríguez Marquina, Paulino, *Anuario Estadístico de la Provincia de Tucumán. 1897*, Buenos Aires, 1898.

Rodríguez Marquina, Paulino, "Las clases obreras. La mano de obra, costumbres, vicios y virtudes de las clases obreras y medios de mejorar sus condiciones", en *Tucumán Literario*, Nº 11, 8-4-1898.

Rodríguez Marquina, Paulino, *La mortalidad infantil en Tucumán*, Tucumán, 1899.

Rodríguez Molas, R., *Divorcio y familia tradicional*, Buenos Aires, CEAL, 1984.

Romero, J. L., *El desarrollo de las ideas en la sociedad argentina del siglo XX*, Buenos Aires, Solar, 1983.

Romero, J. L., *Las ideas políticas en la Argentina,* México, FCE, 1946.

Romero, J. L., *Historia de cuatro siglos,* Tomo II, Buenos Aires, Abril, 1983.

Romero, L. A. y Gutiérrez, L., *Sectores populares. Cultura y Política. Buenos Aires en la entreguerra*, Buenos Aires, Sudamericana, 1995.

Rosselli, J., *L'impresario d'ópera. Arte e affari nel teatro musicale italiano dell' Ottocento*, Torino, EDT/Música, 1985.

Rosselli, J., "The Opera Business and the Italian Immigrant Community in Latin American, 1820-1930: The Example of Buenos Aires", en *Past and Present*, 1990.

Rosselli, J., *Music and Musicians in Nineteenth-Century Italy*, Oregon, Amadeus Press, 1991.

Ruggiero, K., "Honor, Maternity and the Disciplining of Women: Infanticide in Late Nineteenth-Century Buenos Aires", en *Hispanic American Historical Review*, Año 72, Nº 3, 1992.

Sábato, J., *La clase dominante en la Argentina moderna; formación y características*, Buenos Aires, Grupo Editor Latinoamericano,1988.

Sánchez, F., *Teatro de Florencio Sánchez,* Buenos Aires, Sopena, 1957.

Sanguinetti, H., "Los tenores que aclamó Buenos Aires", en *Todo es Historia*, Nº 94, marzo, 1975.

Sanguinetti, H., "Cantantes españoles en Buenos Aires", en *Todo es Historia*, Nº 64, agosto, 1972.

Sarmiento, Domingo F., *Obras de Sarmiento*, Tomo XLII, Buenos Aires, Plus Ultra, 1900.

Sarmiento, Domingo F., *Facundo*, Buenos Aires, Sopena, 1938.

Savorgnan, F., "Matrimonial selection and the amalgamation of heterogenious groups", en *Population Studies* (Supplement), 1950.

Scobie, James, *Buenos Aires: Plaza to Suburb, 1870-1910*, Nueva York, Oxford U.P., 1974.

Scobie, James, *Buenos Aires. Del centro a los barrios, 1870-1910*, Buenos Aires, Solar-Hachette, 1977.

Scobie, James, "Consideraciones acerca de la atracción de la plaza en las ciudades provinciales argentinas 1850-1900", en AAVV, *De historia e historiadores. Homenaje a José Luis Romero*, México, 1982.

Shaw, G. B., *El perfecto wagneriano*, Buenos Aires, Americana, 1947.

Sierra e Iglesias, Jobino Pedro, *Un tiempo que se fue. Vida y obra de los hermanos Leach*, San Salvador de Jujuy, Municipalidad de San Pedro de Jujuy-Universidad Nacional de Jujuy, 1998.

Silberstein, C. ,"Parenti, negoziante e dirigenti: la prima dirigenza italiana di Rosario (1860-1890), en Rosoli, G. (comp) *Identità degli italiani in Argentina, Roma,* Studium, 1993.

Silverman, S., "Agricultural Organization, Social Structure and Falues in Italy: Amoral Familism Reconsidered", en *American Anthropologist*, 70, N° 1, 1968.

Socolow, S., *Los mercaderes del Buenos Aires virreinal: familia y comercios*, Buenos Aires, 1991.

Souza Reilly, J. J. de, "El arte de la propaganda a través de su historia", en *Síntesis publicitaria 1938*, Buenos Aires, 1938.

Spangenberg, R., *Informe sobre economía doméstica en los Estados Unidos de Norte América, Escuela Nacional de Agricultura de Casilda*, editado por la Sección de Propaganda e Informes del Ministerio de Agricultura de la República Argentina, Buenos Aires, 1925.

Szuchman, M. D., "The Limits of the Melting Pot in Urban Argentina: Marriage and Integration in Córdoba, 1869-1909", en *Hispanic American Historical Review*, Año 57, N° 1, 1977.

Szuchman, M. D., *Mobility and Integration in Urban Argentina. Córdoba in the Liberal Era*, Austin, University of Texas Press, 1980.

Szuchman, M. D., *Order, Family and Community in Buenos Aires 1810-1860*, Stanford, 1988.

Taine, H., "En la ópera", en *Revista Moderna*, Vol. 1, Buenos Aires, mayo-julio, 1897.

Talamón, G., "El bochornoso asunto del Colón", en *Nosotros*, Año XII, Tomo XXVIII, Buenos Aires, 1918.

Talamón, G., "Crónica musical", en *Nosotros*, Año XIII, Tomo XXXIII, Buenos Aires, 1919.

Taullard, A., *Los planos más antiguos de Buenos Aires, 1580-1880*, Buenos Aires, Peuser, 1940.

Torrado, S., *Procreación en la Argentina. Hechos e ideas*, Buenos Aires, Ediciones de la Flor, 1993.

Torre Revello, J., "La vivienda en el Buenos Aires antiguo. Desde los orígenes hasta los comienzos del siglo XIX", en *Anales del Instituto de Arte Americano e Investigaciones Estéticas*, N° 10, 1957.

Trigo, A., "El teatro gauchesco primitivo y los límites de la gauchesca", en *Latin American Theatre Review*, 26-1, Center of Latin American Studies, University of Kansas, 1992.

Wilde, E., *Curso de higiene pública*, Buenos Aires, Casavalle Editor, 1878.

Wilde, J. A., *Buenos Aires desde 70 años atrás*, Buenos Aires, Eudeba, 1960.

Yujnovsky, O., "Políticas de vivienda en la ciudad de Buenos Aires, 1887-1914", en *Desarrollo Económico*, N° 5, 1971.

Yujnovsky, O., "Políticas de vivienda en la ciudad de Buenos Aires, 1880-1914", en *Desarrollo Económico*, N° 54, Buenos Aires, 1974.

Sobre los autores

FERNANDO DEVOTO se graduó con diploma de honor como profesor de Historia en la UBA y realizó estudios de posgrado en la Universidad de Roma. Actualmente es profesor titular de Teoría e Historia de la Historiografía en las universidades de Buenos Aires y de Mar del Plata e investigador del Instituto de Historia Argentina y Americana "Dr. Emilio Ravignani". Ha sido profesor invitado en las universidades de Barcelona, Santiago de Compostela y Valencia (España); Ancona, Nápoles y Sassari (Italia); Burdeos, Paris VII y École des Hautes Études en Sciences Sociales (Francia). Es autor de los libros *Los nacionalistas* (1983, en colaboración con M. I. Barbero), *Estudios sobre la inmigración italiana a la Argentina en la segunda mitad del siglo XIX* (Sassari-Nápoles, 1991), *Entre Taine y Braudel* (1992), *Migraciones internacionales: historiografía y problemas* (1992) y *Le migrazioni italiane in Argentina: un saggio interpretativo* (Nápoles, 1994).

MARTA MADERO se doctoró en Historia en la Université Paris VII - Denis Diderot. Es especialista en historia cultural e historia del derecho, y profesora en la Universidad de Buenos Aires, la Universidad Nacional de General Sarmiento y la Université Paris XIII. Ha colaborado en *Historia de las mujeres,* dirigida por Georges Duby y Michelle Perrot y es autora del libro *Manos violentas, palabras vedadas. La injuria en Castilla y León (siglos XII-XV)* (1992).

EDUARDO MÍGUEZ se graduó en Historia en la Universidad de Buenos Aires y se doctoró en la Universidad de Oxford. Ha sido Fulbright Visiting Scholar en los Estados Unidos y profesor invitado en el Instituto Universitario Ortega y Gasset y la Universidad de Gerona (España) y en L'École des Hautes Études en Sciences Sociales (Francia). Ha dictado cursos de grado y posgrado en numerosas universidades públicas y priy privadas de la Argentina y actualmente es profesor titular de Historia Argentina en las universidades nacionales del Centro de la Provincia de Buenos Aires y de Mar del Plata. Ha sido presidente de la Asociación Argentina de Historia Económica y de la Asociación Argentina de Estudios de Población. Fue decano normalizador de la Facultad de Humanidades, director del Instituto de Estudios Histórico Sociales, director del Departamento de Historia, secretario de Ciencia y Técnica y actualmente es vicerrector de la Universidad Nacional del Centro de la Provincia de Buenos Aires. Ha escrito numerosos artículos publicados en Argentina, México, España, Brasil, Estados Unidos e Italia y es autor de *Las tierras de los ingleses en la Argentina* (1985), y compilador (en colaboración con Fernando Devoto) de *Asociacionismo, trabajo e identidad étnica. Los italianos en América Latina en una perspectiva comparada* (1992).

SANDRA GAYOL se doctoró en Historia en la École des Hautes Études en Sciences Sociales (EHESS) de París. Actualmente es profesora en la Universidad Nacional del Centro (Tandil) y en la Universidad Nacional de General Sarmiento e investigadora en el CONICET.

ROMOLO GANDOLFO es "Laurea magna cum laude" en Ciencias Políticas de la Università degli Studi di Milano, Italia. Ha dictado cursos de grado y posgrado en la Libera Università Italiana in Scienze di Roma y en la de Yale. Ha sido investigador y archivista del Centro di Studi per la Documentazione e la Storia d'Impresa de Roma y responsable de la organización del archivo histórico del ENI (Italia). Ha publicado artículos sobre historia de América latina en revistas especializadas como *Radical History, Desarrollo Económico, Estudios Migratorios Latinoamericanos* y *Studi Migratori*. Actualmente es editor del *Athens News*, publicado por la Lambrakis Research Foundation (Grecia).

JORGE FRANCISCO LIERNUR es director del Centro de Estudios de Arquitectura Contemporánea de la Universidad Torcuato Di Tella, director de la cátedra de Estudios Latinoamericanos "Juan O'Gorman" de la Facultad de Arquitectura, Diseño y Urbanismo de la Universidad de Buenos Aires e investigador del CONICET. Fue profesor invitado en las universidades Central de Venezuela, Maracaibo, Harvard, Pamplona, Roma "La Sapienza", Puerto Rico, Los Andes de Colombia, Pontificia Universidad Católica de Chile y Rio Grande do Sul. Obtuvo becas y subsidios de la UBA, el CONICET, el Social Research Council (Nueva York), la Rockefeller Foundation, el Getty Center for the Humanities, la Universidad de Roma "La Sapienza", la Alexander von Humboldt Stiftung, el Instituto Universitario de Arquitectura de Venecia, el Instituto Italo Latinoaericano y el Centre National pour la Recherche Cientifique. Ha publicado, entre otros, los trabajos *America Latina, gli ultimi vent'anni* (Milán, París), *Diccionario Histórico de la Arquitectura, Habitat, Urbanismo en la Argentina, Hannes Meyer en México; la sombra de la vanguardia* (en colaboración con Adrian Gorelik) y *El umbral de la Metrópoli* (en colaboración con Graciela Silvestri).

Julio César Ríos es licenciado en Psicología y se desempeña como profesor en la cátedra de Historia de la Psicología en la Facultad de Psicología de la Universidad de Buenos Aires. Ha escrito artículos y participado en congresos con trabajos sobre Historia de la Psicología en la Argentina. Es investigador del Programa de Estudios Históricos de la Psicología en la Argentina, dirigido por Hugo Mario Vezzetti.

Ana María Talak es licenciada en Filosofía y en Psicología y se desempeña como profesora en la cátedra de Historia de la Psicología en la Facultad de Psicología de la Universidad de Buenos Aires. Ha escrito artículos y participado en congresos con trabajos sobre Historia de la Psicología en la Argentina. Es investigadora del Programa de Estudios Históricos de la Psicología en la Argentina, dirigido por Hugo Mario Vezzetti.

Eduardo Hourcade es Magister en Ciencias Sociales con Orientación en Historia, FLACSO, Programa Buenos Aires; D.E.A. en Histoire et Civilisations de la E.H.ES.S. de París. Es profesor titular de Teoría de la Historia en la Facultad de Humanidades y Artes de la Universidad Nacional de Rosario, director del Instituto de Investigaciones de la misma facultad e investigador adjunto del CONICET. Ha publicado, en colaboración, las obras *La muerte en la cultura* (1993) y *Luz y contraluz de una historia antropológica* (1995).

Daniel Campi se licenció en Historia en la Universidad Nacional de Tucumán, donde tiene a su cargo las cátedras de Historia Económica e Historia de la Historiografía. Es investigador independiente en el CONICET y se ha desempeñado en la Universidad Nacional de Jujuy como director de la Unidad de Investigación en Historia Regional. Ha compilado la obra *Estudios sobre la historia de la industria azucarera argentina* (1991-1992), y ha publicado numerosos artículos en revistas nacionales y extranjeras de la especialidad.

Ricardo Pasolini es licenciado en Historia en la Universidad Nacional del Centro (Tandil). Es docente en las cátedras Seminario de Técnicas de la Investigación Histórica e Historia Social General, ambas de la Facultad de Ciencias Humanas, y en la cátedra Metodología de la Investigación, en la Escuela Superior de Teatro de la UNICEN. Actualmente es becario de formación interna del CONICET. Ha sido miembro del grupo de investigación "Movimientos sociales y sistemas políticos en la Argentina moderna" (Facultad de Humanidades-UNMdP) y actualmente integra el Programa "Actores, Ideas y Proyectos Políticos en la Argentina Contemporánea" del Instituto de Estudios Históricos y Sociales de la Universidad Nacional del Centro.

LUIS ALBERTO PRIAMO es director de cine documental, egresado del Instituto de Cinematografía de la Universidad Nacional del Litoral. Desde 1973 se dedica a la investigación e historia de la fotografía antigua en la Argentina. Fue asesor de la Dirección Nacional de Artes Visuales de la Secretaría de Cultura de la Nación para el rescate y preservación del patrimonio fotográfico nacional. Ha realizado numerosas investigaciones fotográficas para diversos organismos del país y del exterior y fue director del Programa de Conservación Fotográfica de la Fundación Antorchas. Organizó exposiciones y participó en encuentros y jornadas locales e internacionales sobre conservación e historia fotográfica. Es autor de numerosos artículos y ensayos sobre historia fotográfica nacional y de los siguientes libros: *Fernando Paillet. Fotografías. 1984-1940; Memoria fotográfica del Ferrocarril de Santa Fe. 1890-1948; Juan Pi. Fotografías. 1903-1933; Los años del daguerrotipo. Primeras fotografías argentinas. 1843-1870; Imágenes de Buenos Aires. 1915-1940; H. G. Olds. Fotografías. 1900-1943,* y *Grete Stern. Obra fotográfica en la Argentina.*

FERNANDO ROCCHI es licenciado en Historia en la Universidad del Salvador, licenciado en Economía en la Universidad de Buenos Aires y Ph.D. en Historia, University of California (Estados Unidos). Obtuvo su posdoctorado en Historia Económica en la London School of Economics and Political Science (Inglaterra). Es profesor en las universidades Torcuato Di Tella y Nacional de Tres de Febrero e investigador en el área de Historia del Consumo en la Argentina.

ÍNDICE